思考中華民國

楊儒賓

序言

本書從儒家現代化方案的視角著眼，聚焦「中華民國」一詞，探討中國現代化轉型的難題。上世紀七〇年代，國內的一些社會學者曾較密集地討論過中國的現代化問題，他們的討論具體多了。本書相較之下，頓形空疏，空疏還要談，只因儒家的世間性格特濃，世間責任的承擔是儒家核心的價值。儒者應該從十七世紀起，即已碰到巴舍拉（Bachelard）所謂的認識論的障礙，但也不能不對中國沉痾已久的政治與社會問題提出了嚴肅的叩問。今日的學者論及中國現代性這個重要的議題時，如果能想及明清之際的儒者的呼聲，也想及清末民初有志之士對明清之際儒者的呼應，拉開距離，重新定位儒家價值體系與現代化議題的關係之框架，我們似乎可以形成更合理的中國現代性的圖像，也可以將儒家安置在更恰當的位置上。

本書的敘述沿著雙線進行，也就是從海峽兩岸的視角分別進行，雙視角是本書作者反思國家處境的意義時，因近世歷史命運推動下自然衍生出的軸線。但兩岸性的構造或許不僅限於近世臺灣，而是明鄭以來的臺灣史的演變，都是在臺灣內部因素以及兩岸之間關係的交錯中進行。一種現象，可以有各種解讀。對臺灣的思考確實可以從內部性的視角定位，也可以從大航海時代此框架下的移民島嶼的觀點看。本書則是從共在性的兩岸關係性省視，因為本書作者認為臺灣四百年來的重要歷史事件之發生與影響，都不能只從臺灣內部的視角解釋之，這是文化風土的地緣政治學的視角。本書作者認為關係即是臺灣的本質，而臺灣與周遭世界的各種關係中，兩岸的關係性應當是臺灣最重要的歷史性格。

本書的焦點不在探討史實的中國，而是解析在現實中折射出的理念中國，摸索至今，本書作者相信不論爾後大中華地區的政治怎麼演變，具有文化風土基礎的憲政民主體制乃是合理的政權該有的核心的內涵。在此認知下，作者介入了中華民國的成立、新文化運動、一九四九年十月一日的共產主義革命、一九四九年十二月七日的中華民國政府遷臺這些歷史事件的解釋，這些歷史事件構成了「中華民國」這個符號實質的內涵。中華民國是進行式，它的本質在時間中朗現，它的意義具體化於上述這些事件，它們都指向了歷史上發生了而且目前仍持續發揮巨大力量的作用者。這些歷史現象的具體內涵每一項都超出了作者理解的能力之外，本書也無法在原有的敘述外增加多少的知識。但透過中央研究院一位朋友所說的調整視角，重立框架，視野就此展開，也許兩岸關係的重新定位是柳暗花明的又一村。

本書的思考是順著晚明儒學發展自然形成的視角，論述中有較強的詮釋以及批判性格。藉著知識考古學的形式，重構「中華民國」在形成期與演變期的關鍵時刻的知識內涵。本書認為中華民國是中西兩種現代性混合的寧馨兒，它在現代史的命運雖然特別坎坷，但百年來中華文明政治發展的意義卻又僅能於此爭此一線。如果借用竹內好的語言形式加以表達的話，本書應該說是以「中華民國」為方法，藉以批判實體的中國，並重構現代中華文明該有的圖像。事實上，《作為方法的中華民國》原是本書作者想要用的題目，但徵詢一些朋友的意見後，考慮到讀者接受的效果，放棄了。

此書原不在作者預期的撰述計畫之內，但也不全是偶然。十年前，辛亥革命發生一百年後，本書作者承擔國科會推動的「中華民國百年人文傳承大展」計畫，這個計畫是該會人文處成立以來唯一推動的大型而且對社會公開的展覽計畫。在該計畫中，筆者提出了雙源匯流的觀念，亦即臺灣當代人文學術的內涵當同時照顧到一九四九年之前的臺灣島內的傳承以及一九四九之後匯入的中華民國的學術資源。既然承擔了計畫，也就該承擔起計畫的歷史效應的責任，爾後作者的學術生涯即半推半就地捲入一些較宏觀的文化論述中，自苦苦人。但身為公民，總希望能給我們的國家一個較好的定位。

本書的論點其實卑之無甚高論，但每個人對自己認同的價值理念難免有更深的情執，也希望能提供另一種理解我們共享的生活世界的視野。雖然明知當代是個道術為天下裂的時代，認同創造了真實。此亦一是非，彼亦一是非，每個人腦中往往有自己的共同體的圖像。道家與佛教認為沉默也是一種詮釋，高道與禪師常以不鳴鳴，他們的「言無言」極有智慧。也許無言、靜觀、等待也是學者可以自處的模式，時之義，大矣哉！但「中華民國」到底是目前國人不論政治立場如何，比較可以接受的最大公約數。失掉了這個政治符號，我們不容易找到一個可以整合島嶼內部並對話兩岸關係的框架。面對江天如墨，方位迷離的困局，人文學者雞鳴幾聲，誠實的表達出自己所思、所感，以就正於朋友與國人，未必不可理解。他如希望在遙遠的未來，能於更遙遠的無何有之鄉，有機會就正於書中主要人物的黃宗羲、王夫之、梁啟超、孫中山、林獻堂、蔣渭水、牟宗三、徐復觀諸先生，這樣的期待應該也是合理的。

本書的論文大體近年內寫成，除了導論、結論、附錄外，個別的章節草稿分別在中國現代文學學會研討會、臺灣大學的五四運動百年紀念會、中央研究院人文社會科學研究中心、成功大學的成功人文講座報告過。較完整的全書架構則分別在政治大學華人文化主體性研究中心「儒家與當代中國」講座以及香港中文大學的「新亞儒學」講座呈現出來。本書最後的樣貌是奠定在三場工作坊演練的基礎上，一是紫藤廬四十週年「大台灣史觀論壇」，二是中山大學文學院「《思考中華民國》國際論壇」，三是政治大學華人文化主體性研究中心二〇二一年年會「《思考中華民國》與台灣新世代的文化認同」工作坊，也就是全書的底稿被三度全面的檢討過。相較於作者以往的著作，本書內容對學界報告的次數相對地多了許多，溝通理性的祕密在於多溝通。議題多談幾次即熟爛，大概沒有什麼敏感性了。此次出書，對全書文字作了些修正，以期稍堪一讀。

附錄〈島嶼的和與戰：兩種地緣政治學之爭〉一文，原為臺灣大學人文社會高等研究院二〇二二年主辦的高峰論壇「在死神的陰影下：戰爭的文化省思」之講稿，因內容與本書主題相關，所以蒐羅進來，以供參考。

感謝上述會議、論壇或講座的主事者的邀請，以及與會學者提出的問題與交流。尤其感謝下列參與檢證本書議題的朋友：周渝、傅大為、林月惠、李明輝、林慧峯、潘正德、孔令信、張健豐、蘇永欽、施正鋒、杜繼平、馬愷之、蕭高彥、陳芳明、何乏筆、賴錫三、莫加南、錢永祥、齊慕實（Timothy Cheek）、張崑將、楊孟軒、王大為（David Ownby）、徐啟軒、陳柏旭、愛德溫麥克森（Edwin Michielsen）、陸敬思（Christopher Lupke）、鍾稚維、瑞貝卡卡爾（Rebecca Karl）、張倫、史竣（Craig Smith）、盧正恒、王德威、林遠澤、葉浩、李維倫、李雨鍾、梁䫎、林淑芬、葉先秦、廖咸浩。也要感謝蔡岳璋博後、蔡錦香助理耐心協助書稿校對編輯。

二〇二二年元旦初稿，二〇二三年元旦定稿

目次

第四章　革命動力學：光、影與土地的神話意識——205

第五章　時間開始了：一九四九年的兩場歷史巨變——267

導論

從原點出發的思考

一、國體如何成為思考的對象

「中華民國」怎麼變成思考的對象?「中華民國」不是一般的知識語彙,如何思考它?它為什麼要被思考?

「中華民國」是在複雜的中國現代史中出現的政治的概念,這個概念出現以後直至今日這段時期,意識型態鬥爭激烈,人民認同的對象南轅北轍,此國體被接受的情況也就不一樣。有一種政治主張(甚至不止一種)認為它早已是歷史的概念,屬於過去,它存在於一九一一年至一九四九年之間,享壽三十八年。它目前縱然可以用非國家性質的名稱存於世,但治權已和東亞洲大陸名為中國的版圖不相干,其存在在國際上是《莊子》一書中所說的沒有面目的渾沌甚或魍魎,它踏不出臺灣這塊島嶼,它已無涉於現實世界。

本書說的「中華民國」當然和一九一一年辛亥革命後成立的國體密切相關,也會涉及一九四九年以前它在大陸時期的表現,但本書不是將這個概念視為既成的國體的述詞,也不會將它局限於主權與治權相合的三十八個年頭的那個國家,「過去式的中華民國」也不是本書支持的論點。也就是本書不是史學的寫法,目前有關「中華民國」成立的史實之研究已汗牛充棟,本書在這點上不可能有任何的助益。

「中華民國」一詞也可以指向一個仍在島嶼上發揮作用中的政治學意義的國體,它擁有「臺澎金馬」及南海上一些面積極小的島礁之領土，有兩千三百萬人口，它擁有領土、人民、主權這些構成國家概念的條件。雖然現實上，有一位和它有國號相似而內容不同的政權與之競爭，而且政經勢力顯然大多了，也得到聯合國及世界主要強國的承認，「中華民國」的內涵遭受到激烈的衝擊。但縮小的規模仍是規模，它仍有現實上施力的範圍以及理念上籠罩的區域。至少在目前華人世界，有人嘔心吐血地討厭它，有人心不甘情不願地使用它，有人不能公開地暗戀它，也有人赤心忠膽地擁護它。一言以蔽之，它仍是現實的存在。

本書說的「中華民國」也不是現實政治這個層面的用法，雖然「中華民國」和「臺灣」這兩個詞語是本書的核心概念，在本書的後半部，兩者的交涉更多，但本書的重點不在「中華民國」治權所及的現實領域的內容，而是理念與現實交涉的義理結構。目前社會科學領域的著作與一般的大眾媒體對現實政治的中華民國已有數不清的討論，本書在這點上也不可能有任何的貢獻。

「中華民國」是二十世紀新世紀出現的新的概念，首先用者或說是梁啟超，[1]或說是孫中山、章太炎[2]。詞語最早出現的年代總會隨著新史料的出現而有所更正，本書無意也無能作這種追蹤的工作。但我們可以確定作為一個重要的思想概念，它的出現總是在悠久的君主專制體制受到嚴重的挑戰與質疑之後才會出現，而這個新舊中國政治體制大變動的時期，也就是梁啟超所說的「新中國的第一章」當是戊戌（一八九九）變法時期，往前稍加挪移的話，則是發生甲午戰爭與乙未馬關條約的一八九四－一八九五的時期。之前，已受到西方帝國主義勢力入侵的清廷仍處於自大的狀態。如果我們以一九〇〇年新世紀的開始當作一種功能性的概念，「中華民國」的種子在此時期生根發芽，這樣的設想未嘗沒有方便處。因為清廷此年惹出八國聯軍的巨變，朝廷的尊嚴繼六年前的甲午戰爭後再受重創，隔年清廷下令變法，朝野才有較一致而嚴肅的變法之議，中國現代史的步伐急遽變速。變法總脫離不了「立憲」這個關卡，而「立憲」自然又脫離不了對國體的解釋，「中華民國」一詞的出現離不開這個歷史的大框架。

本書雖然關注「中華民國」的理念遠勝於此詞語的出現，但此詞語的出現還是提供了我們對於這個詞語所指涉的國體之理解。「中華民國」的意象和被國府尊為國父的孫中山連結很深，這個詞語的出現和傳播也和孫中山脫離不了關係，一九〇三年在〈東京青山軍事學校誓詞〉，孫中山便提到「驅除韃虜，恢復中華，創立民國，平均地權。」兩年後，這個誓詞又出現在同盟會的誓詞中。一九〇六年，《民報》創刊一週年，章太炎在紀念祝詞，以及孫中山在大會上演講，即正式提出「中華民國」一詞。但在文化上賦予「中華民國」正當性基礎的，當是章太炎一九〇七年發表於《民報》的〈中華民國解〉[3]一文。比起孫中山的文字之精簡，章太炎的〈中華民國解〉的結構汗漫無涯，文字古奧，造詞奇特，在革命時期，此文自然會引發注意。章太炎此文排滿的民族主義情感可想而知，但此文的目標其實指向可以含攝中國境內各民族的歷史經驗的中華民族主義，中華民族是「文化之族名」，而不是局限於漢族。章太炎的「中華民國」建立在文化傳承而不是血緣的基礎上，這點是可確定的。

章太炎以排滿出名，但他的民族主義還是繼承了儒家以文化而非血緣分辨夷夏的傳統。如果革命派主導人物的章太炎之民族主義需仔細辯證的話，君主立憲派的梁啟超對民主政體也未嘗沒有欣賞之處。事實上，提出與「中華民國」一詞相近，而內容更易了解者，即是梁啟超於一九〇二年撰寫的〈新中國未來記〉。在此幻構的小說中，梁啟超提出了「大中華民主國」的構思，而且居然很巧合地幻構出一位名為「黃克強」的

---

1 張君勱，〈梁任公傳序〉，《一九四九年以後張君勱言論集》（台北：稻鄉出版社，一九八九），冊五，頁四八—五〇。

2 孫中山與章太炎同一天在同盟會成立此場合先後提出「中華民國」的國號，參見王爾敏，〈興中會同盟會與中華民國國號之創生〉，《孫中山與中華民國》（台北：秀威資訊公司，二〇一一），頁四五—六一。

3 章太炎，〈中華民國解〉，《章太炎文錄初編．別錄》，收入上海人民出版社編，《章太炎全集》（上海：上海人民出版社，一九八五），冊四，卷一，頁二五二—二六二。

領袖人物。〈新中國未來記〉裡的國體有由君主制過渡到民主制的設計，實質上和他後來主張的「問政體不問國體」之說相貫連處，也許還激進些。[4]我們追究「中華民國」一詞的成立史，發現革命派與立憲派都有貢獻，這樣的現象或許不是無意義的，它可能提供了一條值得留意的線索。

這條線索意味著「中華民國」的成立不能限於革命派的範圍，雖然梁啟超和孫中山、章太炎在二十世紀的歷史舞臺上是以政敵的面目出現，但本書認為「中華民國」的理念意指「立基於中華文化風土上的立憲民主政體」，在以下的篇章中，此義會不斷地出現。就此義而言，章太炎所屬的激進的革命團體與梁啟超所屬的緩進的立憲團體雖然在民國成立前後都有強烈的競爭關係，但立憲派與革命派對新興的「民權」理念與「中華」的文教傳統都有共同的承諾，兩者在理據上可以沒有嚴重的衝突。革命派在民國一成立後，就不再倡言民族革命，而代之以「五族共和」之類的語言。立憲派的梁啟超在民國成立後，即矢志民權，當民國面臨兩次的復辟危機時，[5]他兩度搶救了中華民國，可為明證。他們分享了共通的政治理念，在一九一一年的辛亥革命爆發時期，他們事實上也同時促成了中華民國的成立此歷史時刻的到來。

中華民國既是現實，也是理念，本書的內容自然不能不關連到現實，但更關心理念的規範意義。更恰當地說，本書意在往本源探索，對構成這個政治實體的理念作批判性的反思。二十世紀中國政治的大變局比起中國歷代的改朝換代，有一點極大的差異，此即二十世紀的一九一一及一九四九兩次大的政治革命都是經過激烈的理念的衝突才產生的，意識型態在型塑新國家的過程中，扮演鞏固新建築的鋼筋水泥的角色。反省這個國家的理念也就是檢證它成立的正當性基礎，反省這個新興國家的理念出現在現代史的意義也就是依這個新興國家的理念作為判斷現代史重要事件的規範依據。

本書首先要問：作為一個在歷史中呈現出的理念，中華民國作為國家的概念在悠久的中國史上到底有何獨特的意義？「中華」與「民國」的連結如何呈現的？換言之，我們如何理解一九一一年辛亥革命的意義？

其次，中華民國自一九一一年成立以來，它面臨最大的挑戰是一九四九年十月的共產主義革命。共產主義是二十世紀席捲世界的重要思潮，由於共產主義對世界有不同於自由主義者，也有不同於文化傳統主義者的想像。它的革命創立的國體中華人民共和國和中華民國有嚴重的競爭的關係，這場共產主義革命給中國史帶來什麼新的內容？它如何發生的？這個問題也就不能不浮現上來。

本書思考的第三點焦點在於中華民國與臺灣的關係。正常國家的存在狀態是主權與治權的合一，但現實的中華民國治權所及的區域局促於臺澎金馬的板塊，國家的國號與這個國號涉及的內容有嚴重的落差。臺灣這塊島嶼需要承擔中華民國這個符號所背負的中國之責任嗎？政治上名實不符的現狀能否變更或如何變更？這個問題也就不能不出現。

上述三個問題主要是繞著一九一一年的辛亥革命與一九四九年的共產主義革命展開的，也是繞著海峽兩岸的大陸與島嶼而展開的。但中華民國走過這兩個歷史時刻與這兩個地理板塊，它是帶著規範性的理念在現實的時空上運作的。如果中華民國的規範作用已被取代，也就是或許被共產主義革命取代，一個號召新民主主義的新中國擁有更高的道德權威；或者如果現實的中華民國的國號與其治權所及的內容的落差要向現實的內容調整，臺灣獨立，以期名實一致。如果上述兩個「如果」的方案可欲而且可行的話，那麼，兩個方案的任一方案一成立，中華民國的實質都該隨風而逝，此語詞也該成為歷史的概念。

一九四九年十月一日，中華人民共和國成立。中華民國在此歷史時刻遭受到國號與中國連結的空前的挑戰；在同一年的十二月七日國府遷臺後，又遭受到國號與臺灣連結的另一種挑戰。現實的中華民國處在中國

4　關於梁啟超此文的後續效應，參見丁文江、趙豐田編，《梁啟超年譜長編》（上海：上海人民出版社，二〇〇九），頁一九四—二〇一。

5　一九一五年，袁世凱稱帝；一九一七年，張勳擁溥儀復辟稱帝。

與臺灣這兩個符號之間，似乎兩方都可聯繫，但也兩不踏實。「中華民國」與「中國」、「臺灣」這兩個符號的關係到底是連線還是斷線？現實政治上或許有各種不同的觀點相互競爭，理論上任何實質的改變或許也都有成功的機會，結果如何，當然只能由未來的歷史下判斷。但就價值意義而言，本書主要的關心是它的規範功能是否已被取代？或可被取代？

「中華民國」是在歷史中呈現的國體。歷史是人文的概念，除非是較特定的用法，它是人此種屬特有的時間概念。[6]對人有意義的理念是要在歷史中出現的，意義正是人的時間中出現的核心概念。歷史的意義有兩個面向，一個面向指向歷史的規範意義，歷史中有價值的顯現，理念在歷史中曲折彰顯。在基督宗教的世界，歷史是上帝在人間走過的行程；[7]在《易經》展現的世界圖像裡，歷史是道（太極）在人世展現的光譜。[8]歷史意義的另一個面向是意義需要在歷史事件先後映照的框架中展現，重要理念的意義是有潛能與實現的差距的，成果不會在開始的原點出現。沒有經過歷史先後的脈絡之互滲，它的面目即不會清晰可見。人文事件的歷史意義是歷史與意義的相互證成，它是歷史理性的內涵。[9]

本書論中華民國的理念之作用即是從「意義在歷史中的展現」著眼，中華民國是國家的概念，一個在特殊歷史階段出現的國體。這個從歷史長流中湧現的國體既然指涉了東亞大陸一個廣袤的土地與眾多的人民，它當然有很多複雜的面向。但本書的焦點將集中在成立這個新興國家的理論基礎，國家名號將會是引導本書不斷迴向的焦點，近世儒家思想的演變則是貫穿全書行文的軸線，重點將落在討論中華民國這個符號是否至今仍有重要的規範的意義。

二、新體用論的問答邏輯

國家就像家庭、宗族、階級這些指向具體存在的人群的概念，它們成為起作用的團體概念都是在歷史中出現的，在原始共產社會即沒有國家的概念，在沒有明顯分工的時代也不會有階級的概念，而沒有強烈的家庭情感作連繫的歷史背景，家族的概念也不會起作用。至於仁愛、正義、勞動、公平這些指向非具體對象而

---

6 相對於「歷史」的變化性質，「自然」（nature）是一個對照的概念，尤其在十七、十八世紀，「自然」常被視為不變的或機械的概念。參見懷德海著，傅佩榮譯，《科學與現代世界》（台北：黎明文化公司，一九八一），頁四三—八三。但「自然」是個複雜的觀念，涵義極豐富，尤其自進化論出現以後，「自然」再也不是停滯，它也有歷史。如果放在中文世界，「自然」更是個文化內涵豐富的詞彙，參見拙編，《自然概念史論》（台北：臺大出版中心，二〇一四）一書。

7 克林武德（R. G. Collingwood）著，何兆武等譯，《歷史的觀念》（北京：北京大學出版社，二〇一〇），頁四七—五三。

8 王夫之的《宋論》及《讀通鑑論》兩書的歷史哲學最能顯現此意，他將莊子的「天也者參萬歲而一成純」的理論作了《易經》式的歷史解讀，個人行為的意義有屬人的道德判斷標準，但有些重大的歷史意義是超出人的意識所及之外，天常假其私以濟其公，它需要在歷史的長流中才會應機顯現，這是歷史判斷。如秦始皇因個人野心而征服六國，統一華夏，私人用心可議。但他的野心卻有益於整體華夏的發展，「公」的結果卻是該肯定的。關於王夫之的歷史判斷與道德判斷的關係，此義仍待細論。

9 此處借用狄爾泰（W. Dilthey）的觀點，他將「意義」視為歷史性的存在之人的理性屬性，可視為生命的範疇，生命經由意義和時間性、部分與全體、前與後、內與外的範疇展現出來。狄泰爾的歷史理性的範疇論明顯地受到康德思想的影響，但歷史理性不接受先驗論的安排，狄爾泰的範疇的決定性不可能像康德的範疇論那般的明確。它和「詮釋」、「理解」、「脈絡」的概念即時時相出入。有關狄爾泰的歷史理性批判與意義的理論，參見Wilhelm Dilthey, Drafts for a Critique of Historical Reason, in Rudolf A. Makkreel & Frithjof Rodi eds., *Wilhelm Dilthey Selected Works, Volume III: The Formation of the Historical World in the Human Sciences*（Princeton University Press, 2002），尤其頁二二八—二六四。「意義」這個概念在狄爾泰不同的著作中亦不時出現，中文資料相關者亦可參考威廉·狄爾泰（Wilhelm Dilthey）著，艾彥、逸飛譯，《歷史中的意義》（北京：中國城市出版社，二〇〇二），頁一—一二七；張旺山，《狄爾泰》（台北：東大圖書公司，一九八六），頁二二七—二五一。

有價值內涵的項目，其依據也許是先驗的，但其存在也就是其具體內容也都是在歷史中呈現的，它們的普遍性不能沒有歷史的面貌。上述這些概念或可歸於「社會」或可歸於「理性」的範圍，但它們都是「人」此種屬的概念下出現的內涵，它們都不能沒有現實無法包含的規範的因素在內。一旦這些人群的團體在歷史出現了，理事相依，理甚至還要規範事在歷史中出現的現實。「中華民國」即是「國家」這個概念在最近的中國史階段的顯現，它要面臨其名與其實能否符合的質疑。

中華民國這個出現於一九一一年的國體之大不同於歷代王朝者，在於它是主權在民的民主國家。此處所說的歷代王朝不論是從史書記載的第一個統一王朝夏朝算起，或是從秦漢大一統帝國算起，中華民國的體制都是革命性的，它革了家天下的君王制，共和國的體制走進了中國史。中華民國的成立受到西方思潮影響甚大，這是無可否認的。如果沒有孟德斯鳩（C. de S. Montesquieu）、盧梭（J. J. Rousseau）等人的理論傳播在前，如果沒有英國光榮革命（一六八八—一六八九）、美國革命（一七七六）、法蘭西革命（一七八九）這些案例成功在先，辛亥革命可能不會發生，中華民國也不會成立。就像如果沒有馬克思（K. Marx）、恩格斯（F. Engels）的理論傳播在前，沒有俄國一九一七年的共產主義革命成功在先，一九四九年的中國共產主義革命是否可以成功，也是個極大的問號。

滿清王朝自一八四〇以後受到歐洲海權以及俄羅斯陸權國家猛烈的撞擊，這波西潮的衝擊之強國史上罕見，李鴻章的名言「數千年來未有之變局」[10]反映了當時士人受到的共同的精神衝擊，同一時期的仕紳對政局稍有認識者多有同感。中國歷代的外患多來自亞洲內部的游牧民族，十九世紀中葉這波來自海上的入侵行動的格局迥異於前代，中國歷史上很少可類比的前例可循，大清君臣的回應之窘可想而知。隨著危機步步加深，受害者回應的層次也當步步深入，但面對超越船堅炮利之外的「教」的優越性，大清君臣卻無法找到有效的回應方式。很明顯的，在戊戌變法時期前的清廷士大夫當時受限於僵化的三綱五常之說，他們所能動員的理論資源無法處理眼前的危機，他們碰到「認識論的障礙」[11]此鐵門關，舊思維限制了思考的方向。如果沒有一種非中國傳統的因素介入，至少是當時士子所認定的中國傳統之外的因素介入，並形成新的典範，中華民國的理念根本不會出現。

中華民國是十八世紀以來世界性的民主革命的一環，那是個全球化的時代，世界是平的。沒有前文所說的歐美思潮及其歷史經驗，大概也就不會有一九一一年的辛亥革命。身為中國現代化主要的推手之一，也是二十世紀新儒家的奠基者之一的梁啟超晚年有言：「民權之說，中國古無有也」，因為中國的傳統「以民為受治之客體，非能治之主體也」。[12]梁啟超是二十世紀思想界的巨人，他既是民權思潮的弄潮兒，也是民權思潮重要的詮釋者，他的總括語有相當的代表性。傳統中國缺乏民權議題成長的環境，所以即使號稱有「君臣共治」美譽的宋朝，能主動參與政治事務的仍是少數的知識菁英，而不是廣土上的眾民。民權之說受益於外來思潮，此事已成定論，研究者有極大的共識。

但全球化時代歐美思潮的作用不見得能充分解釋各文明古國自家現代化的轉型工程，也不見得能解決各文明古國自身的現代化問題，從理論到實踐，外因說恐怕都仍須斟酌。本書認為中華民國的成立即不能局限

10　李鴻章，〈籌議海防摺〉，《奏稿》，收入唐小軒主編，《李鴻章全集》（長春：時代文藝出版社，一九九八），冊二，卷二四，頁一〇六三。

11　「認識論的障礙」（obstacle épistémologique）是巴什拉（Bachelard, 1884-1962）提出的理論，他從前代諸多謬誤的案例中提出認識論的障礙的觀念，其中包含實體論障礙、物活論障礙、簡單一元論障礙云云。科學的認識論要對反先行的認識模式，破壞之，摧毀之，在斷裂後才會發現新知。參見Gaston Bachelard著，竹內良知譯，《科學認識論》（東京：白水社，一九七四），頁二一〇—二三一。

12　梁啟超，《先秦政治思想史．民權問題》，收入張品興編，《梁啟超全集》（北京：北京出版社，一九九九），冊六，卷一二，頁三六九一、三九六三。

於外因說，我們當尋找它在中國內部的氣脈經絡。當原本屬於清廷君臣思考之外的異質因素一步步被消化，並浮現為君臣思考範圍內的因素，也就是民權、立憲之說已經是朝野可以公開討論的一個議題時，我們發現到一個平行的現象，此即一些原本被壓抑在潛層的生活世界的一些中國傳統文教的因素也翻過身來，從邊緣甚或異端的位置逐漸取得正統的地位，黃宗羲的《明夷待訪錄》在清末由「存有而不活動」變為「既存有且激烈活動」即是個明顯的例子。[13]國體改變這麼激烈的暴力革命，主事者如果沒有考慮擴大革命隊伍的力量，思考接受者的承受能力以及可以順利銜接的接受過程，這樣的設想是不合理的。更重要地，外來的思想因素到了一個有深厚文化積澱的古文明地區，它要發揮作用，如果沒有產生和寄生土壤的因素相互涵化的過程，這樣的設想也是不合理的。本書即從儒家思想史的角度立論，呈現傳統文化因素如何與外來思潮相應，匯聚而為活化的現代性因素，敘述的題材並沒有多少新鮮的內容，主要是一種觀察視角的轉變。

儒家與中國現代化轉型的關係並不難理解，事實上，十九世紀末民權思想興起以來，戊戌變法以至辛亥革命前後的新知識人受儒家思想影響甚深，儒家思想也是構成他們的現代化思想的有機環節。本書無意強調他們如何具備了整合中西思潮會通的能力，事實上沒那麼強，關鍵在於離開了儒家的背景，他們難以找到消化新思潮的接合劑。即使五四運動後的自由主義人物或共產主義人物，他們論及中國現代化的工程時，雖然全面西化的傾向頗明顯，但他們的行為仍都不能不帶著深沉的中國傳統價值意識的內容。[14]只是中西銜接的理論環節在他們的思想體系中頗為缺乏，政治意識與生命結構的鴻溝沒有被跨越。本書不會排斥儒家文明在中國現代化轉型這個世紀的大工程中，具有負面的因素，此事不難知道，負面的因素已被小說、評論、政治宣傳宣揚了幾十年了。

但本書同樣不認為儒家具有的積極因素可以被低估，在這一世紀多的歷史中儒家始終扮演主動、抗拒、合作與轉化的複雜角色。雖然有創造力的儒家思想在清代的表現是孱弱的伏流期，作為清代學術主流的漢學在思考政治的力度上，並沒有提供太多的積極的因素。清代漢學與宋明理學之間縱然不能說是斷層，前者無法繼承後者的格局，畢竟是事實，不能不令人感到遺憾。但伏流終究不是斷流，它仍在流，它仍有內在的方向，中華民國的理念即是中西現代性這兩股思潮的匯流所致。更確切地說，中華民國的出現是十九世紀末儒者有方向的問題意識向傳統也向歐美叩關，尋求答案的產物。

本書詮釋的資料是繞著作為理念的中華民國在歷史展開的事件，就對於中國現代性的解釋，本書很明顯地是受到新儒家良知說與日本中國學學者「近代思維說」模式的影響，如果說本書是承繼良知說與「近代思維說」而接著講，亦不為過。對於中國現代化轉型的解釋，文化傳統主義的解釋模式是其中重要的一支，而且採取此解釋者往往與作為文化傳統主幹的儒家有頗為密切的連結，一九四九年以後海外新儒家論中國現代化的轉型即上溯至明代儒學，牟宗三先生的良知坎陷說是個著名的代表。海外新儒家觀點自然也不是自我作古，因為在他們之前，連結明儒與清末民初思潮的關係者已頗有其人，老一輩的新儒家學者梁漱溟、熊十力已持其義，而另一系的新儒家之梁啟超其實亦有此義。[15]良知學在清末的流行和日本在甲午戰爭中擊敗滿

13　《明夷待訪錄》突然爆紅的意義，參見黃宗羲著，王汎森導讀，《何以三代以下有亂無治：明夷待訪錄》（北京：海豚出版社，二〇一二）。

14　也就是我們如較全面而準確地思考他們的理論，不難發現他們的思考結構基本上是以美國、法國或俄國作為標準，中國傳統的成分主要是見於他們的生活態度、生命表現甚或是被壓抑的另類中國傳統，如小說、戲曲、神話、版畫等長期被忽略的文學之受到重視即是，魯迅之重視另類中國文化傳統即非常明顯。

15　「新儒家」是民國學術史裡的一個概念，它指涉的範圍大小，學界的理解並不一致。我們現在對此詞語的理解受到兩個重要的事件的影響，一是張君勱、徐復觀、牟宗三、唐君毅四人於一九五八年聯名宣告的〈為中國文化敬告世界人士宣言：我們對中國學術研究及中國文化與世界文化前途之共同認識〉，此文聯名發表，自然有共同立場之義。另一事件為中國社會科學院方克立於一九八六年組「現代新儒家思潮」的研究項目，項目中所列名單有梁漱溟、熊十力、張君勱、徐復觀、唐君毅、牟宗三、劉述先、杜維明等

清，在日俄戰爭中擊敗俄國，而明治維新又被當時的知識人解釋成和陽明學的復興有關。但不論是從時代背景或是從思想理路立論，明代良知學參與了清末民初的中國現代化工程，這是條不能忽略的線索。

本書接受的「良知學與中國現代化的連結」之說有兩條思想史不同脈絡的線索，「近代思維」之說不是民國新儒家學者的用語，而是與海外新儒家學者幾乎並世而生的日本學者的用語，島田虔次（一九一七—二〇〇〇）的《中國における近代思惟の挫折》以及溝口雄三（一九三二—二〇一〇）的《中国前近代思想の屈折と展開》，這兩本書可以說為中國的「近世思維」說立下了理論的綱架。島田虔次與溝口雄三兩人對陽明以下的明代儒學有極正面的評價，而且他們的正面評價的主要線索是與中國現代性的轉型這個世紀工程有關。島田與溝口兩人的思考雖然多少受益於一些中國學者的研究，[16]但主線索是依據他們在日本學界的思考而來。放在民國思想的範圍來看，如果說島田虔次對民國新儒家這一系的思潮還重視的話，[17]溝口雄三對一九四九後的海外新儒家思想並不熟稔，[18]他的為人毋寧更接近左派哲人的生命構造，思想也接近。但他們都同樣重視王陽明以下的儒學（尤其是良知學）和「現代中國」的關係，中國的現代化工程有中華文明的內在脈絡居間起作用。

本書援引海外新儒家的良知坎陷說與日本中國學學者的近代思維說，只是表示此書的觀點並不特別，前輩學者多已注意到明中葉以後的儒者的關心議題和十九世紀末以後的儒者所關心者，大有相關之處。本書這種歷史系譜學的工作與其說建構歷史連續性的線索，不如說在照明文化心靈共構性的基礎，也是在為這個出現於中華大地上的立憲民主政體作奠基的工作。是否「中華民國」這個在歷史中出現的概念有深層的普遍性的意義？作為人類精神活動的重要領域之道德與政治，它們運作的領域不同，心靈的功能不一樣，但未嘗沒有共同的規範性依據。所以清末儒者在思考中國政治轉型的議題時，他們與明末儒者面對同樣艱困的政治處境，擁有相近的理論資源，他們彼此的關懷自然即有近似之處。黃宗羲的振聾發聵的一問：「何三代而下之有亂無治也？」[19]中國的政治到底出了什麼問題？晚清儒者大量翻印黃宗羲此書，其實也就是假黃宗羲之口，而以不同的文句同樣問：「何三代而下之有亂無治也？」

晚明與晚清儒者的尋找答案是帶著方向的，他們的詢問是立在儒家的文化風土的基礎上的，問題與答案有未明朗化的連結。我們探討「中華民國」這個概念出現於歷史的意義，與其使用非主體化的命題邏輯，不如參考格式塔（gestalt）化的問答邏輯，思考的焦點由答案轉向提問，或者說包含了提問，問者在提問與答案間反復對勘。問答邏輯預設了問題的答案需要有意義的提問作為引導，問答邏輯無涉於形式邏輯，它毋寧

人，這是中國大陸學界（甚至是官方）正式注目一個代表儒家文化精神的學術社群的重要意義。由於儒家的內容和哲學家的內容並不相同，所以「新儒家」一詞不能只是哲學學門領域內的用法。關於「新儒家」一詞的內容，參見劉述先，〈現代新儒學研究之省察〉，《中國文哲研究集刊》，二十期（二〇〇二．〇三），頁三六七—三八二。李明輝，〈關於「新儒家」的爭論：回應《澎湃新聞》訪問之回應〉，《思想》，二九期（二〇一五．一〇），頁二七三—二八三。本文認為從「儒家與中國現代化轉型」這個世紀的文化工程著眼，梁啟超是關鍵人物，他作了大量的新舊思維轉換的工作，他與一九五八年發表聯合宣言的張君勱也是思想互動極密的師友，他一生的生命有一條儒家情懷的行動軸線。本文認為梁啟超列入新儒家，並無不可。李喜所也有此說，參見李喜所，〈剖析梁啟超晚年思想的走向〉，收入李喜所主編，《梁啟超與近代中國社會》（天津：天津古籍出版社，二〇〇五），頁二〇一—二一七。

16 如嵇文甫的《左派王學》（上海：開明書店，一九三四）一書出版於一九三四年，此書強調王學的泰州學派的解放作用，此書對島田虔次即溝口雄三他們兩人都有幫助。但嵇文甫之書只是著其先鞭，內容泛泛，島田與溝口的書才是理念的思考。

17 島田虔次著有《熊十力與新儒家哲學》，他是二十世紀少數注意到民國新儒家學者意義的日本學者，詳見島田虔次著，徐水生譯，《熊十力與新儒家哲學》（台北：明文出版社，一九九二）。

18 溝口雄三先生一九八九年到國立清華大學歷史所任客座教授，筆者幾次聽到他提及自己（甚至包含日本學界）對儒家的思想很不熟悉，深以為憾。他後來對臺日的學術交流頗用了些心，筆者認為多少和他此年的清華經驗有關。

19 黃宗羲，《明夷待訪錄．題辭》，收入《黃宗羲全集》（杭州：浙江古籍出版社，一九八五），冊一，頁一。

更代表一種思考的模式。[20]晚清儒者的問題意識接上了晚明儒者的問題意識，他們帶著方向的叩問引導了尋求的答案。

問答邏輯是柯林武德（R. G. Collingwood）提出的，它預設了問題和答案的本質性關連，兩者是配套的。柯林武德的問答邏輯和他的德國觀念論立場分不開，他很注重人的理性的能力。但即使我們將他的問答邏輯和他的哲學立場分開來看，此說還是符合不同思想背景的學者提供的知識發現原則的。筆者多年前提過情境主體的概念，[21]這個概念意味著人的主體總是與世界連結在一起，總有意識透視不到的存在論的向度。情境主體意指主體是情境性的，它既是情念（mood）性的，也是在世存有的，主體總是曖昧的且屬我性的。人作為有限性的存在具有特殊的性格，人的存在與作為對象的物之存在屬於兩種不同性質的方式，對象之物的存在於空間是非關懷的，可在純粹理性的範疇下定位的，人的存在則是一種屬己的意義之彰顯。[22]

依範疇定位的理解可說是認知的理解，認知主體適合一種主體性的表象之活動，主客對立是必然的結果。具體的生活世界中的主體則是既情且境的主體，它滲透到包含身心在內的生命整體，而且它與世界有種非明言化的連結。但本文所說的情境主體不會局限在「情境」兩字的範圍內，它是對孟子—王陽明的良知說的一種調整，可以說是擴大版的良知說。它異於海德格（M. Heidegger）或現象學意義的主體者，在於此說並沒有放棄主體與超越界的連結。[23]孟子—王陽明系統下的良知承體起用，它的內容是規範性而且有普遍意義的，它的作用在本文下節探討的政治主體的超越依據中有重要的作用。

良知說的調整可說是情境主體說的調整，但反過來，我們也可以說情境主體說是良知說的調節。因為孟子—王陽明良知的承體起用性當中幾乎沒有「人的語言性」、「人的歷史性」所蘊含的主體曖昧性的創造性內涵。而就日常生活世界的存在狀態而言，人的意識卻總是曖昧性的，他的曖昧性源於人的意識和語言的表現分不開，而語言是先於意識而在的社會性事物。意識也和人的身體分不開，但作為生命風格所顯的身體是先於主體意識的生理機制而存在的。主體總也是在歷史的時間中顯現，時間則是作為經驗呈現的主體的內在形式，主體的內涵總是在歷史的時間之流當中，意義不斷沉澱變化。如果意識與意識所對，或「我思」與「我思所對」可以被視為近代哲學思考的一種起點的話，[24]我們可以說現實的意識沒有這種明確的劃分點，因為人的主體總是被世界所滲透，所建構，在語言、在身體、在歷史的時間意識中展開，他的主體性和生活世界同在。生活世界意味著人參與在內的意義的世界，情境主體則意味著生活世界的意義內在於人的主體的構造內。

從情境主體的角度著眼，切入知識的議題，我們不妨借用博蘭尼（M. Polanyi）的話語略進一言，闡釋具體的知識需要廣大的生活世界的文化背景作支撐。博蘭尼的知識論對無涉於個人情境與社會背景的知識論

20 問答邏輯的問題參見前揭書柯林武德，《歷史的觀念》，頁二六五—二七八，以及〈增補版導言〉，頁二一—二二。另參見此書所附何兆武對柯林武德歷史學說的評論〈評克林武德的史學理論〉，頁四八一—五一六，尤其是頁五〇八—五一一。「柯林武德」一譯為「柯靈烏」，見於臺灣人文學界二十世紀的譯著及論述。

21 參見拙著，〈人性、歷史契機與社會實踐——從有限的人性論看牟宗三的社會哲學〉，《臺灣社會研究季刊》，一卷四期（一九八八・一二），頁一三九—一七九。

22 這段語言帶有海德格哲學的調性，情境主體之說確實受到海德格的「此在」（Dasein）觀點的影響。但本文認為只要從人的有限性著眼，而又著重境不離識的哲學主張都帶有情境主體的意涵。只是本文擴大了情境主體概念的範圍，將情境主體的主體放在孟子學的視野下定位，「情境」不礙「情」有「性其情」的本體之情的內涵，這個觀點應該不是海德格允許的，也不是孟子學範圍內的概念，卻是本文所說的情境主體的內涵。

23 簡單地說，本書所說的情境心仍接受人的道德意識與本體概念的緊密關聯，而本體作為心之本體的心體及作為乾坤的超越依據的乾知這兩面的意義也是有的，也就是本書大體仍接受良知學的架構。此義牽涉甚廣，但與本書主題關聯較遠，茲不贅述。

24 笛卡爾是近代西方哲學的奠基者，他的「我思故我在」被視為近代哲學的起點，主客劃分的關鍵性一步，也是最狹隘的一步。參見海德格著，陳嘉映、王慶節譯，《存在與時間》（北京：生活・讀書・新知三聯書店，一九八七），頁一〇九—一二六。

深具戒心，他特別強調知識的個人性質，所謂個人性知識（personal knowledge），個人性知識帶有身心參與的全體性質，他認為知識的獲得需要有問題意識化的焦點意識與焦點意識背後的支援意識之支撐，知識才可獲得。而自由社會提供了真理與正義的內在性，也就是作為個人知識所及之外的信託的基礎，這種信託所繫的廣大背景保障了知識不斷地生成。[25]本文援引博蘭尼的話主要想指出情境主體的主體敘述與問答邏輯的歷史敘述和個人性知識的新知識論敘述是一致的，問答邏輯的問題意識可以說是我們要正面處理的焦點意識，而生活世界的意識則是支撐焦點意識的支援意識，新的知識的獲得總是要有問題意識與背後支援的生活世界的知識彼此相互調整的構造作為支柱。

支援意識在主體的運作過程中是隱默的（tacit），它不能呈顯在意識當中，但學者求知，如果沒有意識無法觸及到的隱默向度的支持，任何知識都不能成立。如騎自行車或游泳，其技藝之成除了有賴眼、手、足等意識聚焦的動作外，還需要身體的平衡感、對路面或水壓的觸感等非明言化的身體技藝的支撐。誠如博蘭尼所說：「隱默之知是一切知識的主宰原則，拒斥隱默之知，將會牽連到拒斥一切知識。」[26]本書認為博蘭尼這裡所說的一切知識是普遍義的，它包含了中國現代化方案的知識，現代化方案中的政治議題可指焦點意識之知，「民主」、「自由」、「憲法」這些概念可視為中國現代化的明確主題。但這些主題如何有效呈現，如何有效運作，卻有待提案者廣闊知識背景作支柱，沒有這些廣闊的既存結構的知識之支持，這些核心概念無法落實。這些作為焦點意識背後的支撐力量是隱默的，隱默之知的核心對戊戌、辛亥一代的儒者而言可指儒家的價值體系。

關於問題意識與生活世界的關係，理智之知與隱默之知的關係，或者說焦點意識與支援意識的關係，如果我們採格式搭的視野，兼顧前景（figure）與背景（field），可以看出更合理的知識圖像。從這樣的觀點著眼，張之洞當年所說的「中學為體，西學為用」，[27]其說的理論價值當嚴肅考慮。如果我們不把體用論局限於儒、佛的形上學用法，也不要依「體用者，即一物而言之也……中學有中學之體用，西學有西學之體用，分之則并立，合之則兩亡。」[28]不要採取這種形式邏輯的思考方式，而是將「體」視為文化價值體系，將「用」視為新知識成分，這種新版的體用論可以說是文化論的體用論，它意指新知識的獲得總要有吸收者的背景因素作為基礎。不論吸收者指個人或指文明系統而言，吸收者的生命意識或是文化價值體系之既存架

---

25 此義在博蘭尼的著作中處處可見，最完整的表現當見於他的*Personal Knowledge*一書，參見博藍尼（M. Polanyi）著，許澤民譯，《個人知識：邁向後批判哲學》（台北：商周出版，二〇〇四）。尤其第七章〈歡會神契〉，頁二四九—三〇〇。

26 博蘭尼，〈了解我們自己〉，收入彭淮棟譯，《博藍尼講演集：人之研究．科學、信仰與社會．默會致知》（新北：聯經出版事業公司，一九八五），頁六。「隱默之知」在中文譯文裡作「默會致知」。隱默之知的英文是「tacit knowing」，相關的詞彙是「tacit knowledge」，博蘭尼知識論核心的詞彙，它意指焦點意識之外的背景知識之總和，博蘭尼稱作「支援意識」。關於博蘭尼的知識論，參見郁振華，《人類知識的默會維度》（北京：北京大學出版社，二〇一二），此書對博蘭尼的學說，連類甚廣，頗有參考價值。

27 張之洞此語常和他的《勸學篇》連結在一起，參見張之洞，《勸學篇．二．設學第三》，收入苑書義、孫華峰、李秉新主編，《張之洞全集》（石家莊：河北人民出版社，一九九八），冊一二，卷二七一，頁九七四〇。但他的《勸學篇》的用語是「舊學為體，西學為用」。「中學為體，西學為用」之說或說見於張之洞，〈兩湖經心兩書院改照學堂辦法片〉，《奏議》，同前引書，冊二，卷四七，頁一二九九。但張之洞此文作「中國為體，西學為用」。體用論是理學的基本思維模式，張之洞的「中國為體，西學為用」或「舊學為體，西學為用」即用了體用論的語言。晚清時期，體用論的語式相當流行，馮天瑜、何曉明的《張之洞評傳》（南京：南京大學出版社，一九九一）即指出馮桂芬、王韜、薛福成、鄭觀應、孫家鼐等人皆用過類似的語式。參見此書頁四三一—四三二。

28 引文為嚴復批判張之洞用語的名言，參見嚴復，〈與《外交報》主人書〉，收入王栻主編，《嚴復集》（北京：中華書局，一九八六），冊三，頁五五八。嚴復的批判如依理學家「體用一如」的思考方式判斷，可謂擲地有聲，所以信者頗多。但新知識的吸收如用體用論的語言表達，似可不必用性理學的詞彙表述之，而可用詮釋學的既存結構（fore-structure）與新知識的接合觀點理解之，亦即既存結構可視為文化交流中吸收異文化的本體，從既存結論耀現為如是結構（as-structure），需要吸收、融化的過程，在地文化此時有實踐的優位性。

構總是要參與在內的。從文化傳統與新知識的問題意識的銜接著眼，張之洞之說正有其合理性。[29]

何況，中國文化傳統的價值體系還不只是作為支援系統的背景知識而已，我們還須考慮儒家作為「教」的特殊性質。在中國傳統的三教中，儒家作為「教」的性質在於它的人間性格特別濃。《中庸》云：「修道之謂教」，朱子注云：「禮樂刑政之屬是也」。[30]禮樂如果說是社會秩序原理，刑政則可說是政治秩序原理，兩者合觀，亦即儒家的教有人間秩序的原理之意。如果說中國三教中的佛道兩教是方外之教，出世、遊世的成分居主軸，儒家之教則是以方內之教為主軸，或者說是融方外於方內。儒家《六經》的《詩經》是文學之書，《書經》是政治之書，《春秋》是史學之書，《三禮》是社會秩序之書，《易經》是玄學之書。儒家在清末民初仍提供了重要的價值體系，其中自然有僵化的體制性因素，但也有處於潛流的活性因素。由於儒家方內之教的基本性格，它的教義主張無可避免地會和現代化的知識議題勾聯，在恰當的時機，這些潛流的活性因素會冒出來，成為對話者，也就是成為焦點意識的一環。如《大學》的政治敘述與孫中山的民權主義的關係，《明夷待訪錄》與梁啟超思想的連結，這樣的關係不是偶然的。文化傳統通常是百姓日用而不知，它常若等待，若無為，但內部其實盈溢著轉化的動能。[31]

我們且以中國現代化的吹號者嚴復的名文〈辟韓〉略進一解。嚴復在引進新思潮入華的業績上，其功勞無人可比，但他的新學情懷中始終有強烈的儒家價值體系作為支柱。甲午戰爭後，他撰〈辟韓〉，為變法張目，他批判韓愈〈原道〉「君者，出令者也；臣者，行君之令而致之民者也」之說，認為韓愈「知有一人而不知有億兆人」。此說所以作以及此說所以引起一時的風波，我們都可從「儒家之教與人間秩序」的關係著眼。[32]類似的線索隨處可得，更重要的，還有下節還要討論的民主政治「公民」的依據與孟子學「性善」、「民貴」之論的關連。嚴復在民國成立後，曾反省辛亥（一九一一）壬子（一九一二）來的時勢，說道：「辛壬以來之事，豈非《易傳》湯武順天應人與《禮運》大同、《孟子》民重君輕諸大義為之據依，而後有民國之發現者耶！」[33]嚴復所說未必周全，民國的體質有歐美民主國家的組織架構的因素，這點是無從否認的。但民國的成立有儒家的「據依」，這個判斷是有充分的理據的。出之於對民國的政治體制時懷不安的嚴復之口，尤具深意。

如果我們從問答邏輯的角度觀察，質問的功能可說是連結問者的文化背景以及理智的方案之間的管道，一個有相應的文化作為背景的質問是尋得答案的合理途徑。我們有理由相信環繞「中華民國」成立這個歷史

29 徐復觀、陳寅恪就是如此解釋的，參見徐復觀，〈反集權主義與反殖民主義〉，《徐復觀雜文三・記所思》（台北：時報文化出版公司，一九八〇），頁二一〇—二二六；〈我看大學的中文系〉，收入黎漢基、李明輝編，《徐復觀雜文補編》（台北：中央研究院中國文哲研究所籌備處，二〇〇一），冊二，頁一九三—一九八。陳寅恪說自己的知識見解在湘鄉（曾國藩）南皮（張之洞）之間，應當也是此意，參見陳寅恪，〈馮友蘭中國哲學史下冊審查報告〉，《陳寅恪集・金明館叢稿二編》（北京：生活・讀書・新知三聯書店，二〇〇一），頁二八五。

30 朱熹，《四書集注・中庸章句》（新北：鵝湖出版社，一九八四），頁一七。

31 我們在此可以對「無為」的觀念與本體的作用，再略進數語。本書所說的文化的本體論的本體不是佛教、道教所說作為一切存在基礎的形而上的本體義，而是作為化表現的總稱的道之流行的意義。如果我們相信人的語言、文字的表現，人的宗教信仰的表現，人的文學、藝術的表現，也就是人的生命的表現有意識非能及的深層依據，此深層依據來自前於人的意識與起前的社會文化傳統，而且人與人的深層依據是相互勾連的話，那麼，這個作為深層依據的互聯網絡的本體不能沒有自行轉化的自發力量。儒家與道家常說的「無為」的力量，所謂「無為而無不為」，「我無為而民自化」，我們從文化系統的本體義去理解，應該可以找到很好的聯繫點。米德（H. Mead）的社會行為理論可作為「無為而無不為」、「無用之用」的社會學之解讀。米德之說參見米德著，胡榮譯，《心靈、自我與社會》（台北：桂冠圖書公司，一九九五）。

32 嚴復，〈辟韓〉，收入王栻主編，《嚴復集》，冊一，頁三三—三六。嚴復此文刊於光緒二十一年（一八九五）的天津《直報》，時值甲午戰敗後，批判君王專制之意甚厲。此文名為辟韓，但項莊舞劍，意在沛公，現實的指涉很明顯。張之洞見到此文，視為「洪水猛獸」，命屠仁守撰文反駁之，嚴復「且罹不測」，後乃得解。參見孫應祥，《嚴復年譜》（福州：福建人民出版社，二〇〇三），頁八八—八九。

33 參見嚴復，〈讀經當積極提倡〉，收入王栻主編，《嚴復集》，冊二，頁三三一。

事件的人物應該很自覺的在意識顯層的政治面作中西的對話，因為中西混合的語境是他們思考問題的前提；而又有在隱層的文化面與顯層的議題面作有意義的整合，儒家傳統對他們是相當有用的知識資源。至於他們掌握對話的能力充不充分，自然可以商量。晚明思潮與歐美思潮在此時期相會，形成撞擊力道加乘效果的聚合效應，並聯手推動了「從滿清王朝到中華民國」的政治現代化轉型工程，此事絕非偶然。西洋現代性的議題融進漢字文化的大地後，即成為新的漢字文化的內涵，其結構至今仍在。

情境主體的概念可以解釋創建中華民國那一代儒者的思考方式，「中華民國」的「中華」性質是這個概念的核心內涵，而且是醞釀的母胎。「民國」則是吸收歐美政治思潮下的產物，但它和儒家的孟子—黃宗羲傳統有理念及實質作用的連結。情境主體這個概念是對主體的另一種理解，這種扎根於文化風土上的主體概念可以說是人的本真狀態，對參與中國現代化轉型工程的任何哲人都適用。百年來參與中國現代化方案的知識人不論其政治主張為何，其生命型態或顯或隱都有這種土著性的面向，包含魯迅在內。但就真正發揮人的本真狀態與新的國家理念的連結者當是戊戌變法、辛亥革命那個時代的儒家知識人，他們的思想體系通常不甚清晰，前後期的議論常有出入，梁啟超即是典型人物，即使孫中山也不是理念縝密型的政治家，或許這是不同文明接觸期常見的型態。但他們的不徹底中有種動盪平衡的一致性，一條在中西思潮夾擊下的生命軸線貫穿了他們一生的行事，實質上，中西混搭的時代氛圍反而型塑了他們中西銜接的現代化模式。

辛亥革命事起倉促，就革命後的實際狀況而言，政治也始終一團亂，中華民國的表現並不理想，不少人認為比滿清還糟。[34]但民初北洋時期的亂是人病？還是法病？是一時的？還是體制的？如就「中華民國」這個新興國體的理念出現於中國歷史而言，它是極大的突破，一種普遍性的人民之政治主體的性格正式確立。它意味著中華文明的歷史進程在十九世紀、二十世紀之交，第一次產生了明確的中西現代化工程匯流的成果。而且它出現了就有重要的歷史意義，重要的理念即會高懸於經驗的世界之上，而且會在歷史的流程中彰顯它的內容。除非我們找到可以取代它的理念，否則，我們沒有理由不維護這個理念——就像原本主張君主立憲的梁啟超在民國成立後，於民國的政治體制受威脅時，曾兩度護衛民國，其意猶是也。

三、公民資格與良知主體

如果說戊戌—辛亥階段的儒者參與的中國現代化工程，尤其是中華民國的成立，意味著新的理念躍現於歷史舞臺，一個融合「中華」與「民國」兩個要素的國體將成為爾後在中華大地上的政治形式。秦漢以後的帝制史到此終結，二千年的歷史暫告一段落，歷史翻到了新的一頁。那麼，這一頁有多長？它是否像帝制中國的帝制一樣，也有歷史的行程，它在歷史中興起，也在歷史中沒落。歷史的特性在變化，在於永遠有不可臆測的未來。當新之時間未到時，歷史的某些內容是不會呈現的。「在中國出現的民主國體」目前仍屬進行式中，它的年壽幾何，我們無法給它下定論，本質上即不能，否則，歷史即不成為歷史。如就中華民國是歷史的產物這個觀點考察，它的消逝有形上的必然，時光會吞噬萬物，「空光遠流浪，銅柱從年消」。[35]凡存

34 這種話語時時見於民初人物的詩文中，嚴復、熊十力的文集中即隨處可見。偶閱太虛法師於一九一七年旅臺時有詩云：「年年不共不能和，早是光陰六載過。據社憑城狐鼠逞，噬人肥己虎狼多。」參見釋太虛，《東瀛采真錄》，收入釋印順，《太虛大師年譜・自傳》（台北：正聞出版社，一九八六），頁九四。引文為答鹿港洪月樵兩首律詩的第二首的前四句。洪月樵（一八六六—一九二九，臺灣淪為日本帝國殖民地後，改名繻，字棄生），鹿港著名詩人，著有《寄鶴齋詩集》。洪月樵於太虛訪臺時，贈他詩集，太虛以兩首律詩酬答之。太虛固是革命和尚，不避諱對政治的批判，但方外人論及時局的詩語如此犀利，或可見其時的世態人心。

35 這兩句詩是李賀詩〈古悠悠行〉中的句子，參見李賀著，吳正子注，劉辰翁評，徐傳武校點，《李賀詩集》（上海：上海古籍出版社，二〇一五），頁四六。李賀對時間非常敏感，詩中經常充斥死亡、衰敗、譎艷而又鉛暗的意象。

在物皆會銷毀，作為宇宙軸的崑崙山銅柱都會被時光磨平，何有以一個歷史上出現的國家！

但歷史的思考中還是可以有另一個面向的歷史思考，我們還是回到一九一一年出現的這個國體，再次思考它的內容。相對於從傳統的三皇五帝直到最後一個專制王朝清朝的潰滅，數千年來，中國總是帝制中國。作為理念類型的「中華民國」出現於世，它具有實質的革命內容，「主權在民」之說即是種新的典範。就規範的意義來講，中華民國和主權在民的設想密不可分。它突破了以往認識論的障礙，沒有經過這道基進（radical）的轉換，「帝制」的格局即無法撕裂。「中華民國」是歷史的產物，中國以往有民享、民貴之論，但從來沒有普遍性的民權的主張，「主權在民」的明確主張是在清末才起來的。從人民的政治主體的確立之「主權在民」的規範性考量，「中華民國」這個歷史產物的國體是否原則上也會被取代，就像它取代大清王朝？或者是中華民國的國體可能消逝，但中華民國所呈現的主權在民的國家理念或許不會消逝？

如前所述，從作為民主政體的中華民國是歷史的產物著眼，我們就無法將「永恆」這個狀詞冠在它身上，歷史中出現的事物總會在歷史中逝世，國家也是在歷史中興起的體制，它有興衰滅亡的結構。如果宗教中常見的天下一家、大同世界之類的烏托邦體制能夠到來，國家有可能即會消逝，而隨著國家的消逝，主權在民的理念自然即無掛搭處，或者：它即當與「天下」而不是「國家」掛鉤。「成住壞空」作為世間法的原則很難推翻的，何況，即使「民主」的概念也不是沒有演變的過程，性別之差、年齡之差、財富之差都曾是人能否實行公民權的考量。更何況，民主的脆弱也不是當代世界才出現的現象，民主之病是古老的病症，從亞里斯多德直到當代，哲人言之斑斑。即使直至今日，民主的病痛也絲毫未見減弱。[36]民主脆弱如斯，我們有什麼理由給它這麼大的信任？

本書不會認為民主政體只有英、美、法的模式，也不會認為民主的內容即不會再演變，歷史的本性不允許歷史中的事物永恆地在其自體。但國家的機制何時會從人類的歷史消失？在國家的體制仍存在的情況下，如果我們接受「民主」的基本預設是建立在作為法政主體的人格之平等上，人人平等，票票等值，那麼，「主權在民」這樣的原則基本上是否無法被取代的？我們或許可以考慮近現代中日學者論中國現代性問題的提法，借道經過，尋找答案的線索。二十世紀海外新儒家學者的「良知坎陷」說與日本的中國學學者的「近世思維」說同樣將中國的現代化轉型工程的動力因追溯到明中葉以後的良知學，而且他們的觀察是有清末民初的「晚明想像」的社會現實作為基礎的，[37]不是理論的推演或個人的信仰而已。他們提供了「良知」的線索，也許有助於我們對問題的思考。

「良知」是王陽明哲學的核心概念，此詞語出自《孟子》，《孟子》書中的「良知」一詞是否即是王陽明用語的內容，[38]姑且不論。但王陽明的良知學依據孟子而來，良知學可說是孟子性善說的轉譯，這是王學內部人士始終支持的主張。王學的良知兼有作為人的本體的良知，它以具有四端的道德主體的面目出現；良知也可以有作為萬物存在的本體之「乾知」之意義，這樣的「良知」和「道體」的概念合流了。牟宗三先生解釋民主政治的主體時，曾提出引發激烈討論的「良知坎陷」說，如果我們從良知是「乾坤萬有基」的觀點

36　參見一本對最近的民主體制在當代世界的慘狀之描述，及如何對治的新書，戴雅門（Larry Diamond）著，盧靜譯，《妖風：全球民主危機與反擊之道》（新北：八旗文化，二〇一九）。戴雅門是史丹佛大學胡佛研究所資深研究員，關心全球各地的民主現況，也曾訪問臺灣，與此地學者多有聯繫。

37　清末民初，晚明人物的歷史、思想、著作曾風靡一時，構成了一時的文化潮流，明末清初與清末民初跨代重疊，晚清的立憲派與革命派人物的意識中多有黃宗羲、王夫之、顧炎武等人的思想的印記。關於此一議題，參見秦燕春，《清末民初的晚明想像》（北京：北京大學出版社，二〇〇八）。

38　王陽明的良知不僅用於人的領域，它也是草木鳥獸的良知，所謂「此是乾坤萬有基」（〈詠良知四首示諸生〉）。相對之下，孟子的良知是人性的概念，它沒有越界用到自然界。孟子與王陽明的良知義的區別有深刻的理論意義，但就政治領域而言，其差異處可暫時擱置不論。

考量，良知既然是一切現象的本體，它作為民主政治的本體之說，並非不可理解；而由於政治的運作之主體依據不同於道德主體的感通模式，因此，「良知」與政治主體的關係只能是曲通而不是直通，由此有了「坎陷」之說，牟先生這樣的主張也是合理的。「良知坎陷說」建立在中國三教常見的「本體」論的基礎上，宇宙心是常見的模式，良知原則上也當是法政主體的依據。良知在政治與道德之間有共通的超越的依據，但也有現實的差異的依據，它既連接也斷裂。

本體論的思考有頑強的中國心性之學的依據，何況，「坎陷」後的良知是治治主體，它要為政治活動負責，它與形上的本體之距離反而只能遙契。它仍是政治領域的概念，沒有理由一定要放棄。但不同的思考也是可以的，畢竟政治是人文世界的事物，主權在民也是人文世界的理論。我們論良知與政治的關連之處，不必從作為乾坤依據的乾知入手，焦點放在政治的範圍內思考可能更貼切。回歸到孟子的脈絡，我們從人文世界的視野出發，也可以找到很好的連結，兩者的連結在於「平等」的概念。在儒家傳統中，「人人皆可成為聖人」的道德平等是個重要的主張，至晚在戰國時期，它已是包含孟子、荀子這兩位大儒共同支持的理論。只是兩人賦予這個主張的人性論依據不同，孟子主性善，荀子主性惡，而荀子的性惡論因為性—心兩概念的分離，而作為「大清明心」的主體可以校正容易流於惡業的人性傾向，其性惡遂不是本質性地不可轉化，所以「塗之人皆可為禹」，荀子還是賦予每個人道德平等的機會。荀子的性惡論之理論價值姑且不論，因為影響明代儒學的先秦大儒是孟子，孟子主張性善，人人享有道德機會的平等，此義成為理學各家各派共同接受的前提。

人性論在中國文化甚或東亞文化傳統中居有相當核心的位置，它所引發的討論的時間之長及幅度之廣恐不下於上帝的性質在基督教神學引發的爭議，人性論享有基本存有論的地位，它的內涵會延伸到對許多文化領域的奠基作用。在中國的三教傳統中，由於儒家的文化承擔責任更重，道之顯者謂之文，儒家的人性論介入政治領域遂不可免。孟子的性善論長期不得發揚，魏晉的竺道生提倡「一闡提亦可成佛」，錢穆認為其說讓人聯想到孟子，其說可視為孟子精神的第一次回歸，[39]北宋時期的「孟子升格運動」則是第二次的回歸。[40]在這兩次的回歸運動中，孟子是和成德成聖的道德要求連在一起的，但到了理學階段，他也進入政治的領域。到了理學後半段的明中葉時期，孟子的心性論主張遂一轉而為陽明學的良知學，良知是「性善」說的具體化，晚明的良知學帶給我們近代思維的線索。

人性論和政治的設想相關，這樣的設計是戰國孟、荀以來的傳統，孟子的性善論與仁政說，荀子的性善論與法後王的聖王說，理論的關連性都相當密切。中國自隋唐後一直有很強的廣義的性善論的主張，三教常見的無限心系統皆可屬之。上世紀下半葉，張灝曾提幽暗意識之說，頗引發學界關注。他主張民主政治之所以可欲，乃因人性多幽暗面，聖王不可靠，英雄不可靠，所以民主政治不得不起，制衡制度不得不起。西方的民主制度所以推行有效，背後有基督宗教、自由主義等對人性幽暗的警覺。儒家傳統中也不是沒有幽暗意識的因素，尤其宋明理學的「復性」說已覺察到人性之惡之難以轉化，劉宗周反省人性之惡，其深入程度已不下於宗教的原罪或無明之論。但大體而言，儒家仍是對人性過度樂觀，因而忽略人性之惡正需要制度的制衡云云。[41]

---

39 參見錢穆，《中國思想史》，收入錢賓四先生全集編委會整理，《錢賓四先生全集．甲編．二四冊》（新北：聯經出版事業公司，一九九四），頁一四三—一五〇。

40 《孟子》一書在晚唐、北宋的地位逐漸高升，由子而經，周予同稱為「孟子升格運動」。參見朱維錚編選，《周予同經學史論著選集》（上海：上海人民出版社，一九九六），頁九二八—九三〇。

41 參見張灝，〈幽暗意識與民主傳統〉、〈超越意識與幽暗意識〉，收入《幽暗意識與民主傳統》（新北：聯經出版事業公司，二〇二〇），頁三—七八。

張灝提倡幽暗意識的價值，其說頗值得深思，至少幽暗意識的主張有利於均權制度或制衡制度的設計。因為現實的人不是神明，不是聖王，他必有限制，也會犯錯，所以不能將一切的權力置放在一個人身上。事實上，中國的政治組織並不是沒有分權制衡的主張，孫中山在三權之外，另立考試、監察兩權，即是從中國的政治傳統得出的。有分權制度，即表示傳統對人的有限性之限制並不是無感的。但我們還是當承認張灝的提醒是有作用的，因為中國傳統的政治制度防範君王獨裁有則有矣，強度未免不足，對剛愎自用者更難約束。而且其制度多是治道層次，而不是政道層次。比起猶太—基督教傳統，儒家對人性還是樂觀了，所以防範權力的濫用之機制頗顯不足。

幽暗意識的提法有助於我們對政治之惡作更詳細的省思，這項提議值得重視，但是否需要放棄性善論？此事大可商榷。我們如論中國現代化政治轉型的傳統思想因素，本書認為孟子的性善論的理論貢獻還是該列為首選。高度揚譽良知學的現代意義的島田虔次在回答山下龍二對他的巨著《中國近代思維之挫折》所表現的以歐洲文明作為歷史衍變的標準時，說道：「在從陽明到黃宗羲、顧炎武等的思想史中，馬丁・路德式的、洛克式的、盧梭式的（這種說法也許本來就是招致反對的）等等的思想，是片斷的、變形的、錯雜著的。但它決不是不具有與之相適應的一定的體系的，是能夠感到其存在的。在中國的思想和文化中想要解讀出歐洲精神來，這樣的努力，我們不是更應該進行嘗試嗎？於是，中國思想獨自的Merit（優點）——我不懷疑其存在——這才開始明確地浮現出來了，不是嗎？」[42]島田虔次在中國文化傳統中「讀出歐洲精神」的想法易起誤解，溝口雄三也曾借「前近代期」的歷史斷代概念，間接地對島田對他的思考提出質疑。[43]但島田虔次的提法不一定是以歐洲文化為判斷標準，也不一定和溝口雄三主張的在彼此的相對化中尋得自家的特性之主張相衝突，溝口雄三對理學所具有的普遍義的公之意義也是高度肯定的。

島田虔次所說的西歐與晚明兩者之異時空的呼應，本書認為其大者即在作為人人道德平等依據的良知與作為人人政治平等依據的公民主體的轉化關係。列文森（J. R. Levenson）這位異色的漢學家曾指出梁啟超在一八九八年以前的早期文章中的「孟」指的是孟子，流亡到日本後的文章中的「孟」則指孟德斯鳩。[44]列文森指出梁啟超不自覺地混用是個有趣的案例，如果我們再回到晚年（比如最後十年）的梁啟超，他會如何使用呢？梁啟超一生一直有個中國傳統立足點的線索，一種立足於儒家價值體系的關懷滲透到他的各個時期的精神表現，他的善變並沒有改變他的一生的風格。梁啟超的用法無意間（或有意間？）指出了在人人道德平等與人人政治平等之間的人性之依據是可以相通的，我們不會忘了梁啟超也是王陽明與黃宗羲思想的提倡者，他的一生其實有條良知學的演變脈絡。[45]

論及孟子學說與現代化的關係，嚴復的觀察再度值得我們留意。嚴復不是對民主政治特別放心的學者，他的生命似乎深深烙印著英國式的君王立憲之標誌，但他也始終主張新政治體制的成立要有和傳統的儒家價值體系密切連結的構造。孟子的民貴君輕之論即是他很重視的理論，在〈辟韓〉一文中，他即說這是「古今之通義也」。梁啟超、嚴復的思想傾向並非特例，而是當時關心中國前途的儒家知識人之通義。一個長期演變的文明體系固然容易僵化，滿清王朝對孟子學更談不上友善，孟子的民貴君輕與革命理論在有清一代幾乎是沉默的聲音。但它一旦復活了，即成了攪動晚清時期停滯社會的力量，並發揮了新舊文化整體協調的功

42　島田虔次著，甘萬萍譯，《中國近代思惟的挫折》（南京：江蘇人民出版社，二〇一〇），頁一八〇。

43　關於溝口雄三的質疑，參見溝口雄三著，林右崇譯，《中國前近代思想的演變》（台北：國立編譯館，一九九四），頁一六七—一七〇、頁四四九—四五〇。

44　參見勒文森（Joseph R. Levenson）著，劉偉、劉麗、姜鐵軍譯，〈改變傳統思想〉，《梁啟超與中國近代思想》（台北：谷風出版社，一九八七），頁一〇六。

45　參見黃克武，〈梁啟超與儒家傳統——以清末王學為中心之考察〉，收入李喜所主編，《梁啟超與近代中國社會》，頁一四一—一五三。

能。

如果說新中國第一代的改革者都有混合中西現代性的情懷，他們的改革意識中有孟子、王陽明、黃宗羲、王夫之等儒家傳統的因素。相對之下，環繞著五四運動在中國先後興盛的自由主義與共產主義無疑地帶進了中國以往少有的激進思想，包括激進的行動方案。早期的自由主義者與共產黨人的思想也更為明澈截斷，不會踟躕徬徊。但我們觀看自由主義的現代化方案，包含新的人觀的理解，基本上是脫生活世界性的。他們眺望前景，遺忘背景。雖然我們要在當時宣揚自由主義的人物如胡適的思想構造中，探賾索隱，絕不缺乏儒家傳統的因素，他對「主義」橫行，也不是沒有戒心。但他的思想主軸應當是始終以歐美現代思潮為主軸，沒有嘗試作更深刻的思想如何轉化以達到本土化的工作。[46]

自由主義的理念在中國沒有和接納它的文化大地融合，至少主事者沒有將融合的工作當作核心的建構工程。共產主義的情況比較複雜，反傳統反得更徹底。作為二十世紀主要思潮之一的共產主義自從一九二一年在中國正式落籍住戶以後，它很快地即成了中國重要的政治力量。共產黨人宣揚一種具有很大的解釋作用以及解放嚮往的世界圖像，共產黨是以人類的歷史作為思考的框架，人類社會一切的矛盾會在未來的歲月中解消。歷史的進展就在自然的結構裡面，或者說就在人與自然互動的經濟史的結構裡面，原始共產主義—封建主義—資本主義—社會主義—共產主義的社會，這是歷史進行的軌道。共產主義世界這個理想的政治世界是必然會到的，共產黨人的理論是耶教的「上帝」或黑格爾（G. W. F. Hegel）歷史哲學的「理念」的變型，馬克思只是將彼此的關係扶正了，也可以說是再度顛倒了被顛倒的世界觀，是人創造了上帝，是自然產生了理念，而不是反方向的能所關係。共產主義社會必然要在人間出現，而凡有必然理念而又能激發熱情者，即會產生精神的自由，自由是起於對必然的認識。必然性的認識如處於特定的封閉文化體系下，排除了理性的認識作用，它容易演變為政治的狂熱，成了名副其實的政治宗教，[47]共產主義是人間的宗教。

共產主義者自有他們的現代化方案，馬克思、列寧提供了一幅完整的世界圖像。社會有必然發展的歷史階段，中國的歷史是整體人類歷史發展中的一個東方的環節，中國的特殊性並不存在，即使有也較細碎，只能起補充的作用。[48]在階級史觀的作用下，共產黨人的情境主體的情境內容發生了和戊戌—辛亥時期儒者大不相同的轉變，用毛澤東的話講，也就是不同的世界觀。當階級鬥爭成了歷史真正的圖像，共產黨人的情境主體的中國性是和一個界線曖昧的「無產階級」聯合在一起的。階級意識轉化了「中國」的面貌，也轉化了共產黨人的意識的構造，中國歷史成了世界歷史的一環，中國文明的特性在人類文明發展的必然性的架構中模糊化了，「全世界無產階級聯合起來」成了推動文明進化的主軸。中國共產黨人的武裝革命以及思想戰場的勝利都是驚人的，它不只征服了龐大的「反動派」的武裝力量，也征服了數量更龐大的人之精神。但階級史觀真的可以解釋中華文明的內涵嗎？共產黨人的無產階級意識能獲得作為支援意識的中華文明之支援嗎？還是如余英時所說的「階級」這些詞語是和中國社會頗不相容的概念，中國農村社會「沒有那麼深的階級意

46　胡適對儒家價值絕不缺乏同情共鳴之聲，但他似乎未曾有意識地作中西現代化轉向的接榫工程，也就是未曾轉變過全面西化的主張。參見林毓生，〈平心靜氣論胡適〉，《中國激進思潮的起因與後果》（新北：聯經出版事業公司，二〇一九），頁三三三—三四三。林先生的判斷應屬合理，但胡適確實也主張儒家也有明顯的自由與抗爭的傳統。

47　政治行動容易帶有集體性的狂熱的性質，它的性質和宗教行動的接受聖靈的召喚相似，二十世紀的集權政治尤其像政治宗教。所謂政治宗教意指它「擁有系統的信仰、神話、儀式以及象徵，用以詮釋人存在的意義與目的，並將個人與團體的命運置於更高的天命下。」二十世紀一些學者如博蘭尼、尼布爾（Reinhold Niebuhr）、阿隆（Raymond Aron）、Adolf Keller、F. A. Voigt、E. Voegelin、L. Settembrini諸人皆已提出政治作為宗教之類的想法，參見Emilio Gentile, *Politics as Religion*, George Stautan trans（Princeton: Princeton University Press, 2006）, p. XIV, 1-2.

48　梁漱溟和毛澤東兩人思想分歧的重點之一即在於中國社會有無顯著的特殊性這點上面，毛澤東是以人類歷史、世界舞台為人生定位的馬克思主義者，梁漱溟則是「文明顯示不同的生命欲求的顯像」的儒家文明論者，所以兩人的相知相惜最後還是免不了以激烈的衝突收場。

識」。[49]上述這些問題是一九四九渡海一代許多知識人共同的疑問。如果「中華民國」是個有規範性的理念，那麼，中國文明與無產階級文化的關係就不能不是個需要嚴肅對待的問題。

如果階級史觀和中華文明的性質有嚴重的隔閡的話，那麼，為什麼共產主義居然可以獲得一九四九年革命的勝利？一九四九年的共產主義革命是各種複雜因素交加作用的結果，如果國府不是在文化戰場、經濟戰場以及軍事戰場一連串的失敗，革命不見得會發生。本書同意一個流行的主張，此即共產革命的成功相當程度和新文化運動帶來的原有的價值體系之崩潰，而且幾乎是全面地反傳統的局勢有關。就此而言，中國共產主義政權可以說是五四之子，筆桿子打敗了槍桿子。中國社會的筆桿子一向掌握在儒家士大夫之手，儒家在傳統中國社會扮演的是「教」的角色，修道之謂教，「教」與「道」的關係密不可分，這是中華文明對「教」最根源的定義。佛教進入中國後，所謂的三教的觀念也不能脫離這條原始的脈絡，而儒家在三教的分工中，往往扮演的是扶持世間價值體系的作用。一旦這個價值體系崩潰了，自然需要有其他的價值體系取而代之，或虛擬的取而代之，掌握筆桿子的人換人了，敢教日月換新天，共產主義在二十世紀的中國即曾扮演了這樣的角色。[50]

本書論「共產主義在中國」會從主體的面向著眼，尤其著眼於共產主義激起的強烈情動作用，本書立論背後有人的本質是宗教人的預設。人是追求存在的意義的動物，他需要一種滿足深層生命對於更完整的秩序之需求，這種需求來自於人的生命中一種動盪到存在基層的「聖」（numinous）之動能。「聖」是宗教最核心的概念，也是人的精神表現的核心，它不一定以單獨的宗教儀式表現出來，它可能出之於對自然「壯美」的讚嘆，它也可能見於深刻的政治犧牲或道德關懷。[51]在原有的宗教盤據的地區如果宗教的因素被掃除了，這個價值體系的真空有可能即被一個具有爆發力的意識型態所填補，共產主義在二十世紀中國即取得了宗教的作用。至少在革命時期，共產主義是種引發激情的政治宗教。

從人是宗教人的角度觀察，人間事務原則上都有宗教的涵義，這個觀點並不特殊，不少哲人有此主張。但宗教性如果解釋得太泛，或其成分太稀薄或太曲折，那麼，它的解釋力道就未免弱了些。然而，二十世紀兩個帶來極大歷史災難的政治意識型態：納粹主義與共產主義都有強烈的宗教性格，如說成政治性的宗教性格也未嘗不可。它們的宗教性格包括狂熾的熱情、全然他者而又有魔力的烏托邦理想、神學式的黨綱、集體進入的儀式、拯救民族甚或人類的領袖。即使號稱推行無神論極為徹底的中國，政治宗教的現象也極為明顯，甚至是更明顯。一旦原本存在的宗教受到了鎮壓或打壓，留下了宗教價值世界的空白，社會體系即以政治的「虔誠信徒」（true believer）之行動補充之。[52]文革時期毛澤東崇拜之狂熱執迷，恐怕遠勝過前代或同代的偉大政治導師。[53]二十世紀的極權主義帶來的恐怖實驗是活生生的現實，我們如沒有觸及納粹黨人與共產黨人的行動涉及的人的存在依據之宗教性格，對於此政治狂熱的現象之興起，再如何解釋，其解釋畢竟

---

49 參見余英時，《余英時回憶錄》（台北：允晨文化公司，二〇一八），頁一六—一七。余英時的判斷是依據他在安徽潛山的九年鄉居生涯而下的。

50 林毓生論中國傳統的宇宙觀的崩潰與當代激進思潮的興起有密切的關係，這是條重要的線索，參見林毓生著，楊貞德譯，《中國意識的危機：五四時期激烈的反傳統主義》（新北：聯經出版事業公司，二〇二〇）。

51 上述的說法在許多哲人的著作中都可發現，但奧托（R. Otto）的神聖論當是極重要的來源。參見R. Otto, *The Idea of the Holy*（New York: Oxford University Press, 1950）。

52 賀佛爾（Eric Hoffer）著有*The True Believer: Thoughts on the Nature of Mass Movements*一書，探討群眾運動的狂熱性質的問題。書中內容如用來解釋革命時期的中共黨人的心態依然適用。中譯本參見賀佛爾（Eric Hoffer）著，梁永安譯，《群眾運動聖經》（台北：立緒，二〇〇八）。

53 毛崇拜的文獻不時可見，文革結束前，毛是經典作家，他的思想以聖言量的資格出現在極多數的學術著作中，既是依據，也是護身符，這是個顯著的例子。較新而全面的描述參見丹尼爾・里斯（Daniel Leese）著，秦禾聲等譯，唐少傑校，《崇拜毛：文化大革命中的言辭崇拜與儀式崇拜》（香港：香港中文大學出版社，二〇一七）一書。

不到家。「當它們成功時，極權主義發揮的魅力不下於宗教運動的力量。像宗教一樣，它們激發迷魅的狂熱，捲起無邊的仇恨，慷慨犧牲，血腥殘暴，渴望救贖，追求毀滅。」[54]堅泰爾（E. Gentile）的描述並不是理論的推演，如果我們看過有關文革時期的一些報導，對政治宗教的負面作用應該不難了解。

本書對「中華民國」這個概念實體化為政治的現實後新出現的自由主義與共產主義現代化方案，解釋中多有評騭，也可以說多有較負面的價值判斷，只因本書說的「中華民國」是在歷史中不斷實體化的理念，它要滿足「中華」所代表的文化傳統與「民國」所代表的新價值的整合。這樣的理念有超越現實之外的理想性格，它在現實中顯現即有具體化自己而又批判現實的雙向作用。也可以說批判乃因情境主體的信念而生，它依一種詮釋學意義的體用論而不是形上學的體用論的信念而來。本書並沒有抹殺自由主義與共產主義帶來的部分的解放作用，在中國需要急遽轉型的年代，社會如果沒有經過相當的撕裂，文明很難新生，這樣的設想有相當程度的合理性，否則，我們難以解釋為何自由主義與共產主義不只是二十世紀中國的重要思潮，它們在近代世界乃是全球化的現象。但由這兩個思潮在許多地區都受挫折，共產主義在二十世紀的歐亞大陸更可說是帶來極大的災難，我們也不能不思考其中的癥結何在。本書認為作為社會生活基礎的文化傳統與新興思潮的扞格應該是主要的因素，如果新舊文化在匯通的過程中，多有創造性的「格義」的過程，也就是多有兩者相互銜接的過程，而不是反向格義的過程，也就是不是以外來者強壓在接受者身上的竊奪行徑，以致殘酷地破壞了後者的文化生態的話，結果應該會很不一樣。本書這種文化詮釋學的視角有詮釋學的方法論及存有論的面向。

四、兩岸性與正命原則

「中華民國」作為一個在歷史中朗現的理念，它的另一個特殊的顯現是一九四九年之後，這個國家與臺灣的關係。由於這個在「中國」格局下成立的國體與現實主權所及的地區有嚴重的差距，不論人口或土地面積來看，現行的中華民國顯然無法執行「中國」一詞該有的政治責任。一個以「主權在民」自許的國家如果沒有辦法得到它的法理上的公民的支持，是不合理的。就現實政治考量，大陸中國擠在島嶼臺灣，目前的局勢就是不合理，如何解釋它的意義，不能不是項艱難的工作。

中華民國目前處於名實不符的狀況，直接的因素當然是內戰造成的，一九四九的共產主義革命無法渡越臺灣海峽，而原有的中華民國政府無法光復輿圖，回到革命前的原狀，長期演變，兩岸的分裂不能不成為現實。一種經驗現實常會有各種不同的政治解釋，因而也會有不同的政治方案。也正因為不同的政治解釋與政治方案背後常有不同的政治期待，這些期待往往牽涉到一些難以說清楚的情感因素，甚或政治認同因素，因而，相同的經驗世界的現實也常就不再有「相同」可言。

「中華民國」帶著濃厚的歷史積澱由一九一一走向一九四九走向二十一世紀，由中國大陸走向臺灣，它的歷史積澱是債務或是資產？「中華民國」是歷史遺留下來的麻煩問題？還是承繼歷史而持續精進的政治實體？本書對於現實的「中華民國」所衍生的政治問題無法陳述，更無法提出具體的政治方案，此事宜由政治學者去澄清，由政治人物去推動，再由全體公民去承擔。但因為依據本書作者認知，「中華民國」的理念具有重要的價值，在沒有更好的取代方案出現之前，任何政治方案如果喪失了這種理念的價值，應該不會是好

54 Emilio Gentile, *Politics as Religion*, p. XIII。

的方案。很不幸地，或許還有災難性的後果。由於「中華民國在臺灣」已是現實，本書無法迴避「中華民國」與「臺灣」的連結的問題。

本書認為臺灣由於它的地理位置、歷史境遇、人口結構、文明型態、經濟模式、語言文化等等綜合起來的因素，使得它很難脫離中國。作為主權在民的國家，中華民國的人民有自決的權力，這是政治自由的體現，也是憲法賦予人民的保障。但這樣的自由是法則的權力，它不是政治意義上實質的決斷依據，實質的決斷依據需考慮到構成自由可以運作的具體條件，只有將具體條件的限制納入考量，比如前文所說的歷史境遇、人口組成、經濟模式、語言文化等納入考量，其完整思考後所下的判斷才是可靠的。就此而言，情境主體的概念還是有用的，同樣條件的華人社群安居於香港、新加坡、檳榔嶼，情境不一樣，「主權在民」所落實下來的政治選擇也不會一樣。本書認為同樣思考「主權在民」的時代需求，坐落於大陸邊緣的島嶼臺灣不能不思考它出現於歷史之後所具有的特定的性格，抽離了這個具體情境的性格就不是臺灣，因為上天將它擺放在特定的時空框架，臺灣不是香港、新加坡、檳榔嶼。

臺灣的歷史就像世界上其他任何地區的歷史一樣，追溯其源頭，總有若隱若現的源頭，性格不甚清楚。臺灣真正有明確的文獻記載的歷史性格可說自十七世紀開始，此時既是歐洲文明乘海運東來的時期，也是中國史進入所謂「近代思維」的晚明時期。四百年島嶼的歷史特性在晚近有各種說法，其中一種極有挑戰性的說法是脫離中國的「脫中」的歷史，[55]這種脫中的史觀有各種的表述，一種表述預設了「中國」、「臺灣」之間可以本體論地分隔，臺灣擁有不言自喻地主權的性格。其說法不知不覺中常以海峽作為兩岸的分界點，臺灣的性質即在臺灣內部界定，而民主自決是此說的法源基礎，而脫中的臺灣史觀更顯示了臺灣歷史應該或已經發展的方向。本書承認「脫中」是個有現實感的史觀，就自作主宰的啟蒙精神而言，也有一定的合理性。「民主自決」是「民主」這個概念的分析命題，民主如不自決，難道由「民」以外的黨國決定？就原理而言，它是有普世的價值的。但「民主自決」落實下來如何認定「民」的資格？如何認定自決可以施用的範圍？主權的擁有者如有爭議，如何解決？這中間總有許多困難的工作，有待澄清。

臺灣意識的出現是晚近臺灣社會一個突顯的現象，[56]它可以說是伴隨著臺灣近現代百年史的發展而日益明顯的，臺灣從一個非政治性的地理島嶼變成一個具有濃厚自主性格的政治島嶼，其過程可以說是從in—itself到for—itself的過程，沒有對照、對抗、對象化的過程即沒有返身自證的結果。臺灣意識的出現當然要預設「臺灣」這個共同體符號的生成的前提，如果沒有全島的交通網、全島流通的傳播媒介或相當普及的識字率，「臺灣」的共同體性格不易形成，這些造成想像的共同體的特性自然也見於臺灣。[57]近世的臺灣住民如果沒有經歷日本的殖民統治、國府一九四九以後的戒嚴統治以及中共的武統威脅，臺灣意識也不會日益高漲，for—itself的結構也許就會停留於濃厚的in—itself的性格。主體總是在對照中產生，對抗的主體則是在

55　史明，《台灣人四百年史（漢文版）》（San Jose, Calif.：蓬島文化公司，一九八〇）是代表作，用他的語言講：「『臺灣民族』的形成乃是透過移民、開拓和近代化、資本主義化而促使臺灣社會與臺灣人（漢人系臺灣人和原住民系臺灣人）的生成和發展，並在歷史上、社會上向中國社會與中國人進行了否定的、離心的反駁和脫離的過程中，才逐步見到自然發生的。其具體內容，現已銘刻在四百年的臺灣史上。」參見頁一二。這條脫中的原則始終貫穿全書，全書豐富的統計資料也要服從這條原則。

56　「臺灣意識」是陪伴政治局勢的演變不斷出現的議題，解嚴前後，討論的文章尤多。下列這些書的立場不一，學術品質也不一，但眾聲喧嘩，可看到一個臺灣意識，各自表述的複雜現象。參見黃光國，《台灣意識與中國意識：兩結下的沈思》（台北：桂冠出版公司，一九八七）。施敏輝（本名陳芳明）編，《台灣意識論戰選集：台灣結與中國結的總決算》（台北：前衛出版社，一九八八）。黃國昌，《中國意識與台灣意識》（台北：五南書局，一九九五）。黃俊傑，《臺灣意識與臺灣文化》（台北：正中書局，二〇〇〇）。虞義輝，《台灣意識的多面向：百年兩岸的民族主義》（台北：黎明文化出版社，二〇〇一）。王曉波，《台灣意識的歷史考察》（台北：海峽學術出版社，二〇〇一）。楊青矗，《台灣意識對抗中國黨》（台北：敦理出版社，二〇〇五）。

57　參見班納迪克．安德森（Benedict Anderson）著，吳睿人譯，《想像的共同體》（台北：時報出版公司，二〇一〇）。

對抗的結構中產生。

主體因相互對象化而顯，主體因反抗意識而更加確立，臺灣意識的興起有臺灣史內在的脈絡，不是憑空生起的。就人而言，作為個體性終極原理的人性總有我性（mineness、ichheit），[58]「我性」構成了人格的統一性，但在現實的呈現中，「我」卻是關係的總和。同樣地，「關係」也可以運用到共同體的性質上去。共同體都有由地理空間走向政治空間的過程，在轉變的過程中，幾乎可以確定，共同體的住民都有經由彼此相對化或抗爭化所形成的我族或我群意識。在當代世界，我族意識和「自決」、「自治」、「自由」這些以「自」開頭的主體意識之權力分不開，民主自決的概念當然也是憲法賦予人民的權力，人民是國家的主體。但「自」的框架如何確立，因彼此相對化而起的「彼我」是去關係的對抗性關係？或是相互內在化的彼我關係？自決的內容及參與自決權的承擔者之認定，在現實政治上，常有極大的爭議，因為任何區域與周遭世界常有層層疊疊的交叉，禍福共同分享，歷史經驗共同分享，任何一方的獨斷自決未必是走向幸福的第一步。

本書認為從十七世紀以下的臺灣的性格之展現，它始終是在關係中呈現的。它誠然是在全球化的脈絡下以世界島的面目出現於世，不同的族群與文明在這個島嶼都留下作用，原住民、漢族、荷蘭人、滿人、日本人、新住民等都在島嶼上留下業績，累積臺灣的文化資本，這種流行的敘述有其合理性。但我們還是當注意島嶼構造中的各種關係，臺灣的本質在島內與島外的連結的關係中呈現。關係有主從輕重之別，關係中則以兩岸性的關係更為根本，我們有理由將「兩岸性」視為臺灣意識重要的屬性。明鄭與滿清的鬥爭事涉兩岸性，施琅入臺是兩岸性事件，乙未割臺抗日事件是同時牽涉兩岸根本利益的國際事件，一九四五年的臺灣光復改變了兩岸的關係，一九四九年國府渡臺更是目前仍抗爭中的兩岸性事件。所謂兩岸性事件，即是事件的承受者乃是兩岸雙方。即使放在現代的國際法的觀點考察，甲午戰敗，清廷割讓臺灣，此事牽涉到日本的因素，而且正是要造成臺海兩岸的分離。但遭受衝擊的客體主要還是包含臺海兩岸人民在內的整體大清帝國，它仍是兩岸人民精神共受創傷的兩岸性事件。綜覽臺灣史，有幾件重要的臺灣史事件不是在兩岸的架構中呈現，而同時影響到雙方的歷史行程？當臺灣意識在對抗性的結構中升起，我們不會忘了同樣一場對抗性的事件也在彼岸中國引發另一種新的中國共同體意識（中華民族意識）的強化，甲午戰爭與冷戰結構對兩岸的政治意識的衝擊同樣明顯，即是明證。

誠然，「兩岸性」是歷史傳承下來的性格，不能束縛自由意志。它在歷史中形成，在另外的時空條件下，未必不會在歷史中隱沒。如果鄭成功驅逐荷蘭勢力失敗，或者如果明鄭與滿清談判，得以比照朝鮮保境自立；如果臺民乙未抗日成功，安穩建立亞洲第一個共和國；如果臺灣人民在一九四五年日本戰敗時有自覺的臺灣獨立意識，而不是舉臺同歡地慶祝臺灣光復；如果國府在一九四九年敗退入臺時，聯合國託管臺灣的設想成真；如果在聯合國席次保衛戰期間，國民黨政府能成功地以另類的國名棄中保臺；如果如果，這些如果都有可能發生，也都可能改變臺灣史的方向。但事實沒發生，有沒有條件發生？如何改變？這些也無從猜測。但我們知道兩岸的歷史鉤連甚密，文化屬性甚近，地理空間緊鄰，經濟交涉極深，這些因素不以人的意志而改變，兩岸性有相當明顯的結構性的因素，它同樣連帶到另一岸文化的深層構造。如果影響兩方關係的政治形勢不能只從一方的視角進入，站在結構性的基礎上思考問題，或許我們可以有另外的視野。

海德格論人的本質有「被拋性」（throwness、Geworfenheit）的提法，[59]「被拋性」一詞在中、英文大概都不是令人怡悅的語詞，它似乎意指人被上天拋棄於空間格局之中，帶有抒情文學韻緻的語義。但此詞語只是指人的存在從來不是在一無所有的基礎上發生的，人的情境性的存在感是在每個人的境遇的前提下展現

58　我性是人的存在論的性格，它是「此在」的核心內涵，海德格的存在論分析頗集中於此義。參見海德格爾著，陳嘉映、王慶節譯，《存在與時間》，第九節、第二五節，頁五二—五六、頁一四一—一四四。

59　海德格爾著，陳嘉映、王慶節譯，《存在與時間》，第二九節，頁一六四—一七一。

的，人在時空中的境遇是存在也是本質。我們如果將他說的被拋性之Dasein改成我們所屬的生活世界的臺灣也適用，臺灣的意義也是臺灣「被拋」於特定的時空脈絡中形成的，臺灣人的生命結構與這塊島嶼的被拋性架構密切相涉。海德格的被拋性可譯成古典中文的「命」字，「命」是限制原理，也是具體的框架原理。孟子說：「莫非命也，順受其正」（《孟子・盡心上》）。實踐都是實踐於「命」提供的先行基礎上，認識之，消化之，並合理地回應之。穩健的判斷建立在對「命」的消化上，這才是「義」。「納命於義」並不是宿命之舉，而是思考時擴大了更寬廣的基盤，本書稱呼認識命的限制作用與落實作用而下的穩健判斷為正命原則。命是被拋性，不能選擇，人的存在即是被存在。被拋性或被存在不表示人在政治上不能選擇，而是選擇要立在無從選擇的基礎上所作的意義之創造，政治上的選擇要有文化風土的基礎。選擇是從立足點的基礎上瞻視前景，環視全景，正命是對被拋性的合理回應。

依據歷史處境的正命原則，本書的後半部處理了「中華民國在臺灣」的處境問題，其中論兩岸儒者的互動有兩章。本書的重要論點受海外新儒家學者的啟發甚深，新儒家學者的政治視野對本書了解中華民國的內涵有重要的意義，徐復觀先生在這點上提供了理論的架構，他自己本人也提供了非常重要的落實的案例。所謂落實，意指身為儒家價值的承擔者，他如何將作為中華文明的社會實體的儒家價值體系與現代的民主政治融合，並具體化於臺灣的土地上。徐復觀先生可能是一九四九渡海一代的知識人當中與臺籍的仕紳互動最密切的一位，而且徐復觀是有意行之，他嚶鳴求友於鯤島仕紳。徐復觀與臺灣仕紳的互動之親以及支持反對運動之切，此事固然為有識之士所共知，而以林獻堂為中心的臺籍文化菁英有濃厚的儒家文化情感也是普遍的共識，海峽兩岸的儒者之互動如鹽入水，其相合本不足為異。但我們如果放在現代化轉型的角度看待他們的交往，不難具體地看出一種活潑的儒家方案在兩岸的歷史都有脈絡可尋，案例可能通向普遍的現象，「徐復觀與臺中學人」的案例應當另有深層的意義可談。

徐復觀與臺籍仕紳交往的時間在五、六〇年代，臺灣文化協會青壯輩學者是他主要的對話伙伴。時間再往上挪，同樣的從「情境心」的「兩岸性」觀點出發，我們對於一八九五年到一九四五年之間的臺灣知識人的心態同樣可以有更親切的了解。本書另立一章，即以臺灣文化協會創始那一代臺灣士人的意識狀態作為線索。臺灣文化協會成立於一九二一年，屬於所謂的大正民主的年代，臺灣文化協會的菁英追求臺灣現代化的目標是非常明確的，而他們所理解的現代化的內容與當時的世界接軌，與日本境內的大正民主及對岸中國的五四新文化運動頗有桴鼓相應之處，這個歷史背景也是清楚的。然而，論及那輩臺籍風雲人物的意識構造，本書認為更好的連結可能不是與五四後的自由主義或左派知識人，而是與戊戌、辛亥那輩的儒紳的相應，跨代連結可能更為恰當。林獻堂之於梁啟超，蔣渭水之於孫中山，就是突顯的線索。雖然文化協會領袖人物不像梁啟超、孫中山般可以理論地連結儒家傳統與歐美現代思潮，文化協會人物不以理論建構見長。但論者如果只是從明亮意識的政治議題著眼，也就是只從歐洲原理界定島嶼的性質，我們對文化協會人的理解恐怕就會不足。

臺灣文化協會那一代的臺灣仕紳在追求現代化的過程中突顯了臺灣的主體性，這點是非常確定的，政治主體性的突顯常和受壓迫的現實一起出現，有壓迫即有反抗即有反抗意識的「我」之自覺。帝國主義和民族主義同時興起，這樣的共生過程有相當普遍性的基礎。日本帝國統治臺灣是殖民統治，殖民統治帶來了現代化的機制，其行政事務的治績不差，這些或許都可以成說。但殖民統治有民族的不平等，民族的矛盾很難克服，這種集體心靈的不平等感普遍見於當時臺灣仕紳的著作中也是事實。對抗日本帝國的殖民統治，臺灣意識之興起毋寧是殖民體制下必然的產物。

問題是臺灣意識以什麼面貌出現？在什麼框架下出現？本書認為臺灣文化協會那一代的仕紳帶有強烈的

漢民族文化，甚至是其演進版的中華民族文化的情懷，這點應該也非常確定，蔣渭水即是指標。[60]二十世紀上半葉是民族主義發達的世紀，美國威爾遜（T. W. Wilson）總統的「民族自決」的倡導曾掀起了狂熱的風潮，臺灣在日本帝國殖民政策統治下，民族的矛盾是無法克服的。在這個大的歷史框架下，當時的臺灣人追求臺灣現代化時連著民族主義的情感一併呈現，毋寧是極自然的事。但這種在殖民體制下興起的民族情懷因為沒有或沒辦法提升到與主權之訴求相合，政治認同的國家訴求沒有成為強音，所以我們如用「中華民族主義的情懷」之類的詞語稱呼之，固然不能說不相稱，蔣渭水明顯即有。林獻堂的戰友葉榮鐘是那個抗爭時代的參與者，他提出的臺灣光復乃「血的歸流」之說應該也可以解釋從殖民體制下走過來的臺民的心聲。[61]但既然政治作用的「民族主義」問題不能暢談，「臺灣民族主義」或「中華民族主義」的定位也沒有提升到對決的地步，所以作為文化區隔作用的「漢文化」是更常見的反抗武器。我們解釋這些臺灣志士的業績，如果使用「現代化的土著性」或「中西兩種現代性的混合」的敘述解讀之，可能更可以看出他們追求臺灣現代化的事業所蘊含的儒家原理之精神高度。

換言之，我們如從可以涵蓋焦點意識與支援意識的完整的精神架構著眼，思考日本殖民時期的臺灣現代化圖像，即不能忽略彼時先賢的政治主張的明光所出之精神背景。如果我們一定要從主權的觀點考慮當時文化協會志士的政治主張，大概不太容易聽到嘹亮的「獨立」或「重回中國」的聲音，「自治」才是個顯著的概念。然而，在殖民體制下，政治的問題下有存在基礎的民族文化的焦慮，這是個無法迴避的問題。而政治問題如果沒有和主權的議題勾聯，而是和「民族文化」的敘述結合，兩岸的曖昧性就很難不顯現出來。曖昧性即意指它不會是明確的政治主張，卻又有難以明說但可明瞭的勾連。誠然，「中華民國」的理念在無法以「民國」的面貌出現的地區，它就不會是省思理念與實現的連結的好例子。但不能充分地談論，也可以關連地討論。不作焦點意識的辨析，也可以作支援意識層面的釐清。

事實上，如果臺灣文化協會這些反抗志士沒有一些擦邊球的議論或動作透露出一些訊息，[62]當時的殖民當局對於文化協會那些志士的工作性質不會那麼懷疑，始終不相信他們的努力只落在「民權」的層次。日本統治機構認為他們還是會回到漢民族的地位思考社會運動的歸向，甚至不免要與海峽對岸重作整合。[63]就運動的結果來看，日本殖民當局的憂慮並不是杞人憂天，他們的憂慮如果轉換一種角度看，我們不妨說「中華民國」如果以理念而不是以實體的面貌出現，它在日本殖民時期的臺灣的兩岸是有暗度之陳倉的。中華民國此現代國家有中華文明的內涵，而此內涵有臺灣社會的基礎，本書此一定位未嘗不可以成說。

臺灣文化協會時期的臺灣志士從事臺灣的現代化運動時，他們論臺灣社會「文明化」的目標與儒家傳統的關係，大概較少人從負面的觀點思考，也就是他們認定儒家傳統與社會運動的方向是一致的。日本殖民時期，梁啟超之於林獻堂，孫中山之於蔣渭水，即有緊密的運動路線的呼應關係，當時兩岸的這種政治關懷的

---

60 蔣渭水是海峽兩岸各種政治力量都肯定的歷史人物，不同的政治立場很容易影響對他的思想的理解，不同的解釋因此不能不起。但他的著作數量不算多，內容也不艱深難讀，讀者直接閱讀後下的判斷最為可靠。更簡潔有力的辦法不妨閱讀日本殖民時期反抗運動的經典文獻〈臨床講義——對名叫臺灣的患者的診斷〉，此短文頗能反映蔣渭水的思想圖像。當代臺灣一位獨派的醫生曾貴海亦著有類似名稱的文章〈二十一世紀臨床講義〉，他也是回應蔣渭水，他的診斷書放在〈回應蔣渭水，形塑新文化〉一文中，《臺灣文化臨床講義》（高雄：春暉出版社，二〇一二），頁一—九。兩份臨床診斷書作一對照，蔣渭水的思想圖像或許會更為清晰。

61 葉榮鐘在〈臺灣省光復前後的回憶〉一文，提到一九四五年臺灣光復當時，臺中火車站前搭了一座「歡迎國民政府」的牌樓，當時中央社特派員葉明勳曾私下告訴臺中這些文化人道：「歡迎國民政府」的寫法不妥云云。但臺中的文化人始終不想更改成更合當時用法的文字，因為「這並不是邏輯的問題，這一股熱情所祈求的是血的歸流，是五千年的歷史和文化的歸宗」。此文收入李南衡編，《臺灣人物羣像》（台北：帕米爾書店，一九八五），頁二八九。

62 民初袁世凱竊國，蔣渭水、杜聰明、翁俊明等人想下毒暗殺袁世凱的事件，以及林獻堂在對岸中國說出「祖國」一詞引發回臺受辱的祖國事件，這兩樁事件都關連到殖民時期臺灣志士的中華民國情懷，其內涵如何解讀，當可進一步深化研究。

63 參見臺灣總督府警務局編，《臺灣總督府警察沿革誌》（台北：南天書局，一九九五），冊三，頁三一八。

連結，如果我們從他們都立足於更寬廣的中華文明的大地之基礎上思考現代化轉型的問題，也許更切進議題的真相。殖民時期的政治情況再惡劣，社會情況再怎麼不理想，但這些反抗運動志士的思考有很強的底層漢文化作為運動的軸線，這個現象也是相當清楚的。相對地，如果我們對照對岸中國從五四運動—中國共產黨成立以後一路思潮的演變來看，全面反傳統的火焰越燒越盛，傳統與現代斷成兩橛。海峽兩岸對現代化—文化傳統的關係之理解頗有差異，彼此的支援意識之差異相當顯著。就運動的底氣而言，日本殖民時期的臺灣仕紳對中華文明與現代化的關係之理解反而更堅實。

如果一個既具有文化傳統底蘊且又有現代文明風貌的政治體制，亦即中華民國的理念曾經吸引二十世紀上半葉臺灣仕紳的心靈的話，我們對戰後臺灣民主運動的解釋顯然不能從反傳統的現代化的角度進入之。本書所以最後立下民主憲政在臺灣島上實踐的一章，強調二十世紀最後十年的時期乃是「民主建國」的真正落實，意在強調承載儒家現代化方案的中華民國此一政治載體不會只是一種外來思想的產物，也不是外於臺灣史的內容。相反地，我們看到它在兩岸的文化土壤上皆有連接，它有雙源匯流的構造。所以縱然在冷戰時期的島嶼的行程走得曲曲折折，最後的發展還是相對順利。本書賦予解嚴行憲以後的臺灣很高的價值，認為解嚴行憲此一關鍵時刻的到來乃是依中華民國的理念該有的發展，它有理念上的必然性，現實上一時的挫折無礙於理念的必然到來。

至於中華民國在二十世紀的最後的階段廢除戒嚴，恢復憲法，此事是否該視為中華民國本質的全面回歸，民主建國工程的完成？本書認為如果從民主的形式條件來說，答案應當是的。如果從兩岸的關係仍處於不確定的衝突狀態，中華民國的「中華」性格仍沒有著落，「中華民國」與「臺灣」的複雜關係也還沒有形成有意義的辯證發展的動力，那麼，中華民國的理念顯然是沒有達到潛存與存在、現象與本體、普遍與特殊、範式與個案的統一。爾後的歷史是納中華於臺灣？還是納臺灣於中國？或是透過抽象的統獨之外的另類政治設計，臺灣與中華相互接納？或是最後淪於現實力量的對決，當一切規範失去效用時，即是暴力（武力）登場的時刻？答案依然不確定，我們只能等待歷史翻牌揭曉，本書不能代替未來立言。

但我們可以確定以下的事實，就理念落實於現實而言，沒有任何現實中的理念是最終的，它總是在變化中。「中華民國」是和「憲政民主」和「公民」的概念一起出現的，它們是歷史的產物，它們的面貌仍需在歷史的展現中明朗化，民主是有歷史的。但另一方面而言，現實中的理念是有深層的依據的，如憲政民主體制依據的是公民法政主體的平等性，作為法政主體的「公民」第一次出現於歷史的舞臺，它真正承擔起人的政治責任，它的根基就和作為人的本質之良知主體及憲政結構分不開，本書認為它的規範功能是不能變更的。縱使未來的歷史證明暴力是有效的，但未來也還有未來的未來，理念的規範性不可能受挫於一時的逆流，它最終還是會求得潛存與現實的合一。哥白尼即使被噤聲了，大地還是轉動的。

五、結論：從原點出發

一九一一年辛亥革命是中國史上出現的一個劃時代的重要事件，它是重要的歷史時刻，它促成了中華民國的誕生。爾後，中國史在政治意義上可以依照此歷史時刻，劃分成不同性質的兩個階段。就政治體制而言，可以確定的，一種沒有建立在民主機制上的君主專制至此步入歷史，「民主」一詞將是未來歷史發展的核心概念，而中華民國正是這個新興概念在國史上第一次的顯現。雖然中華民國的建立事起倉促，它至今為止的歷史也是段多災多難的歷史，就具體存在而言，它常面臨正當性的質疑，最近的例子即是它於一九四九之後在海峽兩岸的尷尬處境。它是共產中國眼中早該收拘到歷史法庭的無體遊魂，也是島嶼一些人眼中阻礙歷史進步的違章建築。但中華民國還是在曲折而災難重重的民主大道上前進，逐步地顯現它的內涵。

本書論「中華民國」，將它放在中國現代化轉型的視角下看待，「中華民國」的政治型態不能脫離全球化格局下現代化興起的世界史背景。「主權在民」的公民的想法以及實施民主的制度顯然超出了中國傳統思想能夠思及的邊界，即使以關心外王事務著稱的儒家也沒踏進當代民主政治的框架。中國文明的文教傳統構成了儒者思想的特色，也是它的限制，在現代化轉型的案例上，中國文教傳統的特色往往造成這個傳統的接受者認識的障礙。前清時期的中國沒有現代意義的國家的理念，「公民」、「民權」、「投票」這些概念自然都不易起來，它們找不到可以獨立成長的那塊土地。

上述常見的敘述固然是事實，但認識論的障礙只是一個面向，它的障礙未必是決定性的，去除了障礙也不保證現代化的道路即可通暢。一種被標籤化的儒家價值體系與現代化的對立是民國政治運作的真實，理論上卻是不必發生的假議題。儒家擁有豐富深奧的文化體系，它在伴隨中國歷史發展的過程中，有些積極的因素被掩蓋了，有些則像伏流一樣，時隱時現。比如孟子，他所扮演的角色尤為特殊。在宋明時期，孟子以性善論扮演了和偉大的佛教真常心宗派對話的角色，也大幅地拓展了儒家在心性論層面上的深度與廣度。在晚明時期，他又以民貴君輕的革命理論化為黃宗羲的政治變革的呼籲；到了晚清，他又要和新進的歐美民主思潮對話，扮演了民主建國工程的建築師。民國的新文化運動就像任何運動一樣，都可能犯錯，但它犯的一個大錯誤當是簡化並扭曲了儒家傳統，因而掏空了自己立基的基礎，也掏空了可以創造性地回應時代思潮的理論資源，精神的匱乏自然會導向歷史的悲劇。

本書從歷史的具體性原理出發，指出現代化的議題在儒家文明的大地上發生作用，它不能不銜接在儒家文明的大地上。儒家文明有自己演化的歷程，如果我們將「現代化」這個詞彙從歐洲文明史的框架中釋放，擴大範圍來運用，承認多元的現代性，那麼，這個概念的解釋效力或許可以更強。東亞的歷史有儒家的現代化理念行走其中，所謂「近代思維」是也，黃宗羲的《明夷待訪錄》的出現即是個重要的指標。而就人的主體是情境主體而言，一個合理的現代化方案正是滿足情境主體中的顯性政治方案及支援意識中的文化關懷而言。「中華民國」出現的時刻在戊戌、辛亥之間，其時的仁人志士正處在有意義的中西交流的文化風土與情境主體的交會上，他們的意識構造中有盧梭、孟德斯鳩、華盛頓，但也有孟子、王陽明、王夫之、黃宗羲思想的因素，他們一生的事業也都繞著混合現代性的格局而展開。

中華民國的未來命運如何？本書無法作預言的工作。本書只是想從儒家精神發展的角度立言，指出中華民國的理念不但在現實中逐漸呈現，它也未必不是歷史之所欲。就理念內涵而言，它比建立在階級史觀上的國家設想更符合中國文化發展的方向，也更能調整政治權力與生活世界可能的磨擦。至於「中華民國」是否是臺灣史之所欲，關鍵當然在島嶼人民如何看待臺灣與中國的關係，主權在民的政治賦予人民下決定自己命運的政治判斷的權力，無人能代替主權承受者的臺灣人民作決定。人的當下判斷總連著過去的記憶與未來的想像，不同政治想像的人士對過去與未來也會有不同的解讀，所有的過去記憶與未來期待都會聚於當下，所以每個人的當下的判斷也會呈現不同光譜的政治判斷。人的時間意識結構本就如此，所有意識經驗都是我性的。但如果主權有爭議呢？本書說的「兩岸性」如果可以成立，它不只是臺灣人民意識構造的內涵，它也是彼岸人民意識構造的內涵，我們要如何面對兩岸的曖昧狀態呢？

本書內容繁雜，但核心的觀點卻很簡易。由於「中華民國」是在歷史上出現而且仍在持續作用中的國體，經歷複雜，本書不能不涉入史實的解釋。但本書的重點始終在結構性也在規範性的層面展開，所謂結構性的層面意指格式塔的視野。相對於目標明確的政治意識，本書兼顧焦點意識與支援意識的個人知識論。相對於地緣政治的冷戰價值論，本書更重視風土論與良知論結合的情境主體論。相對於築基於權力平等上的政治主權論，本書更重視融道德機會平等於政治機會平等的法政主體論。相對於從純粹臺灣內部定位的主權論，本書更重視融合生活世界與「此在」論於國家定位的整體判斷論。上述這些因素構成本書論述的原點，也可以說本書一切論述回歸返證的終點。由原點與終點的反覆證成，本書由此展開中華民國這個國家百多年來如何彰顯它的本質的故事。

第一章

儒家的現代化別裁：第一種新文化運動

一、前言：新文化運動光譜再議

五四運動在動盪的二十世紀中國具有特殊的地位，但五四運動如何定義？它的內涵為何？卻不是沒有爭議的。正如許多研究已說過的，我們現在所說的五四運動的內涵有二，一是發生於民國八年五月四日的那場遊行示威運動，這場因山東問題引致的愛國運動誠然是可以紀念的，因為它確實引發了學生、商人等罷課、罷市的行動，喚起了相當規模的全國性的響應，五四可能是第一次具有現代社會性質的市民社會運動。從一八四〇年鴉片戰爭爆發以來，累積了八十年的國族存亡意識與民族羞辱感，在此運動中得到了暫時性的紓解。這個政治意義的運動往往和「愛國」、「民族主義」的概念連結在一起。在風雲動盪的年代，五四愛國運動和二十世紀中國主要的政黨國民黨、共產黨爾後的發展之關連相當密切，它的形象也就相當突顯。

但「五四運動」這個詞語更重要的意義應當不只是愛國性質的，它另一個涵義指向新文化運動。新文化運動發生的時間要提早，主流的論述是從更早的《新青年》創刊（一九一五，原名為《青年雜誌》）開始算起，它後來借著各種歷史機緣，五四愛國運動是其中爆發力極強的因素，向外擴展。《新青年》加上五四愛國運動，引發了各種新興的思潮。這波新思潮的規模宏大，內涵複雜，它的內涵和五四愛國運動的內容原本性質不同，但就歷史影響而言，卻又犬牙交錯，難以切割，因此，也被冠上了「五四」這個頭銜，由此而有「五四新文化運動」之稱。[1]但它的下限要斷至何代，所謂的新文化的性質為何，似乎很難有一致的共識。[2]事實上，它的起源要從何時開始算起，也還可討論。

「五四新文化運動」一詞如果由《新青年》創刊算起，那麼，它發展的軌道可說是由文學運動發展成遍及各領域的新文化運動，它的光譜甚廣，顯然不能局限於狹義的文學或政治的議題，[3]但由於五四運動發生於近代中國極動盪的時期，國人自鴉片戰爭以來一連串的歷史創傷所凝聚成的尋求出路的意識極濃，因此，政治的關懷不能不是此運動核心的一環。事實上，新文化運動後來雖然在文學、戲劇、美術、音樂、法律諸領域分途發展，但由於二十世紀中國始終處於動盪的漩渦，政治的關懷不能不構成中國現代文化的核心議題。這種政治關懷因為中國近代兩個主要政黨——中國國民黨、中國共產黨——都帶有濃厚的意識型態，也都是具有濃烈的集權主義的剛性政黨，也都受惠於五四運動所帶來的群眾運動的力量，[4]因此，更使得新文化運動承載了極重的政治內容。新文化運動—五四愛國運動—共產黨成立—北伐—抗戰—中華人民共和國成立—中華民國遷臺，這一連串的事件層層相扣。百年來，國、共兩黨的分分合合，甚至一九四九之後兩岸分治的民國與共和國之爭，都不能不追溯至新文化運動的開展。

五四運動雖源於中國代表團在巴黎和談時，談判山東問題的失敗所致，但它承《新青年》開啟的批判之

1　有關「五四運動」的各種解釋，參見周策縱著，陳永明等譯，《五四運動史》（長沙：岳麓書社，一九九九）。

2　周策縱的《五四運動史》將它的年代定在一九一七年至一九二一年，但他也指出運動之前尚有與運動起因分割不了的前因。一九二一年之後，運動事實上也仍在進行，周策縱的斷代只是一種可能。如果我們將新文化運動與中國現代化的議題結合來看，本文的立場即是如此，新文化運動的起源要更早，時段要更長。

3　五四運動對現代中國新文化的強烈影響是個不需多加說明的歷史事實，語其大者：（一）作為傳播載體的白話文取代行之多年的文言文此一語文運動；（二）作為新文化載體的各種新的文學與藝術形式及承載的物質載體：如小說、戲劇、油畫、版畫、漫畫、報紙、雜誌等的興起；（三）作為新的生活形式的自由主義：新的民主政治的理念的普及以及附掛在民主、自由標目下的各種制度的設計：如司法獨立、三權分立、宗教自由等等；（四）作為自由主義與文化傳統主義的對立面的共產主義的生活形式之設計。以上這四股思潮都是影響深遠的運動，其格局甚至為秦漢以來所僅見。這四股思潮雖然不見得起源於五四，很明顯的，白話文、小說、戲劇、民主自由的理念、社會主義的理想等等在傳統中國都不陌生，但無疑地，是在五四運動這股醞釀多時的集體意識的引爆下，它們才取得了顯著的內容，也有了新的表現形式，成為形塑新中國的力量。

4　原北大校長蔣夢麟作了如下的觀察：「『五四』以來的文學革命，增強了人民對於社會與政府的不滿，為國民革命軍鋪了一條勝利之路，對於北伐順利的成功大有幫助。其後之革命文學，也為共產黨的策略和主義鋪了一條成功之路。」參見蔣夢麟，〈談中國新文藝運動——為紀念五四與文藝節而作〉，《蔣夢麟述懷》（北京：商務印書館，二〇一九），頁二九七。

風，後續發展所關連的議題顯然複雜而多元，絕不是一兩個題目所能限制。在「革命」、「打倒」的口號層出不窮的年代，五四運動之所以長期成為運動的典範，沒被後起的一連串運動事件所取代，正因它的內涵的豐富。其中「民主」、「科學」的口號更被視為具有主導性的目標，作為「民主」、「科學」代稱的「德先生」與「賽先生」甚至成了一時的流行語。這兩個詞語的流行絕非無故，它們無疑是「救亡圖存」此一迫切的時代命運下的產物，[5]而這個產物的發生是有極深的歷史源頭的，百多年來中國歷史病痛的癥結被歸結到科學的不昌明與政治制度的不良，對「物」與「政治」的反省成了聚焦的意識。「科學」連結到對「物」的處置，「民主」連結到對「政治」的安頓，人的存在基本上是在「物」（或器物）與「人」所環繞的生活世界展開的，「民主」與「科學」的口號因此既回應了時代的需求，也與人的具體處境息息相關。

「德先生」、「賽先生」兩詞語的流行預設了東西文明交流、衝突、融合的劇情，這兩個詞語所代表的文化長期被視為是舶來品，是中國自鴉片戰爭後一步步地開放自己，一步步地向國外借鏡的結果。此開放的步驟先見於器物層面，接著是制度層面，最後是更宏觀且更精緻的文化層面。中國一步步地退讓，同時也就一步步地捲進西方現代性的大浪潮中。在五四愛國運動前八年發生的辛亥革命、中華民國成立，可以視為近代歐美自由主義衝撞中國的產物，中華民國此符號後面有美利堅合眾國、法蘭西共和國的革命的印記。至於在五四愛國運動發生兩年後，中國共產黨成立，則是伴隨蘇聯革命—五四運動這條歷史線索更徹底的發展。至少從中國共產主義哲學家的觀點看，共產黨的成立是五四運動的寧馨兒，是新文化運動必然的產物，也是中國人民在摸索歷史前途的過程中，經由對中國的封建主義文明與對西方的資本主義文明的雙重揚棄所尋得的正確南針，中華人民共和國則是共產主義理念的具體化。共產黨的革命運動是以既反傳統也反西方的另類西方意識型態被引進中國的，我們探討當代中國思潮時，這是條不可能跨過不論的線索。

但五四新文化運動由文學革命發展到各領域的文化運動時，尤其文學革命本身異化為革命文學的主張時，人的概念或個體的概念或主體的概念，也產生了極大的變化，我們可稱作人觀或主體性的變化。人觀或主體性的問題所以會成為一個時代的重要課題，當然和意義是人文的核心範疇，而新文化運動面臨價值結構的解體有關。意義解體的心理需求帶來了人生意義、文化走向的相關問題，這種人觀（主體性）改變引致的議題其實也貫穿了五四的行程。大體說來，在文學革命時期，自由主義的個體性的人性觀是指導力量；一入革命文學的階段後，[6]共產主義的階級人性觀則成了主流。周作人的〈人的文學〉[7]一文所以在文學革命時期的名聲那麼響亮，被視為新文化時期到來的鳴槍一響，原因即是此文提出了主體性質的人觀的問題。廣義的五四運動時期出現的國民性問題、人生觀問題、東西文化性質的問題等種種的爭辯，可以說都是人觀議題的亞型。五四運動所以會發生這麼重要的影響，我們很難想像沒有人的概念的轉變或深化作為前提。

本文說的五四運動有時指發生於一九一九年的狹義的愛國運動，有時則指廣義的新文化運動，這兩種意識的五四運動可因文章脈絡而自然呈現，不再特意分別，但主軸將是新文化運動。五四新文化運動和新文學運動有密切的關係，新文學運動可以視為新文化運動核心的一環。新文學運動所牽涉到的人觀的改變，也可以說是主體性觀點的改變，不能不說是新文化運動的核心議題。如果我們以民主、科學、人觀（主體性）三者作為新文化運動核心的議題，其他重要的議題視為這三個核心議題的子議題，或是繞著此核心展現出的相關議題，這樣的敘述或許距離真實的圖像不會太遠。

5　參見李澤厚，〈救亡與啟蒙的雙重變奏〉，《中國現代思想史論》（北京：生活・讀書・新知三聯書店，二〇〇八），頁一—四六。

6　此階段可以以一九三〇年左翼作家聯盟成立作為明確的指標。

7　周作人，〈人的文學〉，原刊於《新青年》，五卷六號（一九一八・一二・一五），收入止庵校訂，《周作人自編文集・藝術與生活》（石家莊：河北教育出版社，二〇〇二），頁八—一七。

民主、科學、人觀這樣的議題在二十世紀早期的中國出現，它不可能沒有帶上那個時代的印記，也就是它不可能沒有特定的歷史內容。但我們現在對五四新文化運動的了解往往受到以胡適為代表的自由主義者及以李大釗為代表的共產主義者的影響，「新文化」的內涵因而帶有明顯的自由主義或共產主義的印記。然而，論及「新文化」一詞，它總是對應著「舊文化」或「傳統文化」而起的，這個詞語預設了如何看待傳統文化的問題，從本書的關懷來看，則是預設了傳統文化的現代轉型，也就是現代化的問題。中國現代化的轉型工作乃因十九世紀海運東來、中西嚴重衝突所引起的，我們很難不考慮承載衝擊力量的中國文明對這些新興因素的回應是否具有路線的意義。

本文認為這樣的路線確實是存在的，而且發生的時間要早，根源要深。所謂根源深，如下文將指出的華夏文明是前詮釋的先行構造，它具有詮釋的優先性。文化傳統主義這條路線如果沒有更重要，至少沒有理由被自由主義或共產主義的路線所掩蓋。本文稱呼建立在中國本土上對新興歐美文化的回應之新文化運動模式為文化傳統主義模式或儒家模式。換言之，儒家的價值體系是複雜的組合，它也是新文化運動的重要環節，它既有被新文化運動批判的成分，但也有批判其他模式的新文化運動的成分。

文化傳統主義在當代中國思想運動所扮演的角色，我們只有將它放在西潮氾濫，甚至達到了傳統文化「全盤的解體」的歷史背景下看待，其興起的意義才容易理解。目前流傳的五四新文化運動的符號帶有很濃厚的反傳統的特質，至少從中國共產黨人的眼光看來，這場新文化運動的性質很容易這樣地被設想。但作為傳統文化承載者的文化傳統知識人是否即是五四運動的對立者？顯然不是。我們有理由相信：在現代中國的政治轉型中，不管是戊戌變法、辛亥革命或是五四運動，文化傳統主義者都曾參與其中，而且也都是一股重要的力量，文化傳統事實上是托起新思潮變化的母體。五四新文化運動的性質很複雜，共產黨人與自由主義者顯然都可以找出符合自己理路的線索。事實上，這樣的聲音已經夠大了，但筆者認為：我們應當有政治主導的主流論述外的五四新文化運動的敘述，文化傳統主義者即是另類五四新文化運動論述的代表。

如實言之，不管五四取的是狹義的愛國主義的用法或是廣義的新文化運動的用法，作為民國思潮主流之一的儒家都是參與五四、弄潮五四，而與五四運動的其他各種思潮競爭文化發言權的一股力量。如果說帶有相當濃厚西方近代社會特色的自由主義與共產主義乃是顯著的五四地標，儒家則代表五四運動的另一種型態。近現代的儒家知識人多相信民主、科學的重要價值，也多認為儒家傳統可以提供民主社會更合理的新的人觀。他們相信中國文化需要作現代轉型，但他們不認為儒家傳統與中國的現代化工程是衝突的，更不可能斷線，他們在儒家傳統與自由主義所催生的自由或社會主義所宣揚的平等的價值中，找到聯繫點。新文化運動是有意義的，但賦予新文化運動不同於自由主義與共產主義的解讀，也是必要的。溝口雄三論及五四運動時，曾說梁漱溟所代表的五四運動的路線是另類的五四運動。[8]借用溝口雄三的話，再下一轉語講，如有另一種五四，自然也有另一種新文化運動。

這種另類的新文化運動的發軔期更早，它是從中國社會更底層湧現上來的力量，它代表傳統文化在新時代的自我轉型。更恰當的說法，它是與作為他者的西潮在歷史際遇的層面中，經由撞擊、吸收、融合等轉化過程創造性的轉化過程後形成的新的模式。它扎根於大陸的儒家傳統，在一九四九之後的海外中國生根、茁壯，並且在共產中國實施改革開放後，又反哺了九州大地。從長距離的歷史縱深來看，很可能這種另類的新文化運動才是新文化運動該有的型態，是更原初的新文化運動，也就是更合理的中國現代化途徑的展現。

儒家不見得是拖住新文化運動向前行的古老幽靈，相反地，它很可能是推動並調控運動方向的深沉力量。

8　溝口雄三，〈もう一つの「五・四」〉，《中国の衝擊》（東京：東京大學出版會，二〇〇四），頁一六六—二〇五。中譯文見〈另一個「五四」〉，收入王瑞根譯，孫歌校，《中國的衝擊》（北京：生活・讀書・新知三聯書店，二〇一一），頁一五三—一九四。

二、五四運動時期的儒家文化圈

沒有晚清，何來「五四」！[9]筆者相信這個口號用到新文化運動的現象上，一樣可以成立，而且更合理。晚清小說花團錦簇，開創新局，多元的題材，開啟了五四新文學之途。晚清儒者面對中西文化交流的大變局，他們也同樣提出有別於前代儒者的中國現代化方案，為爾後的新文化運動鋪了路，而且，比起後來者提供的模式，他們的方案可能更堅實。新小說與新文化運動所以同時段出現，平行發展，很重要的原因是它們出現在同樣的歷史背景上。舊時代已一去不返，處在西潮瘋狂沖洗下的晚清社會，人的感覺狀態與思維模式已大不同於前代的知識人。急遽變化的時局促使當時的文人與儒者不能不面對新局，使用新的表達方式與內容，並提出新方案。

本文探討新文化運動，認為戊戌變法時期的儒者是新時代的先鋒，這一群儒者的出現劃開了兩種不同型態儒學史，他們可視為「新儒家」的第一代。目前學界所用的「新儒家」一詞常指向以梁漱溟、熊十力、馬一浮開啟的儒學復興運動的學者，也就是民國新儒家。梁、熊對東方的心性之學都深有體會，他們和一九四九之後渡海南遷的中壯輩儒者唐君毅、牟宗三、徐復觀等人都有較深的師隸淵源，他們被歸為第一代新儒家是有理由的。但我們如從「儒家與中國現代化的關係」著眼，清末一輩的儒者的思考已頗周詳，他們對中國現代化的規劃其實比起梁漱溟、熊十力、馬一浮來，反而更接近海外新儒家的觀點，如果我們不從心性論的觀點，而是從儒家作為「教」的觀點考察。戊戌時期的儒者當可視為新儒家第一代，本文即是從此點著眼。論及儒家與現代化轉型，也可以說是與新文化運動的關係，本文原可從此源頭論起，順流而下。但因新文化運動常和《新青年》的創刊連結在一起，也常和五四愛國運動連結在一起，這樣的定位幾乎已為成說，而儒家這個因素在「五四」的符號光譜中，並沒有受到足夠的重視。為了澄清儒家與新文化運動的關係，本文將調節論述的次第，不依時間先後排列，而直接就從民國時期的五四愛國運動切入，因為儒家因素在這個時節點上的表現其實頗為明顯。我們由此再上觀晚清儒者的努力，以及五四愛國運動以後的儒家學者的奮鬥，全程以觀，或許可以更合理地觀察到儒家傳統與新文化運動的連結。

今日學者重思新文化運動，首先要面對的就是一傳眾咻、長期累積而成的成說，而這樣的成說是和近代中國獨特的歷史分不開的。在近代中國諸股思潮的牽引互動中，思想有越走越左的趨勢，文學革命被革命文學取代，文化的政治性被政治性的文化取代。更重要的，代表近代中國思潮最左的一支的共產黨在一九四九取得政權，壟斷了一切的發言權，成了各領域的權威，包括道德的權威，以及史觀的權威，萬馬不能不齊瘖。由於共產黨在邁向革命勝利的路途中，儒家長期被視為封建文化的代表，是需要被打倒的對象，所以在構成五四運動或現代中國新文化的過程中，文化傳統主義到底起了什麼作用，遂多被蒙蓋，儒家的角色是正面？是負面？也就難以受到公平地衡量。

論及五四新文化運動，總脫離不了《新青年》這本雜誌，一個牽動大時代的運動始於一本雜誌上的筆墨烽火。但為什麼是《新青年》？而不是其他的雜誌，比如說《學衡》。如果說《新青年》傳達了新的文化訊息，《學衡》何嘗不是如此。無疑地，論及五四新文化運動，《學衡》也會被提及，但通常是作為對照組而出現的，它因襯托《新青年》而被注意，但何以兩者的主從不能倒過來看？眾所共知，「學衡」原為雜誌名稱，後來演變成為文化傳統主義思想的符號，其情形一如「新青年」一詞，《學衡》事實上可以說是對應《新青年》而起。它作為一股思想力量在民國的時局中興起的作用，可視為儒家傳統對以胡適、陳獨秀為代

9　參見王德威，〈沒有晚清，何來五四？〉，《被壓抑的現代性：晚清小說新論》（台北：麥田出版公司，二〇〇三），頁一五—三四。

表的新興學風的修正。修正也者，意指《學衡》中人對新文化運動揭舉的民主、科學、新的人觀的目標也是贊成的，但他們對這些概念的內涵，或達到這些目標的途徑，另有看法罷了。如果《新青年》的新文化運動路線是「正」，《學衡》的路線則可視為「反」，「正」後來會被視為新文化運動的主流，而不是「反」，筆者認為應當是各種錯綜複雜的影響力介入的結果，而不見得是理論的妥當與否。

《學衡》派人物後來多與南京的中央大學有關連，《新青年》同人更多的是北京大學的學人，一南一北，成了明顯的對照。《學衡》的出現比《新青年》晚，但兩雜誌的學人其實處在共同的時代背景及社會基礎上，《新青年》的胡適與《學衡》的梅光迪留美時期，即已切磋過文學革命種種的議題，兩派人物其實分享了共同的問題意識，但卻給了不同的解答。學衡中人如吳宓、梅光迪、胡先驌、劉伯明、馬宗霍、柳詒徵等人，他們身處新舊文化交接之際，大抵都有舊學涵養，對新文化運動所標舉的理念如自由、民主、人權等，其支持不下於《新青年》學人。縱使面對白話與文言之爭，他們也未必反對白話文。上述諸人中，如吳宓、梅光迪等人更受過良好的西學教育，浸潤西洋文化甚深。就養成背景來看，他們與引領五四風潮的胡適、蔡元培、魯迅等人並沒有太大的差別，他們與其說是作為新文化運動的對立人物而存在，不如說是修正人物。儒家無疑是他們理論的核心石，此派核心人物柳詒徵所謂：「以儒家之根本精神，為解決今世人生問題之要義」者是也。[10]學衡派具有明顯的立基儒家傳統的特點，吳宓在文革期間堅持不批孔子，儼然與梁漱溟、陳寅恪的表現互相輝映，可說是此派精神的反映。

學衡派作為五四運動論述的一環，此提案是放在「五四運動」這個概念下定位的，而不只是此派人物多活動於五四風潮中。我們應注意學衡諸君子與十九世紀的儒家傳統主義者不同的地方，即是這些人士多有綜合中西古典精神，也可以說綜合中西人文主義的抱負。梅光迪、吳宓或許還可加上精神相契的梁實秋，他們都受惠於哈佛大學的白璧德（I. Babbitt）教授的思想，白璧德思想往上可追溯到古希臘蘇格拉底以下的人文傳統。學衡派結合儒家與白璧德，代表中西古典精神的結合，他們對五四新文化運動的主領域之一的文學主張即多主張文學的倫理性，對脱關係性的浪漫主義多所批判，他們的文學主張明顯地和強調個人主義的文學觀不同，應當是更穩健也更合理的提案。[11]我們如果以《學衡》的眼光看待新文化運動，應該可以看出不同的圖像。[12]

《學衡》是一個參與新文化運動但內容別有主張的例子，以杜亞泉為核心的《東方雜誌》又是個例子，[13]《新青年》、《學衡》、《東方雜誌》並列於民初的輿論市場，雜誌在新舊文化轉型時期的作用由此可見。在五四眾多文化名流中，杜亞泉不會是顯耀眼的明星，他主張儒家價值與新思潮的結合，其語平實而平淡，在當時的輿論市場，或者在後代的重構中，也比較容易被忽略掉。然而，就對當時社會的影響而論，社會教育家不見得會比有原創性的思想家來得不重要。杜亞泉作為科學教育基礎的推動者，科學教材的編纂者，他對科學教育之下滲於一般國民階層，其作用不容低估。如果科學是五四新文化運動重要的一環，而科學教育作為啟蒙群眾科學概念重要的環節這個前提成立的話，我們對杜亞泉這種類型的知識人的角色即須仔細重估。更重要地，作為《東方雜誌》九年的主編，他很堅決地反對全盤西化的論點，站在《新青年》的對立面，而立主中西調和。杜亞泉就像當時許多開明的傳統知識人一樣，他們沒有太多突兀精彩之語，但語多

10 柳詒徵，〈最近之文化〉，《中國文化史》（台北：正中書局，一九七八），卷下，頁二八六。
11 關於白璧德與學衡派的關係，參見侯健，《從文學革命到革命文學》（台北：中外文學月刊社，一九七四）。
12 關於學衡派的特色，參見王晴佳，〈白璧德與「學衡派」——一個學術文化史的比較研究〉，《中央研究院近代史研究所集刊》，三七期（二〇〇二．〇六），頁四一—九一。
13 參見洪九來，《寬容與理性：《東方雜誌》的公共輿論研究：一九〇四—一九三二》（上海：上海人民出版社，二〇〇六）；陶海洋，《《東方雜誌》（一九〇四—一九四八）》（合肥：合肥工業大學出版社，二〇一四）。

平實。[14]相對之下，陳獨秀的用語咄咄逼人。論及歷史影響的問題，很難不觸及理念如何傳播的關鍵因素，我們也就不能不考量杜亞泉這種掌握教科書及重要雜誌的知識人的功能。

《新青年》與《東方雜誌》或者說陳獨秀與杜亞泉對於中西文化價值不同的理解，應該和本文後面要討論的「科學與人生觀論戰」一樣，都當列入新文化運動的範圍，王元化認為陳、杜辯論的理論價值比科玄論戰高。理論價值的高低姑且不論，但杜亞泉持中西文化調和立場，有〈接續主義〉一文以述其義，文中有言：「一方面含有開進之意味，一方面又含有保守之意味」。杜亞泉論「接續」彷如更早之前的梁啟超論「革命」之為變革一樣，都不採取斷裂新生的手段，而主張接續、轉化的功能。杜亞泉的論點可和康、梁那一代的儒者以及港臺新儒家的論點頗有近似之處，他們可視為廣義的同志。[15]

《東方雜誌》、《學衡》、《新青年》可以說同時存在的雜誌，《東方雜誌》的創辦更早。梅光迪、吳宓、杜亞泉這些傳統價值導向很強的學人對於新思潮的回應與自由主義者的理解並沒有相去太遠，重估他們在民國思想史上的位置，應當是很有意義的。但本文認為論及新文化運動的儒家路線，梁啟超扮演的角色更為重要。梁啟超是晚清民國時期的文化巨人，他生前對自己所處時代的影響，應當不遜於任何自由主義或共產主義的風雲人物。他崛起於晚清時期，乃因與其師康有為共同參與戊戌年間風起雲湧的維新運動，他們的君主立憲的主張是晚清政壇的重要議題。康、梁兩人並稱，號稱為保皇黨巨擘，梁啟超的思想當然也脫離不了康有為的影響。康有為是二十世紀中國的重要思想家，他的公共形象是一生以保皇自任，至死無悔；入民國後，他依然是學界的著名學者。康有為的「保皇」與「儒教」主張是他複雜的思想中的兩個突出項目，也是兩個長期被視為康有為的負資產的項目，但他這兩項主張的內容是否那麼需要負面看待，也許可以再重估。他的「保皇」理念可能不是要緊守傳統專制王朝的體制，而是更傾向於三綱概念的現代轉型，所以也不見得會和虛君共和的理念相反，因此也不見得會和立憲民主衝突。至於儒教的問題，康有為的提案不管是否合理，或者康有為本人是否有足夠的學術與人格力量可以推動此事，但他的問題意識恐怕是無可厚非的。海外新儒家在五〇年代以及中國大陸學者在當代還是要面臨儒家與宗教這個纏繞已久的議題，康有為的儒教說所以受到那麼激烈的抨擊，原因固然多端，但民國時期的反宗教思潮應該也是重要的原因。於今思之，宗教的議題恐怕不是如民國學人所設想的那般容易處理掉。

康有為的思想或許沒有那麼不合時宜，但民國成立了以後，如何再將民國推回君王制——即使是君主立憲制——的母胎？作為吹響時代號角的鼓吹者，康有為到底與民國錯身而過了，他的主要作用當在戊戌—辛亥之間。就民國思潮而論，梁啟超顯然更可以代表五四新文化運動的儒家類型。民國以後的康、梁雖然仍是康梁並稱，仍是師弟關係，但民國的康、梁畢竟不是晚清的康、梁。梁啟超入民國後，仍是思潮的鼓吹者，他是五四新文化運動中儒家一翼的鼓吹者。康有為當然也是儒家立場，但兩人畢竟有距離了。[16]

梁啟超與五四新文化運動的關係相當密切，即使單論作為愛國運動的五四運動事件，梁啟超的分量也是清清楚楚的。最明顯的，五四運動的發生和梁啟超在巴黎和談中扮演的角色有密切的關係，作為現代突顯的愛國知識人形貌的梁啟超，始終注意歐戰結束後，事關中國基本利益的領土完整或主權完整是否會被出賣，這個惱人的問題是當時全國輿論的焦點。他在歐戰期間，所以不顧眾議反對，反對者當中包括他的老師康有為以及孫中山，他仍與段祺瑞合作，力主對德宣戰，即已意識到戰後，山東德國租界的歸還問題一定會成為

14　杜亞泉的文字風格相當一致，參見杜亞泉著，許紀霖、田建業編，《杜亞泉文存》（上海：上海教育出版社，二〇〇三）。
15　關於杜亞泉與東西文化問題論戰的意義，參見王元化，〈杜亞泉與東西文化問題論戰〉，收入《清園文存》（南昌：江西教育出版社，二〇〇一），卷二，頁二〇九—二三二。
16　參見張朋園，《梁啟超與民國政治》（台北：中央研究院近代史研究所，二〇〇六），頁二二四—二二九。

中日外交的衝突點。中國如能參戰，成為戰勝國，才有機會參與戰後和平會議的分餅大計。[17]於今觀之，梁啟超的選擇不能不說是慧眼巨識。正因他很早就注意到山東問題的重要性，也了解國際局勢的複雜以及日本的野心，所以也就間接地為五四愛國運動埋下了引爆的火苗。

然而，梁啟超在五四新文化運動中或許還有更重要的意義，他的作用不僅止於觸發五月四日那場著名的愛國運動。[18]愛國運動牽涉到民族主義情感，舉國共憤，共識容易達成，連工人都史無前例地罷工以支持之。但梁啟超的意義不僅於此，他更重要的功能乃在引發五四運動作更深刻地挖掘，也就是五四運動從愛國的意義變為新文化運動的意義，梁啟超也是其中一位主要的參與者。五四愛國運動背後的歷史背景是歐戰，我們不會忘了，作為現代中國輿論驕子的梁啟超在歐戰結束後，面對滿目瘡痍的歐洲大地，他深感驚駭，何以歐洲充滿了「世紀末」的情調，[19]人民對前途失去了信心。他不得不嚴肅思考：現代性的內容該是什麼樣的模式？歐洲是現代文明的提供者，盧梭、孟德斯鳩、洛克（J. Locke）這些人是現代中國人的政治導師，美國獨立、法國大革命是二十世紀中國追求現代化的楷模，梁啟超即是當年大力鼓吹師法歐美現代思潮的領軍人物。但何以歐洲會在科學發展到了高峰之際，這些文明國家竟然戰成了一團？如果歐洲現代性引發的歷史變遷沒有隱藏根本的病根，何以會引發人類史上史無前例的大屠殺？難道說現代性的內涵能夠沒有價值理性的因素在內嗎？

一戰後的歐洲之旅雖然不是他政治思想的突然的拐點，早在之前的美洲之旅，他已發現當代的民主政治有極大的缺點。但伴隨著民國時局的日新月異，或者該說每況愈下，歐洲戰場的臨場體驗帶給他的刺激也就越來越大。身為救亡圖存的時代關懷者，梁啟超一方面仍宣揚他的憂國、愛國主張。但面臨整體政治秩序的崩盤，原有典範的失效所帶來的意義的危機，[20]他開始尋求政治事務與其他文化領域事務的整合。他同時返身內求，自然而然地由西洋新思潮的引介者變為東方文化傳統的再詮釋者。或者說他原有的儒家情懷在整個文明的想像中，扮演更重要的角色。他的《歐遊心影錄》適時出版，可以代表一種反思現代文明的號角，這隻號角和差不多同一個時間出版的梁漱溟《東西文化及其哲學》，可視作五四運動另一條儒家路線的地標。梁啟超在巴黎和會時期所作的工作一方面注意戰後列強對中國主權的態度，一方面注意到大戰所反映的現代文明的問題。也就是說，梁啟超對五四的愛國運動的影響以及對歐洲現代文明，亦即歐洲現代性的批判是同時發生的。

梁啟超自言自己一生的思想多變，他的思想前後期有所轉變，他由傳統的批判者變為傳統的再詮釋者，此事當然不足訝異。然而，所謂的轉變要看如何界定。梁啟超從清末參與維新運動起，始終要推動中國的現代化轉型，轉型工程中自然有需要被轉型或被革命者的對象，傳統社會的一些因素自然不能避其鋒芒。然而，傳統是個複雜而多層次、多面向的價值體系，不可能一棒打殺，不管對舊中國要如何改革，梁啟超始終有條生命的軸線緊密連接在儒家的傳統上。構成儒家傳統的重要符號：堯舜、孔孟、王陽明等聖賢、《詩》《書》等經典，始終招喚著他。他引介新興的思潮，如議會、民主、自由等理念時，也竭力地想找出與儒家

17 丁文江、趙豐田編，歐陽哲生整理，《梁任公先生年譜長編（初稿）》（北京：中華書局，二〇一〇），頁四五二—四五四。

18 梁啟超於民國八年四月，分別給周邊的朋友林長民、汪大燮打電報，要他們警告政府及國民，「萬勿署名，以示決心」。林長民接到梁啟超的電報後，即於五月一日發表〈山東亡矣〉此長文，言詞嚴厲，為即將到來的學生運動提供了充足的輿論柴火。林長民、汪大燮這些務實的學者在五四運動中的角色，需要正視，他們可視為梁啟超學圈中的伙伴。參見丁文江、趙豐田編，歐陽哲生整理，《梁任公先生年譜長編（初稿）》，頁五五七。張朋園，《梁啟超與民國政治》，頁一二〇—一三三。

19 「世紀末」一詞是梁啟超的用語，參見梁啟超，〈大戰前後之歐洲〉，《歐遊心影錄節錄》，收入張品興編，《梁啟超全集》（北京：北京出版社，一九九九），冊五，卷一〇，頁二九七五。

20 新文化運動帶來的整體秩序崩盤引發的「意義的危機」，或者說意義的危機引致的全盤反傳統的新文化運動。參見林毓生著，楊貞德譯，《中國意識的危機：五四時期激烈的反傳統主義》（新北：聯經出版事業公司，二〇二〇）。

共享的源頭。梁啟超的思想多變，但沒有變出全盤西化的理論，也沒有康有為、熊十力那些過度詮釋儒家經典的不合時宜之主張。梁啟超對傳統的批判事實上仍立基於儒家傳統，以中西混合現代性的格局為模式，批判儒家不合時宜的成分。

在一些具體方案上，我們要找出梁啟超前後期思想間的矛盾一定不難找到，但筆者認為他在變與不變間所作的辯證的綜合可能更重要。他波瀾壯闊的一生所見的思想的轉變事實上可視為立足於儒家土壤上所作的創造性的轉化，我們在上一輩的代表性學者如黃遵憲、嚴復，甚或晚年的章太炎身上，也看到類似的轉變。這些人的活動期間前後相疊，交錯影響，彼此互滲。這股同時重視新興的文化理念與傳統價值理念的融合，只是比重不同或時間的轉移稍有差別的情況，絕非罕見。事實上，我們在晚清與民國時期的不少知識人身上，都可看到類似的身影，梁啟超是較具代表性的例子。這一些主張混合中西現代性的儒者共同形塑了一種另類新文化運動的氛圍，筆者認為他們可代表第一種新文化運動的類型。

梁啟超作為五四新文化運動內轉型的代表人物，也就是第一種類型的新文化運動的代表，最重要的主張自然是憲政民主，我們在第六節將有較詳細的討論。以梁啟超為代表的儒家型新文化運動大不同於十九世紀之前的儒家的現代化運動者，在於他們實質上持的是混合中西現代化轉型的路線，他們注重與新時代相應的新的人觀。混合不礙純粹，本質不礙發展，這種特色是相當明顯的。我們且以梁啟超當時透過他主導的講學社，[21]邀請國外著名學者至華演講為例，說明此事。洋菩薩渡海來華宣化，前此少見，此舉蔚為一時盛事。當時應邀來華的學者有杜威（J. Dewey）、羅素（B. A. W. Russell）、杜里舒（H. Driesch）、泰戈爾（R. Tagore）等人，四年之間四人，其人皆為一時翹楚，他們在華的時間較久，與社會的互動較頻繁，各有出書，講學社邀請當時思想巨擘來華講學，此事可視為民國時期重要的文化事件。

梁啟超邀請的巨子當中，泰戈爾可能是最能直接呼應梁啟超的心思的。泰戈爾於民國十三年

（一九二四）應邀來華時，已獲得諾貝爾文學獎，[22]是亞洲人當中第一位獲得者，其名望之高，聲勢之盛，一時無兩。他當時扮演的角色已遠遠超過文學家的範圍，而駸駸然進入文明批判的領域。泰戈爾對當代西方的物質主義、武力征服，抨擊甚力。相對地，他對中印兩國的和平、內證、自然的思想則予以高度讚美。透過幾次重要的演講與出版演講集，泰戈爾不斷宣揚東方文明的殊勝。他以東方文化的鼓吹者自任，人之所至，群賢仰慕；書籍流傳，也蔚為一時盛事。由於他的到來，民國文壇遂有「新月」一派，徐志摩、林徽音與泰戈爾的合照遂成了傳奇。在歐美文化當道的二十世紀初期，泰戈爾的興起以及他參訪東亞，捲起一陣旋風，乃是當時重要的事件。[23]

梁啟超對傳播新知到華的學者多有由衷的敬意，但面對這位「闊別千餘年」的「文化親屬」，[24]一朝得以重聚，他顯然更加歡喜。梁啟超期待的消息透過了這位印度詩人，獲得了回響。在歡迎泰戈爾的致詞中，他高度宣揚了中印文明幾千年的交往皆是友誼的交往，互贈給對方最好的禮物。中國與西方交往不過百多年，卻是砲火轟隆的受辱的歷史。在幾年前，梁啟超面對一戰後殘破的歐洲，他不能不思及這塊長期被視為文明輸出地的光源，是否其文明底子出了問題，否則，何以會發生這麼殘酷的災難。泰戈爾訪華後，這種批判西方現代性的情緒又被點燃了。在泰戈爾生日那天，梁啟超甚至結合印度（天竺）與中國（震旦），贈予

21　講學社成立於民國九年（一九二〇）九月，顧名思義，此社以講學為主旨，每年邀請西方學者來華講學。此社前後共邀四位學者來華，其演講多有出書，影響頗大。參見丁文江、趙豐田編，歐陽哲生整理，《梁任公先生年譜長編（初稿）》，頁四七四—四七八。

22　泰戈爾於一九一三年獲諾貝爾文學獎。

23　關於泰戈爾思想在二十世紀初的歐洲以及他來華的意義，參見李宥霆，〈泰戈爾與東方主義：聚焦於東西之辯的泰戈爾研究〉，《臺灣東亞文明研究學刊》，十卷一期（二〇一三．〇六），頁二一九—二五九。

24　上述的語言是申報所述梁啟超的致詞，參見丁文江、趙豐田編，歐陽哲生整理，《梁任公先生年譜長編（初稿）》，頁五四一。

他「竺震旦」之名，[25]表達中印永好之意。透過了泰戈爾，梁啟超的東方主義意結再也掩抑不住，真是情見乎辭了。

梁啟超在講學社作的工作和他對五四新文化所作的事桴鼓相應，五四新文化運動牽涉到的議題中，人的問題或人性問題是個重要的議題，泰戈爾來華帶來的訊息即與他宣揚的人的問題相關。後來中國新文學運動之所以由文學革命發展到革命文學，其關鍵可以說由個人主義的人性論發展到階級的人性論所致，這個思想發展的趨勢和作為事件的泰戈爾來華成了強烈的對照。在梁啟超有關中國現代化的轉型設計中，國民的素質，也可以說是新的人格類型（所謂的國民性）及心性論的問題，始終是他關心的重點，最顯著的事證在於他早期流落日本時寫的〈新民說〉此名著。在此名著中，他論證說要新國家當先從新民始，新民是新的國家意識下的國民的資格，實質的內涵即是公民。新時代已逼出了相對廣闊的社會空間，它需要一種新型態的國民—公民參與其中，以形成新型的社會意識。當中，梁啟超借用了儒家深厚的思想資源，新的國民（公民）要有現代的道德意識，這種道德意識強調自由、獨立，他的界定帶有強烈的孟子學、良知學的色彩，事實上，孟子、王陽明之學對他的影響起源很早，而且是終身的。[26]我們從梁啟超的新民說，從他引介杜里舒、柏格森的生命哲學，在在可以看到他對於主體與政體的關係，極端看重。梁啟超思想開闊，可引申尚多，茲不細論。

本節僅以大寫意的手法簡要勾勒五四愛國運動的一些文化氛圍，雖然是片面的，卻不是不重要的。筆者所以舉梅光迪、杜亞泉、梁啟超等儒家知識人為例，其意在於突顯新文化運動的路線是多元的，我們其實不一定要依自由主義（如胡適）或共產主義者（如毛澤東）的眼界看待其事，我們大有理由從歷史的連續性，或者說斷裂與新生辯證的連續性的眼光，重新解讀新文化運動的性質。我們重新詮釋五四運動，重視文化傳統主義者在這股運動中所扮演的角色，因為歷史已經如此呈現。以徐桐、剛毅這些封建的官僚或袁世凱、張動這些舊軍閥作為文化傳統力量的代表，這只能是革命時期的口號，不是學術的論述。[27]五四愛國運動以及那個時期的文化氛圍，我們抽離掉梁啟超以及其儒家同道的因素，即難以理解。不僅如此，我們如果以梁啟超為核心，上通清末戊戌儒者，下連一九四九後的海外新儒家，上下兩階段連結，應該有機會整理出一條完整的儒家路線的新文化運動。這樣的儒家方案前有所承，後有所續，而且很可能最有實踐性的。

三、戊戌儒者：新中國也是新文化運動的第一代

梁啟超是五四愛國運動的引爆人物，也是五四時期新文化運動的主角之一，而且他主張築基於文化傳統上的立憲民主與公民修養，梁啟超的觀點不只是他個人的，梁啟超代表一個文化團體，一條路線，他無疑地是晚清最後一個歷史階段、辛亥革命前的二十世紀黎明期的立憲派的代表，他也是五四階段儒家現代化路線的大將。但梁啟超的觀點前有所承，儒家新文化運動路線的成立期事實上還可從五四時期往上推幾年，上接戊戌變法時期。我們有理由宣稱中國現代化的諸種方案中有儒家方案，而且儒家應當是最早提出中國新文化運動的構想的學派，因為中國新文化運動的內涵與中國現代化的內涵高度重疊，一個可以劃清新舊中國文化

---

25 梁啟超，〈泰谷爾的中國名——竺震旦〉，收入張品與編，《梁啟超全集》，冊七，卷一四，頁四二五七。

26 茲舉一例，我們從他界定自由：「心之官，是已先立乎其大者，則其小者不能奪也，惟我為大，而兩界之物皆小也，小不奪大，則自由之極軌焉矣」，即可略窺一斑。「心之官」、「先立乎其大」諸語都是孟子的語言，也是陸王學者喜歡用的語言。參見梁啟超著，〈新民說〉，收入張品與編，《梁啟超全集》，冊二，卷三，頁六七九。

27 從政治的觀點看，這些舊政客與文人的行動不能不是負面的，國民黨主政期間或共產黨掌權期間，北洋政權的得分一向不高。但我們如果能同情的了解，北洋政治人物的操守不一定更壞，他們的政治行動背後未嘗沒有合理的動機，北洋政權未必可以一筆抹殺。茲事論述繁瑣，非筆者能力所及，姑且帶出，引而不發。

內涵的標準，同時也就可以充當新舊文化間轉型的分水嶺。

中國現代化很大的成分是由外引發的政治工程，如果我們以一八四〇鴉片戰爭當作功能性的年代界線的話，可以確定道光年間的中國仍是儒家文明的世界，當時全面反傳統的《新青年》路線不但還沒起來，連想像這種路線的存在都很難。道光、咸豐年間，自由主義云云，固然無從談起；共產主義云云，更是空花水月。從一八四〇年到一九一五年《新青年》創刊這半個世紀的期間，當時能接收近代西洋民主制度而又能加以回應者，當屬成長於儒家文明模式下的儒家知識人，問題是我們如何劃分當時的知識人的回應，何者是正式進入中國現代化的工程？何者仍當屬於前現代化回應的模式？

我們的問題既然是現代化的反思所逼出的，我們還是以五四時代著名的口號「民主」、「科學」以及另一個同樣重要的議題「人觀」（主體觀）為核心，加以檢證。在上述三個重要的現代化工程的理念中，「民主」可以說處理人與人的問題，用《中庸》的話講，是「盡人之性」的問題；「科學」是處理人與物的問題，可以說是「盡物之性」的問題；「人觀」（主體觀）可以說是處理個體生命內在的問題，我們可以說是「盡己之性」的問題。這裡說的人、物、己的劃分當然是相當籠統的，仔細分辨這三個領域之間仍多錯綜糾結，因為作為反思起點的人的生活世界，不會有本質上區分得清清楚楚的人、物、己之界線。[28]但作為分析的概念工具，這樣的分法自有方便之處。

民主、科學、人觀三者當中，最清楚的指標應當還是國家的主權的承擔者的問題，也就是民主的問題。在前近代的中國社會，國君是一個國也是一個家族的主體，人民沒有主權在民的那種公民的身分，所謂的國家都是家天下。家是國的隱喻，國是家的延伸。現代化的國家的主權則屬於人民，君王或最高領導人也是人民中的一員，他的職務乃是職業分工中之最高位階，也可以說是國家此共同體的象徵。但作為國民的身分，最高領導人與尋常百姓的等第是一樣的，既不多也不少，既不高也不低。如果我們用梁漱溟論中國社會的名言表達，可說是君與民乃「職業分途」、「倫理本位」。[29]當然，梁漱溟的名言並沒有用來解釋中國的民主問題，但我們如挪用他的語言，確實可以解決徐復觀所說的中國政治的根本危機，亦即「治道以民為主，政道以君為主」的雙重主體性的矛盾之危機。

我們以國家主權的歸屬作為判斷現代化工程起源的標誌，一方面固然可以說是二十世紀初的歷史現實往前反思的結果，但我們也有理由認為這樣的標準也符合中國思想發展的脈絡，最重要的一項指標即是《明夷待訪錄》在清末出現的意義。清末，原為清廷禁書的晚明典籍大量出現，晚明志士也被竭力頌揚，晚明記憶是清末民初重要的文化現象，[30]這個現象的主軸之一厥為前人所說的夷夏之辨，今人所說的民族主義。但在這些重新發現的晚明志士及其著作中，《明夷待訪錄》一書的性質頗為特殊，它不像《揚州十日記》、《黃書》之類帶有夷夏大防氣息之書籍，它主要指的是政治議題，此書中的〈原君〉、〈原臣〉、〈原法〉、〈學校〉諸篇，所論尤為恢弘。中國秦漢以後的政治常被視為君王獨裁的政治，譚嗣同所謂「二千年來之政，秦政也，皆大盜也」，[31]在清末民初流行的此一說法或許距離實相頗遠，可能明、清兩代的體制較可適用君主專政的標籤，宋代之前的王朝則不適用「秦政」、「大盜」的稱呼。國家為人民而存在，或君王為人民而存在這種「for the people」（民享）的理念在中國絕不陌生，我們甚至可以說這是相當主流的主張。譚

28　人、物、己的界線可以是複雜的哲學議題，筆者接受一種共在性（Mit-Sein）的人觀。簡單地說，人的主體性是在具體的生活世界中長成的，生活世界中的人是與世共在者，他的人性也是與世共在的人性，co-human的人性，所以人性的結構中，自然即有人與人相處的社會性以及人與自然相處的世界性。

29　梁漱溟，《中國文化要義》，收入中國文化書院學術委員會編，《梁漱溟全集》（濟南：山東人民出版社，一九九〇），卷三，頁七九—九五、一三九—一五七。

30　參見秦燕春，《清末民初的晚明想像》（北京：北京大學出版社，二〇〇八）。

31　譚嗣同，《仁學》，收入蔡尚思、方行編，《譚嗣同全集：增訂本》（北京：中華書局，一九九八年），冊下，頁三三七。

嗣同的「兩千年秦政」或類似的全稱命題，需要精緻地再解釋。譚嗣同一代豪傑，但《仁學》的論述是革命論點，不是學術觀點，他的說法不一定符合史實。

但現代政治的主要特徵在於主權在民，依法而治，所謂憲政民主要求的國家與人民的關係不只是要民享for the people，也要民有of the people，民治by the people。民有、民治、民享這種模式的三民主義於今視之，可謂常談。但在中國傳統，為百姓而存在的民享之義可謂常識，民有之說也是有的，但如何by the people？歷代哲人卻一直苦無對策，甚至如何形成這樣的意識都相當艱難。《明夷待訪錄》出現最大的意義在於它很明確地將主權屬君或屬民的問題以及治道當以人治或法治的問題，充分顯現出來。雖然黃宗羲沒有用到主權、憲法這樣的詞彙，但從今日的觀點反思，黃宗羲已逼出「國家當屬人民」、「治國當依法治」的問題意識。但他的逼出乃是逼出問題，卻未解決問題。黃宗羲此書更像是病理診斷書，而不是病症的處方箋。黃宗羲之父黃尊素是天啟年間東林蒙難的後七君子中的一員，黃宗羲的師友在天啟、崇禎年間多半捲入殘酷的政治鬥爭的漩渦，黃宗羲對專制政治之禍害有相當切身的感受。《明夷待訪錄》此書的出現顯示一種政治病痛極深的吶喊、呼籲，它背後反映了亟待解決的盼望。

《明夷待訪錄》在清末大為流行，梁啟超說他當年提倡民權共和之說時，曾和譚嗣同等人翻印此書節抄數萬本，祕密散布，「於晚清思想之驟變，極有力焉。」[32]梁啟超在清末當時是立憲派的主要人物，立憲是此派儒者對黃宗羲提案的答覆。梁漱溟在清末參加同盟會，他也提到此書當時極為流行，而且他說：「革命派把他的書翻印，傳著大家看」。[33]梁漱溟的話出自口述，如果其說無誤的話，革命黨人也翻印《明夷待訪錄》，廣為流傳。以革命推動民主，這是革命派對黃宗羲此書的答案。清末兩大政治團體立憲派與革命派對達成中國政治現代化的提案不一樣，手段要用革命的或演進的方式，主張也有所差異。但異中有同，他們都認為從《明夷待訪錄》可以看出中國內在的對現代化政治的要求，他們也都對國家主權的問題有突破性的想法，都接受了「主權在民」的主張。我們有理由以革命派、立憲派重疊的戊戌時期作為新文化運動的發軔期。

這個時期的儒者的新文化運動方案比起鴉片戰爭前後的知識人的政治解決方案，比如魏源、龔定庵所倡議者；甚至比起同治年間自強運動的曾國藩、郭嵩燾等人的觀點來，都有本質上的差異。清末的立憲派與革命派都已活在可以運用近代西方民主語彙思考政治問題的時代，他們都告別了舊中國的政治格局，都主張一種和舊中國政治大不同的國家模式，一種既民主也立憲的國家，只是他們主張的立憲與民主的先後、比重不同，是否要保留君位更有爭議。然而，異中有同，他們同樣相信立憲民主的理念，也相信立憲民主是內在於中國歷史的需求此義。我們如果要找出中國現代化思潮工程的啟動者，或啟動的時間，應該從民主的體制、立憲的精神以及民主體制相應的主體精神這三個因素上去思考。

如果我們以《明夷待訪錄》的問題當作中國文化傳統對政治轉型方向的叩問，以民國以來兩大陣營共同分享的民主、立憲、人觀為答案，那麼，我們要尋找中國現代化轉型的發軔點當落在一八四〇—一九一一年之間，之前，問題的答案不可能出現。在一八四〇—一九一一年這段期間重要的政治變革有二，一是自強運動，一是戊戌變法。自強運動期間的核心政治人物有奕訢、曾國藩、李鴻章等人，而主要的政治思想家有郭嵩燾、薛福成、馮桂芬諸人，這些人皆為當時的有識者，其改革規模亦不可謂不大，但其政績卻敗於甲午一戰。而就自強運動的理念而論，這些當年的一時俊彥，雖也多往十八世紀興起的歐陸民主理念靠攏，但仍未

---

32 梁啟超，《清代學術概論》，收入張品興編，《梁啟超全集》，冊五，卷一〇，頁三〇七五。另見張朋園，〈啟蒙思想與鼓吹革命——梁啟超戊戌之前的激進言論與志氣〉，《梁啟超與清季革命》（台北：中央研究院近代史研究所，一九八二），頁四七—八〇。

33 艾愷（Guy S. Alitto）採訪，梁漱溟口述，《這個世界會好嗎：梁漱溟晚年口述》（北京：東方出版中心，二〇〇六），頁二四八。

觸及到憲政民主此關鍵性的議題。所以自強運動雖然也是晚清知識人對近代時局的一種回應，其回應之性質仍近似中國歷代的變法運動，只觸及治道，而未觸及政道。它的回應也無法上續晚明，旁通歐美，下應輿情，自強運動的格局無法滿足中國現代化的要求。

如果以憲政民主、新的人觀為核心的中國新文化運動不能溯源至自強運動一代，那麼，別無選擇，最大的可能當是在戊戌變法那一代的思想領導者——假如他們有立憲民主以及新的人觀的理念的話。事實確實如此，我們在那一代最重要的領航者康有為及同輩的儒家知識人如嚴復、黃遵憲、梁啟超等人身上，都可看到這些因素。由於入民國後，康有為不管在左派眼中，或在右派眼中，甚至在同為儒家團體內部的人士眼中，康有為都是位過時的人物，甚至是負面的人物，所以他與新文化運動的實質的貢獻連結有意無意間被低估了。然而，我們如果追溯康有為在戊戌變法時期的表現，他所以能夠跨越自強運動那一代人，在於他已動到中國政治的核心議題——君權與民權的關係問題、立憲的問題，他也透過學術著作，觸及到主體性的問題，他論主體性問題有沒有像梁啟超那般綰合了理學傳統與新時代的公民道德，或待研究，但確實觸及到了。康有為年輕時師從大儒朱九江，朱九江一代經師兼人師，信仰朱子學。康有為同樣相信理學，但可能更信服陽明學。[34]他自己在積學成聖的過程中，或許曾有類似冥契境界般的經驗。[35]康有為的孔教說常被視為他一生事業的負債，好像孔教和袁世凱稱帝以及帝王專制是同質的因素。然而，觀康有為對理學、佛學及修行的興趣，我們不能將他身上的宗教徒的性格一意抹殺。即使從現代化方案的觀點著眼，康有為學說的心性論仍有現代化的內涵，他對宗教的關心到了今天也仍有參考的意義。[36]

康有為的經驗與個性頗有機會使他成為宗教團體或準宗教團體的領導人物，事實上，他確實也有意扮演這樣的角色。至於成不成功，或夠不夠格，那是另一回事。宗教總會牽涉到內在意識的體證以及人格稱不稱職的議題，其內涵姑且擱置不論，回到新文化運動溯源的議題上來，康有為之所以能扮演類似政治先知的角色，乃因他恰好身處十九世紀末清朝統治面臨嚴重危機之際，康有為勇於躍身其中，從公車上書到參與變法，在在都引導了思潮的走向。戊戌變法的規模不小，但立憲、民權之說當是其中的主軸，康有為一生的保皇之念或許沒有動搖過，但他的「保皇」到底是在新的時代氛圍下提出的政治方案，他保的「皇」已是「君主立憲」下的「皇」，皇帝還是要服從於國家超越性格化身的憲法之規範下。康有為一生反革命，但並不反共和，很可能「虛君共和」是他的理想，至少君民共治的理念可走向英國模式的國體。[37]他在戊戌變法期間被戴上「保中國、不保大清」[38]之罪名也有可能不是空穴來風，至少事出有因。

本文上述的評價並非源於筆者的詮釋，而是梁啟超給康有為作的整體的概括。梁啟超為康有為立傳，述及他的中國政策有十二，第一即是「倡民權」；第二反專制，不仇滿；第三反各省獨立；第四維新中國，

34 梁啟超，〈南海康先生傳〉，收入姜義華、張榮華編校，《康有為全集．附錄一》（北京：中國人民大學出版社，二〇〇七），冊一二，頁四二四。

35 康有為弟子陸乃翔、陸敦騤等撰寫〈南海先生傳〉（上編）寫康有為年輕時，曾於西樵山白雲洞靜坐累月，「冥心孤往，內視其身如土壤，歸視妻孥如偶塊，慹然若非人。久之，恍然見光明大放，照耀無垠，天地萬物，皆成一體，廣大精妙，狂喜大樂，以為證聖矣！時二十二歲之春也。」收入姜義華、張榮華編校，《康有為全集．附錄二》，冊一二，頁四四二。康有為西樵山靜坐有些獨特的體驗，應該是真的，但體驗到什麼程度，或許有些解釋的空間。依據他的另一位門生引他的話語，康有為認為這時所證乃《楞嚴》所謂「飛魔入心，求道迫切」，仍未到家之意。參見張伯楨，〈南海康先生傳〉，收入姜義華、張榮華編校，《康有為全集．附錄三》，冊一二，頁四七三。

36 康有為在現代中國史的正面意義長期被低估，最近二十年來，頗有轉變，蔣慶，《公羊學引論》（瀋陽：遼寧教育出版社，一九九五）一書之出版是項指標，康有為的新發現和大陸新儒家社群的興起有關連。相關問題參見李明輝，〈關於「新儒家」的爭論：回應《澎湃新聞》訪問之回應〉，《思想》，二九期（二〇一五．一〇），頁二七三—二八三。

37 汪榮祖的解釋很有說服力，參見汪榮祖，〈保皇的意義〉，《康有為論》（北京：中華書局，二〇〇六），頁九五—一一一。

38 梁啟超，〈政變前紀．附記保國會事〉，《戊戌政變記》，收入張品興編，《梁啟超全集》，冊一，卷一，頁二一七。

「必以立憲法，改官制，定權限為第一義。」以上述四義為準，如果我們採納梁啟超「只問政體而不問國體」之說，民主不必和「民選制」或「君主制」掛勾，而是和有沒有「立憲民主」連結，那麼，康有為對中國現代性的想像其實和梁漱溟極為接近，和革命派也並沒有相去太遠，其方案甚至更為穩健。雖然對身處其境的人而言，滿清王朝君主制要不要廢除、儒家要不要成為組織型的宗教，這些都是容易帶動集體意識深沉力量的議題，不一定那麼容易妥協。再加上康有為予聖自雄，言語專斷的個性，他與論敵討論，彼此間的距離只有拉得更遠，很難取得共識。但如果我們採取批判的反思，康有為的現代面貌應該呼之欲出了。

中國的現代化轉型，或者說中國的現代性方案始於戊戌變法那一代的儒者，康有為是主要的代表。康有為所以要保留「君」的形式，我們如果連著他要力保儒家作為「教」的意義，可以看出他的中國現代化方案有很強的「儒家傳統與現代轉型」的對接之想法。他看出如果沒有「綱常」這個形式的因素作為轉換的機制，爾後的歷史將會是難以收拾的混亂。但「綱常」的內涵如果沒有轉換，爾後的歷史將會是難以進步的壅滯。康有為入民國後，和時代潮流不相應，各行其是。但我們如果從規範性的角度著眼，有理由賦予他更重要的地位。事實上，康有為生前，梁啟超為他作的一篇傳記，最後即已有言：「若夫他日有著二十世紀新中國史者，吾知其開卷第一頁，必稱述先生之精神事業，以為社會原動力之所自始。」[39]新中國史開卷第一頁所見之人實即中國現代化轉型的第一人，也可以說是新文化運動的第一人。[40]誠然，康有為的時代，持民權立憲之說者不只他一人，他也不是第一位，但如果我們將影響力算進去，康有為在中國新文化運動的領頭羊角色，應當不難看出。

康有為作為第一代儒家版的新文化運動人物當然不是唯一的，當中國已面臨非變不可的救亡圖存的時刻，而其時的歐美國家已經以現代文明國家的實際存在顯示了一種現代化的模式，所以在十九世紀末，凡有親歷中西文化交流經驗的儒家知識人或多或少，都會想到立憲民主與國民性的問題，康有為固然不例外，與康有為同輩的儒者也多有類似的自覺。我們且可再舉嚴復為例，嚴復在清末也是引領思潮的人物，其引發風潮之大，或許不下於康有為。他入民國後，尤其洪憲帝制事件後，聲名大損，蒙上晚年保守之譏，甚至被視為反動的人物，其情況和康有為幾乎沒有兩樣。

嚴復真的有那麼大的轉變嗎？事實上，嚴復一生雖以譯介新知出名，他翻譯《天演論》自是重要事件，清末民初的知識人鮮少不受此書影響者。他引介穆勒的《群己權界論》（即《自由論》）尤費心思，他的思想往往透過翻譯顯現出來。但他的翻譯一向有選擇，有偏重，「雅」誠有之，卻不能以「信」「達」律之，因嚴復譯書是有為而為之。他晚年的所謂頹廢，包含消極參與帝制，也不是沒理由可說。事實上，嚴復或許沒有青年嚴復與晚年嚴復之分，嚴復有貫穿一生的思想主軸，如一著重國家的富強；二肯定民主、自由與資本主義，但反對個體式的自由主義，包括反對盧梭的民主理念；三注重中國的文化傳統，主張新舊文化因素的整合。[41]這些因素始終存在。嚴復是那一代的先知，幾乎後他而起的中國政治人物從胡適到毛澤東，幾乎無人不受到他影響。

嚴復不只晚年蒙受惡名彷如康有為，我們觀嚴復一生思想的主軸，和康有為其實都頗有近似之處，嚴復自己即如此承認。一九一七年，嚴復寫給朋友的一封信中，即宣稱自己支持其時因參與復辟而聲名大壞的康

39　梁啟超，〈南海康先生傳〉，收入姜義華、張榮華編校，《康有為全集．附錄一》，冊一二，頁四三七、頁四二三。

40　康有為逝世後，梁啟超〈公祭康南海先生文〉，說「後有作新中國史者，終不得不以戊戌為第一章」，其說猶是也。參見姜義華、張榮華編校，《康有為全集．附錄五》，冊一二，頁五〇二。梁啟超入民國後，與康有為對現實政治的判斷日遠，兩人關係也日疏，但梁啟超對康有為在現代中國轉型期的關鍵地位始終肯定。

41　黃克武認為嚴復思想有三個特點，筆者此處所羅列的特色依據黃書而來，黃書第三點的提法是「對於改革所採取調適性、重視實際性的策略，構成了具有高度整合性的政治理論或政治哲學。」筆者的改寫或許也合乎嚴復的想法。參見黃克武，《自由的所以然：嚴復對約翰彌爾自由思想的認識與批判》（台北：允晨文化出版公司，一九九八），頁二九〇—二九二。

有為，他說自己年近七十，對國事的觀點「十八、九殆與南海相同」。[42]所謂相同，主要指共和國體也要有舊法為依據，君王制能不破即不破。直至臨終，他仍相信「中國果存，其所以存，亦恃數千年舊有之教化，決不在今日之新機」。[43]嚴復和康有為出身不同，而最後兩人共享的思想因素竟然達到十之八九，這種共同見解很值得留意。嚴復寫此信時，已被視為晚年墮落人物。但我們有理由相信他們所謂晚年轉變並不是真的有那麼大的轉變，轉變的是時代思潮。他的例子和康有為有類似處，類似的案子也有可能不止他們，康有為、嚴復只是其中較突顯的兩人。

康有為、嚴復是混合現代性的顯著例子，另外一個值得參考的例子見於章太炎其人。筆者相信和康有為一生為敵的章太炎雖然在革命時期排滿甚厲，和康有為的矛盾亦深，對儒家固多質疑，對經學也起過嚴重的破壞作用。但我們也可主張他思想中的儒學因素其實伴隨他一生，最沒爭議的，乃是他晚年的傾注於儒學研究，在蘇州等地開國學研習會，宣揚儒家的內容，主張讀經的價值，並對早年一些批孔的言論表示悔過之意。[44]晚年章太炎的這個轉型現象之所以突出，甚至被視為「頹唐」，魯迅的〈關於太炎先生二三事〉[45]無疑有很大的功能。魯迅批評章太炎從一位百死不悔的革命志士竟然用圍牆將自己圍砌起來，隔絕了與外面世界的聲氣，儼然成為「儒宗」。然而，魯迅真的理解其師的苦心孤詣嗎？章太炎晚年的返回儒學是生命力墮落所致的頹唐嗎？[46]章太炎的轉向恐怕不能如此看，我們看他晚年特別彰顯王陽明思想的價值，並視彰揚儒者剛健氣質的《禮記．儒行》為「四經」之一，[47]這種轉向不是轉入頹唐，而是轉入弘毅，他要國人的人格築基於更廣闊堅實的大地。

康有為、嚴復、章太炎還有之前所說的梁啟超、黃遵憲等人，他們同樣是晚清民初的思想家，他們彼此在具體的政治議題上時有出入，但我們如果要給他們找出共同的思想的交集，或者他們對於自己的思想的定位，應該還是可以找到共同的交集，就是儒學——雖然這樣的儒學因為處在清末民初這個前所未見的國勢與思想大動盪的時代，他們的外在表現或關心的議題和之前的儒者，不管是理學家或考據學家都大不相同，但這種新儒學的意義更為重大。我們可以看到貫穿他們的生命有一貫的線索，這條線索是由儒家義理所鎔鑄的價值體系所串成，這種價值體系不一定會以明顯的理論型態顯現出來，但卻會以各種不同的面貌出入各種議題之中。他們幾乎都經歷了類似的儒學—非儒學—再儒學的演變過程，而第三階段的返回儒學常被世人視為是負面的發展，康有為、嚴復因為牽涉到復辟事件，形象更是大壞。章太炎晚年同樣被視為墮落，學術圈子的怪物，時代的落伍者。甚至連梁啟超也不免蒙上惡名，這種待遇多少和他晚年的反共言論有關。但他們始終相信立憲民主與儒家價值的相容性，而且可相互強化。何以當時最有智慧的儒者越是到了晚年，越走了和《新青年》相反的新文化運動的路線？他們是真的倒退回去了，還是他們更精進一步，作的是立於傳統上的新文化運動？晚年的儒者的自我定位到底是意味著進步知識分子落伍了？還是他們是先知，反而時代走岔路了？此間的判斷標準須費斟酌。

---

42 嚴復，〈與熊純如書・四十八〉，收入王栻編，《嚴復集》（北京：中華書局，一九八六），冊三，頁六六一。

43 同前引書，頁六六二。

44 一九二二年六月十五日，章太炎有〈致柳翼謀書〉一書，對柳詒徵批判他曾「詆譏古代聖賢」、「詆訶孔子」，誠心道歉，表示那時的觀點是「狂妄逆詐之論」。只恨「前聲已放，駟不及舌」，悔之已晚，柳詒徵對他的指責很有道理。章太炎的個性倔強執拗，道歉得如此徹底，殊屬少見。參見湯志鈞編，《章太炎年譜長編》（北京：中華書局，一九七九），頁六三三—六三五。

45 此文參見魯迅，《且介亭雜文末編》，收入《魯迅全集》修訂編輯委員會總編注，《魯迅全集》（北京：人民文學出版社，二〇〇五），卷六，頁五六五—五七一。

46 「既離民眾，漸入頹唐」，同上引書，頁五六六。

47 「四經者，謂《孝經》、〈大學〉、〈儒行〉、〈喪服〉」，見湯志鈞編，《章太炎年譜長編》，頁九二三。又及，頁八九五—八九六、九二五、九三〇、九五三。

四、主體的深化：梁漱溟與熊十力

論及新文化運動，戊戌變法一代的儒者可視為儒家路線的先鋒，他們成名並發揮作用都在《新青年》出現之前，而且除了梁啟超的思想影響特別深遠外，他們發揮的思想力量主要也是見於公車上書、戊戌變法至《新青年》出刊這二十年間。他們關心的議題領域和《新青年》並沒有相差多遠，但給的答案不一樣。康有為、黃遵憲、嚴復、章太炎、梁啟超，群星閃耀，他們是中國現代化的倡議者，其實可稱作第一代的新儒家。梁啟超在戊戌變法那個集團的儒者中，大概是唯一還能繼續參與爾後的思想爭辯，並且擔任儒家路線承先啟後的人物。

康有為、嚴復等人之後，儒家版的新文化運動第二階段的代表人物和《新青年》時期新文化運動人物同時登場，本文指的是世稱民國新儒家人物的梁漱溟、熊十力和張君勱，此部分將分兩節登場。首先，作為一種另類的五四文化人的形象在世所稱的第一代新儒家代表人物梁漱溟與熊十力身上，表現得相當明顯。梁漱溟與熊十力是具有代表性的民國儒者，他們和中國共產黨都有些愛恨交加的關係，兩人在一九四九後，仍保有他們同代人少見的學術創作，以及學者的人格，可謂異數。但他們一生奮鬥的主要意義應該還是在「民國」的範疇下展開的。身為儒家價值體系堅強的捍衛者，他們都參與了二十世紀初的倒滿革命，他們兩人以身體力行的模式，獻身於民主理念在人間的落實。和稍為高他們一輩的梁啟超相比，梁、熊兩人的「五四人」的標誌更清楚。梁漱溟作為民國初年保守主義的代表，他常和梁啟超並稱為「二梁」。[48]兩人同樣在一片西潮洶湧聲中，毅然豎起儒家旗幟，宣揚另類的新文化運動。但放在「五四新文化運動」的視角下觀察，梁漱溟的形象顯然更突出。從「二梁並稱」到「梁熊並稱」，這種並稱的轉移顯示文化傳統主義在新時代思潮的重新洗牌中，應該有新的主張出現，學界習稱的「新儒家」學派的標幟正式樹立。民國新儒家之所以為民國時期的新儒家，應該是此學派已帶出了該學派的特色，而不只是具備了「儒家」的符號而已。

筆者認為在五四的洪流中，新儒家所以能列名為其中的一股思潮，主要的因素不只在於他們提出傳統文化的價值。更在於他們將信奉的傳統理念與五四新文化運動提供的新的價值理念銜接、對撞，產生新的化學變化。他們既參與了這股來自中西交流所引致的思潮，但也站立在現實的文化風土的基礎上，對這股思潮提出了深化的批判。批判之即轉化之，他們即將儒家的觀點注進新的詞彙中，豐富了落實於中土的概念的內涵，以造成新舊文化間的銜接與改造。簡言之，作為第二波新文化運動儒家路線體現者的民國新儒家第一代學者之參與五四，從來不只是擔任接收者的角色而已，而是批判的繼承。他們所作的轉型工作中，很關鍵的一步是將主體的因素帶進文化運動的論述。也可以說將現代化轉型的議題置於喚醒新的主體，並將新的主體的呈現置於淵遠流長的東方心性論的重構上面。如果我們認為新文化運動不能缺少在新的政治體系下一種新的人觀的打造，新的政治型態——國家出現了，新的國家正當性的基礎——憲法出現了，新的國民的身分——公民出現了，人的主體的狀態怎能不改變呢？那麼，一種適應新時代精神的新的主體觀的出現就是必要的，梁、熊在新文化運動的光譜中，或可從此點定位。

如五四運動史學者一再指出的，在新文化運動如火如荼展開之際，梁漱溟的《東西文化及其哲學》適時出現，這本書在當時常被視為是以一股反制新文化運動的保守主義的立場出現於世的，梁漱溟確實也明白宣稱他自己是為釋迦、孔子打抱不平而著此書的。事實當然不只是如此，而且遠為複雜，但與其說複雜，或許不如說是遠為簡單。身為一位具有理學精神的儒家關懷者，梁漱溟自然對現實問題，也就是當時有心人士必須面對的民主的問題，不能不起疑思，也不能不思求解決。但同樣身為帶有濃厚理學精神的儒者，他對現實

48　吳稚暉，〈一個新信仰的宇宙觀及人生觀〉，收入張君勱等著，《科學與人生觀》（長沙：岳麓書社，二〇一一），頁二九七。

問題的關懷不可能不連帶提及人生意義的問題，他理解的人生意義的問題類似傳統中國所說的安身立命，而安身立命的問題勢必要透過返身內證的途徑以體會之，主體的問題就此帶了出來。政治問題與人生問題掛鉤，外王敘述與內聖敘述連結，這是典型的梁漱溟思維的模式。

《東西文化及其哲學》一書帶有佛教意識哲學及叔本華意志哲學的定位作用，梁漱溟站在意欲的表現方向上論述文化的問題，但他到底還是切入了新文化運動的論述。梁漱溟回應新文化運動的方式是將社會經濟學的議題帶進來，眾所共知，他最具體落實的辦法是從鄉村運動著手。由於農業人口、農村經濟在現實中國占有極高的比例，農民—農業—農村的三農問題不可能不成為政治議題。即使在現代的政治光譜中，鄉村運動仍占有一席之地，梁漱溟本人與共產黨的種種糾結，愛恨交加，很根本的原因也在於兩者都將政治問題聚焦於三農問題上。他們從農村具體的問題出發，尋求民主落實的機制。毛澤東說：「中國的革命實質上是農民革命」，[49]這句總結語也可視為中國共產黨運動的一條指導原則。但問題的焦點雖然都集中於農村、農業、農民，只因思想背景不同，所見有別，遂使得兩種主張不免時有扞格，並導致梁與毛澤東兩人的公開決裂。

然而，就哲學高度考察，梁漱溟的五四新文化論述最大的特色在於將民主、科學的目標當作人生活動方向的一種抉擇。西洋文化之所以有民主、科學，中國文化之所以欠缺民主、科學，都是受制於該文化的意志活動。梁漱溟的文化是有目的性的主體，文化的方向和個人的生命方向是同構的，文化是大主體，主體的擴大版即是文化主體。正因如此，所以此時批判更需要，因為民主、科學的欠缺乃是不同的人生方向所致。受到佛教深遠影響的梁漱溟在年輕時期即受困於人生價值的選擇問題，這種人生意義的定位之思考，終其一生，都是他主要的思考方式。不管論人論事，甚或論國家大事與歷史走向，莫不如此。在佛教捨離精神的導向下，他將印度文明視為後返的，解消意志的文明；中國文明被視為當下的，意志的自我調整以趨中庸；西洋文明則是向前的，或者說理智而又帶著情感衝動向前的，帶有征服自然的特性。很明顯的，梁漱溟當時所理解的中、西、印度文化是大寫意的筆法，文化類型是主體運作向度的外顯。這種筆法帶有五四運動時期包山包海的文化論述之氣息，其風格離現代已遠，我們已很難想像當代中國學者論所謂的中西文化時，還會有人採取這種潑墨淋漓式的敘述。

當中西文化的不同被解釋成生命方向的不同時，我們知道梁漱溟是如何結合儒學與自由、民主的理念的。依他的佛教信仰，生命後返的方向當是人的本質之所歸，逆之成佛。「逆」字用理學的語言講，也就是恢復人的本質的「復性」。但這種宗教性講法的歷史軌道是玄思的，很難作為現實的敘述。梁漱溟也承認：印度文明太早熟了，也就是太早進入了歷史，因為它的當令時代只能擺在遙遠的未來。二十世紀乃是文明的年輕期，它配不上智慧成熟的印度文明，理智設計的當下與本能衝動的向前聯合構成了今日世界行動的圖像。這個近代西方提供的文明興盛一時，其中包含民主與科學的興起。但歐戰打破了這個美好的圖像，此時，只有重視社會的禮樂教化與人的道德心的儒家最適合當下的國情，這也是梁漱溟所說的「中國——理性之國」的內涵所在。[50]儒家文明既可以呼應民主、科學的需求，但又能免於近代西洋文明的弊端。

梁漱溟作為五四新文化運動的人物，他最顯著的形象，也是他對自己在時代的定位，乃是代孔子發言。在梁漱溟之前，文化傳統主義的聲音其實從來未曾絕於耳，全盤西化或共產主義的聲音是否壓倒一切，更是值得懷疑。但梁漱溟出來，因為時代（五四愛國運動時期）、地點（北京大學）的不同，他的聲音遂變得特別響亮。梁漱溟旗幟鮮明地表達了儒家的立場，而且他將文化的問題連接了生命方向的問題，他的生命方向

49 毛澤東，〈新民主主義論〉，《毛澤東選集》（北京：人民出版社，一九六九），卷二，頁六九二。

50 梁漱溟，《中國：理性之國》，收入中國文化書院學術委員會編，《梁漱溟全集》，卷四，頁一九九—四八一。

問題又和作為東方主流思潮的主體性哲學的心靈的內涵緊緊相扣。五四新文化運動的主要內涵之一是新文學運動，它牽涉到人的本質之解釋，個性的解放，一種脫倫理關係化的情性觀隨之興起。《東西文化及其哲學》出來，時間特別恰當，《新青年》詭譎地為它開了道，梁漱溟此書為反制《新青年》而出世。此書不但觸及了大時代顯層面向的政治、社會問題，它也正面撞擊了伏藏在新文學運動後面的生命意義的問題。當然，梁漱溟之所以成為五四新文化運動的要角，還有很重要的原因，他是北京大學的年輕教授，蔡元培、梁啟超這些前輩學人都曾禮賢下交的傳奇人物。

梁漱溟對五四運動的回應，比較像是站在精神導師的立場，開出拯救時代的藥方。五四運動標舉的民主、自由、科學的價值在其思想體系中固然有價值，但是較消極的。他的關心更在於凌駕於西洋現代性內涵的民主、自由之上的宗教層面。五四新文化運動的範圍內，可以和梁漱溟的論點相呼應的，當是熊十力。熊十力年輕時參加過革命陣營，後來因痛感政治之腐敗，世風之不振，乃跟隨歐陽竟無學佛。在那段自閉苦修的時間中，他很可能經歷過一段類似陽明學者或禪師的悟道經驗，[51]因而對所謂的宇宙的實相有一獨特的體證。他這種經驗是相當理學家（尤其是陽明學者）之風的學問路程。他後來發展出「心性論—形上學—政治哲學」一以貫之的體系，雖然當時信者不多，但他的心性論對後來海外新儒家的影響卻特別大。即使他的論點在當時有如陽春白雪，孑孑獨行。但在哲學界同行中，熊十力的心性論與形上學卻又是昭昭然地存在，頗為同行所信服讚嘆。

學界論及五四新文化運動時，通常不會論及熊十力其人其學。但我們觀察他一生的用心、立論，其實與梁漱溟頗為相似，兩人也是極熟的朋友，他們同樣關心東方性命之學與外王問題的關連。熊十力和梁漱溟相比之下，形上學的興趣更強。但兩人同樣強調儒家的價值超越了五四運動的自由、民主，但超越乃是含攝的意思，而不是排斥。依熊十力的體用論的思想，儒家的本體含攝了民主、科學之用。只可惜秦漢諸儒中了專制之毒，不識孔門大義，成了「奴儒」。熊十力靠攏五四論述的立場比梁漱溟更積極，他相信民主、科學原本就內在於儒家的價值體系，儒家版的中國現代化運動的挫折源於儒家之外的專制政權對儒家的扭曲所致，也源於偽儒家學者詮釋先儒大義的偏差的因素所致。宋明理學如果順著正常的軌道發展，調適而上遂，中國原本也可以發展出中國自己特色的民主與科學出來。

身為辛亥革命的元老，熊十力生命的一大特色在於他強烈的民族主義情感，但辛亥革命原本即有種族革命與民權革命兩個面向，熊十力對「民主」理念的堅持，也是他一生的堅持。熊十力對西洋文化的了解相對有限，所以當他建構儒家的「民主」傳統時，不能不走上清代公羊學者的老路。他大量地借用春秋學的語彙，建構孔子如何破除階級，打破限制，以達到人人平等的世界。在這個理想的世界上，專制政體不再存在，儒家的大同世界與共產主義解消剝削關係的無階級差異的共產世界在此會師，世界不再異化，每個人處在目的王國之內。透過了語詞的遞換關係，儒家與共產主義發生了緊密的連結，熊十力的語言在在令我們聯想到譚嗣同與康有為的主張。

熊十力比梁漱溟更能連結儒家與民主的價值，他的連結是種本質性的連結。儒家如果少掉了民主的內涵，熊十力相信那種哲學即不再是儒家的哲學。他對民主內涵的解釋，甚至於走向了共產黨之意識型態的一頭。烏托邦的思想在共產主義與康有為、熊十力這些儒者身上，都是顯性的因素。熊十力許多爭議性強的論述，包括對孟子的批判，對孝道和家庭觀念的抨擊，我們也看得到他與共產黨人頗能共鳴。熊十力對儒家思

51 熊十力曾描述其經驗如下：「壬子，在武昌，一日正午，坐人力車過大街，天無片雲，白日朗然，車中無思無念，忽爾眼見街道石板如幻如化，形象與原見之石亦不異，但石體不實，猶如幻化。擬之浮雲尚不可，浮雲猶實在極矣！見房屋如此，見一切人坐者立者皆如此，見人說話口動亦如此，仰視天、俯視地，一切如幻如化。」參見景海峰編，《十力語要初續》，收入蕭萐父主編，《熊十力全集》（武漢：湖北教育出版社，二〇〇一），卷五，頁一四一－一四二。

想與共產主義思想的連結所以引發極大的風波，[52]大抵和他獨特而且獨斷的經學圖像有關。

熊十力對儒家與科學的連結，也比梁漱溟來得深，他使用的連結的工具仍是經學。在他建構的中國史的圖像中，晚周是個科學昌明的時代，《周禮》提供了科學昌明的論述，墨子、惠施這些人提供了更多具體成就的細節。這種可以媲美西方科學的成就之所以中斷了，熊十力再度指向了秦漢後的中國專制政治扼殺了科學的生機，同時也扼殺了民族文化的生機。晚明儒家學問復興，包含科學的成就也遠邁前朝，此時期的科學之所以秀而不實，無法茁壯，熊十力認為原因再度是政治的。因為滿清入關，異族統治容不下學術的自由。所以民主與科學在中國的命運極相似，都曾發展過，都是儒家內在的成分，但都扼殺於專制的政治制度。[53]

梁、熊都是五四運動中的人物，他們都參與了民主科學的論述，他們無疑地不是五四論述中的主流，而是側翼，但側翼的論點不見得就更不重要。他們明顯地不同於胡適、陳獨秀、魯迅者，在於他們的文明論築基於一種理學式的主體基礎上。梁、熊兩人都曾隨歐陽竟無學佛，都有親切的內在體證，深入到作為個人與世界基礎的無之意識上面。他們的學問所嚮往的境界是本心外顯的堯舜時代，良知學是他們的主體觀的源頭，但他們的整體思考的方式毋寧更接近張載、王夫之的模式。他們的思想世界中沒有純粹而孤立的外王的問題，西方現代價值的民主、科學被定錨在東方的意識的磐石上。這種內聖—外王連結的思考方式很難成為流行的公共論述，但如果我們不把民主當作脫主體性的文化活動，而是認為民主是人的精神活動中重要的一環，那麼，民主與精神發展的關係自然不能不是個議題。

在民國的儒學光譜中，梁漱溟、熊十力因為哲學的玄思興趣特別濃，他們的思想又影響了一九四九以後在海外發展的唐君毅、牟宗山、徐復觀那一代的知識人，他們如今也常被劃歸為民國新儒家第一代。但現在所說的新儒家云云，乃是哲學的用法，其系譜基本上是一九四九之後在海外建構的，此一用法未必符合傳統所用的儒家一詞的內涵，也未必完全符合二十世紀中國現代化轉型此一大事因緣所顯現的圖像。如果我們從以儒家價值體系作為主體的核心架構而言，那麼，儒家人物的範圍還要擴大。事實上，如果我們從中國的現代化傳型需要處理民主、科學、人觀的角度立論，梁漱溟與熊十力在民主理念上的建樹是頗欠缺的，他們因對西方歐美民主文明的流弊看得很重，連帶地對憲政民主制度本身失去信心，而又找不出更恰當的取代方案。面對壟斷道德資源的共產主義體制，因而有不切實際的配合。

就此而言，他們的立論不見得比康、梁、嚴、章一代更穩健。然而，正是透過了梁漱溟、熊十力那種獨特的表達方式，他們與理學家的表達方式既決裂也連續，而且特性同樣顯赫，如此，才更突顯儒家現代性方案的特色。他們強調現代的民主制度要有傳統文化的基礎以及深刻的主體基礎，此義是頗為重要的民國文化的遺產。

五、道德主體對上科學主義：人生觀論戰的意義

五四新文化運動的焦點在救亡圖存，在家國天下，但在原有的綱常失去團結社會作用的年代，天崩地解，一切價值重估，生命意義的問題遂不能不在無形的綱網斷裂後，自然浮現。旁觀者清，「有一個朋友細心閱讀了大約五十篇學生論文後說道，他們的第一特點是很多問號。」[54]這是杜威當年來華時的報導，杜威在華期間，恰值五四運動高峰期，他親眼目睹了中國的劇變。大量的問號問什麼，有可能是知識的命題，有

52　梁漱溟對熊十力晚年的哲學著作即大不以為然，參見梁漱溟，〈讀熊著各書書後〉，《勉仁齋讀書錄》，收入中國文化書院學術委員會編，《梁漱溟全集》，卷七，頁七三四—七八六。

53　上述論點在熊十力著作中不時可見，更集中的表現見於熊十力，《原儒》（上海：龍門聯合書局，一九五六）一書。

54　杜威，〈學生反抗的後果〉，引自周策縱著，陳永明等譯，《五四運動史》，頁二六六。

可能是政治的問題，但也有可能不是「問題」領域的價值質疑的問題。當問題問到知識領域之外而無法為理智所掌握的議題時，議題本身即無法構成認知的對象，也無法成為有程序可依循的議案，價值失序的現象，很可能就會發生，錯亂型自殺可視為社會病理學的一項指標。我們不會忘了，自殺問題恰好是五四時期曾經出現過的文化現象，梁濟、北大學生林德揚以及之後的王國維，皆是著名的案例。北大學生林德揚的自殺類似明治時期高中學生藤村操的華嚴瀑布自殺事件，華嚴事件是明治時期的著名案例，一人之死象徵一個時代的病徵，這樣的例子不會常有的。林德揚的案例能否比得上藤村操，或未可必。但學者當年提出這兩個現象的關係，仍是值得注意的連結。王國維的自殺案件如何解釋，此事是民國知識圈的著名案例，很可能原因不會只有一端，也有可能永遠找不出決定性的證據，事情已發生了，肇事者的影像仍在雲深不知處。但陳寅恪提出解釋，王國維之死是因為綱常的理念在動盪時代失去效用所致。順著陳寅恪的語言再下一轉語，也就是王國維面對著統合他的價值體系的樞紐和時代精神嚴重衝突，卻無以自解，因而乃決定以身殉道。陳寅恪的觀點極有思想的高度，也不容易被推翻。

梁濟為梁漱溟之父，他的案例與王國維不太一樣，他是以寧靜的心境走向生命的終結，其選擇多少類似傳統「從容成仁取義」的大修行儒者如高攀龍、劉宗周的類型，其意識狀態原不能以「錯亂型」一詞形容之。但我們如果從他在各種價值理念衝突的漩渦中找不到出路的情況來看，他的個人的心境的寧靜恰好顯示其時社會價值理念衝撞的凌亂。梁濟死亡前，其實有意請教梁啟超文化問題，梁啟超未及回答，悲劇即已發生。但即使梁啟超看到了，他能否回答？回答能否相應？都是未知數。上文提到杜威所說的學生論文大量問號的問題，梁濟的自殺也是個大問號。問號是問題的符號，問號大量出現即是個值得注目的集體現象，這樣的問題不是理智可以處理的知識問題，而是人生定位的生命現象。杜威很敏銳地觀察到：「這種追討問題的狂熱是一個新時代來臨的預兆」。[55]

在此背景下，張君勱與丁文江對陣引發的人生觀論戰，遂具有反映時代風潮的意義。張君勱作為五四人物的突出影像當是發生於民國十一年（一九二二）的「人生觀論戰」的主要當事者，另一位論戰主人翁則是丁文江。這場論戰的起源是張君勱先於當年二月，假清華大學，講了一場有關人生觀的講題。他的講題直接面對當時流行的科學至高主義，提出強烈的質疑，他認為科學的特點是客觀的、為因果律所支配的、可以分析方法入手的一種認知活動，人生的價值則不是科學所能決定的。丁文江起而捍衛科學的價值，他很果敢地斷言科學早晚會有統一的人生觀，知識可以處理的對象不僅在物理，在心理也是如此云云。這個問題引爆以後，後來許多名人皆紛紛捲入，[56]成為一個時代的重要風潮。

張君勱與丁文江都是和梁啟超關係頗為親密的後學，誼在師友之間，但兩人的思想卻不同路。在這場論戰期間，梁啟超也加入了討論，面對兩位親密的友人，他的用語當然很守分寸，而且和事佬的用心很明顯。在抨擊雙方的論點上，也各有褒貶，以免公親變事主。但參考梁啟超其他著作，他的立場明顯地是接近張君勱。這場論戰發生的時間距離他與張君勱等一行共遊歐洲的著名參訪為時不過短短幾年，梁啟超因此行而撰寫的《歐遊心影錄》的回響仍餘波激盪，人生觀這樣帶有存在主義風味的詞彙竟然引爆了一場論戰。丁、張論戰之所以引人注目，應當和梁啟超、梁漱溟在之前的重估儒家價值的行動有關。

張君勱所以對人生觀之事一生未曾忘懷，是有他的思想發展的脈絡的。貫穿梁啟超、梁漱溟與張君勱的一條思想線索在於三人對陽明學的良知學以及其時流行中國的歐陸生命哲學的生命衝動理論，都有極高的興趣。良知學與生命哲學對於生命的理解自然也有極大的差異，梁漱溟等儒家哲學家對良知學所說的良知之承

55　同上註，頁二六六。

56　依據《人生觀論戰》一書所收，除丁文江與張君勱兩位主角外，梁啟超、張東蓀、吳稚暉、胡適等人也加入。論題的深入與否姑且不論，但論題會成為熱門議題，這就是文化現象。

體起用乃大不同於生命哲學的生物學之作用者，非常警覺。但就重心靈的直覺作用，重視躍出個體之外的宇宙性的生命動能，反對理智足以掌握人生實相之說，柏格森哲學和王陽明哲學確有共通分享之處，在五四的論述中，兩者也曾結為異代同調的論戰的戰友。丁文江則發揮咄咄逼人的科學女神的威力，他宣稱科學女神正有效地攻占蒙昧的版圖，逐漸地侵入以前一向不受她管轄的宗教領域或形上學領域，她提供給人生定位的作用正方興未艾，「玄學」早晚會被逐出域外。丁文江承認也許世間畢竟有些隱微的區域仍在科學的管轄之外，但科學的統一場域的到來乃遲早之事。

面對丁文江的科學主義的攻勢，張君勱的回應當然也會提到歐戰後科學主義的動搖，戰後歐洲的混亂顯然不只震驚了梁啟超，也震撼了張君勱。但他的關心主要集中在人生觀的問題不是科學所能解決的這點上。他提出了十點說明，竊以為以下三個問題最重要：（一）物質科學中何以有公例？（二）精神科學公例何以不如物質科學公例之明確？（三）人生觀何以不為論理方法與因果律所支配？[57]這三個問題都是哲學問題。這三個問題可以說是同一個問題，都指向道德判斷是否可為因果律所拘束，或者它是自由立法的特殊規定的問題。如果道德事件可以劃歸為自然事件，道德終究要隸屬因果律的範圍，放在今日的科學成就來看，也許神經科學會提供合理的答案。[58]否則，我們就要賦予道德另外的解釋模式。類似的提問與類似的答案在《科學與人生觀》一書中反覆出現，但筆者認為張君勱與張東蓀的問題還是最切題。

丁、張兩人的論辯帶有五四時期特有的啟蒙論辯的時代氣息，氣勢滾滾，言詞冗長。尤其論戰中頗引人注目的吳稚暉的文章〈一個新信仰的宇宙觀及人生觀〉，[59]更顯示這樣的特色。在當日所有論戰的文字當中，吳文的篇幅最長，他的論證就像他要表達的「漆黑一團」的人生觀一樣，結構與論證都有挾泥砂以俱下之勢，讀者需要有極大的耐心，才能讀畢，雖然他要「開除了上帝的名額，放逐了精神元素的靈魂」的立場也是極清楚的。我們反過來看丁張論戰，不難發現張君勱的論點並不是那麼特別，類似的主張在前代的中西哲人處都可見到。我們從休姆（D. Hume）論道德意識的「當然」不能從「實然」推出，從王陽明與朱子學者辯論理道德的議題不能從「格物」中推出，都可看到知識與道德的依據二分的圖式，他們與張君勱的論證基本上沒有兩樣。在因果律的轄區外，保留道德的自主性，這是道德理想主義者的立場。[60]

回到一九二三年辯論的現場，我們不能不感慨人生觀論戰只能在五四時期發生，在宋明時期，甚至傳統中國，類似丁文江所提的科學主義的人生觀是無從提出的。一個由因果律組成的生命世界，它排斥了道德自主的動力，也將人文世界特有的美、善的理念化約為科學的敘述，它的因果律的人生觀中只能有認知性的對錯問題，沒有詮釋性的恰不恰當的問題，這是科學主義的立場。丁文江的立場建立在相當大膽的設準上，這種設準背後反映了十八世紀唯物主義哲學家如霍爾巴哈（P. H.Holbach）所說的因果的必然性：

> 不論他們言論如何，思想如何，意志如何，情緒如何，都不能說不是必然的。這一些人，都是行其所不

57 張君勱，〈再論人生觀與科學並答丁在君〉，收入丁文江、張君勱等著，《科學與人生觀：「科學與玄學」論戰集》（台北：問學出版社，一九七七），頁四五—一四二。

58 用神經元解釋道德決定的問題，參見陳立勝，〈「惻隱之心」、「他者之痛」與「疼痛鏡像神經元」——對儒家以「識痛癢」論仁思想一系的現代解釋〉，《社會科學》，二〇一六年十二期，頁一一〇—一二〇。

59 此文收入丁文江、張君勱等著，《科學與人生觀：「科學與玄學」論戰集》，頁四八九—六五四。

60 丁文江與張君勱的科玄論戰是五四新文化運動時期把「科學」帶進文化領域論辯的重要事件，丁文江的立場恐怕較難獲得今日人文學者的共鳴，但張君勱如果不持陽明之說，而是持朱子之說的立場，科玄論戰或許另有一條不那麼矛盾的方案。眾所共知，朱子的「格物致知」即是要求本心的朗現須經由聞見之知的探索對象（用丁文江的語言講，可謂科學）。但主體在探索對象的活動中，如果再輔之以「主敬」的工夫，它的聞見之知所得一方面可以豐富道德主體下判斷時的切題的能力，一方面還可強化體證自家本性的能力。用朱子的話語講，「窮理」與「致知」是交互進行、彼此強化的，最後的境界是物之性與吾心的本質同時達到完美層次。科學與玄學也不一定不相干的，茲不贅述。

得不行。他們，按照地位，在道德旋風中所取得的地位，是必須這麼做。[61]

費爾巴哈的觀點反映了一個科學成就日新月異的時代的訊息，它一步步地侵入原本規劃為不為因果律管轄的「思想」、「意志」、「情緒」的領域，一切無非必然。很可能，他看到了一個科學統一場域的遠景，丁文江的論點應該也與《自然之體系》所說者同歸。學者今日會接受丁文江立場者，應該已經不多。人文科學的語言是一套不同於主客對立－認知程序的語言，這樣的想法可說是現代詮釋學的起點，丁文江的提法只能從他當年特殊的文化處境去了解。

張君勱對丁文江的批判不免要圍繞丁文江的議題展開，所以人生觀有沒有公例遂成了討論的重點。但我們如不採取這種認識論導向的討論方式，放在新文化運動儒家一翼的視角下理解，張君勱的陸王心性學的立場已足可彰顯彼我兩說之不同，而張君勱的說法可能更能切合時代的氛圍。因為陸王心學在理學史上最大的作用，即是它強調道德意志來自本心的自作主宰，自我立法。而本心云者，其特點可說是作為本體之心。在理學系統中，以見聞之知對照德性之知，或以識（凡識）對照知（良知）的說法，處處可見，可視為理學的一大設定。道德本心一出，其理固可對撞科學主義，也可對撞新文學運動時期或主張私人性的個體主義或持集體性的階級意識者的論點。

本文所以把「良知」、「本心」、「本體」的概念帶進人生觀論戰的論域當中，乃因良知學本來即是張君勱思想中重要的一環，在民國新文化運動的系譜中，良知、本心這類概念如果還被使用，而且視為不可或缺的一環者，厥為儒家一派。就人物言，從康有為、梁啟超到梁漱溟、熊十力到張君勱、唐君毅、牟宗三，他們的思想無一不帶有儒家道德主體性的內涵。就新文化運動議題而言，新文化運動時期出現的「公民說」、「人生觀」、「良知坎陷說」等等，也都是儒家學者的論述，而其內涵都與良知、本心的概念相關。

比起宋明諸大師來，民國新文化運動中的儒家學者對本心、良知的發揮無疑地不似前賢深入，宋明時期的理學大師論及良知、本心云云，都不免會深入到「無聲無臭獨知時，此是乾坤萬有基」的層次。但此層次深則深矣，未免脫離公共的生活世界太遠，它屬於另一個先天層次的議題。相對之下，放在憲政民主框架下的良知、本心概念，它不必然要直接涉入到性天相通的層次，它負責的是現實生活世界的事務。但一種有道德意識的主體可以潤澤社會，維繫良好的習尚，因而形成民主政治良好的支持系統，這樣的主張應該是有道理的，而且也符合周孔之教的主張。「為己」的私德因有主體的依據，所以得通向公民社會的公德，這是儒家版新文化運動的論點。

六、憲政民主之說：從梁啟超到海外新儒家

本文將新文化運動的發軔期提早到戊戌變法一代，那一代的儒者設想中國的現代化轉型的問題時，多有西方制度與中國傳統銜接的意識，甚至於有混合現代性的想法，他們大約都有「憲政民主」與「文化傳統」結合的理念。這種混合現代性的模式經由五四時期的「東西文化」論述與人生觀論戰，我們可以看到儒家精神始終伴隨著民國新文化運動的流程，表現自己的主張。在從一八九八（戊戌）年到一九四九年的半世紀當中，儒家參與新文化運動的路線一方面沿著人觀－主體性這條線索，一方面仍沿立憲民主的方向日漸深入。「主權在民」、「立憲民主」之說是劃分新舊儒學，也是確立新文化運動特色的旗幟，我們從新文化運動的

61　霍爾巴哈（P. H.Holbach）《自然之體系》中的話，引自朗格（F. A. Lange）著，郭大力、李石岑譯，《唯物論史》（台北：臺灣商務印書館，一九五七），冊上，頁四四一。

主要概念「立憲民主」更可以看出作為第一種新文化運動的儒家路線的特色。

戊戌變法時期的儒家諸君子都已有立憲民主的芻議，但進一步形成明確主張，並蔚為運動，甚至形成朝野的共識，此時間不能不延至庚子事變，滿清王朝被迫回應世局後，才產生的，這就是晚清的立憲運動。晚清的立憲運動自然與戊戌變法的倡議頗有瓜葛，但肇始於二十世紀破曉時分的晚清立憲運動論規模之大，議題之明切，可說是進入一個新的階段。其中，梁啟超於一九〇一年提出的〈立憲法議〉更值得重視，[62]竊以為梁啟超提出此文後，後來的儒者踵其武以宣其義，雖有增修，但大體不變，都是依循梁啟超此文的提議繼續前進，包括一九四九之後傳道海外的新儒家學者在內，他們的憲政思想的論點其實多可在梁啟超此文中找到呼應點。梁啟超此文首先揭舉當時世界的強權只有三種政體：一曰君主專制政體，二曰君主立憲政體，三曰民主立憲政體。這三種政體中，除了俄羅斯是君主專制政體外，其餘都是立憲政體。立憲政體中除了美、法兩國是民主立憲外，其餘都是君主立憲。梁啟超認為君主專制制度最不可行，當時列強唯一未曾行憲的俄國雖然名列強國之林，但內部動亂四起，俄皇窮於撲滅革命之火，梁啟超看出局勢不穩的徵兆。至於美、法的民主立憲固佳，他認為政權變化太快，政策難以穩定推行。在梁啟超後來的一系列相關著作中，他還會從中國的現實考量，認為打破了君王制度的形式只會給未來的政局留下難以收拾的爛攤子。衡量全局，他認為二十世紀中國唯一可行的制度當是君主立憲。

梁啟超以「保皇黨」的名聲著稱於晚清時局，君主立憲確實也是他認為中國政治的現代轉型中最適合的一種體制。入民國後，他卻曾兩次保衛民國的國體。此事看似衝突，但就梁啟超而言，如果革命不發生，政治能理性運作的話，中國政治的現代轉型當以「君主立憲」制最佳，梁啟超始終有「英國君主立憲」的模式置於胸中。但政治演變不見得是可以理性安排的，滿清在日俄戰爭後，應該有意實行憲政，但卻沒有能力回應急遽求變的輿情，革命的情勢日益高漲，兩邊拉扯，革命畢竟爆發了。革命以後果然產生了政治樞紐斷裂以後的失序狀態，種族的復仇、政治機構的失能、社會價值系統的失序，一一呈現。但民國既已成立，梁啟超認為沒有必要再走回君主立憲的路，他接受現實，轉而支持民主立憲政體，因為此時只有民主立憲政體可以穩定時局。就理念而言，梁啟超的「君主憲政體制」與「民主憲政體制」的差別主要在前者可因傳統的統治符號仍維繫得住，所以政治的轉型可以更順暢，「君主憲政體制」其實仍是虛君共和制度。

梁啟超在新文化運動中所以居有關鍵位置者，以他為代表的那一代開明儒者所以能被視為新文化運動的開創者，在於他一開始所立的規模即穩健開闊，立下極好的格局。在〈立憲法議〉一文中，他提倡立憲的重要，他說及憲法之要義：

> 憲法者何物也，立萬世不易之憲典。而一國之人，無論為君主為官吏為人民皆共守之者也。為國家一切法度之根源，此後無論出何令，更何法，百變而不許離其宗者也。[63]

梁啟超對憲法的解釋無疑是參考國外列強案例而來，梁啟超此文所說的「憲政」已不是一時一地的法條，而是提升至憲法理念的層次，它具有理念的普遍有效性，用於規範所有國民的政治行為的框架，中國秦漢以後無此說。法的尊嚴提升至此，法治（rule of law）的概念才可成立。

憲法一語確立法的超越的尊嚴，法家論法或言「君生法」，亦即法是國君的統治工具，它是國君賦予的。但法家之說固然不足以論法之尊嚴，中國一些思想家如慎到、黃宗羲等人雖已論及法的施用的普遍性或

62　梁啟超，〈立憲法議〉，收入張品興編，《梁啟超全集》，冊一，卷二，頁四〇五－四〇八。

63　同前引書，頁四〇五。

客觀性，卻仍未深入法理的依據。梁啟超的憲法卻是超越國君，國君也需遵守的，憲法的法源問題不能不訴諸更深刻的源頭。更重要的，憲法不但立下法的權威，它也立下運作的現實規律，此即它立下權限，造成制衡的效果：

> 立憲政體，亦名為有限權之政體。專制政體，亦名為無限權之政體。有限權云者，君有君之權，權有限，官有官之權，權有限，民有民之權，權有限，故各國憲法，皆首言君主統治之大權，及皇位繼襲之典例，明君之權限也。次言政府及地方政治之職分，明官之權限也。次言議會職分及人民自由之事件，明民之權限也。[64]

權限之說也可以說是分權之說，分權制度在中國自然也有，[65]有些朝代（如宋朝）甚至隱約有君臣共治的格局。[66]但將分權制度如此明確主張，而且範圍擴及國君，這樣的設想乃是十九、二十世紀之交才有的發想。梁啟超的〈立憲法議〉只是一篇不長不短的文章，但憲法要義已勾勒出來。

梁啟超憲政思想的貢獻還不僅止於憲政民主的推動，在理論上，他更深層地挖掘了法的精神與主體的關係。他在〈新民說〉論及自由問題有言：「故真自由者必能服從。服從者何？服法律也。法律者，我所制定之，以保護我自由，而亦以箝束我自由者也。」[67]論及平等問題時有言：「（一）四民平等問題：凡一國之中，無論何人，不許有特權（特別之權利與齊民異者）是平民對於貴族所爭得之自由也。（二）參政權問題：凡生息於一國中者，苟及歲而即有公民之資格，可以參與一國政事；是國民全體對於政府所爭得之自由也。」[68]「法」不是外於主體的桎梏，它是主體的客觀展現並要求主體服從於其律則的設計。傳統中國政治對於「法」的理解通常不出政治統治的工具之義，縱有客觀義，但殊少將法提升到黑格爾所謂的客觀精神的層次。五四時期，德先生是極響亮的口號，但其時論民主之義者，能達到梁啟超水平者蓋亦鮮矣！我們從他強調自由的特色之一在於他對自己制定的法律之遵守，他的論點隱約之間已可看到自由與法律的詭譎關係。在「自由」一詞還需要不斷公開解釋的年代，梁啟超的理解已經超過他的年代。

在二十世紀破曉時分，梁啟超提出了新秩序的構想，其中憲法與民權同時而來，不可偏失；國家組成員中的君、臣、民各有權限，不相踰越；而憲政民主一成立後，它即是千秋萬世的偉業，不可再變更。他後來還對中國政治的現代轉型作了許多鋪陳的工作，如國家、國民觀念的重置、公民修養的問題等等，皆有涉及，格局特顯宏闊。若此種種的設想在後來的制憲運動以及一九四九渡海後的新儒學思潮中，我們都可看到相似的聲音不斷回應，儒家學者在現代中國的憲政民主思潮中，始終站在支持的一方，他們與自由主義學者在此有相當高的共識。

劃分新舊中國的重要標誌當是中國現代化的問題，而中國現代化問題的主要內容當是國家的主權的歸屬問題，也可以說是政治領域兩重主體性的調整問題，「主權在民」可以說是旋乾轉坤的核心概念，而建立在「憲法基礎上的民主制度」更可說是貫穿中國現代政治史最重要的觀念。「憲政民主」之說在十九世紀之前的中國史上是看不到的，此一提案出現於十九、二十世紀之交的中國，其時機和當時立憲、革命兩派大量印

---

64 同前引書，頁四〇五。

65 參見錢穆，《中國歷代政治得失》，收入錢賓四先生全集編委會整理，《錢賓四先生全集》（新北：聯經出版事業公司，一九九五），乙編，冊三一，頁七—四四。

66 參見余英時，〈「同治天下」——政治主體意識的顯現〉，《朱熹的歷史世界：宋代士大夫政治文化的研究》（北京：生活‧讀書‧新知三聯書店，二〇〇四），冊上，頁二一〇—二三〇。

67 梁啟超，〈新民說〉，收入張品興編，《梁啟超全集》，冊二，卷三，頁六七八。

68 同前註，頁六七五—六七六。

刷發行《明夷待訪錄》大約同一時期，「立憲民主」之說可以視為對〈原君〉、〈原臣〉、〈原法〉諸文的回應，我們有理由相信「憲政民主」和近世中國隱約的公共意志是相符的，它是二十世紀開明儒者所企盼的答案，此說確實也形成二十世紀中國政治運動的主流，梁啟超是這股思潮的啟動者。

同時作為五四愛國運動以及新文化運動參與者的梁啟超，一生思想多變，但他始終強調立憲與良知在政治領域的作用。晚清的立憲運動中，梁啟超隱然是整個運動的設計師，他在一九〇一年寫的〈立憲法議〉可視為憲法運動鳴槍起跑的第一聲響。一九一一年，辛亥革命爆發，滿清王朝所以在短期內倒塌，很重要的原因是當時各省立憲派同志紛紛響應的結果，中華民國的成立，梁啟超與立憲派實居有一半的功勞。梁啟超的立憲的理念在他過世之後，還會持續影響爾後中國政治的行程。同樣在一九一一年，梁啟超到臺灣來，又把立憲的構想帶給日治時期臺灣的反日抗議志士，因而有林獻堂的「臺灣議會設置請願運動」之舉，前後進行了十四次。雖然請願運動的格局無法達到立憲議題的層次，但每次的議會設置請願運動無異於一次的社會運動，長期累積下來，憲政思想因而也成了近代臺灣政治文化的重要成分。若從影響看，梁啟超的憲政思想確實是超過當年提案時的實際效果的。但作為自由的客觀原則的憲法如何落實為明文的規範，顯然還須有人接棒實踐。

新文化運動的群雄中，整體方向和梁啟超較接近而又具有強烈的憲政民主意識者當是張君勱。張君勱在個人私誼上和梁啟超頗密切，義在師友間。梁啟超民國七年那趟著名的歐遊之旅，張君勱即是七人小組的團員之一。張君勱和梁啟超的志業的關連之密切應當不難看出，但如何連結，線索似乎也未必那麼清楚。筆者認為從晚清以來面臨的現實秩序與意義失落的雙重危機著眼，也就是從五四焦點議題的「民主」與「人的概念」著眼，兩人連結的架構自然清楚浮現上來。

五四時期的張君勱是以儒家文化的捍衛者、陽明學者、「玄學鬼」的面貌出現的。但在民國史上的脈絡，張君勱更重要的形象是憲法學者。他參與五四以後許多有關憲法的活動，他更重要的成果是一九四七年的《中華民國憲法》的制訂者。梁啟超一生念茲在茲的立憲，在清末時期，除了清室崩潰前夕的〈立憲十九條〉的倉促提案外，未見績效。入民國後，政界雖然推出〈臨時約法〉、〈天壇憲草〉等等的方案，但多是具文。真正有具體成效、開花結果者，當是一九四七年制訂並實施的中華民國憲法。雖然憲法的要義不過：（一）人人平等，這是對人格的尊重。（二）人人有稟賦的權利：人身自由、言論自由、信仰自由、集社自由等。（三）保護人民財產權的政府。（四）分權制度，行政權有節制。[69]這四項原則可以說是歐美十七世紀以後逐漸形成的民主理論，也在歐美逐漸落實實施。這是張君勱所作的歸納，於今觀之，可謂卑之無甚高論。中國自晚清以來，不少仁人志士所追求者也是這四條原則。國民黨在實施憲政之前，有一「訓政」期，其所訓者，除了三民主義的特別規定外，恐怕也得包含這四條原則在內。但這四條原則要經由正當性的程序落實為國家的根本大法，卻非得經過一番曲折的路程不可，張君勱一生始終堅守這條憲政的大原則。

民國新儒家學者，多的是哲學家、思想史家，如張君勱這種法律學者出身的極少。但從晚清以來的中國政治思想的核心關懷，即是如何建立有效的憲政體制。「憲政」是儒者在民國時期，不可能跳過不論的重要課題。而張君勱超越於一般憲法學者之處，在於他不是以法匠或專業學者自居或自拘，他賦予憲法更廣闊的天地，以及更深的主體依據。張君勱看到儒家傳統、主體意識與憲政的緊密關連，憲政因此不僅是客觀的政治領域之事，它和主體也有意義上的連接。張君勱既是憲法學者，也是良知學學者，他在民國的儒家學者中，扮演不可被取代的角色。只可惜他從事實際政務的時間太長，精力分散，因此對於「立法」與「致良

69　引自張君勱，《中華民國憲法十講》（台北：中國民主社會黨，一九八四）。原刊於一九四七年，一九八四年民社黨續予發行，印贈給社會大眾。

知」這兩種活動之間的關係，著墨點仍不夠多。人生觀論戰的張君勱與宣揚憲政理念的張君勱，兩者如何連結，遂不能不留下個巨大的缺口。這個問題的突顯化，有待於比他略晚一輩但共同奮鬥的海外新儒家一輩出來承擔，憲政民主的闡釋才告初步完成，而其完整而具體的呈現則要遲至二十世紀的最後一紀，也就是在蔣經國晚年於臺灣宣布解嚴，回歸憲政之時。

海外新儒家對民主、科學的態度，採取的是「返本開新」說，此說最著名的代表是牟宗三的「開出說」，亦即由儒家思想內部開出民主、科學來。然而，開出說也不一定要以形上學的立場闡釋，開出說也可以是歷史的解釋。海外新儒家學者在宋明理學六百年的思潮中，發現到一種想要衝破專制政體的內在要求，也就是兩重主體性的矛盾一直是困擾這六百年來儒者內在極大的困惑。他們在明末的顧炎武、黃宗羲、王夫之的思想上，看到竭力奮鬥的斑斑思想血跡。晚明時期，儒家內部的民主焦慮症發展到了高峰。黃宗羲的《明夷待訪錄》、王夫之的《黃書》，我們或許還可加上唐甄的《潛書》，這些著作可視作此政治焦慮症的診斷書。但因一場歷史劇變發生，異族入關，關閉了所有的歷史可能性，儒家的民主沒有發芽成長的歷史條件。這種困局只有等到新文化運動發動，民國建立，歷史條件俱足了，已槁之木乃得重新成長。

從儒家的觀點看，中國原本即有實行民主制度的需求與相應的思想，宋明儒者對此的反省已累積了一些資源，但卻受困於認識的障礙，無法跨越「兩重政治主體的矛盾」的格局，他們在等待時機。因此，現在當令的民主與科學雖然確實是源自西方，但卻是儒家所欲。中國接受民主與科學制度無損於民族的尊嚴，毋寧說，這是企盼已久的聯姻，兩種現代性的結合。一個在中國土地上運作的民主制度，不可能不帶有中華文化風格的民主制度，這種中華文化風格面貌的民主制度不只是民主制度落實於中華文化地區所致，也是中華文化對民主制度的補充甚或修正。

港臺新儒家雖然始終堅持民主制度是儒家所欲，但同樣始終堅持只有民主制度不可能實行真正的民主，民主是整體人生活動中重要的一環，民主提供了實踐的框架的形式。但道德是人的本質，所以也是生命根本的要求，道德需要民主這個框架，它才可找到與它的特質相合的發展管道。但反過來說，道德也可以支持這個框架，民主的框架也要有道德意識的支持。在儒家世界中，沒有馬基維利生存的空間，儒家的政治總是道德政治。

港臺新儒家在一九四九事件這個歷史的劇場中，他們主要作的工作就是疏通中國文化與民主之間的糾結，他們固然堅決主張不同意義的「開出說」，但他們也知道這兩個概念間的隔閡。所以他們除了同樣宣揚民主的理念，他們花了很大的精力作概念的疏通的工作：兩重主體矛盾說、理性的架構表現性、政道的民主與治道的民主、中華文化的必然表現說、倫理本位職業分途說等等。他們對民主理念的疏通不但遠超過前代的文化傳統主義者，即使與同代的自由主義思想家相比，他們事實上提供了更完整的理論資源。

從一八九八（戊戌）起，面對嚴酷的政治局勢，儒家學者形構了另一種的新文化運動圖像，這是一種嫁接西洋現代性與中國現代性的模式。他們不接受中國共產主義者對新文化運動的解釋，他們與國民黨人畏聞新文化運動的退縮態度也大異其趣，他們還認為自由主義者對新文化運動的理解狹隘而貧血。他們一向有「寂寞」之感，常自嘆四面作戰，確實是的。他們相信民主制度的普遍有效性，但普遍有效性要建立在該地的文化風土以及公民良好的倫理性主體上。民主的有效運作不能單靠民主解決，它要有更廣闊的基礎。從這種觀點看，港臺新儒家持的另類新文化運動觀可以說是批判的新文化運動觀，他們之接受民主，可以說是批判的民主。

七、結論：政治制度最終的型態

論及新文化運動，主流的論述比較不會將儒家列入其中，儒家是以對照組的負面表列方式呈現的。如果列入的話，儒家學者的形象不會像蔡元培、胡適、陳獨秀、魯迅等人那般受到注目。梁漱溟會被提到的，張君勱也會被提到，但梁漱溟的意義會被放在《東西文化及哲學》一書的哲學觀點，張君勱會和一場有名的科學與人生觀的論戰連在一起討論，但大概的敘述架構到此為止。梁、張兩人的意義不太會被結合在一起，也不會和其他儒者的相關論點相提並論，視作有明確的路線主張之意。

然而，經過百多年歷史的發展，我們觀察從戊戌變法那一代的儒者至一九四九渡海來臺的儒者，他們彼此之間的觀點縱然有所扞格，後來者對前輩學者的評價或也有貶抑之處，如港臺新儒家學者對康有為之貶抑，對嚴復之視而不見皆是。但如果我們從現代化轉型的觀點切入，這百年來不同階段的儒者的奮鬥卻是不謀而合，異曲同調，他們在不同時期的奮鬥隱然——其實也夠明顯了——形成一條共同的途徑，這條途徑帶有新時代儒家思想的特色，而不見於前代的自強運動時期的儒林人物的思想結構。這條儒家版的新文化運動路線是最早出現的一條，也是最穩健的一條，它出現的時刻在一八九八年的戊戌變法，最遲我們可以從一九〇一年開始算。新文化運動的時間要比流行的說法（比如《新青年》創刊的一九一五年）時間點早，因為戊戌變法那時期的儒者的議題已是新文化的議題，而且其主張更穩健，後續的各種運動路線並沒有超越它。

透過百年歷史的發展，從戊戌儒家到後一九四九的海外新儒家，相較於自由主義與共產主義，他們提出的現代性方案顯得完整而具特色，這是一種開放式的混合型現代化模式，我們有理由稱之為儒家版的新文化運動，舉其犖犖大者：

（一）他們相信中國現代化所需要的民主、自由、人權、國民性的價值和中國文化的精神不但不是不相容的，而且是相融合的。因為中國的歷史發展在此是欠缺的，近代西方的憲政民主理念可以滿足此渴求。所以近代西方提供的這些價值理念進入中國後，會和中華文明產生有意義的融合。

（二）他們不排斥近代西方民主文明的核心理念是在階級鬥爭的歷史背景下出現的，但出現於特定歷史時刻的理念不見得是從此時刻的情勢產生的，它們可以有更深更遠的理性的源頭，發生的說明與理由的說明之性質不同。這些理念傳到中國來以後，也可以以更精緻的方式著根於中國的風土上。[70]嚴復所批判的傳統的體用論思維不適用於此中西交流的案例，我們當設想另一套的銜接理論之架構。[71]

（三）他們相信民主制度不只是社會學或政治學的概念，它也是精神的客觀表現，「良知」因此不僅是道德主體的拱心石，它也是政治主體的核心概念，所以他們也相信公民的主體修養和民主制度有密切的相應關係。正因為他們相信民主的個人價值築基於人人本性平等的良知學之基礎上，他們反對原子式的個人主義，也反對階級人性論的共產主義。但民主的工程也要和作為社會基礎的禮樂教化連結，這是社會立憲的工作。

綜合起來，我們可以說從戊戌時期的儒家到港臺新儒家，他們都相信變革的必要性，變革意指儒家的價值體系要經過解構與重構的過程，儒家原本潛存的現代化因素會在新時期的衝撞中由潛存而存在，並與新興的相關因素結合，儒家的新文化運動特色可說是混合的現代化的模式。他們既強調中西相會融合的必要，但也會主張吸收者的本土文化的主體性。從儒家的觀點看，共產主義版與自由主義版的新文化運動都是不完整

70 嚴復在〈與《外交報》主人〉中，批判張之洞「舊學為體，新學為用」的提法乃斷體用為二。嚴復的批判從三教傳統體用論的語義著眼，固然可以成立。但如依義不依語，嚴復思想很著重外來思想與傳統思想的調適性，其實也蘊含了一種文化交流版本的體用論。關於嚴復思想的調適性，參見黃克武，《自由的所以然：嚴復對約翰密爾自由主義思想的認識與批判》，頁三〇〇—三一〇。

71 參見拙作，〈開出說？銜接說？〉，《思想》，二九期（二〇一五．一〇），頁三〇五—三一四。

的運動，很根本的一點，主事者的視野是抽象的，他們沒有正視承載新理念的本土文化的向度。不完整的運動冒然實施，結果可能比原來的狀況更糟，民國的革命史確實體現了他們的擔憂。

儒家版的新文化運動路線如與自由主義版與共產主義版相比，彼此有共通成分，但路線的紛歧很明顯。儒家版的新文化運動路線接受自由主義者引進的近代歐美的民主制度，對共產主義的社會理想也有相當的同情，但對兩者的人性論，至少在現代中國出現的代表性的人性論，不管是原子式的個體主義，或者是集體性的階級人性論，都不贊成。儒家版的新文化運動路線反對抽離本土文化作為構成現代化轉型的內部力量的想法，自由主義型與共產主義型的新文化運動在現代與傳統之間切割得太清楚，它們失去了作為「有用」的基礎之「無用」的廣闊大地的支撐。在近現代中西交流的大歷史劇中，儒家文明正是廣闊而無用的蒼茫大地。

五四新文化運動提出的民主與科學有它不可抹滅的價值，這兩個來自近代西洋文明的概念在當代有確定的內容，也有體制性的實踐步驟。儒家版的新文化運動的主張不管是採取形上學或歷史學的解釋，都不是主張從儒家之體直接開出當代的民主之果出來。恰好相反，儒家學者一直很大方地承認：現代的民主制度是儒家傳統缺乏的，但確是儒家所欲的，在儒家傳統內也可以找到銜接的因素。他們認為民主制度的出現雖源於西方，出於階級鬥爭後的產物，這是它的生因。但民主制度一出現即帶有普遍的意義，不受生因的歷史條件的限制。他們堅信民主政治乃是「新外王」的第一義，憲政民主乃新外王的形式意義、形式條件，此處才是真正的理想主義理性主義所必蘊。[72]梁啟超已說憲法乃是「萬世不易」的憲典，牟宗三甚至更公開宣稱：「憲政民主式的政治型態便是最後的型態了。」[73]

儒家的新文化運動並不玄虛，落實來講，具有民族文化作為支持背景的立憲民主政體即是他們的理想。就此而論，儒家版的新文化運動和自由主義者的類型頗有重合之處。一九四九以後出走中國大陸的自由主義人士如胡適、傅斯年、梁實秋等人對儒家傳統也有相當的尊重，晚年的殷海光就是個相當有象徵性意義的案例。隨著歷史的發展，尤其面對共產主義既反儒家傳統也反近代西方自由主義，這兩條路線很自然而然地取得了更寬廣的共識。五四新文化運動到了一九四九以後的海外，發展出了新的型態，自由主義與儒家的現代化方案獲得初步的整合。

對憲政民主的強烈信心應當是儒家版新文化運動的一大特色，有關民主制度是否終極的，今人的質疑不能說沒有現實的基礎。但代儒家學者回答，我們或許可以這麼說：作為民主制度基礎的公民自主、人人平等，以及作為人民意志的架構性顯現原理的立憲原則，如果不能挑戰，也找不到更好的替代原則的話，民主制度也就不能被取代。單單民主制度本身確實不能保證民主的體制可以順暢運作，它要面臨資本主義體系內部自然會衍生出的惡劣的現代社會的病症，也要面臨部落性格的民族主義或民粹主義情感的反撲等等的挑戰，共產主義對現代民主制度的不信任不能說是多餘的。那麼，怎麼辦？我們還是要承認民主從來都是脆弱的珍珠，它需要小心地呵護，但離開了民主，問題只會更大。如前所述，在民主被大肆宣揚的五四時期，民主的危機就出現了。[74]在四十年前冷戰時期的歐美，同樣的危機感也出現過。[75]在今日，同樣的反民主或另

72　牟宗三，《時代與感受》，收入《牟宗三先生全集》（新北：聯經出版事業公司，二〇〇三），冊二三，頁三三七—三三八。

73　同前引書，頁四〇八。

74　梁啟超在歐戰結束後寫的《歐遊心影錄》，其敘述和今日媒體所見的民主制度崩潰論，似乎差不了太多，他說：「我們素來認為天經地義盡美盡善的代議政治，今日竟會從牆腳上築築搖動起來。他的壽命，竟沒有人敢替他保險。」而造成代議政治難以運作的主要原因之一正在於貧富懸殊，階級衝突激烈，工人階級「穀吃不夠穿，穀穿不夠住，休息的時間也沒有，受教育的時間也沒有」，資本家卻「今日賺五萬，明日賺十萬，日常享用過於王侯。」工人自然會想：「你的錢從那裡來，還不是絞著我的汗，添你的油，挖我的瘡，長你的肉。」衝突就起來了。上述引言分見梁啟超，〈大戰前後之歐洲〉，《歐遊心影錄節錄》，收入張品興編，《梁啟超全集》，冊五，卷一〇，頁二九六九、二九七一。

75　一九八二年，俄國異議作家索忍尼辛（Aleksandr Solzhenitsyn）來臺訪問，他對共產主義與當時西方的民主主義批判甚厲，捲起一股

類的民主之聲再起，也不意外。我們幾乎可以確定爾後的世界面臨危機時，民主制度還是會被各種類型的網路以及群眾的公共集會大肆凌辱。

但正因為民主制度如此脆弱，我們更可以看出儒家版新文化運動的重要意義，重視文化傳統與民主制度的相輔相成，缺一不可，乃是儒家版新文化運動的一大特色。民主的生活應當不能只靠制度的安排加以解決，它需要廣闊的文化大地、合理的制度與公民的修養作為支撐的力量。梁啟超、牟宗三他們當年都提過了民主脆弱這樣的現象，而他們所主張的混合中西現代性的模式恰好是針對這樣可預期的亂象而發，他們都相信憲政民主是最終的體制，但需要好的生活世界加以配合。如果民主在以往所謂的民主危機時代都挺過去了，今日應當也是如此。儒家的現代性方案是這樣主張的，沒有異於有文化底蘊的憲政民主之外的東方式民主或中國式的民主，中國要的是真正的民主，也就是築基於文化傳統上的憲政民主，儒家不會選擇其他的方案。

索氏旋風。他的訪臺和一九二四年泰戈爾訪華，在反西方的資本主義體制上有共通之處。面對索忍尼辛的指控，牟宗三、徐復觀都指出不宜將民主體制與民主容易導致的社會文化的弊病混合一談。

第二章

舊邦新命：中華民國的理念

一、前言：混合的現代性

「中華民國」是事實的概念，一九一一年武昌起義成功，革命派組成的臨時政府於一九一二年元旦在南京宣布成立，這個新興的國體後來還要經過各方勢力的挑戰，最嚴重的是一九四九的共產主義革命的挑戰。一個新興的中華人民共和國取代了中華民國的統治地位，它接收了後者在東亞大陸地區的人民、土地與統治權，並獲得聯合國與世界主要國家的承認。但中華民國並沒有從世界的政治版圖上消失，它至今仍在臺灣這塊土地上有效運作。

另一方面，「中華民國」也是在歷史中顯現的理念，它的理念前有所承，其具體內涵也要通過各種代表理念的政治勢力的挑戰後，才會日益明顯，中華民國的理念也仍是在臺灣這塊島嶼上運作。由於理念與現實間必然的差異，我們評價中華民國一九四九之前在中國大陸的內涵，或者我們衡量在臺灣的中華民國存在的意義到底有多大，終究要看它呈現多少的「中華民國」的理念，而這樣的理念是否具有不可被代換的價值而定。否則，主權之爭只有權力之爭的意義而已。不管就事實或就理念而言，「中華民國」一詞仍處於爭議中，也大有重新詮釋的空間。

中華民國是在特定的歷史情境下出現的國家。二十世紀是動盪的世紀，在中國，二十世紀的上半個世紀尤其動盪不安。二十世紀的破曉，一九〇〇年，八國聯軍入北京，近世中國一場最屈辱、賠款也最多的戰爭在帝國的首都上演。一九四九年最後一季，以馬克思、列寧原理建國的中華人民共和國在北京宣布成立，原來代表中國的中華民國在元氣大傷的國民黨率領下，輾轉退居到東海的島嶼臺灣。二十世紀上半世紀開始，中國處於一場大災難；二十世紀上半葉結束，中國又是處於一場大災難。在一九〇〇與一九四九這半個世紀間，中國境內還會發生辛亥革命，中華民國成立；還會發生五四運動，一個兼有愛國與新文化運動內涵的事件在此時展開；還會發生對日抗戰，前後十四年，抗戰終了，百多年來帝國主義武力侵華的歷史至此劃下句點。這三場大的事件之間，還夾有重要性大小不等的事情，如第一次世界大戰、日俄戰爭等等。這幾個事件可視為國際事件，但中國參與都深。至於似乎是純粹的國際事件，卻深刻影響中國內政者，尚有一九一七年蘇聯的共產主義革命，三〇年代法西斯主義的興起。若此種種，可見國內外時勢之複雜。中華民國正是夾在這些連續不斷、因果互生的歷史鎖鏈中誕生並且發展的，它的性格不能不映攝這半世紀的歷史內涵。

在特定的歷史情境下誕生的中華民國有革命的偶然的因素，但也是各種理念作用下的結果。在二十世紀中國境內發生的重大事件，大概都很難將它的生因單純歸到中國本土的因素，中西交會的語境應當是不可逃避的命運，因為二十世紀的中國已是非常典型的世界內的中國，而以中國當時正處於現代化轉型的困難時刻，中國取經歐美，效法東洋，乃是一種很自然的反應模式。二十世紀上半葉中國的重要政治事件大概都有歐美思潮的淵源，推動中華民國成立的革命行動即是如此，它的革命組織多形成於海外，資金多來自海外華僑或列強的幫助。更重要的，中華民國的國體的形式乃非中國的，它是中國受西方刺激，師法歐美十七、八世紀以後政治發展的產物，沒有洛克、盧梭、孟德斯鳩這些思想家闡之於前，沒有美國革命、法國革命實踐於後，即不會有二十世紀的中華民國。可以作對照地，如果沒有馬克思、恩格斯思想，如果沒有一九一七年俄國的蘇維埃革命，同樣也不會有一九四九年的中華人民共和國。

但作為古老文明繼承者的國度，中華民國從二十世紀初在東亞大陸崛起，它的存在依據即不能不和之前的文明傳承有所連結。如果缺乏這種連結，我們即很難想像中華民國的特色。在底下的分析中，筆者將指出以孫中山及梁啟超為代表的革命派與立憲派，他們在中國傳統，主要是儒家傳統，與中華民國之間找到本質性而且正面表述的連結。他們同時接受西洋與本土的雙重源流，也就是作為兩派結晶的中華民國是混合現代性的產物。同樣可以作對照的，一九四九年十月一日革命成功的中華人民共和國也連結了西方與中國傳統的因素，但它所連結的西方是蘇俄的政治經驗，它們連結的中國傳統是以無產階級—農民革命為核心的小傳統，這場由外移入的革命也有本土的因素，因此，我們也可以說它帶有另類的混合現代性的內涵。

筆者所以要將立憲派與革命派的理念共同納入中華民國的理念中，固然是對「中華民國」的「民國」理念之理解，但也是一種歷史解釋。無可否認的，就歷史事件而言，中華民國被視為是辛亥革命直接的產物，在辛亥革命之前，以孫中山、黃興為中心的革命黨人已先後發動過九次武裝革命，第九次的黃花崗之役，聲勢尤為壯大。除了十次的武裝革命外，革命黨人還參與過不少的暗殺行動。[1]這些武裝暴力行動和中華民國的成立直接相關，中華民國是革命之子，革命黨人是中華民國的催生者，也是建構者。這種教科書式的敘述符合史實，不可能推翻。但如果我們只將中華民國與革命連結，雖不乏史實的支持，卻不是完整的史實，也不符合中華民國一詞的理念。同樣論及事實及理想，立憲派—梁啟超的因素要進來，圖像才完整。

本文不是拋棄辛亥革命與中華民國成立的歷史因果關係，也不是質疑辛亥革命—中華民國成立這組歷史事件受西洋近代民主思潮影響甚大，但筆者認為不管就史實或就理念而言，我們了解中華民國都需要擴大解釋的框架。中華民國的成立誠然與革命相關，但革命不是促成民國的唯一的力量，沒有立憲派的努力在前，以及響應在後，中華民國應該也成立不了。「中華民國」需要立憲派的現實作用，也需要它的憲政民主的因素，將它們放進考量，才算周全，中華民國的「民國」之意義在此。其次，中華民國作為在中國土地上出現的國體，它們固然仿效歐美政治，打造了現代意義的國家，但它不能不考慮中國傳統的發展，中華民國的「中華」之內涵在此，以孫中山為代表的革命派在中華民國的中華淵源之解釋上，其實頗見用心。但立憲集團成員多為傳統科舉文化出身，他們對儒家傳統有更切身的感受，所以論及民國的傳統文化結構，立憲派—梁啟超的思考更周密，他們更需要進來。

簡單地說，「中華民國」這個概念所以成立，在於它是整體中國現代化轉型重要的一環，我們當將它放到普遍性的全球格局的現代化工程中看待，二十世紀的中國已是世界的中國，作為天朝體制的國家面對源於近代歐洲民主革命與資本主義革命的巨大風暴，它不能不力求轉型。但中華民國這個國體的成立也回應了晚明以降的內發性的中國的現代化需求，它有很強的中國內部的誘發因素。本文看待中華民國，採納的是混合現代性的視角。

「中華民國」作為一個中國歷史上首次出現的新體制，它具有一種新的政治類型的歷史意義，它首先可以被視為是理念類型，它是出現於二十世紀初中國的政治理念，這則政治理念指向突破兩千年天朝體制的新興政體，帶來新的「國家」與「人民」的想像，它觸發了實質的中華民國的出現。我們探討「中華民國」的理念，實質的作用是以「中華民國」為方法，介入對史實的中華民國的再解釋以及這個國家理念的重構。理念類型事實上也是理想類型，它要求現實對理想的服從與皈依。

二、新三民主義與先行者的圖像

上述所說，或許卑之無甚高論。但由於辛亥革命的歷史地位處於不斷再詮釋的過程中，尤其在該事件發生三十八年後，被一個影響現實更大的共產主義革命所掩蓋，辛亥革命的性質，事實上也就是中華民國的性

1　自一九〇〇年至一九一二年為止，革命黨人共策劃了二十一次的暗殺行動，其中成功者僅四次，一九〇七年徐錫麟暗殺安徽巡撫恩銘，一九一一年溫生才暗殺廣州將軍孚琦，同年李沛基暗殺廣州將軍鳳山，以及一九一二年彭家珍暗殺大臣良弼。其餘暗殺雖不成功，但吳樾炸出國考察五大臣、汪精衛炸攝政王載灃等事，風聲鶴唳，對朝野雙方的心理震懾力量都不小。參見鄧志松，〈正義的代價〉，收入曾一士總編輯，《第六屆孫中山與現代中國學術研討會論文集》（台北：國父紀念館，二〇〇三），頁二一一—四〇〇。

質，被納入共產主義的敘述架構。在爾後當權的革命話語中，辛亥革命常被解釋成資產階級的革命。「資產階級革命」此詞語一來意味著從階級分析的角度界定革命的性質，二來「資產階級革命」一詞背後預設了歷史目的論的解讀。依據共產黨人的解釋，中華民國的理念與資產階級興起的意識型態相關，資產階級的意識型態早晚是要被共產主義取代的。由於影響辛亥革命的主要力量不管是革命派或是立憲派人物，這些人多與新興城市有關，也多屬於社會地位與經濟地位中上的階級，推動辛亥革命成功的理念多出之於上海、廣州等地的新興都市，他們也多有較長時間的資本主義國家居留經驗，資產階級革命說不能說沒有一定的有效性。但資產階級推動的革命，其內涵是否即為這個階級所壟斷，這種敘述是很武斷的，本文認為大有爭論的餘地。

像辛亥革命、中華民國、孫中山的政治理念這種重大敘述不可能沒有各種複雜的因素包含在內，所以也就會有各種的觀點。但這些概念之所以會產生重要的解釋歧義，很重要的一個因素是爾後影響中國政治極大的共產黨人介入的結果，他們依據階級史觀的分析，認為辛亥革命是資產階級的革命，辛亥革命產物的中華民國也是代表資產階級精神的產物。除了資產階級革命外，新三民主義說也是左派人物提出來的另一個相關因素的解釋。由於晚年的孫中山對自己早年的政策有所修正，他提出了聯俄、容共、扶植農工的新政策，[2]形成新的運動方向。共產黨人所說的孫中山晚年思想定論，即奠基於此，上述的三項新政策即為新三民主義的內容。早年孫中山─晚年孫中山或三民主義─新三民主義這樣的思考圖式，至此確定下來。共產黨人將近現代中國歷史發展的方向導向民主主義與新民主主義的連接，也就是晚年孫中山與共產主義的連結，中華民國要過渡到中華人民共和國，這才是歷史發展的金光大道。

中共提出的晚年孫中山之說應當是以民國十三年（一九二四）的中國國民黨第一次全國代表大會為核心所作的依據，在那次影響深遠的代表大會上，國民黨接受共產黨員以個人名義加入國民黨，國民黨在外交上聯俄，並實質上接受蘇聯的各種援助，包括關鍵性的黨的改造與建軍。相當程度，孫中山在策略上吸收了蘇聯革命成功的模式。在對外關係上，蘇聯也變成了首要的合作伙伴。聯俄、容共的結果不管對國民黨或對共產黨都產生了極大的影響，國民黨的黨的組織的嚴密化，所謂的列寧式的政黨，即是此次大會後的產物；黃埔軍校的建軍建校，也是源於此次大會的結果；蘇聯的共產主義文化相當程度和孫中山的革命路線合流了。中國共產黨也因這次的合作，進入龐大的國民黨的現實力量中，並在參與國民黨的活動中壯大自己的力量。民國十三年的國民黨全代會，國共第一次合作，兩者的關係爾後即牽動了中國現代政治的發展。

從民國十三年中國國民黨全國代表大會的決議看來，孫中山的晚年在政策上有所變更，這是事實。否則，在整個政策的形成過程中，不會有同志提出各種的質疑，爾後的糾紛也不會如是複雜。面對一九二七年四月十二日清黨以後的國民黨右派路線，國民黨左派與中共黨人的吶喊抗議並非無故。但是，所謂的晚年孫中山的轉向，到底是一種質的突變，還是只是策略性的意義？作為一位務實的政治人物，孫中山要尋求他的政治藍圖的落實，民族的獨立、民權的實施、民生的改革，他不能不尋找各種可能的資源，善加運用，這完全是合理的行動。一種沒有物資基礎或現實資源的政治理念是空虛的，一個無法結合理念與實務的政治人物也是不合格的。孫中山在辛亥革命成功後，極注重外交關係，他曾先後寄望於日本、英、美諸國，結果都很不理想。以孫中山的出身背景及交往情況，他應當與美國親，與日本有更多的連結，日本朝野在孫中山的革命路途中，曾給予過幫助，這也是事實。但在孫中山晚年，從國家的層級給予孫中山強力支持的，無疑地，蘇聯是最重要的一個國家，也可以說是列強中唯一的國家。孫中山從蘇俄那邊得到的溫暖，不言可喻。

孫中山晚年對實施共產主義的蘇聯有好感，有大量的文字為證。這個事實在他的著作中不時可以找到證

2　中共不用「容共」，而用平等義的「聯共」一詞。

據，別的不談，我們僅就作為他的代表思想的《三民主義》中即可看到如下的說法：「（俄國的）新政策，不但是沒有侵略各國的野心，並且抑強扶弱，主持公道。於是世界各國又來怕俄國，現在各國怕俄國的心理，比從前還要利害。因為那種和平新政策，不但是打破俄國的帝國主義，並且是打破世界的帝國主義；不但是打破世界的帝國主義，並且打破世界的資本主義」（〈民族主義第一講〉）；[3]「馬克思所著的書和所發明的學說，可說是集幾千年來人類思想的大成。所以他的學說一出來之後，便舉世風從，各國學者都是信仰他，都是跟住他走。好像盧騷發明了民權主義之後，凡是研究民權的人，都信仰盧騷一樣。」（〈民生主義第一講〉）；[4]「（列寧）提倡被壓迫的民族去自決，為世界上被壓迫的人打不平。列強之所以攻擊列寧，是要消滅人類中的先知先覺，為他們自己求安全。但是現在人類都覺悟了，知道列強所造的謠言都是假的，所以再不被他們欺騙。」（〈民族主義第四講〉）；[5]「民生主義到底是甚麼東西呢？……民生主義就是共產主義，就是社會主義。所以我們對於共產主義，不但不能說是和民生主義相衝突，並且是一個好朋友。」（〈民生主義第二講〉）。[6]

上述這些話語都是出自《三民主義》，《三民主義》的底本是孫中山於民國十三年一月至八月，假廣州國立高等師範學院禮堂作系列大眾演講的演講稿，隔年他即逝世，所以《三民主義》可以代表他的晚年思想定論。類似的話語在他當時的言論中還不時可以看到，比如他讚美馬克思為社會主義的「聖人」，[7]其地位有如盧梭在民權學說領域中的地位一樣。類似的情況再發生於列寧身上，孫中山也讚美過列寧為革命的「聖人」。[8]中國國民黨第一次全國代表大會開會期間，列寧逝世，國民黨不但致詞哀悼，[9]還停止會議，舉哀三天。孫中山晚年對蘇聯及共產主義顯然頗有好感，就像他說的，共產主義與民生主義是「好朋友」，這樣的傾向應該是很顯著的。宋慶齡以及孫中山的同志如何香凝、李濟深等人所以會實質上將孫中山列為中共的同路人，即因《三民主義》確實對馬克思主義及蘇聯充滿了同情的善意；而國民黨主流派在國共分裂後所以要一再劃分孫中山與共產主義的距離，其關鍵正在於孫中山的言行留下了寬廣的解釋空間，所以不得不劃清界線，以免鵲巢鳩占，喪失掉革命的主導權。

孫中山晚年對共產主義與蘇聯皆有好感，觀其著作及談論，處處可見，所以中共後來對他作了「偉大的革命先行者」的定位，此事並非沒有文本依據，沒有什麼可爭議的。可爭議的乃是「先行者」到底何義？先行者是否為同行者？孫中山的「民生主義就是共產主義」之說，是否可找到兩者之間明顯的界線？孫中山對馬克思、列寧的讚美，是否認為自己的《三民主義》即可歸為《資本論》的同道，國民黨與共產黨即無差別？簡言之，就民國十三年的處境，國民黨與共產黨的合作，不管稱作「容共」或「聯共」，這樣的策略是否意味著在理念上，三民主義可以消納共產主義，兩者殊途而同歸？還是共產主義可以消化三民主義，共產主義是三民主義的精進版？還是兩者聯合，只是一時政策之需要，各得其所。晚年的孫中山如果有改變，真的有一種新三民主義，新三民主義和舊三民主義有很大的不同呢？還是只有一種策略有調整而結構不變的三民主義？

3 孫文，《三民主義：民族主義 第一講》，收入秦孝儀主編，國父全集編輯委員會編，《國父全集》（台北：近代中國出版社，一九八九），冊一，頁八。
4 孫文，《三民主義：民生主義第一講》，同前引書，頁一三四。
5 孫文，《三民主義：民族主義第四講》，同前引書，頁三三。
6 孫文，《三民主義：民生主義第二講》，同前引書，頁一五一—一五二。
7 孫文，《三民主義：民生主義第一講》，同前引書，頁一三五。
8 孫文，〈革命成功個人不能有自由團體要有自由〉，同前引書，冊三，頁五一一。
9 除了此文外，另有〈祭列寧文〉、〈輓列寧額〉、〈致加拉罕哀悼列寧逝世電（譯文）〉，參見前引書，冊九，頁六二〇—六二一；冊五，頁五〇二。

孫中山晚年對蘇聯與共產主義的態度到底有沒有大到影響他的思想的程度，此事因牽涉到孫中山思想的繼承的問題，事實上，也就是中國革命何去何從的路線之爭的問題，所以左右派激烈的爭辯，不同類型的煙幕彈四起，都是可以預期的。但檢證的標準也不是沒有的，如果我們能在共產黨的核心理念與孫中山的核心理念找到明確的相合點或相斥點，如果我們能在孫中山或共產黨人之間找到明確的相合或相斥的主張，孫中山與共產主義的分合問題，應當也不是那麼難以解決。

中共當局自毛澤東以下，對孫中山始終有份敬意，也自認為自己是孫中山革命遺產的繼承者，這是可以確定的。但孫中山是偉大革命的「先行者」，孫中山在中共道統論上的地位遠不如「馬克思、列寧、恩格斯、史達林」，這也是確定的。孫中山被視為先行者而不是同路人，不只是現實政策或歷史經驗的意義上如此，而是就馬克思主義整體思想的定位來看也只能是如此。中共與孫中山路線不同不是源於一人一時一事，而是共產主義的基本性格使然。此事的爭議也不是在民國十三年（一九二四）的「聯俄容共」，或民國十六年（一九二七）的清共後才發生，而是列寧和孫中山剛有些思想上的接觸時，列寧已指出了問題的癥結。辛亥革命成功，民國成立，其時尚在為共產革命奮鬥的列寧撰文〈中國的民主主義和民粹主義〉，[10]他高度讚美孫中山其人及其思想，讚美這位「共和國臨時大總統是充滿著崇高精神和英雄氣概的革命的民主主義者。」孫中山的思想代表一種新興的力量，顯示精神往上走的趨勢。但列寧也指出了孫中山的限制，「從學理上來說，這個理論是小資產階級『社會主義者』反動分子的理論。因為認為在中國可以『防止』資本主義，認為中國既然落後就比較容易實行『社會革命』等等，都是極其反動的空想。孫中山可以說是以其獨特的少女般的天真粉碎了自己反動的民粹主義理論。」列寧到底是一代梟雄，當他讚美孫中山，拉攏國民黨時，他對於三民主義與共產主義之間的差別並沒有忽視。列寧對孫中山的批判固然有出自政策面的考量，比如中國是否可以避開資本主義等等，但根本的問題是整體的世界觀的問題。列寧是從「階級」的角度批判孫中山的思想代表「小資產階級的社會主義」，孫中山的論點與在歐洲或者俄國出現的民粹主義的社會主義思想如出一轍，列寧驚訝地發現：許多方面甚至「完全一樣」，因為它們都是「資產階級民主主義」的理論。

列寧是共產世界的教父，他對孫中山的評論一錘定音，基本上塑造了共產黨人（不管是蘇共或中共）的中山觀。史達林後來說在孫中山的三民主義裡，「『人民』的觀念湮沒了『階級』的觀念，這種社會主義所講的不是無產階級的生產方式，而是一種模糊的社會福利；同時它也未將階級鬥爭與反帝鬥爭連繫起來。」[11]這段話出自一九二八年共產國際第六次大會通過的綱領，很正式的文字。史達林說得很老實，他的論點其實和列寧沒兩樣。[12]後來中共黨人對孫中山思想或三民主義的定位，其實也不出列寧、史達林所說。共產主義的世界觀體系完整，解釋世界及改造世界的能力及意願同樣地完整，階級史觀可說是整個體系的基磐，凡不合此基磐的學說，不管它在其他方面與共產主義有何重疊之處，兩者即不可能是同志的關係，孫中山之為先行者，而不是同路人，關鍵正在階級史觀。

共產黨人不滿孫中山者，恰好是孫中山堅持不移的理念。孫中山同情蘇聯、馬克思、共產主義是事實，聯俄容共的主張如果不是他大力促成，也是難以想像的。但不管他再怎麼讚美列寧、馬克思，也不管他如何道及中俄兩國的「朋友」關係，孫中山對自己的三民主義有超乎常情之外的信心，認為它的理論效用比馬克思主義強，至少用在中國革命領域時，三民主義可包含馬克思主義，而不是馬克思主義可包含三民主義。他

10　參見〈中國的民主主義和民族主義〉，收入列寧、斯大林著，張仲實，曹葆華譯，《列寧、斯大林論中國》（北京：人民出版社，一九六三），頁七—一三。底下引列寧文字，皆出自此篇文章。

11　引自崔書琴，《孫中山與共產主義》（台北：傳記文學出版社，一九八四），頁五七。

12　史達林承認列寧一九一二年寫的〈中國的民主主義和民族主義〉裡的孫中山思想，「沒有過時，仍舊有效。」共產黨人完全不需要調整他們對孫中山路線的理解。史達林的話見他〈給邱貢諾夫的信〉。參見《列寧、斯大林論中國》，頁一一〇。

撰述言之，畫圖表之，孫中山的態度是清清楚楚的。[13]在三民主義與馬克思主義之間，孫中山的話語最容易讓人引起多餘的聯想者莫過於「民生主義就是共產主義」之說，類似的講法在他的晚期著作中，不時晃現，不是怪異之談。然而，就在他談及兩種主義的「兄弟之情」時，孫中山對兩者之間的差異，分別得也極清楚。比如在〈民生主義〉第一講處，當孫中山高舉馬克思的貢獻時，他接著即費了相當大的篇幅，指出馬克思以「階級鬥爭」、「物質」概念為中心的主張，解釋極偏，遠不如「民生」一詞來得合理。孫中山因此作了馬克思是「社會病理家」不是「社會生理家」的著名判斷。[14]孫中山此處對共產主義的批判不是邊緣性的，而是核心的批判，他實質地在兩者之間劃清了界線。

孫中山在中國國民黨第一次全國代表大會主張聯俄容共，他當時沒有意識到他的身體已如是糟，隔年即病逝，他對於此政策的後座力之強，自然也不會未卜先知。但孫中山在採取此新政策之前，三民主義作為主導中國革命思想的主軸之想法始終未曾動搖，而且，他也不是沒有預料到聯俄容共的政策可能會引發不必要的聯想，他打的預防針即見於他與蘇聯代表越飛所作的有名的〈孫文越飛聯合宣言〉，此聯合宣言發表於一九二三年一月二十六日，國民黨一大要召開前一年，此文雖然已一再被引用，但我們還是可以再引用一次，以見其義。在此宣言中，孫中山與越飛達成的第一條共識如下：

> 孫逸仙博士以為共產組織，甚至蘇維埃制度，事實上均不能引用於中國，因中國並無可使此項共產主義或蘇維埃制度實施成功之情形存在之故。此項見解，越飛君完全同感，且以為中國最重要最急迫之問題，乃在民國的統一之成功，與完全國家的獨立之獲得。關於此項大事業，越飛君並向孫博士保證，中國當得俄國國民最摯熱之同情，且可以俄國援助為依賴。[15]

這條聯合宣言是有嚴肅的作用的，它是代表當時中俄雙方政治領袖所作的公開承諾。孫中山在兩方展開大規模的合作之前，預先作此宣誓，此宣言傳達的訊息再明白不過了。

孫中山在策略上，在道德意義上，對共產主義與蘇俄都有相當的同情，也願意彼此合作，但故事應該至此為止。中共黨人所說的晚年孫中山的新三民主義，雖然不能說是無稽之談，但未免是過度詮釋，他們所說的新並沒有使得三民主義和共產主義變成了同一種世界觀。政策不同，黨綱不同，本來也不見得多嚴重。不同的政黨組成聯合政府，此事在人類政黨史上，層出不窮，原不足怪。問題出在共產黨的革命屬性，由於共產主義的階級論被視為一種更高的真實，共產世界是歷史演進的目的，而且共產黨人一向沒有排斥武力鬥爭的暴力路線，所以它與三民主義之間的異同，就不是一種體育運動式的競爭關係，而只能是或明或暗地敵我矛盾的鬥爭關係。兩者思想的異同，關連爾後政局的發展甚大。共產黨人透過三民主義之「新」以連結共產主義，這樣的圖像是依政治意圖解釋出來的，其潛臺詞即是辛亥革命、三民主義、中華民國都只有過渡的作用，它們是要被一個更進步的歷史階段超越的。

有沒有晚年的孫中山，此命題當看有沒有獨立於《三民主義》此書的理念之外的另一位孫中山。我們現在看到完整的《三民主義》本即是孫中山於民國十三年所作的演講本，中國國民黨第一次全國代表大會也是於此時召開，聯俄、容共、扶植農工的三項政策也是於此時正式公布。《三民主義》一書的內容與三項政策

13　在〈關於民生主義之說明〉一文中，孫中山即畫圖表之，在圖表中，共產主義即與「集產主義」各占一方隅，並列入社會主義範圍中，社會主義又被收編在民生主義的範圍內。參見孫文，〈關於民生主義之說明〉，收入秦孝儀主編，國父全集編輯委員會編，《國父全集》，冊三，頁四一六—四一八。

14　孫文，《三民主義：民生主義第一講》，同前引書，冊一，頁一三九。

15　孫文，〈為中俄關係與越飛聯合宣言〉，同前引書，冊二，頁一一六。

是同一時期的產物，根本沒有新舊的問題。至於辛亥革命是代表小資產階級或資產階級的革命，孫中山代表的是資產階級的政治思想，這樣的標籤雖然甚囂塵上，還進入共和國的教科書中，儼然成為定論。但這種標籤沒有得到孫中山本人的首肯，孫中山顯然也不會接受這樣的標籤。我們上文所說的〈孫文越飛聯合宣言〉或《三民主義》中的論點已可見一斑，如要論全貌，應該說孫中山與中共的理論基礎大不相同，這是質的差異，毛澤東說：「孫中山和我們具有各不相同的宇宙觀，從不同的階級立場出發去觀察和處理問題」[16]，身為當年的當事者，也是中共的最高領導人，他的話不該嚴肅看待嗎？類似的話在毛澤東的著作中反覆出現，[17]毛澤東是馬克思、恩格斯、列寧、史達林的學生，這是毛心服口服的，他一再言及此事，而且不允許黨員將他的名字與這些導師並列。[18]但他從來沒有說過自己是孫中山的學生，孫中山從來沒有獲得和列寧、史達林同等第的規格，遑論馬克思、恩格斯。共產黨人也不會將三民主義拉到和共產主義同等的地位看待，這是確切無疑的。[19]

如果「階級史觀」是有理論意義的判斷標準，是決定性的，那麼，從理念上講，辛亥革命與一九四九共產主義革命兩者的性質就是完全不同的革命。共產黨人始終把共產主義理境放在歷史演進過程中更進一步的，也可以說更高一層的價值位階，它是必然要到來的，這是科學的馬克思主義的科學定律。孫中山或許不會不欣賞共產世界的理想性格，但他不會把階級史觀放在三民主義的框架內解釋，也不會同意共產黨人主張的到達這個理境的手段與理論前提。我們現在了解的三民主義最完整的版本即是孫中山民國十三年的系列演講本，共產黨人說的新三民主義指的也是這個時期的孫中山思想。《三民主義》一書既同情共產主義，但也劃分了兩者，就此而言，共產黨人也是沒有異議的。如果沒有異議，那麼，三民主義就是三民主義，「新三民主義」之說不能超出《三民主義》一書的內涵。

如果孫中山說民生主義就是共產主義，孫中山的意思應當指民生主義可以包含共產主義，它處於更高的位階，這點應該是確定的。共產黨人視孫中山為先行者，意指他走在正確的路上，但不到家，只能視為替共產主義作好準備的開路者，這點應該也是確定的。既然彼此對自己的政治理念以及對對方的政治理念都沒有誤解，三民主義即不需要作大幅拐彎的重新解釋。孫中山的民主主義自是民主主義，毛澤東的新民主主義自是新民主主義，孫毛分家，涇渭分流，彼此認得自家本來面目，不會混淆。「階級史觀」是造成革命性質大不相同的根本的差異，我們要不要接受共產黨人對辛亥革命與中華民國的解釋，前提在於我們要不要接受階級史觀。

16　毛澤東，〈論人民民主專政——紀念中國共產黨二十八周年〉，《毛澤東選集》（北京：人民出版社，一九六九），卷四，頁一三六一。

17　如抗戰前夕，共產黨亟需和國民黨合作，以解決自己的生存危機。毛澤東在〈中國共產黨在抗日時期的任務〉一文中，面對共產黨是否同意三民主義的問題時，毛答道：在現階段是同意的。但他也加上但書：「共產黨人絕不拋棄其社會主義和共產主義的理想，他們將經過資產階級民主革命的階段而達到社會主義和共產主義的階段。中國共產黨有自己的政治經濟綱領。其最高的綱領是社會主義和共產主義，這是和三民主義有區別的。」文見《毛澤東選集》，卷一，頁二三九。在中共亟需和國民黨合作的局勢下，共產黨人對自己的運動主軸以及兩種主義的區別仍分得很清楚。

18　一九五三年夏季，中共召開全國財經工作會議，毛澤東在會議上發表〈反對黨內的資產階級思想〉一文，他引用共產黨七屆二中全會幾條沒有寫入決議的規定，其中最後一條規定為：「不要把中國同志和馬、恩、列、斯平列。這是學生和先生的關係，應當如此。遵守這些規定，就是謙虛態度。」《毛澤東選集》（北京：人民出版社，一九七七），卷五，頁九七。

19　毛澤東在一些場合會說以蔣介石、譚延闓或反面人物為師之類的語言，那是他的特有的政治梟雄的嘲諷語。這種師生關係和他與馬、恩、列、史的師生關係，旨趣完全不同。

三、孫中山的民主論與儒家源流

如果聯俄、容共、扶植農工這三項政策乃是孫中山晚年針對時局而發的政策，並沒有影響到他的思想的主軸；如果「三民主義代表新興的資產階級的思想」乃是中共黨人依據階級史觀詮釋出來的結果，始終未變；如果我們沒有接受階級史觀——孫中山顯然也沒有接受，那麼，我們就沒有理由將孫中山思想放在「資產階級」的名目下定位。連帶地，我們也沒有理由將「中華民國」詮釋為資產階級的革命——如果孫中山沒有此說，主要的開國革命元勳如黃興、章太炎等人也沒有如此說，而且他們也不可能接受這種解釋。那麼，我們應當先聆聽當事者自己的說詞，理解他們的理念。

孫中山對自己的思想源流是有交代的，誠如他自己一段常被引用的話語，「有因襲吾國固有之思想者，有規撫歐洲之學說事蹟者，有吾所獨見而創獲者。」[20]這一段常被引用的話固是實錄，但也可以說是解釋得太寬泛。身處世紀之交、新舊轉型時期的政治家，其思想有舊有新、有中有外，在整合之外，另有自己的一得之見，若此總總，可謂一代人物之共相。我們如持孫中山此言以論嚴復、梁啟超、梁漱溟、張君勱，甚至被認為極親西方的胡適，應該都可以用得上。竊以為上述名單除胡適外，都可視為以儒家思想為主軸的哲人，他們事實上可以構成中國現代性方案的另一種系統。即使是胡適，他對儒家也有相當的同情。此事姑且不論，回到孫中山的例子，問題點當是其來自於西方者何事，其來自於傳統者何事，他自得者何事。

論及孫中山自得者，就具體制度而言，當見於民權主義對國民大會及監察、考試兩院之設計，兩者都依據他的政權、治權之分而來，也可以說都是落在制度面，對中西的政治制度的修正。前者是依據他設想的擴大民主基盤的想法而制訂，屬於政權的領域。後者則是他參考中國的政治傳統再加以改造而成，屬於治權的層次。若此設計，孫中山頗為自許。但其是非得失，非筆者所能處理，亦非本文之關心。本文所關心者，在於孫中山的思想與「中華民國」這個理念之間的關係。

孫中山身為一代革命的領導者，中華民國這個國家體制的奠基者，他對於何謂中華，何謂民國，自然有比較嚴密的思考。事實上，他和章太炎兩人，當是「中華民國」一詞較早的使用者，[21]也嚴格地思考過「中華民國」的意義。孫中山面對新的國家名號時，章太炎曾問過為什麼不用「共和國」，而用「民國」一詞，孫中山的解釋是，這樣的國號才能彰顯國民的可貴，「國民者，民國之天子也」；[22]民國初年孫中山與臨時參議院合作制定《中華民國臨時約法》，他只強調一句：「中華民國之主權屬於國民全體」，他也只為這句話負責。孫中山的解釋很淺顯，但態度很堅定。民國是人民作主，主權在民，這是民國成立最大的意義。清亡民國興，此換代之所以異於歷朝之改朝換代者，正在於政權的主體落於何方。如果仍落於一人一黨之手，那麼，「中華民國」的意義和二十五史中的歷代新朝之興起沒有兩樣。它如果有進步的意義，代表一種新紀元，歷史時間的開端，關鍵當落在此體制的特殊性，亦即國家的主體落在人民身上，並形成民主的機制。孫中山後來所以以「公僕」自命，也命黨人，即因主僕關係已經顛倒了。他對政治的種種設計，歸根究柢，皆可歸到「主權在民」一念。

---

20 孫文，〈中國革命史〉，收入秦孝儀主編，國父全集編輯委員會編，《國父全集》，冊二，頁三五五。

21 中文的「中華民國」一詞可能首見於一九〇六年的《民報》週年紀念會上，章太炎與孫中山兩人先後提出了此詞語。隔年，章太炎在〈中華民國解〉一文中，堂而皇之地闡釋了「中華民國」一詞的內涵。參見章炳麟，《太炎文錄初編．別錄》，收入上海人民出版社編，《章太炎全集》（上海：上海人民出版社，一九八五），冊四，卷一，頁二五二—二六二。但梁啟超在《新中國未來記》這本「新小說」上，提出的新中國的國號已是「新中華民主國」，也可說是新的「中華民國」了。當主權在民的概念形成後，「中華民國」這樣的概念早晚會出現的。即使以梁啟超持君王立憲的主張，他未嘗不能接受「中華民國」的理念，而且其年代不必晚到他反袁世凱稱帝或張勳復辟時期。

22 孫文，〈中華民國之意義〉，收入秦孝儀主編，國父全集編輯委員會編，《國父全集》，冊三，頁一六三。

孫中山特別強調「民」的意義，甚至連國號都要以「民」連結，他對「民」是有特殊於前代朝廷的規定的。他認為要讓百姓知道國民的珍貴，國民需知道他是國家的主體，而且國民手中掌握了選舉、罷免、創制、複決四種政權。孫中山很注重後發優勢的理論，中國在現實上雖然民權落後，但中國有兩千多年的民權理論，[23]國民一旦醒悟，知道自己是國家的主體，他即可因四種政權的使用，使國家步上軌道。孫中山的國家建設之程序中有軍政、訓政、憲政三時期說，[24]三時期的民權比重不一樣，孫中山的設計並非對「民權」的理念打了折扣，他的設計只是因時局階段的差異，隨著時局日漸改善，民智日漸啟蒙，執政者需要逐步地將暫時接手託管的權力還給人民。作為中華民國的催生者，孫中山說的「國民」沒有和「階級」概念連上線，國民擁有的四種政權的性質也沒有局限於「資產階級」的分類名目下。孫中山說的「國民」、「政權」沒有受到一時流行的階級史觀的干擾，他還很自覺地劃清兩者的界線。

「主權在民」之說於今視之，已成常識；於十九世紀、二十世紀之交視之，此說也不是孫中山一個人的理念，早在孫中山之前，梁啟超的立憲主張即已反覆言之。梁、孫在十九、二十世紀之交乃是政治上的敵對者，民國成立後，兩者也分別代表兩種不同路線的主張，兩者對是否該繼承原有的國家形式，亦即大清帝國的體制形式，以及如何對待滿族此具體事項上，有嚴重歧異。但就「主權在民」此義而言，梁、孫皆無異議，「主權在民」之說在世紀轉折之時，正是八方風雨匯聚的焦點。但「中華民國」的成立無疑地才呈現了「主權在民」的具體形象，一個與舊時代完全不同的新政治組織至此即矗立於東亞的大地上。不管這個「主權在民」的中華民國在現實上的步伐如何踉踉蹌蹌，孫中山始終相信築基於普遍性的「國民」意志上的政體的正當性。

孫中山活在十九世紀、二十世紀之交的廣東沿海地區，受過現代西方的教育，對歐、美、日本諸現代化國家有親履其地、親居其境的切身感受。他一生皆在已被西方近代文明浸染過的中華大地上度過，構成現代西方社會骨幹的民主體制對他說來不是概念，而是具體的呈現。他接受近代的民主政治的內涵，一點困難都沒有。雖然當年和孫中山並世而生的一些政治論敵不是沒有擁有這樣的概念，他們接受民主的設計也沒什麼困難，如立憲派諸人也都可接受主權在民的理念。但比起他們來，孫中山接受西洋的民主制度，更自然，也更理直氣壯，中間沒有委屈。但同樣的「主權在民」，甚至同樣地主張憲法的功能，這樣的前提會通向什麼樣的政體，虛君共和制？還是民主政體？理論上來講，答案恐怕是不確定的。英國式的君王立憲政體沒有在孫中山的未來政治的選項當中占多少位置，這當然和孫中山的美國生活經驗有關，也和他早在三十歲即已組成革命組織，以推翻滿清為目標脫離不了關係。但立憲民主何以不能容忍虛君共和的模式，孫中山的革命選擇現在看來多少還是可以有爭議的。

「主權在民」說是「中華民國」這個政治概念最顯著的特徵，這個概念一出現，很可能就有永恆的意義，這個永恆意義的政治主張之所以可貴，在於它可算是國史上第一次正式面對中國傳統政治死結——對於政權正當性的問題無法思考。歷代的改朝換代，往往都要付出血流成河的代價，即使同一王朝內部的統治者的更換，往往也是充滿了刀光劍影的殘酷鬥爭，賢智如唐太宗李世民都不能免，而且還是個極壞的示範。中國是人類史上少數歷史綿延、沒有中斷的文明體，它累積的政治遺產自然可觀，因此，如果有論者說中國的政治傳統沒有珍貴的制度設計，這樣的設想是不合理的。[25]然而，傳統中國的政治制度再如何設計，都無法

23　「兩千年」之說見孫文，〈大亞洲主義〉，同前引書，頁五三九。孫中山有時也說「四千年」，如〈從不平和壓迫裏尋出自由來〉，同前引書，冊二，頁五九五。「兩千年」之說乃是溯源至孔孟，「四千年」之說則溯源至堯舜。

24　孫文，〈建國大綱：國民政府建國大綱——民國十三年（一九二四年）四月十二日〉，收入秦孝儀主編，國父全集編輯委員會編，《國父全集》，冊一，頁六二三—六二四。

25　錢穆，《中國歷代政治得失》，收入錢賓四先生全集編委會整理，《錢賓四先生全集》（新北：聯經出版事業公司，一九九五），

解決徐復觀所說兩重主體性的矛盾，也就是中國傳統的政治理念上以人民為主體，但實質上的權力卻掌握在君王手裡，所以現實的政治反而是以君王為主體。[26]久假而不歸後，君王主體壓過人民主體，而且心安理得，視為天經地義的規範。[27]造成中國政治只有治道，沒有政道。沒有政道之根本癥結在於對政治無法思考其本質，因此，也就無法政治地思考政治問題，也就無法解開中國歷代政治的死結。

孫中山思考中國的現代化轉型的問題時，由於處在中西交流最早的廣東沿海地區，很自然地吸收了新的民主體制，不需要碰到他那個時代許多知識分子的尷尬處境，包含王國維、梁濟學者的例子，他們都面臨到綱常倫理嚴重的干擾。就此而言，孫中山是較前進的，走在時代之前。也可以說是較幸運的，因為他成長的生活世界受到傳統文化的滲透相對地較少。但孫中山所以接受來自域外的民主制度，沒有一點困惑，並不表示他可以擺脫傳統的因素，恰好相反，乃因他相信西洋近代的民主制度和中國傳統是相容的。民國十年（一九二一）歲末，共產國際代表馬林（Maring）問孫中山革命的基礎為何？孫中山很明確地回答道：「中國有一道統，堯、舜、禹、湯、文、武、周公、孔子相繼不絕。余之思想基礎，即承此道統，而發揚光大耳。」[28]孫中山的用語很熟悉，他用的完全是道統論的語言。後來的國民黨掌權者所以會一再地濫用道統論的語言，[29]正因孫中山很明確地將自己的思想放在中國文化傳統的巨流中定位。但溯流至源，不可因末流之濫而抹殺源頭之清，孫中山很明確地將自己的主張，也可以說是中華民國的國家性格安置在廣闊的中華文化的基礎上，這樣的設想是有嚴肅意義，值得重視的。

蘇聯發生十月革命後，中國處於南北分裂的政局，其時僻處廣東的孫中山政府對蘇聯伸出了友誼之手，列寧政府對廣東政府也是正面肯定。晚年孫中山更主張聯俄、容共、扶植農工政策，所以孫中山效法俄共之說甚囂塵上。一九二四年二月，也就是孫中山開始宣揚他的完整的三民主義的時刻，孫中山答覆日人問三民主義是否踏襲列寧路線的問題時，他果斷地回答絕非如此，孫中山說：

我輩之三民主義首淵源於孟子，更基於程伊川之說。孟子實為我等民主主義之鼻祖。社會改造本導於程伊川，乃民生主義之先覺。其說民主、尊民生之議論，見之於二程語錄。僅民族主義，我輩於孟子得一暗示，復鑑於近世之世界情勢而提倡之也。要之，三民主義非列寧之糟粕，不過演繹中華三千年來漢民族所保有之治國平天下之理想而成之者也。文雖不肖，豈肯嘗列寧等人之糟粕。況如共產主義，不過中國古代所留之小理想者哉。[30]

孟子和專制政治的緊張關係既見於孟子本人的言論，也見於《孟子》此書和後代政權（尤其明清兩代）不斷發生緊張摩擦的張力，經過清末以來立憲與革命兩派共同的宣揚，此事已近於當時關心國事者的共同意見。孫中山論及孟子思想的民權意義，此義知者甚多，他讚美孟子不難理解。但孫中山對程伊川的民主與民

乙編，冊三一。一書對於此事作了有力的辯護。

26 徐復觀，〈中國的治道——讀陸宣公傳集書後〉，原刊於《民主評論》，四卷九期（一九五三．〇五），收入《（新版）學術與政治之間》（台北：台灣學生書局，一九八〇），頁一〇一—一二六。

27 這也是黃宗羲《明夷待訪錄．原君》所感慨的歷代君王「以我之大私為天下之大公。始而慚焉，久而安焉」之語的要義。參見《黃宗羲全集》（杭州：浙江古籍出版社，一九八五），冊一，頁二。「久而安焉」的具體表現就在「天子」成為三綱之一的樞紐。

28 羅家倫等編，《國父年譜增訂本》（台北：中國國民黨中央委員會黨史史料編纂委員會，一九六九），冊下，頁八五四。

29 余英時為彭國翔《智者的現世關懷》所寫的序言中，即指出一例：一九五六年，蔣中正於七十歲生日前，表示婉辭祝壽，但願國人提出有益的建言。果然，一些不識時務的自由主義知識人真的提出了建言，其中包括蔣總統最好不要破壞憲法，三度連任之事。在此背景下，國民黨中央委員即寫了一篇洋洋灑灑的祝壽文：「天生聖哲，應五百年名世之徵；民有依歸，慰億兆人來蘇之望」云云。運用道統語言，已至匪夷所思之境。參見彭國翔，《智者的現世關懷》（新北：聯經出版事業公司，二〇一六），頁三〇一—三二。

30 孫文，〈與某日人的談話〉，收入秦孝儀主編，國父全集編輯委員會編，《國父全集》，冊二，頁六〇一。

生思想之意義如此宣揚，此事可能更值得重視。因為孫中山答覆日人的問題的時間是民國十三年（一九二四），其時已是反傳統思潮氾濫的時代，經由《新青年》諸近世新文化運動諸子的推廣，程朱的吃人禮教之說廣為流行，孫中山卻於此時為程伊川思想背書。程伊川與傳統政治秩序多有衝突，其實不難爬梳。他講經要求有坐席，以尊師道；不准太子攀折春天草木，免傷天道生意；他的士大夫當以天下為己任之說曾引得乾隆皇帝大不悅，這些事件其實都有重要的政治意義。孫中山談及程伊川思想的重要性時，這位革命鉅子的腦海中不太可能沒有浮現這些著名的案例。程伊川是儒家「道大於勢」傳統的一位重要傳遞者。

但孫中山對程伊川的肯定，層級比這些個別事件的等地還高，竟是他的「民主、尊民生」之論，程伊川居然是追求「社會改造」的「民生主義之先覺」，這是孫中山對程伊川思想的整體的定位。在中國悠久的歷史中，孫中山竟然賦予程伊川次於孟子的地位，視為他的三民主義學說的重要先驅。程伊川在新文化運動的氛圍中，沒有得到太多的肯定，民國政治人物當中像孫中山如此明確肯定程伊川思想者，似乎極少見，其義值得繼續追蹤。[31]

孫中山上述兩段話是答覆外國人的，一答覆俄人，一答覆日人。俄國與日本恰好是孫中山晚年外交政策的重心，在他的生命日薄西山之際，他隱然有中、日、俄三角結盟的想法。孫中山說及上述這些偉大的政治理想時，高屋建瓴，言語親切，我們沒有理由懷疑他的誠意。「文雖不肖，豈肯嘗列寧等人之糟粕」，這種語言情見乎辭，尤可見出孫中山的豪傑之氣。孫中山一向給世人洋派人物之感，但他受過完整的中國舊式童蒙教育，他曾云：「幼讀儒書，十二歲畢經業。」[32]孫中山此處所說，當非政治宣傳之言。我們閱讀《三民主義》，不時可以看到孫中山援引《論語》、《孟子》、《禮記》、《尚書》、《史記》、《老子》等典籍，頗為熟練，而且這些典籍的內容和他本人的思想融合得很深，顯非記室所作。我們如果拿另一位也是浸潤中國古典甚深的政治人物毛澤東相比，兩者對古典知識的情感呈現了極大的落差。毛澤東大小傳統兼通，能詩善詞。他對中國古典知識的理解應該超過孫中山，其詩文創作亦可稱上一代作手，非孫中山所及。但毛澤東予聖自雄，道統傳中人物在他的思想版圖中沒有位置，中國文化傳統的許多核心因素在他看來恐怕多是「秕糠」。孫中山不肯嘗列寧的「糟粕」，毛澤東則一生以列寧門生自居，以孔子思想為「秕糠」。不管毛澤東寫「孔學名高實秕糠」此詩時，[33]心中有沒有湧現孫中山「糟粕列寧」的話語，但既然用了「秕糠」、「糟粕」之語，我們兩相對照，黑白歷歷，兩者的差別相是極明顯的。

儒家經典在孫中山的思想體系中占有根源的位置，《大學》一書可能尤為重要。我們且舉〈民族主義〉第六講結束處，孫中山所發的感慨為例。〈民族主義〉講到第六講，已近尾聲，孫中山忽發感慨：

> 中國有一段最有系統的政治哲學，在外國的大政治家還沒有見到，還沒有說到那樣清楚的，就是大學中所說的「格物、致知、誠意、正心、修身、齊家、治國、平天下」那一段的話。把一個人從內發揚到外，

31 孫中山晚年論程伊川這段話，學界注意者不多，主要是孫中山本人發揮得不夠詳盡，只說見之於《二程語錄》。張崑將即依孫中山的提示，從《河南程氏遺書》中找出相關文字，並連接孟子的「予天民之先覺者」之說，指出程伊川主張「我乃天生此民中盡得民道而先覺者。既為先覺之民，豈可不覺未覺者？」參見《河南程氏遺書．卷第一》，收入王孝魚點校，《二程集》（北京：中華書局，一九八一），冊上，頁五。而且所謂天民也者，乃是「全盡得天生斯民底事業」。《河南程氏遺書．卷第二上》，同前引書，頁三二。孫中山此段論孟子、程伊川處所說的「民生主義」不是指狹隘的食衣住行之意，而是更廣泛的人民的生計的總稱。張崑將的說法很可能可以成立，其說參見張崑將，〈孫中山對儒家思想的創造性轉換：以「道統論」與「行易知難說」為核心〉，收入楊同慧編，《傳承與創新：紀念國父孫中山先生一五〇歲誕辰》（台北：國父紀念館，二〇一六），頁二三一—二五九。

32 孫文，〈自傳〉，收入秦孝儀主編，國父全集編輯委員會編，《國父全集》，冊二，頁一九二。

33 毛澤東評郭沫若的《十批判書》有詩言：「祖龍雖死秦猶在，孔學名高實秕糠。」參見毛澤東，〈讀〈封建論〉呈郭老〉，收入劉濟昆編，《毛澤東詩詞全集》（香港：崑崙公司，一九九〇），頁一五〇。

由一個人的內部做起，推到平天下止。像這樣精微開展的理論，無論外國甚麼政治哲學家都沒有見到，都沒有說出。這就是我們政治哲學的智識中獨有的寶貝，是應該要保存的。這種正心、誠意、修身、齊家的道理，本屬於道德的範圍，今天要把他放在智識範圍內來講，才是適當。[34]

《大學》自宋代以下，成為《四書》之一，儒門的新聖經。《大學》的升格和理學追求成聖的目標相關，此書的重要觀念如「誠意」、「致知」甚或「格物」，其內容都牽涉到人格轉化的道德實踐。人格實踐的目標在於一種天下意識的主體狀態，在傳統的人物中，最有機會也最應該顯現這種天下境界狀態的人物是天子。宋代以後影響中國政治，事實上可視為天子的政治教科書或施政指南的書即有《大學衍義》、《大學衍義補》之書，前者為南宋真德秀所輯，後者為明代丘濬所輯。這套由《大學》引申而來的「衍義」之書雖說與天子職掌最接近，但它的讀者不只是天子一人，它也不是禁書（禁中之書），它事實上是對所有人開放的。《大學衍義》這類的書不言可喻地預設了「士大夫當以天下為己任」這類的道德承擔，這種道德承擔反應了宋學興起後的新的文化型態。[35]

私人性的道德與公共政治有關，這種公私一體的論述固然是歷代儒學共享的議題，先秦孔、孟、荀思想中已是如此，但宋代《大學》興起後，此公私一體連續性提法的分量自然加強了。孫中山將這一套道德修養的語言放在新型態的「知識」來講，意義更為重大。當代的政治理論往往預設了價值的中立化，道德意識退回了私人的領域。但放在「道德」與「政治知識」的分化的時代背景，《大學》一書的公共意義反而可以更加強化。孫中山這裡所說的「知識」應當就是政治理論的意思，亦即《大學》這套修養工夫的程式也可視為政治理論，而且其內涵放在民主政治底下看待，私人的修養因此有公共的意義。孫中山在個人的身心修養與政治實踐之間作了緊密的結合，這是非常典型的儒家的思考方式，但又具有新時代的內涵。他的話語顯示政治不是外於人倫的事務，政治有倫理性格，而且是與人的主體感受緊密相關的「我的事務」。

《大學》這段話結尾於「平天下」之義，「天下」意指普天之下，孫中山有很濃的天下精神，天下精神一轉即是大同思想，不管是「天下」或是「大同」，這兩個詞語皆來自儒典，代表中國古老的智慧。〈民族主義〉第六講結束處，孫中山要大家不要忘了弱小民族受的壓迫，他用以下的話語總結：「我們要將來能夠治國、平天下，便先要恢復民族主義和民族地位；用固有的道德和平做基礎，去統一世界，成一個大同之治，這便是我們四萬萬人的大責任。諸君都是四萬萬人的一份子，都應該擔負這個責任，便是我們民族的真精神！」[36]孫中山以這段話作結，代表他的民族主義超出了一國一族的民族主義的框架，邁向了普世的精神。我們由此可以看出孫中山的反帝思想、大亞洲思想的來源，這是承自儒家人溺己溺、人飢己飢的偉大傳統。但筆者也同意這個反帝的傳統在立憲派乃至共產黨人身上皆可看到，這是貫穿中國近世革命傳統重要的成分，不同政治立場的政黨都接受的共法，這是條極有意義的歷史線索。

孫中山作為非科舉制度也非學術體制下出身的思想家，又身處極艱困的政治局勢，他的思想很難體系完整，這是可以確定的。他的思想所以會引來不同政治立場的人的不同解讀，這也是可以預期的。但他逝世至今已近百年，與他關係密切的左、右派政治人物，包含他的妻兒都已作古，孫中山的思想光譜如果說還不能有大致的輪廓，這樣的設想也是不合理的，作為一位參與實際政治運動的思想家是不該傳下語義太曖昧的政

34　孫文，《三民主義：民族主義第六講》，收入秦孝儀主編，國父全集編輯委員會編，《國父全集》，冊一，頁四九。

35　關於《大學衍義》，參見朱鴻林，〈理論型的經世之學——真德秀大學衍義之用意及其著作背景〉，《食貨月刊》，十五卷三、四期合刊（一九八五．〇九），頁一〇八—一一九。李焯然，〈《大學》與儒家的君主教育——論《大學衍義》及《大學衍義補》對《大學》的闡釋與發揮〉，《漢學研究》，七卷一期（一九八九．〇六），頁一—一六。

36　孫文，《三民主義：民族主義第六講》，收入秦孝儀主編，國父全集編輯委員會編，《國父全集》，冊一，頁五三—五四。

治論。很明顯地，孫中山和他同時代的大知識人與政治人物都有追求中國現代化轉型的意志，而在孫中山所構想的中國現代化的方案中，一個匯合西洋現代化與中國現代化格局的國家是他的立論不言自喻的前提。

這種混合現代化途徑不只見於他一人或革命一派的志士仁人，在清末民初，它可能有較普遍性的基礎，它是不同的政治主張的人共享的成分，而孫中山是箇中巨擘。事實上，自從鴉片戰爭所代表的中西衝突開始，中國的開明知識人多已知道中國不可能不展開現代化的轉型工作，而在他們所作的現代化轉型過程中，儒家傳統是極重要的媒介，而且這個媒介除了擔當銜接的工作外，往往也有更高的批判的功能，從龔自珍到孫中山，莫不如此。[37]到底，中華文明有連綿甚久的政治實踐傳統，它的一些活性因素是和那一代有心的知識人的生命一起成長的。

我們從混合現代性的觀點切入，對於中華民國的性格，或者說對於孫中山所影響的中華民國的性格以及中華民國理念該有的高度，以及國家理念與現實存在彼此間的差異，或許可以有更好的理解。

四、中華民國的國父：一位？兩位？零位？

從晚清自強運動以來，中國必須改變，也必須吸收西法，這樣的方向基本上已成了涉足改革之流的政治人物的共識，孫中山說及他的思想的三個來源，有來自歐美、來自傳統以及自己自創三源，其中來自歐美與來自中國傳統的思想這兩種成分也可說是自曾國藩、郭嵩燾以下直至孫中山的同代人，比如嚴復、章太炎、梁啟超、梁漱溟等人的思想的共同結構，嚴復、章太炎那一輩的知識人的思考尤具特色。孫中山作為革命的後來者，由於有了《三民主義》此書的聚焦，其思想自然較具系統相，雖然有林毓生批評的混亂拼湊之處，但也有後出轉精的成功處，加上國民黨後來的得勢，所以較易得到世人更多的關注。但孫中山思想是否即可以等於中華民國的原理，於今思之，或須斟酌。即使以中華民國的成立而言，孫中山於並世豪雄中，是否即能脫穎群英，成為首功，不同的判斷也是有的。章太炎於民國成立後，論及革命元勳，或總統人選時，常言及黎元洪，總是不以孫中山為然。章太炎固亦革命元勛之一，也是「中華民國」國號的催生者。他與孫中山不甚協洽，氣性之異固然有之，但不能說其判斷沒有現實的基礎。

平情觀之，孫中山成為中華民國的重要符號，當然是有底氣的。在革命陣營中，孫中山居有領導的位置，並非少數人推戴所致。至少從一九〇五年革命團體成立同盟會，孫中山被推為總理以來，應已如此。不但革命陣營如此，當時清廷的主要通緝對象，或者與革命團體在海外有競爭關係的立憲派人物的交涉對象，恐怕也都是以孫中山為主。民國時期的孫中山在當時的政治群雄中，應當也是政治聲望最高者。一九二五年孫中山逝世，能引起全國性的同情，儼然成為一大政治事件，同輩政治人物中，大概沒有人有此殊榮。我們從當時不甚嚴格的民意調查中，已可看到孫中山聲望獨高的現象。[38]孫中山聲望獨高，其原因或有多端，但和他有「三民主義」這般明確的政治理念有關，三民主義和中華民國的理念緊緊綁在一起。

然而，如論辛亥革命的成功與「中華民國」理念的確立，孫中山思想是否有那麼大的影響力，占有那麼強的絕對性位置，「孫中山」與「中華民國」兩詞是否幾乎可以等同，此事仍須細論。本文並非要將孫中山除魅化，也不是有意質疑孫中山在革命陣營中的領導位置。而是有意透過重新定位孫中山與中華民國的理念的關係，賦予現實存在的中華民國更穩固的理論基礎。因為自從孫中山和中華民國等同，他變成了國父以後，孫中山與中華民國就有了父與子的隱喻關係。如果孫中山—三民主義這組政治符號與中華民國的理念之

37　參見竹內弘行，《中國の儒教的近代化論》（東京：研文出版社，一九九五）。

38　潘光哲〈「國父」形象的歷史形成〉一文曾引北京大學、北京高等師範學校所作的不嚴格的民意調查，說明此事。參見曾一士總編輯，《第六屆孫中山與現代中國學術研討會論文集》，頁一八九。

間不能完全配合，中間有難以彌合的縫隙，此事總是缺憾。追求溯源，我們還是當面對國民黨人揭舉的孫中山＝國父此舉的是非得失。

孫中山成為辛亥革命的象徵，中華民國的締造者，這樣的形象自然不是無本的，卻也是經營出來的。在政治領域，領袖人物的奇理斯瑪化（charisma），[39]本來也就是政治運作常見的方式，二十世紀尤為常見。一時成功而終歸失敗者如希特勒、墨索里尼等人，姑且不論。與孫中山並世的著名政治人物如列寧、甘地、凱末爾、毛澤東大概都曾經歷過奇理斯瑪的打造過程，最後也成功地成了領袖人物，而且都具有非凡的天縱英明的形象。他們的形象的成功處，在於人與黨國合一，一個動盪時代的創業群雄的功勳全匯聚在一個人身上，列寧之於布爾亞維克黨及蘇聯，甘地之於國大黨及現代印度，凱末爾之於共和人民黨與現代土耳其，毛澤東之於中國共產黨及中華人民共和國，大概都有身、黨、國合一的構造。身國合一這種利維坦（Leviathan）式的形式能否成功，也就是一個人的身影是否可以成為全體國民意志的顯像，因素可能是多重的。也許時代要相當的艱難，人民陷於集體無助的悲情當中，偉人要有能激發集體意志的生命能量。

也許上述這些因素都是必要的，但遠遠不足。在二十世紀，在媒體介入公共領域的年代，如果沒有掌握媒體宣傳的手段，任何政策都很難成功。就像孫中山自己講的，孔子之所以成功，在於懂得宣傳。他周遊列國，「注重後世宣傳堯、舜、禹、湯、文、武、周公之道」，所以獲得成功。[40]我們很難相信現代的政治世界有自然生成的領袖，他們都需要有製造偉人的媒體包裝工程。

活在二十一世紀的華人對孫中山的了解很難脫離掉政治加工這道手續的後續效應，這位逝世業已百年的政治人物仍活在我們身邊，從中山路、中山區、中山堂、中山大學、中山小學、中山學術獎、中山獎學金、中山市場、中山公園以至於到處可見的孫中山銅像，他的影像之具體存在可能超過我們親密的家人。但由於孫中山身後留有大量的文字，提供後人得以進入他的生命世界的線索，所以作為當代的公眾人物，即使孫中山的顯像有各種的包裝，他的言行終究不時會受各種檢驗。經過百年的浪掏沙，某些公共形象的孫中山仍是可以相信的。筆者相信他具有很好的政治人物的特質：滔滔不絕的說服力、匯合中西傳統的統合能力、實踐偉大理想的道德生命力以及永不放棄的毅力。至於私人道德方面，如男女私德，孫中山大概不能作為榜樣。至於他是否夠民主，章太炎、黃興、陳炯明與他的爭執是否沒有反映孫中山某方面偏執的性格，或亦難言。上述這些論點卑之無甚高論，我們在許多相關論述中都可見到。「孫中山」這個符號所呈現出來的形象，大約可以作出上述的歸納。

重要的政治人物該如何理解，常有爭議。但可以確定的，孫中山即使擁有良好的政治家的人格特質，他所以會成為二十世紀中國重要的政治領袖，中國國民黨同志的加工是主要的因素之一。而且孫中山英雄化的過程極早就開始，他三十歲在倫敦大清使館的蒙難記很可能即已觸發了這場持續甚久的英雄形象的工程。[41] 他逝世後，這項形象塑造工程仍沒有減殺，反而加速進行。由於一九四九年之前，「孫中山」一詞大概是少數可以維繫國共兩黨的共同記憶；一九四九年之後，也許也只有「孫中山」一詞可以有效地連結臺海兩岸各種政治勢力的政治符號。在各方的加持下，百年來，孫中山的身影不可能不巍巍崇高。

在打造孫中山偉人形象，也可以說塑造「中華民國」意象的工程中，影響最大者，或許是「國父」的尊

39　「奇理斯瑪化」一詞用於被加工過後的政治人物上，其實是頗怪異的，如果依據韋伯的解釋，奇理斯瑪的政治人格是某種天選類的政治人物的性格的自然顯像，它不是製造出來的。但政治人物一旦登上政壇高峰，往往即會有「偉人」、「救星」、「領袖」的加工工程，他如果不做，自會有黨徒幫忙加工、打磨、發光。

40　孫文，〈國民黨奮鬥之法宜注重宣傳不宜專注重軍事〉，收入秦孝儀主編，國父全集編輯委員會編，《國父全集》，冊三，頁三九二。

41　黃宇和對此事的詳細考證已成經典，參見黃宇和，《孫逸仙倫敦蒙難真相：從未披露的史實》（新北：聯經出版事業公司，一九九八）。

稱。「國父」一詞是現代的用法，一國之父的用法大概沒有見諸前清以前的歷代朝廷，中國的王朝基本上是天下型的體制，不是現代的國家體制，自然不會有「國父」之稱，但「國父」尊稱的精神也是有傳統的。中國自秦漢以後是家天下，歷代開國君王或曰高祖，或曰太祖，其義猶是一朝之祖。「太祖」、「高祖」都用了家庭的隱喻，開創一朝一國者即是其家庭中的血緣之祖，其子民皆由此祖此父分化出去，一個朝代的結構就是一個血緣共同體。「祖宗家法」、「祖先家法」是歷代各朝臣子論及本朝政治傳承時，常用的表述句子。「大君者，吾父母宗子。其大臣，宗子之家相也。」張載〈西銘〉文中的名言反映了中國傳統政治結構的家庭隱喻。「國父」一詞也是用了家庭的隱喻，國父之於國民，猶如父親之於子女。孫中山之為中華民國的國父，就結構的意義而言，猶如朱元璋之為明朝之太祖，劉邦之為漢朝之高祖。

孫中山被稱為國父，這是經由國家的法令正式制訂的。據考證，此稱呼最早可能是出自豫軍將領樊鍾秀，孫中山於北京逝世時，各界假中央公園社稷公祭時，樊鍾秀的唁電輓幛皆稱「國父」。但這種「第一」很難確定，因為孫中山一九二五年三月十二日在北京剛過世，接連幾天，各地的哀悼蜂擁而至，不少唁電已尊稱孫中山為「國父」，有些地方的追悼會場也打出「追悼國父」之號。孫中山在民國眾多政治人物中，聲望極高，有可能是最高者，但從群彥中脫穎而出，成為唯一的革命象徵，更成為一國之父，這種稱呼的演變牽涉到領袖聖化過程的政治權力操作，也牽涉到意識型態在整個近代中國所扮演的角色的問題。孫中山逝世後，他本人的地位、《三民主義》及國民黨在國家治理上的分量，都被蓄意地極力推動。[42]民國二十九年（一九四〇），抗戰正興，國民政府遷都重慶，國民黨中央常務委員會決議，尊稱總理為中華民國國父，以表尊崇。並於當年四月一日發文渝文字三一九號訓令，通告全國，聲明之文曰：「國民政府以本黨總理孫先生倡導國民革命，首創中華民國，更新政體，永奠邦基，謀世界之大同，求國際之平等，光被四表，功高萬世。」[43]聲明之文辭義鏗鏘，極推崇之能事。為了推廣「國父」尊稱，國民政府還不斷以此稱呼應用在各種場合，而且有儀式以配合之，有各種機制以運動之。其規模之大，持續之久，也可以說收效之宏，前所未見。[44]中華人民共和國成立之後，此尊稱雖然已不用於國土境內，但孫中山作為革命「先行者」的身分仍受到禮敬。至於在中華民國有效統轄區及海外地區，國父的尊稱還是相當流行，沒有受到太大的質疑。

「國父」意指中華民國的父親，「國父」之稱自然不是遲至民國二十九年，而是自他一過世即已有此稱呼。「國父」的稱呼，孫中山本人是否會接受，不得而知。但形勢比人強，一旦革命情勢逼得權力要集中，領袖要神化時，孫中山從「總理」的職務跳到「國父」的位階，距離就不會太遠。如果我們將「中華民國」的理念的傳播與其實體的建立歸功於同盟會，而孫中山是唯一的實質領袖，「國父」之說或許可備一說。然而，回到「中華民國」理念的傳播與中華民國的建立之事實，線索顯然不是那麼清楚。在同盟會團體中，孫中山固然是領袖，要不然，不會有「總理」之稱。但湖南華興會的黃興與浙江光復會的章太炎未嘗不是領袖。在革命史上，論實際行動，往往孫黃並稱，黃興的行動力更為勇猛。孫、黃創建民國的成績，如果分開來算，其百分比要如何開？[45]在輿論戰場上，章太炎是同盟會健筆，其筆力之健非同盟會其他諸子所能比。而章、黃兩人和孫中山皆有過矛盾，他們彼此的革命業績也不能互相取代。如果說黃興在革命路線上與孫中山還沒有水火不容的話，章太炎則不管在理論上（如論國家為惡，社會最終歸於五無之類），或在行動上，

---

42 參考陳蘊茜，《崇拜與記憶》（南京：南京大學出版社，二〇〇九），頁六一—八四。

43 引文參見羅家倫等編，《國父年譜增訂本》，冊下，頁一二〇一。

44 潘光哲〈「國父」形象的歷史形成〉一文對「國父」稱呼之背景作了精簡的說明，本文多參考之。其文收入曾一士總編輯，《第六屆孫中山與現代中國學術研討會論文集》，頁一八三—一九八。

45 薛君度即認為民國的開創當是孫中山、黃興並稱，參見薛君度著，楊順之譯，《黃興與中國革命》（香港：三聯書店，一九八〇）。

與孫中山都有矛盾。終其一生，章太炎大概也不怎麼佩服孫中山。如果孫中山是「國父」，同樣為開國元勳的章太炎、黃興，他們的地位要如何稱呼？[46]

但孫中山到底還是「國父」了，「國父」的尊稱是樁艱鉅的工程。如果說在孫中山生前，同盟會內部的齟齬沒有影響到他的獨尊的地位，而就後續的發展來看，孫中山逝世後，中國國民黨數得出來的政治勢力，不管何人何派，基本上都是繼承孫中山的路線而來，孫中山之為「國父」，似乎也言之成理。然而，孫中山之為國父，不是一黨一派之事，這個命名事件指向的是「中華民國」的理念與實現而言。然而，「中華民國」預設的「中華」與「民國」的理念，以及「中華民國」在革命後的建立，難道都是革命黨人的功勞嗎？或者革命黨可以窮盡「中華民國」一詞的內涵嗎？如果孫中山是黨父，那麼，此一尊稱是否適當，乃國民黨內部事，其事當由國民黨人解決，旁人不必涉入其中。然而，國民乃一國之人自然擁有的人格屬性，「國父」稱呼恰當與否，與每位國人密切相關，此稱呼自然是重要的公共議題，一國之人皆宜深思熟慮之。

「中華民國」的成立的直接原因自然是辛亥革命，辛亥革命的導火線則是湖北新軍倉促起事，火急跳牆所致。但因時至二十世紀初，革命理念蘊釀已久，武裝起義與政治暗殺已非新鮮事，所以星星之火，遂得燎原。然而，火之所以能燎原，乃因「原」已儲存了足夠的燃料。辛亥革命所以成功，主因並非革命軍已成氣候，南征北討如朱元璋之驅蒙元，或如秦嬴政之統一戰國的類型。革命軍的武力其實相當薄弱，組織也鬆散，革命爆發後不久，武漢三鎮都難自保，根本無法跨省遠征。辛亥革命的作用主要是從朝廷外部引爆了清廷內部的鬥爭，以致引發了全國各地的背叛潮。辛亥革命在武昌爆發後，湖北省諮議局議長湯化龍居間運作，湖北獨立。接著，湖南在一陣動亂後，湖南省諮議局議長譚延闓繼之。兩湖立憲派人士接著又四處運作，聯絡各省有志之士，不到幾個月，上海、四川、……中國各省紛紛響應，北京頓形孤立。而響應武昌革命號召者，卻多非革命黨人，主要是各省追求立憲的諮議委員。這些各省的諮議委員多為科舉出身（參見附

表一），他們在清末的政治版圖中，大概可歸入立憲派，其思想多與康有為、梁啟超有關。

清末各省的諮議局委員可以代表那個時代各省的意見領袖，他們原本是大清王朝培養出來的未來的政治骨幹。在清末最後十二年（一九〇〇—一九一二），也可說是二十世紀最初的十二年，這群號稱立憲派的官員代表一種以往未曾有過的新興勢力，我們可稱為立憲派。[47]這股新興的政治勢力主張效法歐、美、日的新式政治運作，亦即以憲法為中心的政治制度所行的措施，改革舊有的體制。這種激烈改革的呼聲所以會在二十世紀初的清廷占有重要地位，是有特殊歷史背景的。先是一九〇〇，義和團事變，八國聯軍入京，慈禧西狩，清廷威嚴盡失。面對清末的詭譎政局，尤其八國聯軍慘痛的教訓，再如何冥頑不靈的滿清權貴也不能不考慮大幅變革的可能，否則，無以回應嚴重的政治危機。再過四年後，日俄戰爭在中國東北爆發，新興行憲的日本帝國竟打敗了老牌的帝國主義國家帝俄，此一複雜的戰爭之勝負因素常被歸因於憲政之實施與否，日俄戰爭的結果更引發了清廷激烈改革的風暴。駐法公使孫寶琦在那段時期上奏所提的立憲變法之議，響應者尤多，立憲之議遂蔚為風潮。再接下來的滿清最後時日中，我們將看到清廷於一九〇五年底派五大臣出國考察各國行憲實況，一九〇六年朝廷宣布決心行憲。接著頒布行憲大綱，接著還要求地方跟進，各省設立諮議局。朝野加碼憲政大計，時程不斷加速，其盛況恐不遜明治維新當年。

---

46 汪榮祖即認為中華民國如果要有國父，至少該有三位國父：孫中山、黃興、章太炎，參見汪榮祖，〈章炳麟與中華民國〉，收入《章太炎散論》（北京：中華書局，二〇〇八），頁二一八。

47 關於清末立憲派的始末，參見荊知仁，《中國立憲史》（新北：聯經出版事業公司，一九八四）；張朋園，《立憲派與辛亥革命》（台北：中央研究院近代史研究所，二〇〇五）；張玉法，《清季的立憲團體》（台北：中央研究院近代史研究所，一九七二）；卞修全，《立憲思潮與清末法制改革》（北京：中國社會科學出版社，二〇〇三）。本文所涉及的清末立憲的資料大體皆取自這幾本書。

但明治維新的盛況畢竟沒來，迎來的是滿清王朝的解體。當時的立憲主軸是君主立憲，其效法圖像或為英國，或為日本，典型在海外，如果合理而順利地推動，其結構不見得會撼動王室的根基。清廷在考慮現實惡劣的處境下，未必不能接受立憲的主張。所以在一九〇九年，各省遂有立憲諮議局之設，清廷之前也下令九年內立憲。但由於清廷做事拖延，加上晚清以來，幾番戰敗，朝廷威嚴掃地，公信力盡失。光緒辭世，宣統繼位後，執政者任用非人，內閣滿人比例過高，行憲時辰被迫更改，公信力一失，局勢惡化更不可收拾。原本科舉出身，與清廷多有淵源的各省諮議局委員失去耐心，經過幾番挫折後，他們或明或暗，紛紛投向革命陣營。等武昌起義事一爆發，他們遂紛紛宣布獨立，脫離清廷。

我們可以將一九〇〇年以後和立憲有關的朝野反應，簡列其重要者如下：

一九〇一	張謇發表〈變法平議〉 梁啟超發表〈立憲法議〉 駐日公使李盛鐸上奏提君主立憲
一九〇四	駐法大使孫寶琦提變法之議
一九〇五	五大臣出洋考察憲政
一九〇六	上諭宣布將仿行憲政
一九〇八	公布各省諮議局章程 公布諮議局議員選舉章程 公布欽定憲法大綱 公布九年預備立憲逐年籌備事宜清單

一九〇九	以諮議局為中心，發動四次全國請願運動
一九一一	四月，憲政實進會、憲友會、辛亥俱樂部等雛形政黨先後設立。 五月，奕劻責任內閣成立，公布〈內閣官制〉、〈內閣辦事暫行章程〉 十一月，公布憲法重大信條十九條

筆者排列的這個簡表，簡之又簡，但仍可看出政局的演變趨勢。一九〇〇年以後的立憲運動和之前的自強運動不同，也比戊戌變法更進一層，乃因它建立在「立憲民主」這個歷史性的概念之基礎上，中國政治一跨過這個門檻，理論上即不可能回頭。後世的政局即使再如何的翻雲覆雨，局勢最多只會拖延、打轉，大方向不會改變。大概除了共產主義革命牽涉到不同的政治理念，此事需另議外，憲政民主這條政治路線可以確定會成為爾後的歷史主軸。二十世紀一開始的悲愴事件所帶來的憲政思潮，它具有普遍性的意義。

清末的立憲派人物的立憲圖像原本是君主立憲，「君王」與「立憲」掛鉤是清廷所以願意支持此一政治改良運動的原因。三綱之說自秦漢以來，浸潤人心已深，從舊禮教社會走過來的士人要接受沒有君王存在的體制，不會是件容易的事。當日一位士人眼見國事蜩螗，曾說：「試問權既下移，國誰與治？民可自主，君亦何為？是率天下而亂也。平等之說蔑棄人倫，不能自行而顧以立教，真悖謬之尤者。」[48]此說還不是批判革命黨人，而是批判康、梁，其言詞之激烈已經如此。民國成立後，梁濟、王國維自盡的例子都顯示從舊時代走來的士人面臨現代轉型的艱辛。他們都還是具有現代意識的知識人，至於《辛亥殉節錄》[49]裡面的大清

48 引自張朋園，〈啟蒙思想與鼓吹革命——梁啟超戊戌之前的激進言論與志氣〉，《梁啟超與清季革命》（台北：中央研究院近代史研究所，一九八二），頁四七—八〇。

49 羅正鈞，《辛亥殉節錄》（台北：明文書局，一九八五）。

忠義之士的心靈狀態更不堪想像了。秦漢以後儒家並稱三綱、五常，三綱、五常成了中國社會的組織原理。三綱之說經由清末以來「衝決羅網」的反傳統思想的衝擊，至今已變成化石觀念，不再有解釋現實的力量。然而，傳統中國社會的組織原則和三綱實不可分，文天祥〈正氣歌〉所謂「三綱實繫命」，此獄中詩多少可見三綱之威力。陳寅恪將三綱比喻成希臘哲學的「理型」，實有是理。[50]所以如果清廷行憲的時程更早，如果清廷的公信力還在，也就是清廷作為國家統一的政治功能還在，立憲派未必不會成功，對中國整體局勢的發展不見得會比革命來得不如。

但歷史的發展在本文所說的「如果」之前，一旦人心已失，輿論風潮已成，辛亥政爭的結果顯示「君王」制度與「立憲」理念脫鉤，並非不可思議之事。當清廷的舉措已喪失掉公信力時，即使從三綱五常的文化氛圍中成長起來的舊知識分子也有可能拋棄「君為臣綱」此一綱領，而走向同情革命之途。張謇、湯化龍、諸輔成、譚延闓這些著名的清末開明儒紳的選擇可為證明，其中最明顯的，也可以說最重要的代表人物，正是立憲派的主帥，百日維新的主事者之一的梁啟超。梁啟超實質上是辛亥革命之所以成功的另一股力量，他也是革命成功後始終輔持中華民國此國體的關鍵人物。

沒有立憲派的倒戈，辛亥革命不會成功，至少不會那種形式的成功，應該是很明顯的。梁啟超於民國成立後，自海外歸國，歸國時，他很訝異地發現，他居然是以英雄回歸的身影受到朝野的歡迎。在革命成功前，梁啟超仍是一名朝廷通緝的要犯，清廷一退位，他竟成了國之大老。梁啟超返國時，演說道：「辛亥革命之一舉成功，無甚流血之慘禍者，實大半由於各省議員根據議政機關，始能號召大義，抵抗清廷也，又大半由於各省諮議局之間有互相合作之預備與其目標也。」[51]梁啟超的判斷合情合理，並沒有逾越之處。這些諮議局的議員原本可說是梁啟超的潛存的同志，他們都是立憲精神的擁護者，所以當時人說：「民國之成立，梁先生實有間接之力。」[52]這個判斷下的無誤，但不免保守。如果我們要說民國的成立實乃革命與立憲兩派的結合，這樣的判斷更接近實情，因為更符合當時的實力原則。

合理的圖像沒有得到合理的評估，乃因梁啟超在革命黨人中的形象是以革命的阻擾者的面貌出現的，一九二九年梁啟超逝世時，國民政府甚至對梁啟超的政治勳績視若無睹。但論及「中華民國」的建立，梁啟超的貢獻應該不比孫中山小。如果說辛亥革命的主要訴求是民族革命與民權主張，那麼，我們有理由說革命派與立憲派在「民族革命」這個議題上表面看來，誠然有較大的出入，但在民權主張上，他們同樣是清廷的要犯，他們有共同的訴求。事實上，如果沒有康、梁他們的竭力鼓吹在先，民權的號角不會響得這麼嘹亮，也這麼遼闊。如果我們說立憲派替革命派開了先河，幫後者開了革命的第一槍，這種判斷並不是不合理的——至少從當時的清廷看來，康、梁和孫、黃並沒有差別，同是要犯。

康、梁並稱，兩人同樣有保皇黨的形象，但這樣的形象應當限於戊戌變法時期的梁啟超，不足以涵蓋梁啟超的生命全史。觀其一生，梁啟超在「保皇」與「立憲」之間，其輕重之抉擇非常清楚。事實上，早在同盟會時期，梁啟超與孫中山即已有連結，之前，梁啟超對革命之說也已掩抑不住其澎湃之情。[53]梁啟超不見得不能接受倒滿的主張。梁啟超的〈新民說〉在中國憲政史上是關鍵性的文章，後人或比之為盧梭的《民約論》，此文雖然竭力宣揚憲政的優點，但或許很奇特地或不奇特地，梁啟超居然也不排斥革命，認為革命與

---

50 陳寅恪云：「吾中國文化之定義，具于白虎通三綱六紀之說，其意義　抽象理想最高之境，希臘柏拉圖所謂Idea者。」參見陳寅恪，〈王觀堂先生輓詞并序〉，《陳寅恪集．詩集（附唐篔詩存）》（北京：生活．讀書．新知三聯書店，二〇〇一），頁一三。

51 徐佛蘇，〈梁任公先生逸事〉，收入丁文江、趙豐田編，歐陽哲生整理，《梁任公先生年譜長編（初稿）》（北京：中華書局，二〇一〇），頁三一七。

52 引見張朋園，〈異曲與同工——梁啟超流亡日本後期的言行〉，《梁啟超與清季革命》，頁一六三—二〇〇。

53 梁啟超在《清代學術概論》、〈滬報界歡迎會演說辭〉，以及致徐君勉的〈與勉兄書〉皆言及此事。參見丁文江、趙豐田編，歐陽哲生整理，《梁任公先生年譜長編（初稿）》，頁一五〇—一五一、一六二—一六三。

立憲可以相輔持：「知革命主義進一步，則立憲主義必進一步，我而真信立憲論之可以救國也，則正宜日夕禱祀，蕲革命論之發達，以為我助力。」[54]若此之言，康有為的著作中應該不會出現。梁啟超的通達，也可以說超越於一黨一派之上的巨人心胸，由此可見。

進入民國後，梁啟超和康有為實質上已分道揚鑣。袁世凱稱帝前，梁啟超撰有一名文〈異哉，所謂國體問題者〉，梁啟超在此名文中，宣示他所關心的是政體，而不是國體。國體泛指君王制或民主制，國體之異依乎各地傳統而定，無關於文明大局。梁啟超說他關心的重點不在這種「國體」上面，而是在國體的內容是否有「立憲」之實，也就是關心的焦點在「政體」，他認為政論家所該關心的在此。當滿清還有效掌握政治權力時，為了國家的穩定，他主張君主立憲；一旦民國業已成立，梁啟超就認為國體不必再倒回去，而當是在民主制的體制下，行立憲之實。梁啟超後來所以參加倒袁，即依問政體不問國體的信念而來。民國六年，張勳復辟，梁啟超不惜與康有為決裂，遊說段祺瑞馬廠誓師，再度捍衛了中華民國。在這兩次搶救民國的行動中，梁啟超的貢獻遠比革命黨人來得大。

從一九一二年中華民國成立以來，幾年之間，民國即再度遭受復辟之變。梁啟超在這兩起復辟事件中起了極大的撥亂反正的意義。在張勳復辟事件中，梁啟超直接地站在康有為的對立面。康有為其時有詩詠其事：「鴟梟食母獍食父，刑天舞戚虎守關。逢蒙彎弓專射羿，坐看日落淚潸潸。」[55]可見其悲慟之深。然而，從康、梁兩人在此事件的反應，正顯示康有為的文化保守主義雖然有值得尊敬之處，但他顯然沒有突破以國君為象徵的政教體制。相對的，梁啟超逃難海外後，思想日深，視野更闊，他連結孔孟的仁政傳統與近代西方民主理念之心愈形迫切。[56]相較於梁啟超，康有為只能是中華民國的局外人，梁啟超卻是中華民國的主要共創者。梁啟超力反袁世凱與張勳，為的不是維護革命黨人或孫中山的革命成果，梁啟超是在捍衛自己的價值理念，事實上，也就是捍衛了中華民國。

如果就理念而言，立憲派為「主權在民」這個核心的理念立了定海神針，梁啟超可視為憲政民主的奠基人；而在實際的成果上，辛亥革命的成功乃是革命與立憲兩派合作的成果；梁啟超在全國志士搶救民國的行動中更立下了汗馬功勞，那麼，他為什麼沒有成為「國父」？孫中山誠然是一代豪傑，但他成為「國父」，乃是他逝世後複雜的政治演變過程的產物。如果我們就民國成立的實際業績以及留給後人思想遺產來看，梁啟超的貢獻應當不在孫中山、黃興、章太炎之下。如果孫中山的同志與信徒心胸寬廣的話，曷不並列孫、梁為國父，或更多的「國父們」？誠如前引梁啟超所說者，政治主張相反者未必不能相成。與梁啟超「平生風義兼師友」的張君勱曾為梁啟超打抱不平道：「義大利建國之際，加富爾主君主，馬志尼、加里波尼主共和，三人同被視為義大利建國三傑，如梁啟超者，「獨不是為民國建國諸傑之一乎？」[57]張君勱的質疑相當堅強有力。

國家！國家！國總是用了家的隱喻。如果兩位國父（孫中山、黃興或孫中山、梁啟超）；三位國父（孫中山、黃興、章太炎）；四位國父（孫中山、黃興、章太炎、梁啟超）之說顯得怪異，且於勢難通。那麼，主政者其實該考慮唐君毅先生的建議，不要設立「國父」一名：「我於孫中山先生不稱國父，因中國早已存

---

54 梁啟超，〈新民說〉，收入張品興編，《梁啟超全集》，冊二，卷三，頁七三四。

55 此詩為《丁巳美森館幽居詩卷》之一，參見蔣貴麟編，《康南海先生遺著彙刊．康南海先生墨蹟》（台北：宏業書局，一九七六），冊一七，頁二五八。詩末注云：「此次討逆軍發難於梁賊啟超也」。

56 勒文森（Joseph R. Levenson）提到梁啟超流亡日本以後的一項文字表現，頗值得省思，他說「在一八九八年以前，梁啟超著作中出現的『孟』字，幾乎一律代表『孟子』；而在他流亡日本期間，『孟』字則通常是『孟德斯鳩』的意思。」參見勒文森（Joseph R. Levenson）著，劉偉、劉麗、姜鐵軍譯，〈改變傳統思想〉，《梁啟超與中國近代思想》（台北：谷風出版社，一九八七），頁一〇六。

57 張君勱，〈梁任公傳序〉，《一九四九年以後張君勱言論集》（台北：稻鄉出版社，一九八九），冊五，頁四八—五〇。

在，國不能有生之之父故」。[58]唐君毅不是不尊重孫中山，相反地，他對孫中山頗有好感。他也不是反中華民國，恰好相反，他認為只有國民政府才可代表中國政府，他一生也只支持中華民國。但不稱孫中山為國父，和不講三民主義，不對國民黨歌功頌德，不參加總統祝壽，這些是唐君毅自定的戒律。以唐君毅為人處世之溫厚，他堅持的這些規範應該是事關立身處世的原則，而且是從中華文明的高度所下的判斷。

唐君毅的「無國父」說似乎不太受到學界的注意，但我們如果考慮中華民國的長久前途，想到「民國」這個新國體的悠久「中華」體質，它不是一家一黨之國體，傳統的家天下既已過去，帶有家天下隱喻的國父一詞仍延續「太祖」、「祖宗家法」的語言而來，此稱呼顯然不甚合理，也未必是愛護孫中山的合理之道。我們或許該嚴肅考慮「無國父」說所開出的遼闊世界。以孫中山一生念念不忘的「天下為公」的精神，他在民國元年都可以辭掉大總統之職了，如果有益於「民國」，他辭掉國父之稱呼，絕無損於他的人格與勳業，絕聖而後聖功存。「國父」一詞消失後，從堯舜到孔孟到朱王到孫（中山）梁（啟超）的通路即豁然貫通，中華民國即不只是承接滿清而起，它上通整體的中國文明的歷程，已成為中華民族一員的滿族所創的清王朝也可以在這段悠久的歷程中找到更積極的定位。無疑地，中華民國的理念之重要遠超出個人的名稱之上。

五、跨越民國史範圍的思考

一九一一年辛亥革命爆發，隔年元旦，中華民國成立。就歷史事件而言，可說事起倉促，但在爾後各省制憲諮議委員響應下，新國家還是成立了。可見當時立憲與革命兩大反抗運動陣營皆接納中華民國的國體，而且民國成立後，此新興國體遭受威脅時，立憲派諸君子還竭力捍衛。「中華民國」成為革命與立憲兩派皆可接受的國體，此事不僅見於民國成立時的歷史時刻，往前，梁啟超的行事與言論，比如可以作為一代思想赤幟的〈新民說〉中，梁啟超已一再言及立憲與革命兩派的理念可相輔相成，形成良性的競爭。由此看來，「中華民國」應當已超出了革命派設定的範圍，它的內涵要豐富多了。

「中華民國」這個概念的內涵之豐富，在於它既反映了二十世紀初中國人民的選擇，往上，這個國體也被視為是宋明以下中國近世發展之所趨。底下，筆者僅再就《明夷待訪錄》此書略進此義。革命、立憲兩派在民國成立之前皆曾大量刊行《明夷待訪錄》，此事頗見歷史意義。《明夷待訪錄》一書可視為宋明理學發展到十七世紀時，被朱明專制政權逼出來的一部重要政治著作，此書對君權（〈原君〉）、對民權（〈原臣〉）、對法律（〈原法〉）、對輿論（〈學校〉）皆有所著墨，反省也非常深刻，黃宗羲對傳統中國政權的分析可謂到位。但如何因病施藥，黃宗羲的構思雖密，就是缺乏落實的機制。由於缺乏實踐的方案，所以《明夷待訪錄》出現於近世儒學史，代表的是一種尋找出路的焦慮，或者也可視為一種吶喊與期待，它是一部深刻的病理診斷之書。中華民國的成立，恰好提供了治療的方案，它也滿足了一六八三年明亡以後，中國人民對於合理的政治體制長期的渴求。

如果我們認為「中華民國」作為永久的政治理念，它既要有民主體制作為形式運作的原則，也要有廣闊的文化傳統作為共識的基礎的話，那麼，文化傳統就不能不納入政治的思考範圍中。文化傳統的因素一納入，「中華民國」的理念要滿足的就不僅是近世中國的渴望。它基本上要回應秦漢以後專制政權的嚴重缺憾；如正面表述的話，意義還要擴大，它要納入悠久的中國文教傳統中。中國的文教傳統即為傳統所說的道統，而道統之始，即為堯舜之治。我們論中華民國的中華性質即奠之於堯舜的敘述，堯舜自然是作為文化價值體系的象徵。先秦儒家孔子、孟子、荀子論儒家的理想性格時，多追溯至堯舜之治，《尚書》一書即以

58　唐君毅，《日記・六三年七月十八日》，收入《唐君毅全集》（台北：台灣學生書局，一九八八），卷二八，頁三四九。

〈堯典〉作為中國文統之始。作為中華民國構成力量的革命與立憲兩派領袖都有回應傳說中的堯舜禪讓的理想國圖像。

對堯舜禪讓的回應在孫中山的思想架構中一直占有核心的地位，他的退讓大總統位給袁世凱，他對隆裕太后的評價「女中堯舜」，[59]他一生一直以公僕自命，以「天子」之格待國民，如此種種都可看到堯舜的隱喻介入其行事當中。最重要的，他將中國的民權理念溯源至堯舜時期。同樣的情況也見於梁啟超，梁啟超一生追求立憲，他追溯中國政治的起源，即溯源至舜禹時期。[60]在十九、二十世紀這麼動盪的歲月中，中國最重要的兩股政治勢力在想像理想的中國秩序時，堯舜之治的想像竟然實質地介入了他們行動的結構當中。事實上，自中國與近代西方的民主會面以來，民主制度等於堯舜之治已是不斷迴旋升起的連結。堯舜之治—中華民國的連結不太受到正視，但竊以為其含義甚豐。

中華民國的理念如果還具有批判的建構力量的話，它當在現實的中華民國的體制外，保有中華文教傳統作為國體的支撐力道，支撐力道不必直接進入體制中，如公民的人格素養、社會的風尚、合理的宗教生活等，這些文教措施當築基於社會的潛移默化，但它無形中卻有具體的調整政治措施的作用。支撐政治運作的文教體系也可以說是作為政治論述主體「中華民國」的支援意識，作為支撐意識的文化傳統不宜直接地介入中華民國的政治結構中，道統與政統只宜有間接的連結，但它卻是現實的中華民國政治得以暢通運作的廣闊基礎。理念的中華民國要求現實的中華民國知道政治權力的限制，現實存在的中華民國重要功能是讓築基於文化傳統上的生活世界得以活潑通暢，文化傳統反過來可以融會於實際運作的民主生活中，潤澤法理化的國家機器運作之功能。現實的中華民國體制與廣闊的築基於文化傳統上的生活世界之關係，類似於政統／道統之分，傳統的政統—道統之分，對我們設想當代中國的合理政治，也就是中華民國的理念，應該有些啟發的作用。

本書既然從理念的視角進入歷史的領域，對現實的政治機制自然不能沒有主張。很明顯地，現實的政權凡是不能回應「中華」一詞所代表的廣闊的文化傳統，以及「民國」所反映的現代的主權在民的政治機制的話，這樣的政治構想是有問題的。而如果築基於文化傳統上的民主制度具有永久的意義，政權的興亡起伏不能改變一個理想國體的構造的話，那麼，「中華民國」的出現與歷代的王朝的更換就有本質上的不同，中華民國的體制的永久與封建王朝的被取代性，可說都是必然的。縱然一時的現實不會服從於理念，但理念對現實的規範卻是不會變的。

六、結論：納立憲派於中華民國，納中華民國於中華文教之統

唐君毅的「無國父」說似乎貶抑了孫中山的地位，其實不是如此。唐先生一生很少涉入實踐的政治議題，但他對孫中山相當尊重，他在香港，任教新亞書院時，十月十日國慶日或孫中山逝世紀念日，他常不避政治嫌疑，參與紀念活動。他所以提「無國父」說乃從更根本的政治理念出發，他從國家的文化性格著眼，認為中華民國的實質內涵早存在於辛亥革命之前。唐君毅言不輕發，他的觀點超出了立憲與革命的框架之外，他立基於一種文化哲學，他相信國家的成立不能從個人的利益、經濟的鬥爭或階級鬥爭的角度著眼，而當從普遍性的理性發展的角度著眼。唐君毅的國家觀點和黑格爾的國家學說頗為接近，我們事實上也可以從

59　曾見過孫中山輓隆裕太后，有「女中堯舜」一詞，出處待查。然此詞亦見於黎元洪的唁電中稱贊隆裕「德至功高，女中堯舜。」參見葉赫那拉．根正、郝曉輝，《我所知道的末代皇后隆裕：慈禧曾孫口述實錄》（北京：中國書店，二〇〇八），頁一九三。

60　「要之華夏民族政治統一機關之建設，實濫觴于舜禹」。參見梁啟超，〈太古及三代載記〉，收入張品興編，《梁啟超全集》，冊六，卷一二，頁三四六七。

中找到儒學的（尤其《易經》學的）體用論的思考方式。落實下來講，唐君毅的觀點是建立在一種原型觀念的中華民國的基礎上，他與同輩的新儒家朋友（如牟宗三、徐復觀）將「中華民國」視為中華文明在尋求政治正當性的過程中，恰好處於中西思潮的交會所形成的特殊的歷史時刻，因受到歐美民主政治的啟示，乃具體化全民意願，形成新的政治組織形式。由於十九世紀、二十世紀之交，中華文明正處於追求新的國家形式以及新的國民性格的焦慮當中，其時應運而生的中華民國乃具有普遍的意義。

無國父說和中華民國的永恆說聯袂而來，中華民國此歷史的產物有超歷史的意義。在一種普遍視野下的國家，它不會是一人一時的創造之成果，所以也沒有國父可言。唐君毅及新儒家學者解消了「國父」一詞，事實上是豐富了「孫中山」的內涵，也提供了「中華民國」一詞更堅實的思想基礎。重建中華民國堅實基礎的工程，首先當將它從國民黨人的建國工程藍圖中解放出來，並將立憲派的史實與理念納進來，中華民國的現實血肉是革命派與立憲派聯姻所致。往上當進一步聯繫到宋明時期的思想脈絡，中華民國的基因中有程、朱、陸、王、黃宗羲、王夫之的思想成分。

立憲與革命兩派在辛亥革命以前的鬥爭是近世中國革命史上重要的一頁，孫中山自己也是承認的。民國成立以後，由立憲派轉化過來的進步黨與國民黨的競爭也是民國政府史上重要的一頁。如果我們要以人物作為識別的標幟，梁啟超與孫中山的競爭關係是相當明顯的。如果我們論兩人關係，沒有注意早期革命黨的《民報》與立憲派的《時務報》的競爭，或者沒有注意到晚年孫中山有聯俄容共的主張，而梁啟超對共產主義卻是深具戒心。那麼，我們的判斷就不可能如理。然而，具體政策的出入固然有之，但我們如果沒有看到兩人或兩派相反相成的面向，同樣是不合理的。立憲派事實上先將「主權在民」的理念樹立在中國的土地上，而為革命派播下了民權革命的種子；立憲派人物實質上促成了辛亥革命的成功，而減少了革命的暴力的程度。民國成立後，梁啟超在兩次君王制的反撲行動中，又兩次拯救了民國。這些都是極清楚的線索，我們更不該視而不見。我們對立憲與革命兩派的關係也該作更精細的考量，因為此事牽涉到我們對「中華民國」這個概念的理解。

革命與立憲兩派在辛亥革命前最重要的爭辯，大概在於對「民族國家」的看法。就實際的政治議題而言，兩派當時既然都涉入了主權層次的政務，他們不能不面對滿清政權的解決問題。由於辛亥革命成功，滿清退位，國民黨掌握了歷史的解釋權，立憲與革命之爭，好像歷史的正義女神站在革命派這一邊。然而，回到當日爭論的場景，梁啟超他們反對革命、主張立憲的理由：怕國家動亂，召來外侮；怕革命一起，失去蒙藏；怕政局一亂，社會失序；怕暴力一興，仇恨循環，永無寧期……這些憂慮，難道是多餘的嗎？立憲派接受滿清在位，強調滿清統治有正面的業績，其評價難道一定比「驅逐韃虜」這類的種族主義的宣揚不合理嗎？民國成立後，局勢的發展不出梁啟超所料，果然愈形紊亂，所謂「無量金錢無量血，可憐購得假共和」，所謂「早知結束如斯苦，翻悔當年種惡因」，所謂「回憶滿清慚愧死，我從何處學佯狂」，[61]類似這種感慨見於許多走過清末民初階段的人的記載上，真理不見得只在革命派這一邊。

梁啟超不以種族革命為然，他自然也有民族主義的情感，但他持的是包含國內各民族在內的「大民族說」。他的論點其實很快即得到反對派行動的認同。辛亥革命成功，民國建立，革命黨人包含孫中山、章太炎在內，馬上宣揚五族共和，各族平等之說。如果中華民族的概念不等於漢族，而是包含中國境內的各少數民族；如果中華民族的概念和中華民國的理念是一致的，它意指種族平等理念的落實。那麼，立憲派宣揚立憲的主張，而避開民族革命的火藥庫，置君主制或民主制孰優的所謂「國體」的爭議於第二義，這種選擇有

61　以上三組詞語見於武昌起義元勳蔡濟民將軍的〈書憤六律〉的第四首、第三首及第二首詩中的句子。參見中國人民政治協商會議武漢市洪山區委員會編，《武昌首億元勳蔡濟民將軍辛亥百年紀念文集》（武漢：湖北人民出版社，二〇一一），頁一一九—一二〇。

何不可？立憲派可謂超前布署，先著其鞭。而革命派雖然不免宣揚種族革命之說，但孫中山、章太炎這幾位革命鉅子的民族觀點，其實也還是從文化著眼，依然是「大民族說」。[62]

如果說「滿人作國家元首」在理念上沒有不可的話，那麼，革命派與立憲派當時最大的爭議乃是對滿清王朝是否真誠立憲的評價不同所致。事實上，一九〇五年以後，滿清已啟動了立憲的機制，各省的制憲諮議委員後來也紛紛成立，而且立憲的時程表也已正式公布。康、梁在幾年前才為此理念倍受打擊，同志犧牲，自家也流亡海外。不到幾年之間，清廷竟已採納他們當日的主張，而且更進一步。政治總是妥協折衷的藝術，滿清的立憲之舉如果真的依序進行，它的舉動既符合康、梁的期待，也符合民國成立以後的理念，那麼，原則上，當時朝野的矛盾即不是不可調和的衝突。歷史後來的發展當然不是依理念進行，我們事後反省，如果真因滿清冥頑不靈，或者滿清朝廷已喪失執政的功能，革命是別無選擇的政治行動的話，革命派的得分也許是合理的。但滿清是否已病入膏肓，此事牽涉到政治病理學的實務的判斷，很難求得一致的答案。但至少就理念而言，從革命成功，中華民國正式成立以後，種族復仇之說即已退位，連革命派理論大師章太炎都已閉口不語，五族共和之說代興，「中華民族」一詞正式躍升為國族論述的主角，立憲派的主張再也不能說是不對。換言之，從「中華民國」理念著眼，而不是從「中華民國」前史的革命史著眼，革命派與立憲派並沒有本質上的衝突，兩者事實上都沒有採納種族主義的主張。從事後歷史的演變來看，立憲派的主張可能更符合中華民國的理念。

如果革命派的「民族革命」只有現實上一時的作用，不能作為永恆的理念，因為「民族」的定義可以擴大，重新調整，長久的歷史恩怨在新的體制下，未嘗不可化解。「中華民國」一詞自然不能只是革命派的，「孫中山國父說」也不該視為一種周延的稱呼。「中華民國」作為一種有意義的理念，它至少要涵蓋孫、梁兩人所代表的意義。但唐君毅的無國父說的觀點顯然更周延，他不是從清末民初的政局立論，他是從理念的視角著眼，評估「中華民國」在歷史上的出現乃意指在中華大地出現主權在民的國度，政府依憲法以治民，人民在中華文教傳統下過民主的生活。唐先生認為這種清楚易明的現象是有重要意義的，我們當嚴肅考量民國在國史上出現的歷史時刻不是物理意義的時刻，而是一種內在於中國的歷史，也內在人類的理性的要求經過長期的醞釀後，在一種穩定的時間點的爆發。它的爆發是一種價值含量極高的歷史的時刻，這個特色的歷史時刻是中國歷史的內在需求與理性建構功能的會師。

「中華民國」這個體制出現於歷史的重要意義，在於「民國」一詞所蘊含的憲政民主之意，它將「主權在民」與「憲政原理」帶到政治的設計中。就此而言，清末民初的嚴復、梁啟超等人是大不同於曾國藩、張之洞那輩的儒家士人，他們對於理想的政體的想像提出了明確的規定，這是他們那一代人開始有的親身體驗的西洋文明因素。他們的創見相當程度可以說是合理的挪用歐美的經驗，透過了學習，他們將西洋的現代政體帶到現代中國的政治制度上來。由於當代中國流行的歷史敘述有一固定的說詞，五四以前的思想似乎是過去式的遺蛻，它要被現代的思想，尤其是馬克思主義思想所取代，清末的立憲思潮遂不顯重要。竊以為這種說法基本上是強權邏輯，以成敗論英雄。我們如果從中華民國成立的史實及它代表的理念觀察，歷史會呈現另一幅圖像。晚清最後十二年，二十世紀破曉時分的十二年，也就是民國新文化運動展開前的立憲民主思潮乃是構成民國的核心因素，它不但不過時，我們甚至可找到它仍有批判當代當道的能量。

「中華民國」作為批判現實政治的理念，它的批判的源頭應當更遠，批判的力道更大。因為「中華民國」如果作為一種理想的政體，一種如孫中山、梁啟超所設想的具有中華文化風格的政體，那麼，我們不能不涉入這個政體與儒家文明的關係。也就是「民國」與「中華」的關係。從現實施政的關係來看，民國的內

62　章太炎那篇浩瀚恣縱的〈中華民國解〉其義即指中華民國是中國境內各民族共同生活的空間，它築基於歷史的傳承上面。

容就是由憲法所規定的政權與治權的結構組成，它在中華的土壤上，由具有公民資格的中華人民執行，這是靜態的描述。然而，作為一種理念的中華民國，我們不能不賦予它文化建國的目的。就此而言，我們可以找到民主中國與傳統中國之間的連結。

以梁啟超為代表的立憲派的意義在此可以看得出來。立憲派出現在二十世紀初期的中國的意義，我們透過它與清廷及革命派的差異，可以明顯地看出，此即此派是站在不隔斷中華文化的文教基礎上作創造的轉化。梁啟超一生以思想多變著名，所謂「不惜以今日之吾與昨日之吾宣戰」，但梁啟超在他波瀾起伏的一生中，仍有不變的線索貫穿其間。蕭公權曾說梁啟超一生深信不變的宗旨有四，一曰愛國重群的公德；二曰民主政體是政治生活的最終歸宿；三曰知識道德為政治之基礎；四曰進步為人生與社會之趨勢。[63]蕭公權的歸納頗得其要，而多變的梁啟超實有不變的梁啟超存焉，此義尤為確切。蕭公權的歸納可以再歸納為二，一是憲政民主，二是公民修養。本文願意再引申他的第二點歸納，梁啟超的公民修養雖然帶有明顯的現代氣息，卻仍然築基於中華文教傳統上的主體修養。竊以為梁啟超的中國現代化方案雖沒有形成嚴謹的理論構造，但他的相關言論很多，他支持的國家明顯地是混合中西現代化的類型。

梁啟超在一戰後，撰《歐遊心影錄》，對歐洲文明有甚深的批判，而對儒家傳統有更深的同情，此事凡閱讀飲冰室主人著作者，大率知此義。但我們有理由相信梁啟超早為萬木草堂弟子時，儒家的道德理念與文化理念即始終在他的人格結構中占有重要的地位，他的一生只有如何轉化它們，沒有拋棄它們之想。而這種親身體證的因素在他建構中國的政治模式時，即特別注重政體與人格及文化三者的結合。梁啟超所以曾和梁漱溟並稱，同樣被視為東方文化路線的代表，即因儒家因素在他們的文明論中，占有核心地位。二梁並稱，洵屬無誤。但我們在此更有必要將梁啟超代表的立憲派拉到民國的政治實踐場域，重新定位。如果不以辭害義，梁啟超的立憲主張乃是一種具有強烈民族文化風格而又連接中西兩種現代化的混合模式。

就連結而言，我們可看到「民國」一方面彌補或解決了中國傳統長期對理想政道的渴望，滿足渴望的關鍵在政治制度的行憲設施。中國的政治一向面臨兩重主體性的矛盾，「人民為政治主體」的傳統理念如何克服「現實政治的君王主體」，並形成有效的制度，這個渴望一直無法得到滿足。中國傳統政治面臨此困境，竟已走進死巷，即使有明末清初顧炎武、黃宗羲、王夫之、呂留良這些不世出的天縱英才應運出世，竟仍感束手。面對君王的權力無限擴張，中國政治發展出不少制衡的制度，但終無法在法的根源處形成法制的均衡設計，《明夷待訪錄》的〈原法〉畢竟是提出議題的作用大於解決問題的結果。面臨認識論的障礙，憲政民主的制度構想不能不借鑒歐美各國的成例，一舉翻越了無出路的死巷，近現代的民主制度既完成了「主權在民」的艱難工程，又完成了權力制衡的制度設計。

但另一方面，「民國」的體制也需要「傳統」的補足。最明顯的，從孟子到王陽明的良知論賦予每一個體平等而有尊嚴的人格理論，這種良知乃內在於「性體」最神祕的質性，它賦予個體在道德實踐上平等的基礎，但它移到現代，也可以構成每一公民作為政治主體平等最根源的基礎。除了儒家道德的主體性可轉化為政治主體性的基礎外，我們還可在儒家傳統中找出與現代政治銜接的因素。如儒家重視人倫的相偶性與近代民主開出的對列之局的關係；儒家的禮論重視人在文化傳統中分享共同的既存的價值體系，因而形成社會理性的人格結構。此一設想移到民主政治來，恰可構成現代社會溝通理論的基礎。更重要的，民主政治在儒家文明第一章的「堯舜禪讓」論述中，得到巧妙地連結，也可以說得到儒家經典的背書。[64] 若此種種，我們有理由認定在關鍵時刻設想新的政治主體時，如果有文化傳統的幫助，應該有助於異質文化因素的消化。

63　蕭公權，《中國政治思想史》（新北：聯經出版事業公司，一九八三），冊下，頁八二二。

64　參見拙作，〈帝堯與絕地天通〉，《原儒：從帝堯到孔子》（新竹：國立清華大學出版社，二〇二〇），頁八五—一三六。

本書相信文化的本體是個人主體的核心成分，也是政體的深層依據，一個不考慮文化風土的轉化作用的設計即無法著根於該風土。我們僅再就梁啟超一生重視的公民修養而論，儒家文明在宋代以後所謂的「近世」時期的主要表現領域正落於主體的修養、轉化、證成上，這種主體工夫的模式以往只運用於心性論的基礎上的道德與倫理領域，但我們有理由將此傳統的智慧銜接於現代的憲政民主的文化。因為良知的道德平等義既可作為民主政治人人平等的終極基礎，而良知的道德主體需要轉化成民主政治的主體，它需要一種新的表現形式，也就是需要轉型。但無可否認地，作為萬物存在的基礎的良知也有束手無策的時節，它需要歷史的幫助，它因欠缺政治出路而發出的吶喊之聲，我們在《明夷待訪錄》與《潛書》中，都可以聽出其焦慮的音貝。憲政民主這麼重要的外來制度一旦要在中華土地上實施，內外銜接的步驟應當是不可少的。

「無國父說」另一個重要的理論內涵，唐先生未明說，但筆者相信他會同意的，此即「國父說」冒犯了儒家至少從宋代以後追求的道統獨立的精神。當全國人民皆以某一政治人物為父時，原則上，「國父」之稱即成了總稱原理，即成了本體原理，包含宗教傳統或儒家傳統中人皆隸屬其中，政治的權威大幅膨脹。「國父」的設計對儒家這種既聖且俗的教義而言，其衝擊尤大。因為儒家自宋代以後雖然形成道統─政統並行於世的格局，但由於儒家沒有統一的教派組織，它毋寧是以散文的方式散布於人倫的結構之間。君王作為人間政治秩序最高的掌權者，他在沒有制度的力量之制衡下，如果沒有足夠的自制力的話，幾乎難免淪為以政統併吞道統之局勢。明清的皇帝頗有「作之君，作之師」想法者，如明太祖、明世宗、清世宗等人，皆不吝於置政統於道統之上，明清特別惡劣的廷杖、文字獄即是政道不通的病狀，中國其實也有中國版的政教衝突。共和政體既然成立了，它當尊重中華文教傳統中道統─政統並立的意義，中華民國的中華性格和民國的政體應當在相互尊重的架構中相互支持，它應該和現實時空中促使它成立的政治人物拉開差距，政教分離，民國的意義一定要超越具體的政治人物之外，它有更深遠的文教傳統的內涵。

在一九五八年一月由唐君毅、張君勱、牟宗三、徐復觀四先生聯名發表於《民主評論》的〈為中國文化敬告世界人士宣言：我們對中國學術研究及中國文化與世界文化前途之共同認識〉文中，提到「文化永恆的問題」，「無國父說」放在永恆的視角下觀察，意義更顯突出。新儒家學者看待「中華民國」有一特別的眼光，此即他們認定這是最終的政體，以後的政治模式不可能再進步了。他們當然是從良知與民主政治主體，也就是蔣年豐所說的法政主體的觀點立論，[65]「最終的政體」之說只能從「政體」成立的存有論的依據來說，而不是從具體的施政措施著眼。「永恆」的概念落實於政治領域，即是民主體制的政治，其精神則是上通堯舜之道的文教傳統。永恆視角下的民主政治是貫穿文化傳統而又在特定的歷史中顯現的政治形式，它不可能是被太新穎地創造的。一九一二年正式成立的「中華民國」的國體有創造者，但其創造都是汲取了豐富的中西文化傳統的資源而應機創業，眾志成城，乃克有成。我們不必讓先賢貪天之功以為己力，中華民國的創造者不論幾位都是中華之子，都是人類文明之子，中華民國的理念不需要一位父親。

從唐君毅等新儒家學者的眼光看，民主體制應該是建立在良知化身的法政主體上的制度。理念的中華民國就是這樣的國體，它是中西兩大文明傳統在二十世紀因撞擊交會而形成的體制。它蘊藏於歷史的汙穢中，形構於階級的衝突、生產方式與生產分配糾結的形下世界之中，中西交會的時間點並不是令人愉快的。但光明破曉於黑暗之中，憲政民主制度即是人類政治經驗中最可取的制度，爾後歷史的發展，不可能逾越這樣的體制。歷史之所以有變化，乃在社會生活的變化，用牟宗三的話講：「民主政治是最後的一種政治型態，將

65 蔣年豐，〈海洋文化的儒學如何可能〉、〈法政主體與現代社會〉，兩文收入《海洋儒學與法政主體》（台北：桂冠圖書公司，二〇〇五），頁二四一—二七一。蔣年豐不認為法政主體需要建立在良知主體之上，筆者則認為良知作為法政主體的基礎可能更穩當。

來的發展進步不再是政體的改進，而是社會內容的充實」。[66]用徐復觀的話講，民主制度是「千秋萬世」的制度。孫中山是可敬的，但中華民國不需要立下特別規格的國父一職，孫中山未必不高興我們將此頭銜移去，讓他可以更自在地參與悠久傳統的文化巨流。而中華民國脫下「國父」這個名稱以後，它即跨過了一九一一的門檻，接續了堯舜以下的道之統緒，神州萬億皆堯舜，中華民國真正取得「民國萬歲」此一歡呼的內涵。

附錄：各省諮議局議長、副議長人名、功名一覽表[67]

省	姓名	傳統功名	省	姓名	傳統功名	省	姓名	傳統功名
奉天省	吳景濂	舉人	浙江省	陳黼宸	進士	陝西省	王恒晉	舉人
	孫百斛	進士		陳時夏	附生		郭忠清	舉人
	袁金鎧	歲貢		沈鈞儒	進士		李良材	貢生
吉林省	慶　康	舉人	福建省	高登鯉	舉人	甘肅省	張林焱	進士
	慶　山	○		劉崇佑	舉人		郭銳嘉	○
	趙學臣	舉人		陳之麟	舉人		何念忠	拔貢
黑龍江省	王鳴鶴	○	湖北省	湯化龍	進士	四川省	蒲殿俊	進士
	戰殿臣	拔貢		夏壽康	進士		瀟　湘	進士
	李品堂	○		張國溶	進士		羅　綸	舉人

省	姓名	傳統功名	省	姓名	傳統功名	省	姓名	傳統功名
直隸省	閻鳳閣	進士	湖南省	譚延闓	進士	廣東省	易學清	進士
	谷芝瑞	進士		曾　熙	進士		邱逢甲	進士
	王振堯	舉人		馮錫仁	進士		盧乃潼	舉人
江蘇省	張　謇	進士	山東省	楊毓泗	進士	廣西省	陳樹勳	進士
	蔣炳章	進士		王景禧	進士		唐尚光	進士
	仇繼恒	進士		于普源	進士		甘德蕃	廩生
安徽省	方履中	進士	河南省	杜　嚴	進士	雲南省	張惟聰	舉人
	李國筠	舉人		楊凌閣	舉人		張世勳	廩貢
	竇以鈺	廩生		方　貞	進士		段宇清	舉人
江西省	謝遠涵	進士	山西省	梁善濟	進士	貴州省	樂嘉藻	舉人
	黃大壎	進士		劉篤敬	舉人		譚西庚	舉人
	郭賡平	進士		杜上化	進士		牟　琳	舉人

66 牟宗三，《中國哲學十九講》，收入《牟宗三先生全集》（新北：聯經出版事業公司，二〇〇三），冊二九，頁一九八。

67 參見張朋園，〈附錄一：各省諮議局議員名錄〉，《立憲派與辛亥革命》（台北：中央研究院近代史研究所，二〇〇五），頁二〇九—二七二。

第三章

革命文學的興起：個性與階級性的消長

一、前言：筆打敗了劍

二十世紀上半葉的中國是「運動」的世紀，各種帶著數字的運動或事件接連出現。[1]運動雖多，事件頻繁，但任何運動似乎都比不上五四運動帶來那麼大的影響。毛澤東在一篇文章中，曾高度評價五四運動「是徹底地反對封建文化的運動，自有中國歷史以來，還沒有過這樣偉大而徹底的文化革命」。[2]政治語言通常真偽夾雜，很難完全當真。但毛澤東作為中華人民共和國的開創者，也是五四人，他這段評價似乎可以相信出自他的本心。隨後發生的史實將會證明這個有史以來最偉大而徹底的運動之所以偉大，在於它被成功地詮釋成了徹底地反對所謂的封建文化，並為後來的一九四九共產主義革命奠定了基礎，清掃了革命之途上的障礙。

論及五四運動的歷史效應，不可能脫離共產主義的傳播此一重要因素，一九一七年蘇聯的革命是世界史意義的事件，它深刻地影響了世界上幾代人的靈魂與生命，其中中國就是受影響最深的國家之一。馬克思主義進入中國後，其發展之迅速，令人驚訝。馬克思主義事實上是搭著五四新文化運動的列車進入中國當代的思想場域的，但共產主義一進來之後，它即呈現了頑強的著根姿態，迅速蔓延開。五四運動發生時，一位中國共產黨員也沒有；民國十年（一九二一）創黨時，它的黨員不過五十多人；到了民國十六年（一九二七）之時，人數已擴充達五七九六七人；民國三十四年（一九四五）時破百萬人。[3]民國三十八年（一九四九）十月一日，中共即宣布建國，共產主義勢力席捲神州大陸，此年距離它建黨之時，不過二十八年的時間。按照儒家傳統的政治論，聖王之興需要百年，才足以應時濟世。近現代的歷史步驟很緊湊，時間的齒輪加速，大不同於農業中國時期的時間步調，但二十八年間即席捲天下，而且是打敗帶領全國軍民抗日有功的國民黨政權，這樣快速的時間仍是驚人的。

一九四九共產主義革命的成功既是政治的、經濟的、軍事的，但也是文化的，文化戰場的主戰場之一即是文學。事實上在決定一九四九革命勝負的因素中，中共在國共大規模內戰前唯一能掌握的有利因素大概只有文學這個領域，筆桿戰勝了刀劍。[4]但筆桿也是有顏色的，紅色筆桿與白色筆桿的作用不同，中共掌握的筆桿是馬克思主義的筆桿，馬克思筆桿不但戰勝了刀劍，它事實上還戰勝了另一支個人主義的筆桿。從五四運動到一九四九共產主義革命，其過程可以說是從個人主義筆桿到馬克思主義筆桿的演變。毛澤東論五四運動到一九四九共產革命的過程，如果加上文學思潮的演變，立論會更穩固。

民國八年（一九一九）五四愛國運動發生了，但此年之前，新文學運動已先行開跑。帶有個性的「人的文學」的主張曾是五四文學運動的主流，但在五四運動發生後沒幾年，中國文壇幾乎已成了馬克思主義主導的局面，原先由胡適引發的文學革命的理念則退居第二線。民國五十一年（一九六二），徐復觀先生在胡適逝世時，曾撰文追悼這位一生的論敵。徐文說道：胡適在五四運動時期「有將有兵」，民國十四、五年以後「有將無兵」，到了臺灣以後，既無將也無兵。[5]思潮轉變的速度真是驚人，從五四運動發生的民國八年到

1 即以上半葉的前期而論，五九國恥、二七慘案、五卅慘案、三一八慘案、四一二事件、九一八事件，慘案連接事件，一連串紀念的數字緊接而來，由此可見這段時期國家之多艱及政局之激盪。

2 毛澤東，〈新民主主義論〉，《毛澤東選集》（北京：人民出版社，一九六九），卷二，頁七〇〇。

3 參見中共中央組織部信息管理中心編，《中國共產黨內統計資料匯編（一九二一—二〇一〇）》（北京：黨建讀物出版社，二〇一一），頁二五—四五。

4 蔣廷黼曾說：國共鬥爭，國民黨掌握了軍權與政權，共產黨掌握了筆權，結果是筆權打敗了軍權與政權。丁淼，《中國文藝總批評》（香港：香港中國筆會，一九七〇），頁三六—三七。引自王宏志，〈筆權和政權〉，收入夏濟安著，萬芷均等譯，《黑暗的閘門：中國左翼文學運動研究》（香港：中文大學出版社，二〇一六），頁vii。

5 徐復觀，〈一個偉大書生的悲劇——哀悼胡適之先生〉，原刊於《文星》，九卷五期（一九六二），頁六。見《徐復觀雜文四・憶

民國十四、五年，短短六、七年間，也就是在二〇年代中期之後，胡適已是「有將無兵」，意指他只有朋友，沒有青年。青年群眾（至少是知識社群的青年）已經跟著共產主義走了，個人主義的自由、民主的口號成為少數知識人昂貴的遊戲。徐先生判斷胡適影響力的用語相當生動，有些戲劇化了，但就趨勢而言，應該符合事實。

胡適之所以有將無兵，乃是他提倡的個人主義的文學觀被馬克思主義文學觀取而代之的結果。徐復觀先生將其時間斷代定為民國十四、五年，不知何據？或許和國民黨聯俄容共，隨即展開北伐此一劃時代的歷史事件有關，其時的共產黨已掌握了相當強的輿論發言權。北伐可以說是三民主義與共產主義混合的產物，而當時的三民主義是被中共人員解作新三民主義的，其實就是向共產主義傾斜的意識型態。徐復觀其時剛從日本返回中國不久，待在政治風暴中心的武漢，他還差一點被戴上「共產黨」的帽子，走上枉死城，[6]他對其時共產主義之流行，自然有深刻的印象。

馬克思主義提供了一套大不同於以往知識的世界觀，影響二十世紀中國最深的論述當是其階級史觀。階級史觀預設了「生產模式」、「剩餘價值」、「階級分化」等等的社會本體論的敘述。這些語言對當時的中國人民來說是相當陌生的，即使中國共產主義革命已勝利七十年的今天，這些詞彙的內涵為何，仍是個費人理解的理論。階級史觀被引進中國後，很快地即與當時流行的自由主義的價值觀產生了衝突，更不要說長期盤據中國思想主流的儒家價值體系了。在惡劣的時局的加乘效果下，馬克思主義迅速獲得輿論市場，相對地，原先當令的主張相形遜色，我們的文學革命大將胡適因而變得有將無兵。馬克思主義為何可以如此星火燎原般地散播，並在如此短的時間內大獲成功？一個風行一時的個人主義的思潮為何竟然被它的對立面的階級人性史觀所取代？這是一個很難不令人從內心生起的疑惑。

二、渾沌中無根基可立的個體主義[7]

五四新文化運動的主要內涵之一即是新文學運動，如和政治性的五四愛國運動的發生日期比較，新文學運動的發生還要在前，《新青年》雜誌居間扮演極重要的角色。一九一五年九月，陳獨秀於上海創辦《青年雜誌》，在準發刊詞〈敬告青年〉一文中，他勸告青年要自主、進步、進取，具備世界性的、實利的、科學的心態，擺脫封閉的舊習慣，英勇奮起。《青年雜誌》帶有啟蒙書的意味，啟蒙的對象主要是年輕人，觀刊名可見。陳獨秀此文更像是以青年導師自命，教誨青年群眾。在爾後的歲月中，我們將會看到青年成了推動社會轉型的主導力量，其人數之眾與力量之大應超出東漢與宋代的學生運動的規模。由於五四運動以後的青年所受的教育已是新式教育，和傳統以經學為核心的教育脫了節，這些青年的心態也大不同於經學文化下成長的學子。五四運動實質上即是由這些與傳統斷絕關係的年輕人衝撞出來的運動，[8]青年人在時代所扮演的角色之重，前代未見。

隔年《青年雜誌》改為《新青年》，一九一七年，胡適的〈文學改良芻議〉，即發表於此刊的第二卷第五號，胡適宣傳了他的文學改良主義。緊接著下一期，雜誌刊出陳獨秀的〈文學革命論〉，「革命」兩字即

往事》（台北：時報文化出版公司，一九八〇），頁一四一。

6 徐復觀，〈垃圾箱外〉，《徐復觀雜文四・憶往事》，頁二六—二七。

7 這句話是反用王龍溪的語言。他勸學者要將「種種凡心習態，全體斬斷，令乾乾淨淨，從混沌中立根基。自此生天地，生大業，方為本來生生真命脈耳」。王畿，《王龍溪語錄》（台北：廣文書局，一九七七），卷二，頁一。王龍溪之語建立在一種作為世界基礎的良知本體之上，筆者此節標題反用其語，意指五四的個體義是孤子的血氣心知的主體。

8 參見鄧秉元，〈新文化運動百年祭〉，《新文化運動百年祭》（上海：上海人民出版社，二〇一九），頁一—九四。

堂而皇之地標舉出來。一九一九年，五四運動爆發，但同一個時間出版的第六卷第五號的《新青年》卻刊出馬克思主義專號。此後的《新青年》可以視為馬克思主義的宣傳期刊，如民國九年五月出版的第七卷第六號為勞動節紀念號，可以說即是為馬克思主義彰顯眼目。到了一九二三年六月以後，《新青年》更可以說是中共中央的純理論機關雜誌，徹底黨化了。[9]

上述所說，簡單勾勒《新青年》雜誌的歷史，筆者意在以雜誌作為那個時代思潮的量表，顯示其時的思潮變化之快，尤其是共產主義傳播之速，前所未見。但換個角度思量，也可以說思潮的沉澱積累不足，新思潮能否在短促的時間內生根發芽，頗為可疑，五四新文學運動就是在這種急遽的時間框架裡呈現的。如果我們以胡適的〈文學改良芻議〉為準，五四新文學運動的性質原本是白話、文言的爭辯，但伴隨著白話文體的改變，自然也會涉及文學內容的轉換，到底歷史上的白話與文言施用的領域不太一樣。如果文學革命的範圍僅止於此，新文學運動的衝擊不會那麼大。新文學運動後來所以成為新文化運動重要的一環，並成為革命的重要助力，在於它的文學主張有破有立，破與立皆越過了文學的界限。它的「立」在於宣揚個人主義，繼而宣揚馬克思階級人性論的文學內涵。它的「破」在於破除所謂的封建文化，以及代表封建文化的政治勢力。而且它的破與立兩者是同一樁事件的兩面，並肩而至。

如果我們以一九一一年辛亥革命爆發至一九四九年共產主義革命成功為止，設為「民國文學」或者「前期民國文學」的範圍，這個時期的文學內容比起之前的任一個時代，特性都是極明顯的。首先，在於白話文成為文學表達的主要載體，文學對普羅大眾開放；其次，在於戲劇、小說這兩種文類取得和詩、文同等重要的文學地位，文學也對普羅大眾開放；第三，這時期的文學主張有明確的意識型態的內容，它從「個人主義」的文藝路線轉向「階級人性」的文藝路線。這種人性論的爭議是民國成立，「人民」的概念取得政治主體的地位後，文藝工作者如何詮釋此新的國民（梁啟超所說的「新民」）的性格的反應。

上述三點明確的內涵誠然不是民國文學創造出來的，而是前有所承。白話文的存在已久，禪宗語錄、朱子語類都是用白話文記載。但以往引車賣漿之流所用的語言幾乎沒有機會進入正統文學的殿堂，地位得以與殷盤周誥同列。戲曲、小說也都是宋、元、明、清的舊物，《三國》、《水滸》、《西廂》流傳已久，晚明文人對它們的評價也很高。但它們從來沒有像民國時期那般的居於主流地位，原來正統的詩文反而成了「桐城謬種」、「選學妖孽」。作為國家主體人民地位的改變或性質的重思，在晚明的李卓吾、黃宗羲著作中已可見到，但始源的涓涓細流和下游的大江大河到底不可同日而語。「人民」、「國民」、「公民」這組家族概念的重新定義是民國成立後的一大事因緣，它是與重新界定後的「民主」、「國家」概念一起走上歷史舞臺的同卵孿生兒。文字、文類與文學內涵同時革命，這樣獨特的現象只有放在兩千年帝制中國被徹底翻轉的背景下觀察，才好理解。民國文學的特色可說是新文學運動帶來的，如果不嫌過度簡化地歸納，民國文學的主流可以說即是民國新文學。

五四新文學運動最直接衝擊到整個社會體制的因素，乃是它的文學路線主張。五四文學運動的主張已不限於文學的界限，它切入了人的理解問題，周作人說「人的文學」當是核心的概念。「人的文學」一語預設了中國傳統的文學對於真正的「人」的內涵並沒有太多的著墨，甚至於是「非人」的，而所謂的「人」與「非人」的文學的標準當在於人的「個體性」是否曾被彰顯。周作人在一篇被胡適視為文學革命「最重要的

9　依據藤田正典的分法，十年的《新青年》可分三期，第一期從一九一五年九月到一九一九年四月，它是作為新文化運動的啟蒙雜誌。第二期從一九一九年五月到一九二二年七月，它成了宣傳馬克思主義的雜誌。第三期從一九二二年六月到一九二六年七月，《新青年》實質上成了共產主義的機關雜誌。藤田正典等編，〈新青年一〇年の歩み〉，《新青年總目錄五四運動文獻目錄》（東京：汲古書院，一九七七），頁一—一三。依據此一分法，以北大學人為寫作班底的《新青年》宣傳共產主義，其時間恰與五四愛國運動同步。

傳統儒家的文學或道家宣言」的文章裡說：所謂的「人的文學」乃是「一種個人主義的人間本位主義」。[10] 傳統儒家的文學或道家的文學都壓抑了人的個性，五四新文學運動掀開了這種「非人」的鐵蓋，讓個體性的文字走入人間來。周作人以他不溫不火的文筆寫下這篇帶有宣戰性質的文章，具有指標的意義。但指標的內涵的「個性」這個複雜的哲學問題幾乎未曾被著墨，視為自明的。作為五四文學運動旗幟的〈人的文學〉留下亟待補充的空間。可惜，直至革命文學的聲浪淹沒九州為止，這個理論的空間似乎始終未曾被補足。

個人（或言個性、個體性）的宣揚是五四文學運動很重要的特色，這個現象不難觀察到。陳獨秀論西洋民族的特色時，一言以蔽之，他說「徹頭徹尾個人主義之民族也」；李大釗也呼籲道：「脫絕浮世虛偽之機械生活，以特立獨行之自我，立於行健不息之大機軸」；胡適讚美易卜生這位引發娜拉出走的挪威劇作家道：「最可代表十九世紀歐洲的個人主義的精華」；魯迅在〈文化偏至論〉此名文亦宣揚道：「首在立人，人立而後凡事舉。若其道術，乃必尊個性而張精神。」[11]「個性」、「個體性」、「個人主義」這些詞彙是五四運動的關鍵詞，在五四文人的著作中，不時會冒出來。幾年後，郁達夫反省五四運動的成績時即說：「五四運動的最大成功，第一個要算個人的發現。從前的人是為君而存在，為道而存在的，現在的人才曉得為自我而存在了。」[12] 這段話寫在五四運動發生後十年，文學思潮在十年之間有此成就，不能不說是重要的業績。

陳獨秀、李大釗、胡適、魯迅、周作人、郁達夫等人皆為五四運動的弄潮兒，他們也都很自覺地在「文學」與「個性」之間作了緊密的連結。我們舉上述六個人的言論作為抽樣的代表，乃因這些人有的是帶有啟蒙思想印記的政治人物（陳獨秀、李大釗），有的是引導一代風潮的文化人（胡適、魯迅），有的是文學家的面目更加突顯的文人（周作人、郁達夫），但他們不約而同地指向了一個傳達個人主義福音的時代的到來。這些人後來的發展各不相同，但我們可以看出他們具有明顯的五四人的特色，他們都留過洋且受洋學影響，對中國的文化傳統都有嚴厲的批判，也都宣揚一種帶著強烈意志而脫歷史社會脈絡化的個人主義。

五四新文學處在天崩地解、全面反傳統的年代，傳統的倫理價值正逐漸失去光輝，古典文學信誓旦旦的助教化的功能已無教化可助。五四文人要的個性是脫離了倫理關係的目的性與脫離道德情感的動力因的主體，相應地，他們追求的文學乃是一種脫倫理關係與道德主張依據的感性生命的文學。這樣的文學理念已不能從中國古典文論中獲得，魯迅拒絕為國學必讀書目開出清單，即是一個內涵相當清楚的行動記號。當中國古典文學不再成為可以師法的對象後，新時代的文學典範只能向域外求取。梁實秋身為五四新文學運動中人，他在反省五四新文學運動的一篇文章中，很敏銳地指出當時主張文學作品與個性連結的作家學者大體接受了其時歐美浪漫主義的影響。他們推崇情感，往往流於頹廢主義，並主張怪癖的獨創。[13]李歐梵進一步指出，五四文人效法的對象即是浪漫主義之父盧梭，作品即是盧梭的《懺悔錄》。李歐梵引用五四時期大量自怨自艾式的傾訴作品，有日記，有書信，有自傳、傳記，還有遊記、隨筆以及大量的新詩，[14]並作出了如下

10 周作人，〈人的文學〉，原刊於《新青年》，五卷六號（一九一八．一二．一五），收入止庵校訂，《周作人自編文集．藝術與生活》（石家莊：河北教育出版社，二〇〇二），頁八—一七。

11 上述引文參見陳獨秀，〈東西民族根本思想之差異〉，《新青年》，一卷四號（一九一五．一二．一五），後收入《獨秀文存》（上海：上海書店，一九八九），頁三五—四〇；胡適，〈易卜生主義〉，《胡適文選》（台北：遠流出版公司，一九八六），頁八一—九九；魯迅，〈文化偏至論〉，《墳》，收入《魯迅全集》修訂編輯委員會編注，《魯迅全集》（北京：人民文學出版社，二〇〇五），卷一，頁四五—六四。這些文句所出的篇章都是五四這些引導人物的名文，「個人主義」是此一時期的文學論彰顯的價值，殆無疑問。

12 郁達夫，《中國新文學大系散文二集．導言》（上海：良友圖書公司，一九三六）。

13 梁實秋，〈現代中國文學浪漫之趨勢〉，《梁實秋論文學》（台北：時報文化出版公司，一九七八），頁三—二三。

14 李歐梵引用的作品如下：日記：郁達夫的《日記九種》、章衣萍的《倚枕日記》、徐志摩的《志摩日記》、以及後來謝冰瑩的《從軍日記》；書信或情書：徐志摩的《愛眉小札》、章衣萍的《情書一束》、蔣光慈的《紀念碑》；自傳：王獨清的《長安城中的少

的判斷：「中國知識分子，有史以來第一次集體感受到與政治社會的疏離（alienation）。」[15]「疏離」（或譯為「異化」）這個帶有二戰後歐洲存在主義，甚或左派知識分子情調的語彙用於五四文人，居然也有近似之處。

梁實秋、李歐梵的判斷是有本的，與梁實秋關係良好的徐志摩可作為代表。在五四時期，徐志摩這位早夭的詩人以高昂的語氣宣揚浪漫主義文學的價值：

> 「自我解放」與「自我意識」實現了它們正式的誕生。從懺悔錄到法國革命，從法國革命到浪漫運動，從浪漫運動到尼采（與陀斯妥也夫斯基），從尼采到哈代——在這一百七十年間我們看到人類衝動性的情感，脫離了理性的挾制，火焰似的迸竄著，在這火炎裡激射出種種的運動和主義。[16]

徐志摩這種話語，我們不會太陌生，「衝動性的情感，脫離了理性的挾制，火焰似的迸竄著」之類的語言，稍微改頭換面，它就會成為郭沫若的「女神」，魯迅的「羅摩」，它還會以各種的文學面貌出現。郭沫若、魯迅的作品既帶有強烈的個人主義色彩，但也不自覺地反映了神話的因素。神話是理智壓抑不住的無明力量，它帶有集體的性格，但它的集體的感染力是透過作者深層的個性因素顯現出來的。作者如果對此神話因素沒有自覺，也就是如果沒有消化神話的非理性因素，神話也會帶來極大的災難，筆者在另文中已有撰述，茲不贅述。[17]

郁達夫高度讚美「五四運動最大的成功」在於「個人的發現」，他自己就是成功的個人主義業績的締造者，而且還可說是相當典型。郁達夫以〈沉淪〉此短篇小說卓立於五四文壇，作為「私小說」代表的〈沉淪〉寫出了一個與社會四不掛搭卻又被民族主義情感充斥胸間的知識人的自怨自艾，小說中的男主角是位旅居東京的中國留學生，是少年維特與日本浪人混合的型態。小說一開始，即說「他近來覺得孤冷得可憐。他的早熟的性情，竟把他擠到與世人絕不相容的境地去，世人與他的中間介在的那一道屏障，愈築愈高了。」破題破得很到位，很五四型文人的造型，也非常郁達夫的風味，〈沉淪〉的主人翁自始至終都是活在內在的孤冷情緒裡。即使三番兩次面對欲望化身的日本女人，這位既自卑而又憤怒的留學生都無以自處，只會不斷自我糾纏。小說奇特地以怒喊「祖國呀祖國！我的死是你害我的」一聲音收尾，歷史集體的創傷與個人無可自拔的自戀情結緊緊地纏繞在一起，兩者不知因何連結而形成因果的關係，剪不斷，理還亂。在男主角的意識構造中，看不出社會的、歷史的倫理構造面向，這就是郁達夫，他被不由自己的私密性情感推著走。

不用懷疑，〈沉淪〉的男主角當是以郁達夫本人為原型。郁達夫的小說、散文的文字多的是少年維特式的語言，他的古典詩不衫不履，清新流宕，論者多認為他的詩風近於清代黃仲則的孤寒。郁達夫的浪漫精神一碰到困難的家庭倫理時，其無助處特別容易顯現出來。他與王映霞的婚變始末具有社會學的意義，他在〈毀家日記〉所顯現的精神狀態是相當五四式的，私人情事公開談，不稍加節制。家庭變故的題材在傳統小說中並非罕見，在現實世界中也非特例，但我們很少看到像郁達夫這種赤裸裸的表現，既毀人也毀己。這種赤裸裸表現的情感可能反映了日本同一時期感官派文人的情調，如佐藤春夫、谷崎潤一郎的作品所顯示者，

年》、《我在歐洲的生活》、《沈從文自傳》；傳記：沈從文的《記丁玲》、《記胡也頻》；遊記：孫伏園、郁達夫、朱自清。參見李歐梵，〈五四文人的浪漫精神〉，收入周陽山主編，《五四與中國》（台北：時報文化出版公司，一九七九），頁二九八。

15 同上注。

16 徐志摩，〈湯麥士哈代〉，《新月》，一卷一期，頁七〇。引自李歐梵，〈五四文人的浪漫精神〉，收入周陽山主編，《五四與中國》，頁三〇五—三〇六。

17 見本書第四章。

但應該也反映了浪漫主義的影響。[18]郁達夫除了沒有盧梭的思想深度外，私人行為的無規範倒是有幾分像。

如果說郁達夫一直有揮斥不去的舊文人習氣，舊文人習氣易招惹強烈表現型態的浪漫主義，他的頹廢文人的精神表現因此可以獲得理解的話，但我們很訝異地發現當時的左派文人也有類似的精神氣質。從二十世紀二〇年代下半葉開始，個人主義的價值觀受到左派激烈的抨擊，它們被視為小資產階級的意識型態，籠罩於東亞大陸的馬克思主義的陰影越來越巨大。但左派文人在宣揚階級人性觀之前，他們不見得沒有經過個人主義人性觀的過程。或者說，在新文學運動開展的過程中，這兩種人性觀的影響是重疊的，甚至發生在同一個人身上，左派文人大家魯迅、郭沫若都不能免。我們且以郁達夫的好友兼戰友成仿吾為例，略進一解。他們兩人是創造社的伙伴，在一九二四年的一封致郁達夫的通信中，成仿吾說道：

> 一個人生在世間，本來只是孤孤單單地在走各人的路；縱然眼見有許多的人同自己在一起，好像是自己的同伴，然而仔細看起來，自己與別人的中間實有一個無限大的空域，一個人就好像物質構造上的一個分子，只能任自己的微細的軀體在自己的孤寂的世界之內盤旋，永遠不能跳出一步。一個人只要復歸到了自己，便沒有不痛切地感到這種「孤獨感」的，實在也只有這種感覺是人類最後的實感。

成仿吾的語言帶有二戰後存在主義式的情調，存在先於本質，而人的存在是封閉於所謂的個體內的存在，「在自己的孤寂的世界之內盤旋，永遠不能跳出一步」。作為左派文學戰士的成仿吾帶有黑旋風李逵的形象，文字常常殺氣騰騰，立場先行。但相貌不揚的成仿吾也有五四文人特有的敏感的體質，一種孤零自卑的情緒盤據了他的心靈。

成仿吾的話語乍看之下，仿若郁達夫的語言，確實，郁達夫其人其文的主調子就是深陷於孤獨的感性主體之生命，永遠不能跳出一步。在此篇致郁達夫的信函中，成仿吾提到郁達夫曾說過：孤獨感「是我們人類從生到死味覺得到的唯一的一道實味。」如上所述，成仿吾分享了這個孤獨感，但他在這個調子上，再加上了其他的因素，他說：「人類的一切行為都是為的反抗這種孤獨感。」[19]他加上了「反抗」的要素，但「反抗」乃因被反抗的孤獨感而興起，反抗是派生的詞彙，它依附在「孤獨」的主詞上。成仿吾此信的基調仍是種去關係化的個體之反抗，因孤獨而反抗孤獨。

五四時期，「文學」與「個性」的連結有特定的歷史脈絡，它是在中國文明歷經嚴格烤煉、激烈動盪的民國初期後才出現的。但「人的文學」的主張一出現以後，它的有效性即不限於一時一地，相反地，它被視為是對中國以往文學觀的批判，這種主張背後有個不言自喻的文學史觀，它意味著傳統中國的文學是「非人」的，我們看到胡適的八不主張中的「不做『言之無物』的文字」、「不做『無病呻吟』的文字」，或陳獨秀提到的革命文學要革掉的三大主義：「雕琢的阿諛的貴族文學」、「陳腐的鋪張的古典文學」、「迂晦的艱澀的山林文學」，類似的語言在同時期的文人、學者的著作中反覆出現。這些文字雖然不見得惡劣到魯迅所說的古籍的每一頁都記載了「吃人的禮教」的內容，但這些大學者的言論都指向傳統中國文學無法反映具體的感性之人所該有的喜怒哀樂，他們的文字的殺傷力也夠嚴重了。廟堂文學、貴族文學、封建社會文學之類的語彙，我們爾後還會不斷地看到。吳稚暉主張將線裝書拋到茅坑裡，魯迅不推薦青年人讀古籍，都是

18　郁達夫在〈一個人在途上〉一文中即引用過盧梭的〈孤獨散步者的夢想〉開始的幾句話：「自家除了己身以外，已經沒有弟兄，沒有鄰人，沒有朋友，沒有社會了，自家在這世上，像這樣的，已經成了一個孤獨者了。」〈一個人在途中〉和〈孤獨散步者的夢想〉的開頭有幾分神似，郁達夫未必有意襲用，但氣質既然相近，受影響應該也是很自然的。

19　上述的引語皆出自成仿吾，〈江南的春訊〉一文，原刊於《創造周報》，四八號（一九二四・四・一三）。收入成仿吾著，《成仿吾往憶》（北京：商務印書館，二〇一九），頁二六四—二七一。

重要的反傳統的指標事件。五四新文學運動主張的「文學」與「個性」的連結既有現實的意義，也有針對舊文學無法反映新時代的局面而來的救贖的意義。

新文學與個體性連結，並且與反傳統連結，這種既立且破的雙連結的方式有一個漏洞，尚未處理。論者很容易質疑此即「個性」在中國文學中沒有出現過嗎？五四文人難道沒有居間作連結嗎？我們首先當承認五四新文學運動與新文化運動的反傳統是相當明顯的特色，但也不能籠統地概括論定反就是反到底。魯迅特別標舉魏晉同鄉嵇康，並為他編校《嵇康集》，即是在傳統找現代文脈的例子。作為五四新文學運動旗手的周作人重視晚明文學的成就，又是一個例子。晚明以公安派文學為核心的小品文影響了五四的文人，如俞平伯、林語堂，這也是史實。魏晉的阮籍、嵇康，晚明的袁中郎、張岱等人的作品無論怎麼評價，都很難將他們強烈的個人風格解釋掉。五四文人發現了這些先行者，他們跨越了朝代的斷層，遙遙地引領了二十世紀上半葉中國文學的走向。晚明文學與五四新文學的連結是明顯的事實，很難抹殺。

筆者同意晚明文學，比如戲劇、小說、小品文，以及文學史上一些個別的例子，比如屈原、嵇康等人，這些文學或文人在五四文人的一片撻伐之聲中，確實取得相對的豁免權。但晚明文學在後代文人眼中，比如在清初四庫館臣如紀曉嵐等人眼中，並沒有太高的地位。它們既在傳統之外或傳統的邊緣，且就量而言，這些作品在整體中國文學的總量中占的比重並不高，所以它們的存在不影響五四文人對「中國傳統文學反個體性」此印象所作的總的批判。至於屈原、嵇康等人在文學史上當然有很高的地位，屈原尤然。五四文人讚美他們的作品，欣賞他們的人格，當然都是事實。屈原、嵇康的抗議精神確實也給魯迅、郭沫若等人相當重要的啟示。問題是屈原、嵇康的抗議精神除了顯示強烈的個性外，還有沒有其他的內容？也就是在被吸收的過程中，是否有更重要的因素被忽略掉？如果五四文人理解的公安派有可能「畫歪了臉」，[20]他們對屈原、嵇康的理解是否也有可能買櫝還珠？

五四文人所追溯出來的中國個性文學的系譜相當單薄，這些先行者如被後來的研究者忽略，結果也是合理的。但筆者認為五四新文學所以被戴上反傳統的帽子，應該還有更重要的論點尚待思考，簡單地說，五四文人所指出的這些先行者的「個體性」的內涵與五四文人追求者大異其趣。五四文人紹繼的這些先行者的個體性是建立在一種他們認定的更真實的人性上，他們對於偽傳統的批判，是要傳遞真傳統；對於偽道德的批判，為的是彰顯真道德。屈原作為「人民詩人」的身分高高在上，遠在砲火所及的高空，他享受的地位頗特殊。但屈原作品對先王的禮讚，對儒家道德的奉持，乃是極明顯的特色，從司馬遷以下的歷代文人對此也有極高的共識。嵇康之「非湯武而薄周孔」，情況類似，其旨趣恰好在於批判當世禮法的虛偽，他要回到建立在慈孝真性情的儒家傳統上。晚明的戲曲、小說、小品文大家也不能僅以當代的文學家的意義加以限定，他們幾乎都可視為廣義的陽明學者，王陽明、王龍溪、羅近溪、李卓吾是他們共同嚮往的大師。這些大師重情，重個性，反世俗禮法，其目的都有「情教」的目的，意指透過情感的真實顯現，揭露出良知、本心的內涵，以達成更真實的倫理效果。從湯顯祖的《牡丹亭》的「情教」之說到馮夢龍的《情史》的廣張羅網，囊括人世間的真實情感事件，並賦予因情證道的內容，我們在在都可看到晚明的個性文學與倫理的連繫性，馮夢龍所謂「助教化」的功能。[21]

影響五四文學運動的個人主義，其特性正是脫離了文學傳統，也脫離了個性所依託的生活世界，他依賴一種脫世界化的個體精神。這種不可掩抑的個性衝動四不著邊，它被提升到文學本體論的高度。早在清末，

20　語出魯迅：「中郎之不能被罵倒，正如他之不能被畫歪。但因此也就不能作他的蛀蟲們的永久的巢穴了。」參見魯迅，〈「招貼即扯」〉，《且介亭雜文二集》，收入《魯迅全集》，卷六，頁二三六。

21　拙作，〈情歸何處——晚明情思想的解讀〉，收入鄭宗義主編，《中國哲學與文化・第十八輯・靈根自植之後：唐君毅哲學》（上海：上海古籍出版社，二〇二〇），頁一〇〇—一五二。

譚嗣同的《仁書》出現，即倡導一種「衝決羅網」的個體獨立精神，這種獨立精神在清末的革命風潮中，已隱然鑄成一個時代的人格特徵。五四新文學運動興起，這些新文學文人和前期的革命志士分享了類似的家國情懷，但年紀一般而言更年輕，因此，他們容易興起意志無限的個人主義的生命衝動。加上身處的歷史階段不同，五四文人受到外來的意識型態的加持後，其無拘束性的個體性精神發揮得更是淋漓盡致。這種帶有強烈生命哲學的氛圍不但在深受歐美文化影響的新月文人、語絲派文人身上可以看到，我們在左派文人身上，也看得到類似的情感疤記，甚至於更加明顯。

五四新文學運動的個人主義色彩之濃厚是如此的明顯，這個特性很難得地成為當代研究新文學運動的學者的共識。余英時說五四的個人主義不是從傳統文化發展出來的，其情況與文藝復興時期的人文主義大不相同：「如果我們也可以在當時找到一種共同的精神的話，這精神只能是極端的個人主義。當時的進步智識份子都特別要求個性解放，獨立精神，並反對一切權威。」[22]五四新文學運動的個人主義沒有辦法形成堅強的人格的基礎，而只是成為向社會的各種權威挑戰的生命態度，這種單薄的個人主義也是學者基本上較能取得共識的。[23]當個體的生命從各種的權威游離出來，它在對抗中獲得自己存在的基礎後，因為既沒有來自生命內轉的修持力道的加持，也沒有與歷史世界共感的共在性意識的加持，這種個體即不免單薄。五四新文學作家呼籲娜拉出走，但出走後的主體一旦脫離了原有的人際網脈，他爾後的生命如何安排呢？五四新文學吶喊家庭的罪惡，孝慈的虛偽，但去除家庭的倫理關係後，個人主義的個人還剩下什麼內容呢？當世界仍是如此複雜，政治仍是如此黑暗，一種單調無共感的個人主義主體能夠成什麼事呢？一旦個人主義的行動基礎坍塌，集體性格的階級史觀取而代之以後，階級人性論即冠冕堂皇地步上了歷史的舞臺。

三、革命文學與紅色太陽的升起

如上所述，我們單以《新青年》為線索，即可看出胡適等人宣揚的「文學改良」之「芻議」的保溫期並不持久，以「個人」為本位的文學主張（不管是否可稱作個人主義）並不是五四運動前後出現的唯一的文學論。差不多在胡適提倡的新文學運動的同一個時間裡，另一種性質大不相同的文學主張隨後出現了。這種文學主張人的階級性，主張文學既反映現實，但也要改造現實，文學是打造社會的工具，後世稱呼此種文學主張為「革命文學」。「革命文學」的名稱與「文學革命」相似，但它在民國史上的用法是有特定的內涵，它意指建立在階級史觀上的一種文學主張。由於革命文學主張文學的實踐性格，它最後不免會走向武器的批判，所以革命文學可以說是革命壓過文學的一種主張。

自從蘇聯革命成功以後，馬克思主義道成肉身，獲得實體化的托身之所，它的影響很快地傳播到中國來，並搭上五四新文化運動的列車，在中國的輿論界迅速取得發言權。早期的共產黨人惲代英、李大釗、瞿秋白等人論文學，即多從階級意識立場出發，暢論其義。而作為胡適重要同志的陳獨秀也是此波風潮的鼓吹者。胡適、陳獨秀兩人的關係後來所以會越走越遠，根本的因素在於胡適始終堅持自由主義的價值觀，而陳獨秀則在馬克思主義引進中國後，他的心靈迅速地被擄獲了。陳獨秀的列寧化的馬克思主義心靈要直到晚年，因個人的親身體驗，痛定思痛後，才糾正過來。

徐復觀說胡適在民國十四、五年時，已是有將無兵。換言之，他提出的文學革命的主張已吸引不住青年

22　參見余英時，〈五四文化精神的反省〉，收入周陽山主編，《五四與中國》，頁四一八。

23　林毓生、史華慈之言，參見史華慈著，林毓生校訂，周陽山節譯，〈五四的回顧——五四運動五十周年討論集導言〉，收入周陽山主編，《五四與中國》，頁二七四。

學生，青年學生基本上跑到共產主義的文學陣營裡去了。徐先生說民國十四、五年此一時間段，但沒有明確指出此時間段的具體內涵為何。筆者認為或許與國民黨聯俄容共以後，共產主義的蔚為風潮有關。如果我們還要落實徐先生的話語的話，那麼，民國十五年（一九二六）出現的郭若沫的〈革命與文學〉一文應該具有指標的意義。[24]因為此文刊出不久後，文壇上即流行「革命文學」的論述，革命文學的風潮甚至燃燒到五四文學大將魯迅身上，左派文人錢杏邨、李初梨、彭康、石厚生等人曾針對魯迅的不夠普羅，展開批判，魯迅當時和左派文人的論爭焦點可以說即是繞著「革命文學」的議題而展開的。但此波席捲千堆雪的風潮到了一九三〇年，中共支持的「左翼作家聯盟」在上海成立，魯迅成為此新文學路線的盟主後，論爭樹立的路線即告確立，文學創作有統一的標準。論爭達成共識，創作有統一的標準，就政治而言，或許是好事。但創作一旦統一了，論爭的理論意義即已告終，文學讓位給革命，就文學而言，未必是善事。

一九二六年郭若沫發表〈革命與文學〉一文，此文或被視為「革命文學」口號的第一槍。[25]由於馬克思主義其時傳播中國境內已廣，在國內外局勢的壓迫下，行動重於理論，救亡先於啟蒙，「革命文學」的主張當已先有人提，它的內涵在其他人的文章中亦當可以找到，此事並不難理解。[26]但郭若沫此文在當時引起巨大作用是事實，此文充滿了口號式的論證，作者借此以簡單的標語代替精緻的論述，展開他對新時代文學的要求。郭沫若此文的出發點當然是從文學乃社會的產物，文學內涵是社會的意識型態的反應此觀點入手。他不滿意當時國人畏聞革命的世風，當然也不滿意五四新文學運動的表現，五四新文學太市民心態了，不夠革命，文學需要和革命掛鉤。在他看來，革命和文學不相干說是錯誤的，但革命和文學一致說也需要作更精緻的修正。修正的方向在於每個時代的「革命」的內涵是不同的，但形式條件也就是主軸是一致的，他說「每個時代的革命一定是每個時代的被壓迫階級對於壓迫階級的徹底反抗。階級的成分雖然不同，反抗的目的雖然不同，然而其所表現的形式是永遠相同的。」[27]「這樣一來，我們可以知道文學的這個公名中包含著兩個範疇：一個是革命的文學，一個是反革命的文學。」[28]文學的內容何其複雜，郭沫若卻可一言以蔽之，一分為二。這種獨斷的主張出之於郭沫若，很值得省思。郭沫若是五四新文學運動的健將，自我意識特濃，衝決羅網的力量甚大，他的〈女神〉詩歌可視為一組將孤子的文學心靈充斥到宇宙層次的戰歌。但他撰寫〈革命與文學〉時，隱然已將自我的主體位置讓渡給階級。但此文在當年會引發那麼大的迴響，是有適當的土壤當基礎的。如果沒有時代氛圍提供了讀者接受的條件，「革命文學」的口號要響也響不起來。

郭沫若這位充滿了主體焦慮的詩人在國內政局最動盪的時代，他首先懷疑的就是文人的身分。他對五四時期早期的文人所宣揚的理念不只懷疑，簡直是不屑，他公開呼籲：「我們對於個人主義的自由主義要根本拔除，我們對於浪漫主義的文藝也要採取一種徹底反抗的態度。」[29]「個人主義」、「自由主義」、「浪漫主義」這些詞彙在此時已變成負面的語彙，它們和一些留洋而不知中國民間疾苦的知識人的形象連接在一起，這樣的「個人」、「自由」義涵蓋「自私」的內涵。我們如果了解之前胡適和新月派文人對「個性」、

24　此文原刊於一九二六年五月十六日出刊的《創造》月刊一卷三期，此處參考見中國社會科學院文學研究所現代文學研究室編，《「革命文學」論爭資料選編》（北京：知識產權出版社，二〇一〇），冊上，頁三—一一。

25　這是李初梨的說法，參見李初梨，〈怎樣地建設革命文學〉，原刊於一九二八年二月的《文化批評》第二號。後收入《「革命文學」論爭資料選編》，冊上，頁一一四。

26　在李初梨之文發表不久後，錢杏邨隨後即指出蔣光慈在更早的階段即已提過「革命文學」的想法，參見錢杏邨，〈關於《中國現代文學》〉，收入《「革命文學」論爭資料選編》，冊上，頁一四四—一四六。

27　郭沫若，〈革命與文學〉，《「革命文學」論爭資料選編》，冊上，頁四。

28　同前引書，頁五。

29　同前引書，頁一〇。

「易卜生主義」的高度讚美，並蔚為一時風潮，不難知道郭沫若之文是有的放矢，他針對的是五四早期主張「人的文學」的那些自由主義的文人與學者。拔除掉「個人主義」、「自由主義」、「浪漫主義」的旗幟後，郭沫若再呼籲道：「你們要把文藝的主潮認定！你們應該到兵間去，民間去，工廠間去，革命的漩渦中去，你們要曉得我們所要求的文學是表同情於共產階級的社會主義的寫實主義的文學。」[30]郭沫若否定了文人該有的個性，文學向政治繳械。當歷史進入革命文學的階段後，文人需要自我檢查，好好認識自己的階級屬性，改造自己，迎向前去。文人該是新時代新類型的文藝工作者，但新時代、新類型的文藝工作者需要另一種身分的認同。

郭沫若的〈革命與文學〉此文寫得較早，但論點突顯，隨後幾年出現的相關文章的論點基本上沒有超出此文所說。他當日的反省是真誠的，他很嚴肅地主張文藝工作者要拋棄個人主義、自由主義、浪漫主義者的身段，走入民間，「到民間去」一時成為響徹雲霄的口號。[31]文藝工作者走入民間，此事不只是空間或職業習慣的改變，它還有更深層的意義，此即新時代的啟蒙——受啟蒙者的角色改變了。從清朝末年至新文化運動初期，從西洋帶回新知識的留洋知識人扮演將火帶到人間的普羅米修斯（Prometheus）的角色，他們要啟蒙愚昧的中國大眾。但經過民國來政治局勢的洗禮，郭沫若看到不同的社會面貌，他發現中國真正的問題不在早期所說的「民主」、「自由」、「個性」的問題，而是知識人根本顛倒了世界的實相，誤解知識的性質，因此也顛倒了知識的傳布關係。真理不在資本主義當道的歐美意識型態以及它的中國代理人——那些留洋的知識分子，相反地，真理在原先被認為待啟蒙的農工等無產階級身上。知識分子需要調整身段，向下看齊，他們是有待救贖或改造的犯過者。

在刊出〈革命與文學〉此文一年多以後，郭沫若再撰寫一篇熱情洋溢的文章〈英雄樹〉闡釋此義。在此文中，郭沫若提出了他著名的「留聲機」的譬喻，他勸文藝工作者不要「亂吹破喇叭」，認清現實，他說：

當一個留聲機器——這是文藝青年們的最好的信條。你們不要以為這是太容易了，這兒有幾個必要的條件：

第一，要你接近那種聲音，

第二，要你無我，

第三，要你能夠活動。[32]

忠實地當部留聲機！文藝工作者不創造新價值，他不是帶來啟蒙明光的先知，相反地，他是後知，文藝工作者只該客觀地保留作為社會本體的工農大眾的聲音。「留聲」留的不是留洋知識人的聲音，而是中國社會底層的農工階級的聲音。郭沫若再提出三點行動原則，「接近那種聲音」意指接近工農群眾，去獲得無產階級的意識；接著，他說「無我」，無我實即要克服自己舊有的小資產階級的文人習氣，洗淨舊日的身段，交出自我；至於所謂的「能夠活動」，乃是要把新得的意識型態在實際上表現出來，理論與實踐合一，再生產地增長鞏固這新得的意識型態。

筆者對郭沫若上述三點的闡釋並非源於個人的理解，而是李初梨看到〈英雄樹〉一文後，對此文所加的

30 同前引書，頁一〇一一一。

31 一九二八年一月一日出版的《泰東月刊》第一卷第五號刊有署名杏谷的作家的一文，名曰：〈革命的文學家！到民間去！〉即為一例，此文中有言：「真正的革命文學家呵！我在一九二八開宗明義第一天，向諸君舊話重提，喊一句口號：『到民間去！』不到民間不能完成我們文學革命的使命，不到民間不足以建設真正革命文學的基礎。」其時的「民間」激情可見一斑。此文收入《「革命文學」論爭資料選編》，冊上，頁八一。

32 麥克昂（郭沫若的筆名），〈英雄樹〉，《「革命文學」論爭資料選編》，冊上，頁五九。

注解。[33]郭沫若隨後也作了回應，同意李初梨的解讀即是他的意思。[34]李、郭兩人的觀點相應如斯，未必是演雙簧，而是他們是在共同的文化氛圍下興起的制式反應。二十世紀二〇年代下半期的文人已不同於五四運動初期的文人，甚至於他們在肉體上也許是同一批人，但在精神上卻是兩個階段的人，可說是一身兩生，雖然其間的歲月相距不過十年，但一身的傳記史卻是斷裂的構造。後一個階段的文藝工作者已不再能夠領導時代風騷，他要像留聲機一樣，走進農工，向農工學習，反應底層的文化。蔣光慈回應「革命文學」的使命，說道：「革命文學應當是反個人主義的文學，它的主人翁應當是群眾，而不是個人；它的傾向應當是集體主義，而不是個人主義。」[35]

創造社的成仿吾說得更乾脆，他說小資階級知識分子要「把這個人主義的魔宮推倒……恢復意識——社會意識」，[36]要「克服自己的小資產階級的根性，把你的背對向那將被奧伏赫變的階級，開步走，向那齷齪的農工大眾。」[37]被奧伏赫變的階級也就是個人意識濃厚的小資產階級，它需要被拋棄，文藝工作者要向底層認同，走向「齷齪的農工大眾」。成仿吾這時所用的「齷齪」一詞已不再齷齪，而是「高大上」的詞彙。[38]「勞心者」、「勞力者」的社會價值在五四新文學運動處已拉平了，至少理論上如此，因為從「人的文學」的角度出發，一種人格意義平等的概念是不能不被接受的。在革命文學時期，他們的地位更被顛倒了過來，斧頭與鐮刀開始反撲，工農代表價值意義優越的階級。在中國悠久的文學傳統中，「階級」第一次獲得自己的角色，代表新興的力量。更恰當地說，「階級」一詞在五四時期其實是被引進的新概念，這個新概念創造了新的社會事實，並接收了傳統社會「四民」概念中的「工」、「農」的內涵。爾後，工農這個被長期壓抑的職業身分經過階級化的改造工程後要介入歷史，改造社會。

發生於二十世紀二〇年代後半階段的「革命文學」論爭應當取得很大的影響力，否則，其時的胡適不會發出：「被馬克思、列寧、史達林牽著鼻子走，也算不得好漢」的呼籲。[39]魯迅於同一年發表的〈對於左翼作家聯盟的意見〉一文裡也說道：「在現在，不帶點廣義的社會主義的思想的作家，或藝術家……是差不多沒有了。」魯迅講了這個全稱命題以後，又會加上一些但書，這是他行文的一貫風格，不必訝異。但「革命文學」的口號在當時響徹雲霄，而且其內容走向「無產階級文學」，應當是很明顯的。一九三〇年成立的「左翼作家聯盟」就是個明顯的指標。「左翼作家聯盟」是因階級意識而結盟的概念，「革命文學」此時的核心概念即可說是「普羅列塔利亞文學」的概念，「文學革命」蘊含的「個性論」此時已被「革命文學」的「階級人性論」取而代之。

「階級」一旦走上了文壇，和權力結合，文壇很快地即變成了神壇。神壇的主神會呼風喚雨，糾集各方的魔力，〈在延安文藝座談會上的講話〉的出現不是偶然的。一九四二年五月毛澤東在延安，發表新的文化政策，他宣稱文藝從屬於政治的主張，文學的目的在於為工農兵服務，文學必須是黨的。「無產階級的文學

33 李初梨，〈怎樣地建設革命文學〉，此文初刊於《文化批評》，二號（一九二八．〇二）。後收入《「革命文學」論爭資料選編》，冊上，頁一一四—一二五。

34 郭沫若，〈留聲機器的回音——文藝青年應取態度的考察〉，原刊於《文化批判》，三號（一九二八．〇三）。後收入《「革命文學」論爭資料選編》，冊上，頁一五九—一六八。

35 蔣光慈，〈關於革命文學〉，原刊於《太陽月刊》，一九二八年二月號。後收入《「革命文學」論爭資料選編》，冊上，頁一〇三—一〇八。

36 成仿吾，〈文學家與個人主義〉，原刊於《洪水》，三卷三四期（一九二七．〇九），後收入《成仿吾文集》（濟南：山東大學出版社，一九八五），頁二三五—二三九。

37 成仿吾，〈從文學革命到革命文學〉，原刊於《創造月刊》，一卷九期（一九二八．〇二）。後收入《「革命文學」論爭資料選編》，冊上，頁一〇二。

38 「高大上」全稱是「高端大氣上檔次」，起源於電視劇《武林外傳》與電影《甲方乙方》的台詞，後來成為網路上常用的流行語。

39 胡適，〈介紹我自己的思想〉，《胡適文選》，頁一八。

藝術是無產階級整個革命事業的一部分，如列寧所說，是整個革命機器中的『齒輪和螺絲釘』。因此，黨的文藝工作，在黨的整個革命工作中的位置，是確定了的，擺好了的；是服從黨在一定革命時期內所規定的革命任務的。」[40]文藝工作者需要分清敵我，嚴格地站在馬克思主義的立場，洗滌自己不恰當的意識，彎下腰來，和工農兵的情感打成一片。在〈在延安文藝座談會上的講話〉發表前後，延安更實施了整風運動，為「講話」作好準備，加以實踐，為理想而奔赴革命蘇區的王實味被糾舉出來祭了旗，紅色太陽高高升起。[41]〈在延安文藝座談會上的講話〉一講九鼎，一話定江山，毛澤東此文接近於爾後紅色中國文學藝術圈的憲法，長期主導中國的文藝走向。

〈在延安文藝座談會上的講話〉的權威不必細表，但我們在此不妨援引長期主導中共文藝政策的周揚如何評價〈在延安文藝座談會上的講話〉一文的作用。他於中共即將建國的一九四九年七月，在一次反思文學、藝術工作的重要會議上，高調讚揚毛澤東此文「規定了新中國的文藝的方向，解放區文藝工作者自覺地堅決地實踐了這個方向，並以自己的全部經驗證明了這個方向的完全正確，深信除此之外再沒有第二個方向了，如果有，那就是錯誤的方向。」[42]我們不要忘了這個完全正確的方向是由五四文化運動一路演化得到的，小說家蕭軍後來現身說法，說道：「經過『五四』這一分水嶺，就由廣大的農民階層和新興的工人階級以及革命的知識分子，構成了這革命的主流，以中國共產黨為首引向了今天。」[43]文學史家王瑤反省這段時期思潮的演變，為文學寫史，也說道：「只有從『五四』開始的現代文學才可以說是與中國民主革命的任務同呼吸、共脈搏的，才成為『整個革命機器的一個組成部分』」。[44]如果周揚代表官方立論，他的真誠會被質疑的話，蕭軍、王瑤之說未必不是由衷之言。當文學或文化理論蛻變為革命的意識型態，文人自動繳械甚或倒持太阿，自動迎上，都不是太奇異的事。馬克思主義引進中國成為顯學，最後造成掀天倒海的巨變，確實是國史上少見的現象。

毛澤東這篇出現於抗戰後半期的文獻乃是一連串歷史演變下的成果，此文出現於一九四二年，就毛澤東個人而言，此文的論述的主軸和他在一九二七年的〈湖南農民運動考察報告〉的精神是一致的。就社會思潮的演變而言，大約三〇年代同一個時期，惲代英、瞿秋白、郭沫若、成仿吾等左派作家即大力鼓吹階級意識定調的文學，一九三〇年「左翼作家聯盟」成立的宗旨和〈在延安文藝座談會上的講話〉是一貫的。換言之，毛和當時許多左派知識人共同分享了一代的思潮，〈在延安文藝座談會上的講話〉是馬列主義被引進中國後的思想的歸宿，是中國共產黨取得政治主導權以後又在文藝政策領域掌權的產物，解釋權無疑在毛澤東手中，但不能不說其解釋反映了馬克思文藝政策長期演變後形成的共識。我們如比較〈在延安文藝座談會上的講話〉與上述郭沫若、蔣光慈、成仿吾等人的觀點，不難發現他們的主張是一致的，毛只是將喧囂吵雜的文藝主張打造成森嚴強制的無形法條，具有不容反駁的強制力而已，他是一個時代的文學思潮的代理人與執行者。

---

40 毛澤東，〈在延安文藝座談會上的講話〉，《毛澤東選集》，卷三，頁八二二。

41 參見高華，《紅色太陽是怎樣升起的：延安整風運動的來龍去脈》（香港：中文大學出版社，二〇〇一）。

42 參見周揚，〈新的人民的文藝〉，收入《周揚文集》（北京：人民文學出版社，一九八四），卷一，頁五一三。

43 參見蕭軍，原刊於哈爾濱《文化報》，一期（一九四七・〇四・一五），見於《蕭軍全集》（北京：華夏出版社，二〇〇八），冊一二，頁六六六。

44 參見王瑤，〈「五四」新文學前進的道路——重版代序〉，《中國新文學史稿》（上海：新華書店，一九八二），頁三。

四、別了，親情

百歲光陰一回首，發生於一九一九年五月四日那場事件至今恰值百年，竊以為這場運動所提的「民主」、「個體性」的問題還沒解決，仍待深化。但就左翼路線的觀點而論，從五四運動的文學革命到二〇年代末期的革命文學到一九四九的共產主義革命，這條新中國成立的歷史線索應當是很清楚的，階級意識作為革命文學的核心要素也是清楚的。魯迅與新月派文人梁實秋的爭辯主要就是繞著人性的普遍性與階級性的核心議題展開的。作為人文主義學者白璧德的學生，梁實秋的文學主張是堅定的古典主義的立場，他強調超越階級之上的人性論，也強調傳統的意義。魯迅的回應的理據不甚清楚，但明顯不接受古典主義的觀點。在事隔多年後，梁實秋回憶起當年的辯論，他還是認為魯迅根本沒有回答他的質疑，魯迅只是自說自話，「枝枝節節的作文章」，屬於紹興師爺的刀筆一類。[45]魯迅對梁實秋則始終是冷嘲熱諷，梁實秋被設想成一位與世脫節的高級華人的漫畫人物形象。就論辯而言，梁實秋與魯迅之爭只能說是自說自話，一場沒有溝通功能也沒有溝通誠意的意外插曲，兩人的辯論是背對背的獨白。但就兩人涉及的議題而言，不能不說是關鍵性的，它牽連到爾後文學、藝術在中國的命運，也牽連到許多人的身家性命。

身家性命之說不只是比喻的講法，而是發生於二十世紀中國史的史實。〈在延安的文藝講話〉可說是五四運動左翼文藝路線的總結，但它主張的以階級的人性取代所謂的普遍的人性，以團體性取代個體性，其效應早就存在了。毛澤東只是站立在業已流行成風的社會基礎上，再加以背書、補充並更嚴格地執行而已。五四時期，傳統的人倫關係的崩潰以及一種建立在階級意識上的倫理觀，縱然不能說取得全面的勝利，但至少也是個顯目的社會現象，這種以階級的連結代替血緣的連結在傳統中國社會應當是很罕見的，而且應當也是不自然的。但在共產黨革命的過程中，反血緣連結的階級倫理取代傳統的五倫關係卻不是那麼不自然，它隱然成為具有社會學意義的文化現象。

在國共鬥爭的過程中，父子因信仰不同而反目的例子不時可見。而父子反目的構造通常是父親親國民黨或反共產黨，而兒子這一方則是同情共產黨。胡適的兒子胡思杜在《大公報》上刊登〈對我的父親——胡適的批判〉一文，大肆批評胡適是「帝國主義走狗及人民公敵」，即是一例。捍衛傳統文化的錢穆的兒子錢遜，他年輕時加入新民主主義青年團（後改名為中國共產主義青年團）的地下組織，批判國學不遺餘力，又是一例。至於國民黨要人中，兒女親近共產黨甚至自己是地下黨員者，也所在多有。內戰時期，傅作義作為第一線抵抗共軍的華北剿匪總司令，她的女兒傅冬即是中共地下黨員。作為蔣介石極親近的甚至還受到他相當尊敬的國民黨秘書長陳布雷，她的女兒陳璉也是地下黨員。若此種種，在國共鬥爭史上不時可見。

胡思杜、錢遜、傅冬、陳璉的父親都是名人，但前兩者的例子已落在一九四九中共建政後。後兩者雖然具代表性，但傅冬、陳璉與父親決裂的情況還不是特別明顯，至少沒有明顯到倫理的斷絕。如果我們要找出因階級史觀意識的介入導致父子倫理的決裂，一個極顯赫的例子當是蔣經國與他的父親蔣介石。民國十六年（一九二七）四月十二日，原來國共聯盟的關係正式撕裂，蔣介石實施清黨，中共黨員或親共人員死傷甚眾。其時留學蘇聯的蔣經國在報紙上公開宣布與蔣介石脫離父子關係，他強烈指責父親背叛革命，他不稱父親，而稱蔣介石。他說：蔣介石「他的革命生涯已經結束了。革命而言，定了死刑！背叛了革命，從此他是中國工人階級的敵人。過去他是我的父親，革命好朋友，去了敵人的陣營，現在他是我的敵人」。[46]信是公開的，我們似乎沒有理由懷疑它出自蔣經國本人的自由意志。

45　參見梁實秋，《梁實秋論文學》，頁七。

46　引自江南，《蔣經國傳》（台北：前衛出版社，二〇〇七），頁五一。

九年以後的一九三六年元旦，蔣經國又在《真理報》上公開批判父親道：蔣介石「前後三次叛變，一次又一次出賣了中國人民的利益，他是中國人民的仇敵……昨天的我，是一個軍閥的兒子；今天的我是一個共產黨員。」信中對蔣中正家暴妻子的敘述相當具體，不像是捏造出來的。蔣經國以生為共產黨人為榮，他相信「統治階級之必亡與被壓迫者的必勝。」[47]兩封在報刊上公開的信前後距離九年，這段期間的蔣經國經歷了生命極艱難的磨練，但兩封信的主調基本一致，青年蔣經國的叛逆是個具有代表性的案例。

蔣經國的共產主義信仰與留俄經驗影響了他一生，縱然他後來脫離了共產黨陣營，但某些共產理念的基本原則仍留在身上。蔣經國與父親當年的決裂在共產文化中並非罕見，當階級史觀變成新興的真理，〈共產黨宣言〉成了新的聖經以後，父子因政治信仰而斷絕關係是可以意料到的事。如果我們把蔣經國的例子與五四打倒孔家店的大將吳虞的例子相比，吳虞的叛逆父親比較像是傳統的倫理衝突，[48]蔣經國的例子則是階級史觀介入以後的反應。

父子的決裂固非罕見，兄弟的決裂也不罕見，左聯五烈士的殷夫與其兄徐培根將軍即是顯例。一九三一年的左聯五烈士事件是民國文學史上的一大事件，五烈士中的殷夫（原名徐白）是位激烈的革命文學的鬥士，殉難時，年方二十二歲。殷夫的兄長是徐培根，國民黨的一位高階軍人，後來還擔任到三軍大學（國防大學前身）校長，晉二級上將軍階。在二〇年代末，已是國民黨人的徐培根很關懷這位老是冒著生命危險從事運動的弟弟，想盡辦法安排他脫離左翼的圈子，但殷夫不為所動，我行我素，一意撲向熊熊的地獄煉火。因為在他看來，他們兄弟已屬於不同的階級，他們是不同的陣營的人了。殷夫承認他哥哥對他比他對哥哥好太多了，但他們的關係不再是家族倫理的事了，他透過普羅階級史觀的眼鏡重新看待兄弟關係。他二十歲時寫詩〈別了，哥哥〉道：

別了，我最親愛的哥哥，／你的來函促成了我的決心，／恨的是不能握一握最後的手，／再獨立地向前途踏進。
二十年來手足的愛與憐，／二十年來的保護與撫養，／請在這最後的一滴淚水裡，收回吧，作為噩夢一場。
……但你的弟弟現在饑渴，／饑渴著的是永久的真理，／不要榮譽，不要建功，／只望向真理的王國進禮。
因此機械的悲鳴擾了他的美夢，／因此勞苦群眾的呼號震動心靈，／因此他盡日盡夜地憂愁，／想做個Prometheus（普羅米修斯）偷給人間以光明。
真理和憤怒使他強硬，／他再不怕天帝的咆哮，／他要犧牲去他的生命，／更不要那紙糊的高帽。
……再見的機會是在，／當我們和你隸屬著的階級交了戰火。[49]

兩年後，這位拒絕兄長援手的詩人在上海龍華犧牲了他的性命，實踐了為「真理和憤怒」作的承諾。他的兄長徐培根將軍則始終跟著國民黨，一九四九之後也到了臺灣，為國府的軍事盡心盡力。郭沫若說「留聲機」，成仿吾勸人要「背對向那將被奧伏赫變的階級」，這些語言不只是理論性的，它

47 同前引書，頁七一—七二。
48 吳虞的情況，參見王汎森，〈思潮與社會條件——新文化運動中的兩個例子〉，《中國近代思想與學術的系譜》（新北：聯經出版事業公司，二〇〇七），頁二四一—二七四。
49 殷夫，〈別了，哥哥〉，《孩兒塔》（北京：人民文學出版社，一九五九），頁八〇—八三。引自夏濟安，《黑暗的閘門：中國左翼文學運動研究》，頁一八〇—一八一。

們在五四一代文人身上顯現出來。爾後，個體性為集體目標犧牲的案例還會不斷出現，為了革命大業，妻不以夫為夫，弟不以兄為兄，子不以父為父。從革命成功前到革命成功後，革命的野火不斷焚燒倫理的臍帶，燃斷禮法的鎖鏈，只是當事者不一定是志願的，而是無所逃於天地之間地捲入其中。

五、結論：超越對立的兩極

人性論是中國哲學的老議題，從戰國以下，人性的善惡與清濁、人性與物性的異同、人性的氣質向度與超越向度、人性與天道的關連等等，匯構而成中國思想顯著的潮流。人性論的議題自然與成德的追求密切相關，在儒家的成德的系譜中，人性論的議題和修身的目標緊密連接在一起，而修身的效果與目的無疑地又和家國天下的關懷緊密相關，也就是修身和政治雖然隸屬不同的兩個領域，但兩者被視為一套完整的實踐藍圖中的前後兩個階段。從修身與治國、平天下的連繫性來看，五四新文學運動背後的人性觀是由個體性原理發展到階級性原理的過程，兩階段的文人與學者也多有政治的關懷。我們如果將民國前後兩階段的文人當作一個整體的不同階段來看，我們應當有理由說他們的思維一樣是繼承修身—治國—平天下的連續性思維的模式。

但我們比較五四新文學運動興起的人性論與之前的宋明儒的人性論，不難發現其間有極大的差異性，很難湊和在一起。在作為中國主流的人性論敘述中——宋明儒學的人性論即屬其中一支——人性的問題大概都會碰觸到超越層面的問題，也就是個體性都有超個體性的源頭作為個體性的基礎，佛教的人性與佛性、道教的人性與道性、理學的人性與義理之性，皆依同一模式展開兩性之間的異同分合的關係。[50]這種體用一如或天道性命相貫通模式下的修身模式必然帶有苦行僧艱困奮鬥的氣息，就效果來看，中國傳統的人性論賦予個體性更堅實而超越的基礎，也就是修身論中多有宗教性的真理孕育在內。這種人性的有限性與無限性的詭譎同一的模式在浪漫主義者的個體性人性觀與共產主義者的階級性人性觀都不存在。五四新文學運動中的人性觀不管隸屬於哪一種陣營，也不管在他們的人性論中的「修養」的成分要如何估算，他們的人性觀都沒有超越的成分，因為他們的關懷不需要這個因素，而且也容納不了這個因素，用周作人的話講，他們是很徹底的「人間本位主義者」。

五四新文學運動的人性觀就形式而言和傳統的人性觀有相似之處，運動中人也曾嘗試在運動中尋找與傳統的連繫，如個體主義者的人性觀曾作過與晚明的連結。共產黨人也是要修養的，劉少奇的〈論共產黨人的修養〉是典型的代表，他也曾向中國傳統索取理論資源。學者論及五四新文化運動的特色，「全盤反傳統說」是個有解釋力的假說，在中國這麼大的體量下，任何全稱命題都是危險的，很不靠譜。我們或許應當承認「全盤的反傳統說」的「全盤」之說需稍作修正，但五四新文學運動是以新式文人為活動中心，以新制教育機構下的學生為主要受眾，前者與傳統的連結本來即較淺，後者基本上已從經學文化的土壤中連根拔起。何況民國的外患一向極嚴重、內政則一向紊亂，在救亡圖存的壓力下，天道性命的幽玄學問如何在實存的大地上生根？「全盤的反傳統說」仍然具有很強的解釋力道。

即使從人間性的角度看，儒學與五四文人的關懷仍有極大的距離。在千年儒學的傳承中，人的個體性和群體性一向是緊密相連的。理學家界定意識的構造，總是心氣相連，心為主體的核心，心的基礎是與世界相滲相入的氣化運動，人的主體是共在性主體，它與世界有種原始的連結的構造，沒有無世界性（或社會性）

50　荒木見悟稱作現實性與本來性的關係，參見荒木見悟著，廖肇亨譯注，《佛教與儒教》（新北：聯經出版事業公司，二〇〇八），頁三一八。

的個體。在十八世紀的東亞世界中，從中國的阮元、焦循到朝鮮的丁茶山到日本的伊藤仁齋，有股強烈的新人性論的思潮，此新人性論更著重人的相偶性構造，人只有透過倫理的關係才可以了解真正的自己。相偶性倫理是十八世紀東亞儒學的特色，但放大格局來看，相偶性倫理不妨視為儒家倫理的共法，離開人與他者的倫理關係，即沒有所謂的「個性」，真正的個性總是蘊含著社會性。從孔子以下，儒家總是強調倫理的相待性，君君臣臣，父父子子。也強調仁與禮的相依存關係，沒有禮的仁德是抽象的道德情感，沒有仁的禮則是壓迫人性的社會強制力量。[51]個性與社會性不但不矛盾，而且是相互支撐。

由於五四文人的人性論的超越向度與生活世界的向度都告缺乏，所以即使作為五四文人特有的那種築基於深層生命的生命風采，五四文人與傳統儒者兩者的表現也不一樣。傳統的人性論雖然也有築基於深層的生理生命上的個體性之主張，如劉劭《人物志》所說的「英雄」人物的生命氣質即是。但典型的儒家人性論，尤其是孟子學一系的人性論，個體生命的強度通常和超越界的直通與生活世界的廣通有很強的連繫點，因此，這種個體性會有很穩固而深沉的主體性。這種孟子學式的個體性不見於五四文人，五四文人的個體性如果不是外來的，如梁實秋所說的來自浪漫主義；要不然就是對外來的壓迫的強力回應，並非源於自身文化傳統的發展所致。至於階級史觀來自於馬恩列史，固不待多論。也許革命文學論者可以辯稱階級的事實早見於中國的歷史，但從黎明期的史實發展到具有極大的籠罩力的史觀，殊非易事，我們要追溯革命文學的血緣，只能說階級人性論是橫的移植。毛澤東說：「十月革命一聲炮響，給我們送來了馬克思列寧主義」，[52]這段話沒有可以反駁的。

從文學革命發展到革命文學，從個體性原理發展到階級史觀原理，放在二十世紀的中國革命史的脈絡來看，也許是不可避免的，至少是勢所必致。因為傳統中國社會的一大特色是一盤散沙，近代中國的政治領導者從孫中山、蔣中正到毛澤東都碰到這個問題。面對高度動員化、集體化的外國敵對勢力，如何團聚一盤散沙的中國民眾，這是任何領導者都要克服的難關。中國革命需要強度的量的精神，它要集中意志，所以多數個體性要集結為階級的概念，多數而且代表中國社會實相的階級要否定少數而且壓迫在社會實相上的少數反動階級，毛澤東的《湖南農村考察報告書》所說的即是這個道理。在從個體性轉到階級性的概念的過程中，兩個概念基本上是矛盾的關係。「個體性」是脫關係化的浮士德原理，「階級性」是脫主體化的利維坦原理，而階級性原理最後取得革命的勝利。

階級史觀的人性論最後勝出，我們可以同情地理解。但此事不能沒有倫理的考量，如果我們以儒家思想作為參考的架構，民國新文學從文學革命發展到革命文學，文學的建構原理從個體性發展到階級性，這樣的途徑毋寧是條歧路。人性論是中國思想的主流議題，晚清思想家在人性論上的理解未必可上攀宋明，但即使到了辛亥革命的前夕，作為清末民初變革主力之一的立憲派的康、梁，人性論的相關問題仍是他們思考的變法的重點，他們仍沒有偏離主軸太遠，梁啟超的思考尤為恢弘。梁啟超的思想常因時而變，他自言「不惜以今日之我與昨日之我戰」，然而，我們觀看他的思想演變的痕跡，常變之中亦有不變者，人性論及其相關的議題工夫論（修養論）即是他始終關懷的核心，清末民初陽明學的復興、五四運動文化傳統主義的人生意欲說的另立赤幟，以及新人生觀論戰中張君勱所代表的生命哲學的思潮，可以說都是沿著梁啟超的思路發展出來的。即使孫中山不以哲學思辨見長，但他的思想中，以四維八德修身及以良知學模式論國民精神的因素仍占有相當的比重。康、梁、孫、黃與五四文人的生命重疊，活動也有交涉，但基本上是兩代人，彼此的人性論的主張似乎各走各的。

51　參見拙著，《異議的意義：近世東亞的反理學思潮》（台北：臺大出版中心，二〇一二）。

52　毛澤東，〈論人民民主專政——紀念中國共產黨二十八周年〉，《毛澤東選集》，卷四，頁一三六〇。

康、梁的立憲與孫、黃的革命不管對清朝或對秦漢以後的中國制度都是革命性的，但我們如果從人性論的觀點看，他們的思考事實上仍築基於儒家傳統的人性論上，他們的人性論比較合理地綰結了個體性與群性的面向。傳統儒學的人性論主張人的個體性要築基於群體性上，群體性是個體性的支援意識。群體性也要在個體性上顯現出來，個體性是群體性的焦點意識。個體性與群體性相互支援，缺一不二。五四新文學運動的個體性與階級性之爭卻立基於虛假的前提上，兩者分離，彼此爭其所不必爭，爭其所不該爭。不該爭的議題一旦因政治的介入，爭成功了，它遂成了致命而不是立命的問題。我們很快地就會看到這場思潮演變的後果，當時代潮流由文學革命流向革命文學後，革命文學果真引爆了真正的革命。很不幸地，革命最後還反噬一口，革掉了孵育它的文學之命。

第四章

革命動力學：光、影與土地的神話意識

一、前言：革命成功的神祕

一九一七年，蘇聯革命成功，馬克思主義的理論被有意識地引進中國，當時還沒有多少人知道「共產主義」一詞。一九一五年，《青年雜誌》（《新青年》的前身）創刊，一九一九年，五四運動爆發，《新青年》雜誌同年出版馬克思主義專輯，當時尚無中國共產黨人。一九二一年馬克思的幽靈入籍中國，成立中國共產黨，當時的黨員人數不過五十餘人。二十八年後，天翻地覆慨而慷，一個號稱「新中國」的政體經由無數共產黨人的犧牲奮鬥，終得在東亞大陸屹立。共產主義革命掀翻了以往的歷史，新的時間開始了。

歷史比小說更懸疑！從辛亥革命到一九四九共產主義革命這段期間，中國發生了極激烈的變化，這場變化之激烈還不僅止於暴力規模，如對日抗戰與國共內戰的規模之大，國史上少見。變化之激烈更見於價值意識的急遽轉換，一九一一年的辛亥革命與一九四九年的共產主義革命都不只是政治意義的，它也是精神意義的。在辛亥革命與一九四九革命之間，中國境內另有一波影響深遠的運動——新文化運動。從一九一一年的辛亥革命到一九一五年的《青年》雜誌創刊至一九一九年的五四運動，[1]從新文化運動到一九四九的共產主義革命，我們看到古老中國發生急遽的價值重估的巨大改變。尤其新文化運動的文化精神原先是以宣揚個性、保障人權為號召的，但共產黨的勝利卻與「個性」云云不相干，而且方向正相反，集體性的階級意識被視為革命的動力。一個以宣揚個性、恢復人權的運動始，以泯滅個性、打造成無產階級意識的運動終，這樣的大轉折的歷程到底是如何發生的？這不能不說是困擾幾代知識人的重大課題。

一九四九的共產主義革命是個巨大的現實，這個現實的存在如此真實以致於難以理解。維根斯坦（L. Wittgenstein）《名理論》有名言道：「並不是『世界如何存在著』是神祕的，但只『世界存在著』這才是神祕的」。[2]維根斯坦此語隱然觸及到知識的界線，也是命題的界線。「如何存在」是命題的問題，是可以理智討論的問題，但「世界存在著」不是理智域內的命題。維根斯坦的話語並不神祕，存在本身有可能成為人生的謎團，因而成了存在的奧祕，它的解釋隱然已進入「世界」之外的宗教意識的領域。我們還可引申維根斯坦的語言，作更進一步的解讀，當一個真現象如此巨大，匪夷所思，它即衝垮了理智的框架，神祕化了。一九四九共產主義革命的勝利即是此事件如此「存在著」，它的存在如何解釋，真是費解。

無疑地，階級史觀是中國共產黨自建黨以來始終公開的綱領，而武裝鬥爭的革命路線則是共產黨人實踐的主軸，共產黨人從來也不隱瞞此一路線。「以發揚個性始以豎立階級意識終」這段歷史行程意味著「階級意識」的話語的巨大能量，它最終取得了勝利，我們沒有理由不承認階級意識在共產黨人革命行動中的關鍵角色。然而，這樣的結論似乎沒有解開謎團，問題依舊存在，甚至於謎團更大。因為相較於其他文明，中國文明的一大特色常被解釋成階級區分不清楚，士與農工商的階級流動也較暢通。[3]為何一個階級結構不森嚴、上下流動性較強的社會，卻被一個以階級鬥爭為口號、以外來的意識型態附身的政黨攫取了政權？這個長期困惑梁漱溟的謎團也困惑了許多人。

階級史觀的勝利，從它的傳播到輿論戰場的勝利，再到與武器結合成為武器批判的思想內涵，最終取得建國的果實，當然也經過演變的過程。如果我們以一九一九年《新青年》的「馬克思主義」專輯作為共產主

1　五四運動一詞可指向一九一九年五月四日發生的愛國運動，也可指以《新青年》為代表的新文化運動，本文的「五四」一詞兼用兩義，但主要指的是新文化運動。

2　維根斯坦（Ludwig Wittgenstein）著，牟宗三譯，《名理論》，收入《牟宗三先生全集》（新北：聯經出版事業公司，二〇〇三），冊一七，頁一〇六。

3　最近偶爾讀到島田虔次一段話，可作參考。他說：「清朝末葉，所謂的改革運動、革命運動風起雲湧，孫文、章炳麟、康有為、梁啟超等志士有一共通的認識，此即中國『秦漢以後，沒有階級』」。參見島田虔次，《朱子學と陽明學》（東京：岩波書店，二〇〇五），頁一六。島田虔次的觀察可再追蹤。

義登陸中國的橋頭堡，以一九三〇年的左翼作家聯盟的成立當作以階級史觀為理論綱架的革命文學的正式確立，那麼，從左傾的《新青年》到左翼作家聯盟成立到共產黨人的建政立國，可說是階級史觀開疆闢土的時期。事實會說話，沒有階級鬥爭的意識型態的動員力量，一九四九年的共產主義革命應該不會成功。但在中國這個缺乏階級對立，也缺乏階級鬥爭傳統的國家，階級鬥爭的意識型態太過沉重，與中國社會的黏著性太稀薄，而要付出的成本太高，它如何轉化共產主義外來的性格成為共產黨人內在的情念力量，以運轉得動這個古老的農業社會？

存在決定意識，社會階級的存在決定了人的社會意識，馬克思主義的人觀有相當合理的思想內涵。但如何解釋，仍有相當詮釋的空間。從一九二一年中共建黨到一九四九年取得革命勝利，共產主義從理念的醞釀到果實的收成只有短短二十八年，這二十八年間很重要的一項要素即是有大量非無產階級出身的智識分子參與了這場革命的行列，至少也同情了這場革命，其中包括參與革命文學的文人以及領導共產革命的黨人與軍人：毛澤東、朱德、劉少奇、周恩來等人，他們無一是無產階級出身，但都背叛了他們原初的階級利益，而參與了無產階級的解放戰爭。顯然，他們都經過自我改造的過程，獲得了無產階級的意識。但從「人道主義精神主體」到「階級鬥爭精神主體」的轉變如此巨大，時間如此簡短，除了階級論述這個宏大敘事的功勞外，難道沒有相等的或更大的因素介入其中嗎？我們還是不能不問：「階級史觀在階級結構不森嚴的社會裡成功」此事情如何發生的？

面對一九四九社會主義革命這麼龐大而魔性的史實，不會只有一種解釋，而且也不可能只有一種解釋。即使五四新文化運動與一九四九的共產主義革命有密切的關連，勝利一方的共產黨人如此宣稱，戰敗的國民黨人也如此承認，但線索的兩要項如何連結，依然可以有不同的解釋。事涉專業，筆者無能在既有的詮釋上增添新的內容，本文的用意也不在此。但面對共產主義運動掀起這麼巨大的群眾熱情，二十世紀上半葉的許多知識分子都躍身於革命的熔爐中，這種熱情無疑大有助於一九四九年的那場革命，這樣的現象需要解釋。筆者認為我們如果轉從神話意識這種另類的社會動力學的角度入手，[4]省察引發革命熱情的因素，或許可以得到不同的理解的線索。

二、摩羅與幽暗意識

本文從神話學的角度入手，認為構成革命文學走向一九四九革命的力量來自階級意識的顯性意識與支持其主張的深層意識的生命能量，兩者混合所致。顯性意識可稱為光明意識或白日意識，生命能量的意識則可稱為幽暗意識或黑暗意識。光明意識與幽暗意識如果就作為完整的人，榮格（C. G. Jung）所說的本我（self）的原型來看的話，[5]原為一體參差的，就像太極的陰陽對轉一樣。但作為生命成長的構造來看，作為光明意識的顯性原理是從整體的渾沌意識中升起的，它成了渾沌意識的幽暗因素的表現管道，它也反作用地賦予了幽暗意識較明確的內容。幽暗意識與光明意識既有互相轉化的關係，也有前後發展的關係。本文稱根源性的幽暗意識與光明意識皆為原型意識，這是榮格的用法，原型構成了生命的基本反應模式。

4　將自然科學的動力學與靜力學用到社會現象者，不知始於何人，但孔德（Auguste Comte）是著名的代表，關於社會動力學與社會靜力學的劃分，參見他的Nositve Philosophy此書Social Physics部分的第三章論實證方法應同於社會現象的特色之分析，*The Positive Philosophy of Auguste Comte*, Harriet Martineau trans.（New York: Ams Press,INC, 1974）, pp. 451-485. 社會靜力學強調秩序，社會動力學強調演進，孔德的實證主義哲學其實很重視宗教、儀式的作用。本文從神話意識入手，雖然它會脫離了孔德的實證哲學的脈絡，但也不是不相干。

5　榮格說的本我（self）也是原型概念，它不是自我（ego），本我含攝意識與集體無意識，涵蓋直覺、感覺、感情、思維的四個象限。

原型意識既然是生命的底層的構造，它是始終存在的，作為很根源性的明暗原型意識更可視為類似範疇般的地位。但在日常時期，這些原型力量潛藏在歷史的潮流內，也潛藏在人性的深層構造中，它也會透過顯性意識的作用曲折地表現出來，但原型的力量會顯得隱微。一旦生命的波動較大，比如在生命渾沌的時期，尤其身處混亂時代，它即會伺機而動，表現也複雜。民國時期即是價值特別混亂的時代，這個時代為原型意識的展現提供了大好的舞臺。在五四新文化運動的架構內，竊以為它是以陰影（黑暗）、光明以及土地神話作為主軸，陰影、光明、土地是構成生命表現形式的神話原型，是理性控管不住的精靈。陰影、光明、土地代表根源的追求，它們來自身心結構的深層，而在意識世界找到對位的表現。換言之，經驗世界的階級鬥爭、革命口號與內在深層意識的陰影、光明、土地等生命要求內外對應，後者的動力透過前者的管道表現出來。深層的幽暗力量如果能找到理性的疏通管道，它即可以支援文明的表現。但當文明腐敗，理性建構的原則已不再起作用時，一切要重新來過，重新建構，主體要回到零的起點，那是死亡、陰影、土地的基地，主體會汲取其精粹，並從此存在的基地出發。階級鬥爭及全盤的反傳統是後期五四新文化運動的一大特色，但這些現象有更深層的祕密，投射黑暗力量、回到土地母體可能是五四新文化運動更重要的內在旋律。

本文所說的幽暗意識不是張灝說的幽暗意識，張灝論五四運動的鴻文中，曾提出幽暗意識與中國現代性的關係，他指的幽暗意識是深層的人性結構中一種負面性的罪過意識，其功能可以類比耶教的原罪或佛教的無明。民主所以要有制度的制衡，乃因人可能犯錯，聖君賢相的社會不一定需要民主制度，但常態社會的組成人員不是聖君賢相。張灝很重視幽暗意識蘊含的對人性的警惕，幽暗意識是要被克服的對象，學者體驗幽暗意識越深，越能了解權力可能濫用，所以制度上越需要考慮制衡的原則。張灝的幽暗意識這個概念是對應民主的理性運作法則而立的，此義大有助於民主的建立。[6]但竊以為不同的主體依據，如性善說，未必收不到同樣的效果，民主構成的要素不少，大概可以有各種的組合，茲不贅述。[7]

本文所說的陰影意識或幽暗意識的重點側重幽暗意識內含的衝決力道，筆者的用法源於神話學。如果放在五四新文化運動的脈絡下，此用法與魯迅所說的摩羅意識較接近，摩羅者，魔鬼也，這是來自宗教學的語彙，它意指蘊藏於生命底層的一種否定性的力量，但否定中也孕育了新生的機會。魯迅論「摩羅」意識道：「平和為物，不見於人間」。平和是假象，真理在其底層：「烈火在下，出為地囪，一旦僨興，萬有同壞。」[8]文明有摩羅之力者，舊物焚盡，文明才有可新生。中文自有「摩羅」一詞以來，似乎無人將它和文學創作連結在一起，魯迅看到創作意識的渾沌無明，他將魔性帶到文學來。魯迅是新文學運動的大將，也是新文化運動的指標人物，「摩羅」說是他的著作中頗受矚目的核心概念。本文將「摩羅」從文學創作的領域引到神話學的領域，它意旨一種非主體性的也可說跨主體性的幽暗意識。魯迅是民國文人中，既重視神話也深浸於神話意識的文壇巨匠，他提供了本文豐富的題材。

幽暗意識普遍見於五四運動時期著名的文人的作品中，就文學創作的題材而言，它自是主體性的，但就深層的神話意識而言，它卻是普遍性的，遍於每位創作者的生命底層，魯迅是最典型的一位。魯迅作品中的黑暗意識之濃，五四文人無人能出其右，他的個性的森冷曾給馮雪峰留下深刻印象。但他橫眉冷對千夫指，不屑於向浮世文人或芸芸眾生剖腹坦陳。在家書中，他才自行招供道：「我的作品，太黑暗了，因為我常覺

6 張灝，《幽暗意識與民主傳統》（新北：聯經出版事業公司，二〇二〇）。

7 僅舉一例，中國當然沒有建立民主制度，但有利於民主制度的配套因素並不少。歷代對專制的批判，反過來說，歷代皇權最不喜歡的學說大概非持性善說的孟子莫屬。

8 魯迅，〈摩羅詩力說〉，《墳》，收入《魯迅全集》修訂編輯委員會總編注，《魯迅全集》（北京：人民文學出版社，二〇〇五），卷一，頁六八。

得惟『黑暗與虛無』乃是『實有』」。[9]魯迅不但需要面對此「實有」，他相當程度也沉迷於此實有。魯迅的實有出自獨特的性情，他的實有常在黑白、明暗間掙扎，他需要黑暗。在〈影的告別〉中，魯迅說道：「我不過一個影，要別你而沉沒在黑暗裡了。然而黑暗又會吞併我，然而光明又會使我消失。／然而，我不願徬徨於明暗之間，我不如在黑暗裡沉沒。」[10]在黑暗裡沉沒的魯迅，他的行動迴盪著生命中很底層的旋律。他喜歡黑暗、鬼魂、陰影、沉默、神話、傳說；他也喜歡知白守黑的現代版畫、漢代畫像石拓片、咿啞暈黃的地方戲，這些來自非理性的力量雖領域不同，卻有意象的旁通，這些意象組成了獨特的魯迅世界，事實上也可以說是他個人生命的主旋律。

魯迅是紹興人，紹興既是大儒王陽明、劉宗周的故里，也是產出徐渭、秋瑾這些奇人的文化名城。在濃厚的儒家文化氛圍中，沉澱著深層的鄉土野性力量，紹興的戲劇構成了魯迅生命中一股難以言說的神祕氛圍。他回憶他小時候所看到的紹興社戲，夜晚時，他和一些伙伴坐上船，曲曲折折地，搖到了城外，看到臨河空地上的戲臺，模糊在遠外的月夜中，和空間幾乎分不出界線。他看著看著，「只覺得戲子的臉部漸漸的有些稀奇了，那五官漸不明顯，似乎融成一片的，再沒有什麼高低。」[11]在水鄉的水氣瀰漫、夜晚的陰暗籠罩，女鬼在迷離的遠方飄盪，這種非真實的幽玄迷離之境，深深牽引魯迅的心靈。牽引魯迅心靈的東西不只是氣氛，還包括虛幻的劇中人物，比如目連戲中的〈女吊〉，女吊出場時，「先有悲涼的喇叭；少頃，門簾一掀，她出場了。大紅衫子，黑色長背心，長髮蓬鬆，頸掛兩條紙錠，垂頭，垂手，彎彎曲曲的走一個全臺，內行人說：這是走了一個『心』字。」[12]文字居然有些張愛玲了，但張愛玲不戀鬼，魯迅也不戀鬼，但這位橫眉冷對現實的文壇鬥士卻牽連於幻影晃動的非現實氛圍，此文已是他晚期的文字了。

紹興戲不是魯迅的娛樂，而是帶引他進入深層的死生幽明之境的劇種。魯迅嗜好戲劇，其品味和明清以來興起於江南地區的文人戲風大異。魯迅嗜好的不是王實甫的《西廂記》、湯顯祖的《牡丹亭》那般的軟性劇種，也不是《桃花扇》、《精忠記》那般的道德戲劇。相對於文思安安、優雅婉約的文人戲，他毋寧更喜歡來自鄉土的社戲，喜歡山鋪野店的鄉野傳奇的內容，這是個不能確定時空架構、飄浮於無何有之鄉的情節。一切似真若幻，雲霧詭祕，一切又是黑白融釋、幽明參差的直接顯現。

魯迅觀戲，他也蒐集畫作，但他蒐集畫作和他觀戲一樣，都是逆反明清以降的文人習尚。魯迅對中國繪畫主流的山水、人物之畫很少道及，對明代以降的吳門、四王之風似乎也不怎麼青睞，但他卻大量地蒐集漢畫像拓片，他蒐集之全，儼然成家。[13]漢畫像在今日的評價中，自然已被視為漢代藝術的代表。但在魯迅生前，評價不如是。魯迅嗜好漢畫像，有多重的目的，但最核心的因素很可能和他喜歡神話有關，漢畫像石、畫像磚大抵都有濃厚的神話故事，造型尤為詭異飛動。漢是繼秦之後，一個政權更穩固、制度更完善的大一統朝代；在思想領域，它是儒家價值體系的承載者，經學體系的正式建立者。但在藝術、宗教領域，漢代卻是巫風當道、神話飛舞的黃金時期，不管出之於南陽、徐州、山東或陝北的畫像磚、畫像石，其內容大抵由神話題材、歷史傳說與世間生活三部分組成，神人共構，今古同框，每件畫像石皆是越界，幽明兩界的界線徹底打破。漢畫像所展示出的神話題材之豐富，無疑是中國神話與中國藝術的一大寶庫。

但魯迅之嗜藏畫像，可能還不僅止於神話的內容，應該和漢畫拓片呈現出宣紙拓在石質上所顯出的古拙

9　魯迅，〈第一集北京〉，《兩地書》，收入《魯迅全集》修訂編輯委員會總編注，《魯迅全集》，卷一一，頁二一。

10　魯迅，〈影的告別〉，《野草》，收入《魯迅全集》修訂編輯委員會總編注，《魯迅全集》，卷二，頁一六九。

11　魯迅，〈社戲〉，《吶喊》，收入《魯迅全集》修訂編輯委員會總編注，《魯迅全集》，卷一，頁五九四。

12　魯迅，〈女吊〉，《且介亭雜文末編》，收入《魯迅全集》修訂編輯委員會總編注，《魯迅全集》，卷六，頁六四〇。

13　魯迅蒐集到的漢畫像拓片達六百多幅（一云七百多幅），即使今日看來，他的藏品的質與量都是相當傑出的。有關魯迅收藏的漢畫像拓片之種種，最新的研究參見上海魯迅紀念館編，《魯迅與漢畫像學術研討會論文集》（上海：上海社會科學院出版社，二〇一九）。

殘缺的黑白理境有關。畫像拓片的美感殘缺古拙，和清中葉以來重碑輕帖的美學風氣有關，但魯迅之嗜好，更有深入生命底層的蘊味，他的生命的滄桑感之重，底層意識的鉛黑森冷，無異於斑駁的拓片。就此而言，他之嗜好漢畫像和他喜歡版畫一樣，其韻皆在牝牡玄黃之外。在現代的視覺藝術形式中，魯迅特別喜歡版畫，其原因固然不能說和他那個時期的版畫充滿了社會現實的題材無關，但同樣重要的，應當是版畫透過刻版印出的圖案紋樣，顯示出黑白斑駁的美感效果。黑白相襯是中國藝術的一大特色，水墨山水、圍棋、書法，莫不遊戲於玄白交錯的陰陽氤氳。如論此藝術特色的思想源頭，老子和《易經》應當是此思想原始的提供者，魏晉書法、唐宋繪畫皆是計白當黑理念的精緻發展。

精緻發展通常意味著脫離原始的野性，黑白就像明暗的意象一樣，可以確定就形上學而言，它來自於陰陽概念的轉化；就神話而言，可以確定它來自創造神話的明暗二分。宋代後，文人文化大行，黑白的神話力量被建構於理學的形上學建構、繪畫的胸中丘壑，書法的意造無法，陰陽黑白原有的畏怖的、非人文的內涵固然消失不見，它們也缺乏版畫的蒼拙殘缺的苦澀美感。五四時期也是現代美學發聲的時期，現代美學奠基者的蔡元培主張美學提升人格、淑世化民的倫理效用，這是相當儒家傳統的美學觀。到了魯迅，美學與黑暗意識結盟，一種反文人雅緻、以醜為美的美學觀乃告建立。魯迅的美學固然有社會寫實的內容，也有淑世的目的，但他的美學最大的特色應當是更深層的黑暗原始的因素。我們如果將魯迅與他的同鄉蔡元培相比，不管為人風格，或美學主張，兩者間的差異就顯得非常清楚。

魯迅的幽暗意識之深，中國文人中少見。但作為五四新文化運動領袖人物的魯迅之作用，不僅在於他突顯了人性中的深層的黑暗面，更在於他將黑暗面的爆發力到顯現出來，否定意識是黑暗意識表現的管道。魯迅對版畫的嗜好自然不只源於版畫的美感形式，版畫內容多社會寫實的批判性題材也有密切的關係。魯迅的生命底層誠然黑暗隱密，但面對現實的魯迅卻不會停於現實面，他「卻偏要向這些作絕望的抗戰，所以很多著偏激的聲音。」[14]魯迅的「偏激」是相當著名的，他自己也從不諱言此事。魯迅作為一個徹底的反抗者，他的反抗形式不是噍殺之氣的吶喊，除了沉沒於黑暗的旋律外，他的著作同樣鮮明的特色乃是他「兩間餘一卒，荷戟獨彷徨」的倔強。他的倔強不只是種生命姿態，還有股來自於尼采（F. W. Nietzsche）式底層的力量：

> 當我沉默著的時候，我覺得充實；我將開口，同時感到空虛。……／地火在地下運行，奔突；熔岩一旦噴出，將燒盡一切野草，以及喬木，於是並且無可朽腐。／……我希望這野草的死亡與朽腐，火速到來。要不然，我先就未曾生存，這實在比死亡與朽腐更其不幸。[15]

這種語言在傳統中國極少見到，它不是佛道兩家常見的「即非」的闡釋，也不是他的先行者李卓吾、嵇康那種嘲諷遊世的反經合道之言。魯迅的黑暗來自於黝漆的大地深層，它是創造力的黑暗，也是火藥庫的黑暗，它醞釀了焚天燒空的地火。魯迅深陷於黑暗，但他也從黑暗中爆發，深藏地火的曖昧黑暗是他生命的基本構造，地火等待引爆的觸媒。它要燒盡一切野草，「野草」象徵腐朽的中國，野火是從黑暗中升起的否定精神。

生命在黑暗與火力之間流動著的尚有聞一多，聞一多在民國史的形象是以愛國者、民主鬥士的形象出現的，他的生命中瀰漫著不可掩抑的火山力量，我們看他的著作，或者泛觀相關的第二手著作，大概都可以感

14 魯迅，《兩地書．第一集．四》，收入《魯迅全集》修訂編輯委員會總編注，《魯迅全集》，卷一一，頁二一。

15 魯迅，〈題辭〉，《野草》，收入《魯迅全集》修訂編輯委員會總編注，《魯迅全集》，卷二，頁一六三—一六四。

受得出其人之剛烈，具烈士性格。然而，我們如統觀聞一多的著作，對他的整體判斷應該可以稍加修正。我們與其說聞一多是政治人物，不如說他是文化人，即使他晚年對政治相當關心，他的政治抉擇毋寧反映了他的文化人性格的成分。他嗜好美術、印刻、書法，不但如此，很令人訝異地，他的生命另有一股追求平衡均勻的形式美之傾向。[16]如果我們以文化人定位聞一多，在學界或許不是那麼難以取得共識。但兩種聞一多並不矛盾，文人聞一多除了嗜好形式美的均衡外，他更沉迷於神話世界，聞一多面對「西方」的嚮往，對死亡境界的沉迷，足以顯示神話意識的聞一多是更具爆發力的那位聞一多，耽於古典肅穆之美的聞一多乃是神話意識聞一多的補充原則。神話與革命原本即是生命赤裸裸的展現，神話意識人物聞一多和烈士聞一多之間有深層的幽暗力量串聯其間，這是來自萬古洪荒的生命驅力。

聞一多的文學創作中，著名者乃其新詩，著作名曰《紅燭》、《死水》，「紅燭」、「死水」之名具有極高的象徵意義，其名和魯迅意識中的黑暗結構的摩羅精神，可謂互相輝映。聞一多的〈死水〉一般認為具有死亡的象徵意義：「這是一溝絕望的死水，／清風吹不起半點漪淪。／不如多扔些破銅爛鐵，／爽性潑你的賸菜殘羹。／……這是一溝絕望的死水，／這裏斷不是美的所在，／不如讓給醜惡來開墾，／看他造出個什麼世界。」[17]這樣的一灘死水如果不是指向他對現實的批判，確實是不合理的。但「死水」的象徵如果只從政治考量，顯然也是狹隘的，這種解釋減殺了此詩的精神內涵。在中國的傳統中，水總是與道連結在一起，「上善若水」（《老子・第八章》）是典型的說法；水總是與「生」連結在一起，《管子・水地》所言「水者，地之血氣」即是此道理；觀水也成了哲人既體道亦休閒的生活方式，孔子「逢水必觀」（《荀子・宥坐》）可為代表。水是道之華，是生之隱喻，但聞一多卻顛覆了水的隱喻傳統，他將它綁住了「死」，綁住了「醜」。

聞一多這位烈士，言行激烈，精神底層卻瀰漫了陰影原型、死亡原型，他的著作中充斥著陰性書寫的象徵。他的生命的色澤是鉛灰色，而不是彩色，鉛灰的心靈印上周遭的生活世界，生活世界的生靈無不化為鉛灰，「鉛灰」是他的生命的符碼。「鉛灰色的樹影，／是一長篇惡夢，／橫壓在昏睡着的／小溪底胸膛上。／小溪掙扎着，掙扎着……／似乎毫無一點影響。」[18]小溪在傳統中國從來是悠閒、生機，幾時曾有如此掙扎無奈。何止小溪，池水也是被壓迫的死水：「寂靜底重量正壓著池水／連面皮也皺不動——／一片死靜！」（〈回顧〉）。除了溪水、池水，湖水同樣是一切死寂，「滿天糊著無涯的苦霧，／壓著滿河無期的死睡」（〈西岸〉）。

聞一多詩作的水像科幻片大災難後的自然景象，風歇水停，時間癱瘓。陶淵明的小溪是「木欣欣以向榮，泉涓涓而始流」（〈歸去來辭〉），水木帶來了生機。秦觀的〈好事近・夢中作〉，「春路雨添花，花動一山春色，行到小溪深處，有黃鸝千百」，詞的內涵也是好事近，小溪春滿。柳宗元的名著《永州八記》，八記中的小溪都是調整詩人疲憊心靈的靈丹。若此生機活潑的小溪，流遍了整部的中國詩文史，滋潤了不少來自農村大地的士人。只有在聞一多，小溪卻是鉛灰，受盡壓迫。

水已死，溪已鉛，鉛灰的死水裡沒有生機，它與古朽、死亡為伍。鉛灰是詩人的本色，自從李賀在晚唐運用鉛的質感帶來詭祕奇麗之美以後，很少詩人像聞一多如此嗜好沉重鐵頑的意象。聞一多以鉛灰之心鉛灰了周遭的自然生靈，他也以鉛灰之心鉛灰了歷史上的詩人。從他的眼光看，除了李賀外，賈島也有類似「陰

16　林淑娟稱之為「裝飾藝術」，參見林淑娟，《聞一多的原始主義》（台北：里仁書局，二〇一六），頁一〇〇—一〇八。

17　聞一多，〈死水〉，《詩與批評・死水》，收入朱自清等編，《聞一多全集》（台北：里仁書局，二〇〇〇），冊三，丁集，頁一六—一七。

18　聞一多，〈小溪〉，《紅燭》，收入朱自清等編，《聞一多全集》，冊三，丁集，頁一一二。〈西岸〉、〈回顧〉引文出自《紅燭》同版本，不再註明。

黯」的癖好。那是一個「走上了末路的，荒涼，寂寞，空虛、一切罩在一層鉛灰色調中的時代」，[19]鉛灰一路沿著歷史下滑，直至民國，聞一多似乎在訴說自己的時代。

鉛灰是黃昏的顏色又是蝙蝠的本色，聞一多的詩中常見蝙蝠。蝙蝠不但指向他本人，也指向了古老的中國：

> 百尺的朱門關閉了五千年；／黑色的苔蘚侵蝕了雕樑畫棟，／……走上門前拍一拍門環，叫一聲：／「開門啊！」／一陣蝙蝠從磚縫瓦罅裡飛出來了。[20]

在中國民間傳統中，因「蝠」與「福」同音，蝙蝠通常作為幸福的象徵，五隻蝙蝠翔舞的「五福臨門」畫像題材充斥著畫壇。即使蝙蝠在黃昏時飛翔，它也是作為寧靜一景看待，韓愈所謂「山石犖確行徑微，黃昏到寺蝙蝠飛」（〈山石〉）者是也。但聞一多再度顛倒了蝙蝠在中國社會的隱喻傳統，他的蝙蝠是吸血蝙蝠，是黑夜的使者，蝙蝠固陰物也。若蝙蝠、若鬼魂，若鉛灰，皆是來自於死亡的國度，它們帶來了腐朽的屍味，聞一多的生命中層層堆壘著鄉野傳奇的積澱。

聞一多的生命帶有強烈的死亡衝動，死亡意識成了他的詩作的本體，依此本體所展開的意象往往即是「死亡衝動」的類似性意象。他顛倒中國詩歌傳統的隱喻者可不止溪水、蝙蝠，他甚至連中國詩歌極浪漫多情的月之意象都作了急遽的轉換。他描述清華園的〈園內〉一詩云：「在這恐怖的寂寥裡，瘋魔的月兒常掛在松枝上，像煞一個縊死的殭屍；在這恐怖的寂寥裡，瘋魔的月兒在松枝上縊死。」大概在鄉野傳奇或偵探、鬼怪小說中，月亮或許有恐怖、瘋魔、尪瘠的意象，但這不是中國詩歌的意象。中國詩歌自《詩經．陳風．月出》以來，「月出皎兮，佼人僚兮。舒窈窕兮，勞心悄兮。」月亮即是懷人的中介物，是包含夫妻、朋友、兄弟、父子等一切人倫在內的「情人」的伴侶。中國文學傳統中抒寫明月的名詩何其多，這些幾乎可視為民族集體記憶的明月意象卻不見於《死水》、《紅燭》，因為聞一多的月兒已縊死松枝上，高高懸吊。

陰暗、死亡的意象頻頻出現於聞一多的著作不是偶然的，聞一多耽悅於黑暗、死亡，但他不會停留於此黑暗、死亡，他常期盼黑暗之後的黎明。聞一多有強烈的宗教精神，靈魂的救贖是他的生命激素。他對耶教的昇天、對道教的靈魂論的偏好，以及他的版畫喜歡宗教的素材，甚至他對「西方」一詞的強烈嚮往，大概都和他的靈魂救贖的心理渴求有關。在東方的傳統中，靈魂的救贖的主要途徑是經由身心轉化的工夫論尋到的，聞一多的思想中沒有這種因素。時代分裂，他的人格也處於分裂的邊緣，宗教的超越要求得不到滿足時，會另覓出路，他的宗教情感和作為一代共同精神的幽暗意識綑綁在一起。但聞一多的生命中雖然有很深沉的幽暗意識，他卻不是李賀、蒲松齡，恰好相反，他的幽暗意識和他的光明意識，甚至是火藥意識，恰好構成了強烈的張力。在〈十一年一月二日作〉一詩中，他自言：「你那內蘊的靈火！不是地獄底毒火，／如今已經燒得太狂了，／只怕有一天要爆裂了你的軀殼。」[21]聞一多時常思索死亡後的靈魂狀態，此時，他將靈魂問題放在一個特定的歷史轉捩點看待，他等待爆裂的蒞臨，借以體證死亡昇華的涅槃之一剎那。

這位具有強烈「原始主義」的詩人終於在槍火的洗禮下，成了烈士。他橫罹災禍，法律責任當然該有人負，罪魁不容卸責。但如就詩作而論，他現實的命運與生命底層的陰影原型、死亡原型，若合符契，可謂共時性原理的顯現。他的靈魂是否如他期待的，往上飄升，直至無動無靜，「一陣異香」，「渾圓的和平」之

19 聞一多，〈賈島〉，《唐詩雜論》，收入朱自清等編，《聞一多全集》，冊三，丙集，頁三九。

20 參見聞一多，〈南海之神——中山先生頌〉，《集外詩》，收入孫黨伯、袁謇正編，《聞一多全集》（武漢：湖北人民出版社，一九九三），冊一，頁二四五—二四六。

21 參見聞一多，〈十一年一月二日作〉，《紅燭》，收入朱自清等編，《聞一多全集》，冊三，丁集，頁七四。

中，[22]無人曉得。但他的生命深層的無明業力推動著他的言行，為即將到來的大時代劃破了一道巨大的裂口，詩人在此扮演了先知的角色。

魯迅、聞一多的詩文意象中，黑暗與光明同時存在，更確切的說法，乃是黑暗與火焰同在，他們要的不是光明的理性力量，而是野火的否定力量。他們的黑暗意識的潛能極大，野火燃燒的欲望極烈，但這些巨大的能量要透過什麼管道表現出來？它們的否定性之對象為何？火光同源，能切入集體意識深層並喚起原型力量的作品是深刻的，但它起的是建構的力量還是摧毀的力量，關鍵在於這些原型意象經由什麼管道顯現出來，這才是身為新文化運動指標人物的魯迅與聞一多留下來的最大的問題。

三、漆黑一團的生命大流

五四文人中像魯迅、聞一多有這麼強烈的幽暗意識者，確實不多。幽暗至於幻構死亡的涅槃如聞一多者，固然少見；幽暗到接近於存在的邊緣，幾乎以非主體性的幽暗意識創作如魯迅者，更是絕無僅有。魯迅與聞一多——尤其是魯迅——可以視為五四文人的指標人物，大概是學界具有的共識。他們當然是以作品樹立起在文壇的地位的，但偉大的作品是時代的心聲，在時代動盪以致價值體系解體的年代，我們如果以指標人物的作品作為一個時代之病的病理切片，應該是足以成說的。但魯迅、聞一多在哪個意義上可以視為一個時代精神的指標，是他們勇往無畏地反封建的鬥士精神？或是他們實際地參與了文學為革命服務的普羅文學的大業？這些都是可以選擇的答案，本文也接受這些答案都是可接受的，魯迅、聞一多在生命晚期都可以視為中共的同路人。以他們的生命型態為代表的時代精神接上了共產黨人的建國方案以後，確實產生了具有方向感的革命力量，幫助了一九四九那場巨變。

但竊以為他們的鬥士精神、否定精神還可往深處挖掘，幽暗意識傳達的訊息應該更強，更可以代表一個時代的精神，它是莊子所說的「夜半有力者負之而走」[23]的那位「有力者」，夜半的有力者的形貌雖然不分明，幽暗力量的本質也就是不可能分明，但它有移山倒海的力量，它是我們探討革命動力學需要嚴肅考慮的因素。

筆者雖然說五四新文化運動時期的幽暗意識之濃如魯迅、聞一多者殊為少見，但筆者的說法只是說強度之濃，如論幽暗意識之存在，可說觸目皆是。時代有病，眾生亦病，主體亦病。當社會的價值體系解體了，人格結構也就容易鬆動。五四新文化運動時期充斥著無以名之的幽暗意識，這樣的現象符合涂爾幹（É. Durkheim）《自殺論》所論及的混亂型的自殺類型，混亂型的自殺是社會與個人存在的關係脫了鉤，個人的價值系統陷入失序的狀態所致。[24]五四時期的幽暗意識相當程度是其時整體文化錯亂失序在意識上的反映，沒有社會嚴重的失序即沒有內在深層而深沉的無名業力，這種無名的幽暗力量發展到了主體難以負荷的程度，即有自絕的行為。論及五四時期的自絕，梁濟（巨川）與王國維的自絕自然是具有指標意義的事件。依陳寅恪的說法，王國維之自絕乃因「凡一種文化值衰落之時，為此文化所化之人，必感苦痛，其表現此文化之程量愈宏，則其所受之苦痛亦愈甚；迨既達極深之度，殆非出於自殺無以求一己之心安而義盡也。」[25]

22　這是聞一多想像的靈魂升天狀態。引文出自〈奇蹟〉，《集外詩》，收入孫黨伯、袁謇正編，《聞一多全集》，冊一，頁二六一。

23　《莊子．大宗師》：「藏舟於壑，藏山於澤，謂之固矣。然而夜半有力者負之而走，昧者不知也。」郭象注：「夫無力之力，莫大於變化者也；故乃揭天地以趨新，負山岳以舍故。」成玄英疏：「夫藏舟船於海壑，正合時宜；隱山岳於澤中，謂之得所。然而造化之力，擔負而趨；變故日新，驟如逝水。」郭慶藩輯，《莊子集釋》（台北：華正書局，一九九七），頁二四三—二四四。

24　杜爾凱姆（Émile Durkheim）著，鍾旭輝等譯，《自殺論》（杭州：浙江人民出版社，一九八八），頁二〇〇—二五三。但自殺的類型不一定那麼純粹，往往有混合的情況，如混亂型與利己型的自殺即有混雜情形。

25　陳寅恪，〈王觀堂先生輓詞并序〉，《陳寅恪集．詩集（附唐篔詩存）》（北京：生活．讀書．新知三聯書店，二〇〇一），頁陳寅恪的解釋是高屋建瓴的理解，我們如果從混亂的世局著眼，可知陳寅恪之說是相當合理的解釋。世局的混亂導致生命意義的枯萎，生命意義的枯萎又導致人生的失序；或者反過來說，世局的混亂導致人生的失序，人生的失序又導致生命意義的枯萎。兩種方向都有可能，兩者可以說是相互激化，這是生命詮釋學的循環。

王國維之死如何解釋，說法很多，[26]陳寅恪的解釋是將王國維的自殺視為一位傳統文化人對混亂時代導致的文化衰弱所作的抗爭，他的死亡不是個人事件，而是反映民國時期特殊的時代氛圍。如果陳寅恪的解釋可以成立，我們或許可以擴大範圍，案例可能不只他一個人。五四新文化運動帶有狂飆的不安氣息，「自殺」其時成為一種社會現象，[27]「自殺」是幽暗意識發展極致時的一種文化病症。如前所述聞一多被暗殺事件也可如此解釋，就史實而言，聞一多之死只能說死於特務之暗殺，不能再有其他的解釋；但如就此死亡事件所牽涉到的亡者之精神狀態，我們可以說此一死亡是聞一多踏遍寰宇到處尋覓的涅槃祕儀，外在的事件是他內在的死亡衝動所引致，特務可以視為在一特定時空下與聞一多的深層盼望相合，交引日下，兩者共振，因而產生了「暗殺」此一共時性[28]的現象。

說及死亡衝動，絕不會只有聞一多其人，我們不會忘了五四時期名人梁漱溟、朱謙之等人皆有自殺的念頭。梁漱溟留有較詳細的反省資料，他顯然困於不是問題領域的生命意義之存在奧祕，久久不得解脫，乃一再以棄絕生命求解脫。而五四運動發生那一年北大學生林德揚的自殺在當時更是引發一時注目的社會事件，蔡元培的「以美育代替宗教」說某種意義可以說是對林君自殺事件的一種回應。[29]「自殺」是五四時期的公共議題，這是幽暗意識發展到了極致時顯現的一個面向。[30]

幽暗意識常以兩種不同發展方向的面貌顯現出來，它或會顯現無以名之的黑暗吸力，以至於當事者被吸入黑洞深淵，無以自解，因而走向自絕。在絕望的年代，學子尤其青年學子會選擇生命之自殘，並非不可理

解之事。事實上，日本明治時期轟動一時的高中生藤村操在華嚴瀑布自殺事件，即是因人生意義的迷惘所致。[31]藤村操臨終之際留下的證詞，也可以說是謎團：「萬有の真相は唯だ一言にして悉す、曰く『不可解』。我この恨を懷いて煩悶、終に死を決するに至る。」（萬有之真相，一言以蔽之，此即「不可解」，

一三。

26 王國維自殺原因有殉情說、抗議羅振玉說、殉文化理念說等等諸說，翟志成最近撰文，則主要受到湖南仕紳葉德輝被共黨迫害致死的反應，參見翟志成，〈王國維尋死原因三說質疑〉，《新亞學報》，二九期（二〇一一．〇三），頁一五五—一九六。

27 參見海青，《「自殺時代」的來臨？：二十世紀早期中國知識群體的激烈行為和價值選擇》（北京：中國人民大學出版社，二〇一〇）。

28 「共時性」（synchronicity）術語借自榮格，參見榮格（C. G. Jung）著，拙譯，〈論同時性〉，《東洋冥想的心理學：從易經到禪》（台北：商鼎出版社，一九九三），頁二五〇—二六六。共時性是否能如同榮格所期待的成為抗衡因果律的法則，應該還沒有建立，但依榮格義，它仍是「有意義的巧合」。「共時性」是榮格思想中一個頗曖昧而又有吸引力的概念，相關的研究很多，友善的解釋參見 Ira Progoff, *Jung, Synchronicity and Human Destiny* (New York: Dell Publishing Co., 1980). F. David Peat, *Synchronicity: The Bridge Between Matter and Mind* (New York: Bantan Books, 1988)。湯淺泰雄，《共時性の宇宙観》（東京：人文書院，一九九五）。

29 林德揚自殺後，蔡元培發表〈在林德揚追悼會上的演說詞〉。在演說之前沒多久，他發表〈文化運動不要忘了美育〉，此文已提及了美育與防止自殺的關係。此文刊於一九一九年十二月一日的《晨報副鐫》。以上兩文，見蔡元培，《蔡元培文錄》（北京：商務印書館，二〇一九），頁一四九—一五一、二六八—二七一。

30 五四運動前後（一九一八—一九一九）期間有三件自殺事件成了公共議題，一是梁濟事件，一是北大學生林德揚事件，一是趙五貞爭婚姻自主而自殺的事件。參見彭小妍，《唯情與理性的辯證：五四的反啟蒙》（新北：聯經出版事業公司，二〇一九），頁二三一。

31 李大釗一九一九年在《每週評論》第五號上發表〈北京的華嚴〉一文，他已提到了林德揚事件與藤村操事件的相似性，此文收入《李大釗全集》（石家莊：河北教育出版社，一九九九），卷二，頁一三三。李大釗對民國時期的自殺風氣很注意，他的文集中有〈原殺〉一文，收入《李大釗全集》，卷二，頁六〇六—六一〇。還有〈青年厭世自殺問題〉，收入《李大釗全集》，卷三，頁四〇四—四一一。他知道自殺有各種原因，但他重視的是社會黑暗到了極點所致此一原因。

我懷此恨，煩悶難遣，遂決意自絕以殉。）藤村操華嚴瀑布自絕事件幾乎變成了明治時代的思想家苦思參透的公案，一件個人性的事件變成一個時代的象徵。藤村操的語言和陳獨秀定位林德揚的自殺乃是「對於人生根本上懷疑的自殺」，[32]內涵是一樣的。五四要角之一的梁漱溟在青年時期也罹犯了同樣的人生意義失落的身心問題，因而兩度尋求自絕，他的案例也屬於同一型。藤村自絕事件發生的時間雖然早於五四運動，明治日本就呈現於公共世界的印象，可說是變法的成功者，文明的寵兒。但就集體心靈而論，明治時期文明的轉折也帶來集體的焦慮感，方向感都快喪失了。[33]就此而言，政治上的成功者日本與失敗者中國，蕭條異代不同時，也不同地，卻都分享了迷惘失序的時代之病。如果死亡衝動是人的本能之一，那麼，自殺事件就不可能不是超越於特定的時代之上的普遍性的人的現象。但普遍的現象在特定的時空出現也會有獨特的社會學的意義，這是文學社會學或藝術社會學所以得以建立的理由，我們或許可以接受陳寅恪的提示，在新文化運動時期出現的自殺案例不一定是私人性的事件，它很有可能是混亂時代的病徵。

但幽暗意識不見得一定會自我沉溺於黑暗，依據「反向流轉」（enantiodromia）的平衡原則，[34]它也有可能呈顯一種自我解脫的力道，它以無名的衝動投向未來的自我救贖，這種投向未來的自我救贖的幽暗意識滲入生命的底層，是生命的一種激力，它不是理智所能控制的。換言之，它常以一種直覺的生命衝動，參與人生的活動。筆者上述的說法，帶有非常濃厚的某種五四文化的氛圍。事實確也如此，筆者上述所說，很容易令人聯想到其時極為流行的生命哲學的論點，亦即以柏格森與倭伊鏗（R. C. Eucken）代表的歐陸新興哲學，類似的思想也可以在梁漱溟與張君勱的著作中看出來。梁漱溟、張君勱或許再加上梁啟超、張東蓀，他們這一組人可以視為柏、倭之學在東方的合作伙伴，張君勱事實上即曾和倭伊鏗合著過《中國與歐洲的人生問題》一書，[35]兩人共同宣揚一種新的時代的訊息。至於柏格森其人，梁啟超在歐戰結束後，為了尋覓治療西方現代性大病的藥方，曾與蔣百里、張君勱等人千里拜訪，雖然緣慳一面，但兩者之間的關連是非常清楚的，柏格森是五四時期在塞納河畔遙指東方並示以精神方向的西方哲人。

梁啟超、梁漱溟、張君勱、張東蓀都可視為五四一代，也都可視為新文化運動三大主流中的儒家一翼。他們四人，尤其是梁漱溟與張君勱在新文化運動風潮中，是以儒家精神的復興者的面目出現在歷史舞臺的。但他們說的儒家有較明確的規定，大體上是以陽明學為主。陽明學在清末民初時期復興，此波的復興潮與日本陽明學的回流頗有關係。清末民初對王學感興趣者，多少都有些日本經驗，梁啟超、郭沫若、宋教仁、蔣介石無一例外。梁漱溟、張君勱與日本的淵源相對之下不深，但他們也是浸潤在此波王學的風潮中成長的，王陽明所說的「良知」被梁、張解釋成從生命底層躍起的一種直覺的活動。

在明代，良知學是相對應於朱子學「格物窮理」說而出現的「心即理」的心靈哲學。陽明學在五四時期出現的意義，則是以生的意志的面貌顯現出來的生命哲學。雖然明代與民國的陽明學都帶有很強的道德意識的內涵，兩者的良知也都帶有玄祕的人生之真理與自然之真理相連結的內容，天道性命相貫通，這是宋明理學的共相，民國的陽明學也不可能脫離此義，但此義的強度被稀釋了。相對於十九世紀之前的陽明學，民國

32　引自海青，《「自殺時代」的來臨？：二十世紀早期中國知識群體的激烈行為和價值選擇》，頁四八。蔡元培、蔣夢麟等新思潮領導者對林德揚事件也都有討論，參見蔣夢麟，〈北大學生林德揚君的自殺——教育上生死關頭的大問題〉，《新潮》，二卷二期（一九一九．一二），頁三四九—三五〇。

33　明治時期畫家橫山大觀畫有一幅畫，畫中的小孩指向日本，背後的四位老人是孔子、老子、釋迦牟尼、耶穌，四位智慧老人各提供處世良方，迷惘的小孩卻不知何去何從。此畫被視為可以代表明治維新後的日本的精神狀態。

34　「反向流轉」類似老子「反者道之動」之意，古希臘哲人赫拉克利特（Heraclitus）的用語，心理學家榮格引用此語，視為心理學的法則，參見榮格（C. G. Jung）著，吳康等譯，《心理類型》（台北：桂冠圖書公司，一九九九），冊下，頁四六八—四七〇。中譯本將此詞譯為「對立型態」。

35　一九二一年，張君勱與倭伊鏗合作，撰成德文的《中國與歐洲的人生問題》一書，次年在萊比錫出版。

出現的良知學很強調生命力的動能，它帶有更強的生理學、生物學的內涵，我們觀看陽明學派中特具平民意識與解放精神的泰州學派特別流行，多少也可了解箇中的脈絡。[36]這樣的良知學和其時引進中國的倭伊鏗與柏格森的生命哲學桴鼓相應，支持王學者往往也同時支持生命哲學。如果我們加上熊十力的《新唯識論》或朱謙之的「唯情論」的主張，這些主張在寬泛的意義上講，可視為良知學家族的成員，王學在五四時期很突顯地扮演了引導生命方向的角色。[37]如上所述，梁漱溟、張君勱事實上是和梁啟超、張東蓀等人共謀，他們援引了其時流行歐陸的生命哲學以復活儒家精神，借以抗衡一時流行的科學主義，五四時期發生的人生觀論戰的內涵可以說是生命哲學與科學主義的爭鋒。

五四新文化運動登場的三組重要思潮都有重要的外來思想的注入，馬克思思想之於中國左派的共產主義者，其關係是一面倒的，固不待多論；羅素、杜威之於自由主義，其影響也是很清楚的；即使作為文化傳統主義的儒家學者，他們當時也援引了歐洲一時流行的生命哲學作為立論的基礎。張東蓀其時翻譯過來的柏格森之書《創化論》、《物質與記憶》等，應該起了相當大的助力。柏格森是當時的名流，是二十世紀早期歐洲哲學的代表人物，還得過諾貝爾獎，聲望之隆，一時無兩。他的著作數量不多，張東蓀的翻譯就質與量而言，大體已呈顯了柏格森哲學的梗概。《創化論》主軸旨在突顯一種反空間化的、反物質抗力的生命力，柏格森所謂的**elan vital**。這種從生命底層躍起的生命力以連綿不絕的衝動前進：「本體者，綿延之變化」耳。[38]如果說人生觀論戰時期，作為辯論一方的丁文江是依物理學模式論人生，作為相對方的張君勱則多少是依生物學的模式操作的。

五四時期的陽明學與明代的陽明學是一是異，應該可以再加揀別，本文無能再予細論。但我們可以放心地說陽明學是多面向的，它的良知義固然可以發展出昭昭明明、徹上（天）徹下（人）的道德主體義，如王龍溪或江右學派所說——雖然兩者的爭辯也是很有名的。但良知義也可發展出更人間性也更情意性的主體衝動的型態，如晚明由泰州學派引發的思潮即是。一個會引發遊僧賣藝、販夫走卒等三教九流的興趣，讓不同生命類型的人物都參與的學說不太可能是在「無聲無臭獨知時」所體證的宇宙性真理，而當是一種可在公共場所引發共鳴的共在性的情意哲學。梁漱溟是良知學信徒，他的道德意識之嚴無愧為民國精神的脊柱，但他極欣賞泰州學派所代表的陽明學風，他一生的講學活動也都偏向於共同體精神的發揚，他從生命內部著眼反思中國的農村問題。

在「人生觀論戰」中，最接近於來自於身體內部的生命力量的主張其實還不是張君勱，而是吳稚暉。吳稚暉自己認定他是以觀戰人的身分參與其中的論辯，他主張「漆黑一團的」人生觀，「漆黑一團」其實即是一種存在的底層的力量。這是個無以名之的X，學者視它為靈魂、為本體、為物質，皆無不可。這個來自於自然底層的力量構成了世界的實相，包含人生。吳稚暉論述此義的文章震赫一時，儼然成為人生觀論戰的代表作。但於今觀之，此文頗不節制，其風格可說即是「漆黑一團的」精神的寫照。吳稚暉喃喃獨白的方式，主線、副線參雜，且評且敘，挾泥沙俱下，兩岸之間，不辨牛馬。在《科學與人生觀：「科學與玄學」論戰集》此書蒐羅的文章中，他的文章最長，[39]文章結構頗不清晰，這種「漆黑一團」的力量自然不是陽明學的

36　參見嵇文甫，《左派王學》（上海：開明書店，一九三四）。

37　參見彭小妍，《唯情與理性的辯證：五四的反啟蒙》一書。胡適一九二七年出版的《戴東原的哲學》結尾處有言：「近年以來，國中學者大有傾向陸、王的趨勢了。有提倡『內心生活』的；有高談『良知哲學』的。倭鏗（Eucken）與柏格森（Bergson）都做了陸、王的援兵。」參見胡適，《戴東原的哲學》（台北：遠流出版公司，一九八八），頁一四〇。胡適的觀察很能顯現五四時期生命哲學和陸王心學結盟的現象。

38　柏格森（H. Bergson）著，張東蓀譯，《創化論》（台北：先知出版社，一九七六），頁三三三。

39　吳稚暉，〈一個新信仰的宇宙觀及人生觀〉，收入丁文江、張君勱等著，《科學與人生觀：「科學與玄學」論戰集》（台北：問學出版社，一九七七），頁四八九—六五三。

良知的那種道德直覺式的志氣衝動，吳稚暉絕無意站在張君勱的陣營。但吳稚暉說的「漆黑一團」也不是操控式的，或者海德格所說的現代科學所呈現出的表象的思考所顯示的力量。五四時期的吳稚暉文如其人，他的文章「漆黑一團」的敘述方式即是他的「漆黑一團」的生命衝動的表現，「漆黑一團」的生命衝動又和他有名的把線裝書「丟在茅廁」[40]的徹底否定精神相一致。

無名的幽暗意識需要出路，在幽暗意識漲潮的流動中，以張君勱、梁漱溟為代表的文化傳統主義者因有儒家的義理當底子，所以他們的「直覺」、「生命力」自有道德導向的著落。張君勱、梁漱溟加上梁啟超、張東蓀甚至一些同情儒家思想的五四人物如杜亞泉、梅光迪等人，他們的思想可以代表新文化運動的另一種類型，這種儒家版的新文化運動關心的焦點之一是王學與生命哲學結合顯現的人生意義的問題，相較於當時流行的「民主」、「自由」概念代表的政治革命議題，馬克思主義者代表的社會革命議題，人生觀問題代表的是精神革命的層次，這三種議題往往在同一個人身上皆有不同成分的構成。當階級史觀還沒有型鑄硬性的革命理論之前，共產黨人也是充滿多愁善感的布爾喬亞的情懷的，生命哲學的傳布和早期共產黨人的宣揚即大有關係，在早期共產黨人身上，我們也可看到幽暗力量的巨大作用。

最顯著的人物是瞿秋白，一九二〇年，瞿秋白這位後來擔任共產黨總書記的文人留俄去了，他幾年後寫就的《餓鄉紀程：新俄國遊記》及《赤都心史》兩書即充滿著生命哲學的風味，在前書記載的艱辛旅程敘述中，不時夾雜著瞿秋白的心緒，如云：

> 人生在這「生命的大流」裡，要求個性的自覺（意識），豈不是夢話！然而宇宙間的「活力」，那「第三者」，普遍圓滿，暗地裡作不動不靜的造化者，人類心靈的諧和，環境的應響，證實天地間的真理。況且「他」是「活力」，不流轉而流轉，自然顯露，不著相而著相，自然映照。他在個性之中有，社會之中

亦有，非個性有，非社會有，——似乎是「第三者」而非第三者。[41]

「生命的大流」或「宇宙的意志」這類的語言在此書常出現，這樣的語言非常的柏格森，事實上，此時柏格森的中譯本《創化論》雖然才出版一年多，但他的哲學已流行了相當一陣子了。在《赤都心史》的〈中國之「多餘的人」〉一節裡，瞿秋白公開宣揚「我生來就是一浪漫派，時時想超越範圍，突進猛出，有一番驚愕歌泣之奇蹟。情性的動，無限量，無限量，無限量。」[42]無限量的情性即是「非個性有，非社會有」，但「在個性之中有，在社會之中亦有」的幽暗力量的主體，更徹底地講，它不只在個性、在社會中有，它在自然中也有。青年瞿秋白不是哲學工作者，他提出的這些哲學論點可想見地，當是一時流行的生命哲學的反映，他的青年心事揭露了很深層的主體性的議題。

這位追求「無限量」的浪漫派文人為了理想，親赴革命剛成功的蘇聯參訪，他也參訪了托爾斯泰的故居，托爾斯泰這位充滿了人道主義精神的舊俄文人曾是五四文人的楷模。瞿秋白其時有詩〈皓月〉贈托爾斯泰孫女蘇菲亞・托爾斯泰女士，詩曰：「皓月落滄海，碎影搖萬里。生理亦如斯，浩波欲無際。」最後一句的「浩波欲無際」當是生之欲望的展示，作者以海波比喻欲望之波瀾。瞿秋白喜用「心海」之詞，以表意識

---

40 吳稚暉，〈箴洋八股化之理學〉，收入丁文江、張君勱等著，《科學與人生觀：「科學與玄學」論戰集》，頁四五一。類似的話語在此文中還有，在吳稚暉其他著作中也還可看到。

41 參見瞿秋白，《餓鄉紀程：新俄國遊記》，收入《瞿秋白文集》（北京：人民文學出版社，一九八五），文學編，卷一，頁一二。《餓鄉紀程：新俄國遊記》原出版於一九二二年，上海商務印書館刊行。

42 瞿秋白，〈中國之「多餘的人」〉，《赤都心史》，收入《瞿秋白文集》，文學編，卷一，頁二一九。

之無涯、神祕。事實上，《赤都心史》另收有描述「心海」的詩，此詩即以「海」作隱喻，[43]描繪意識之無垠無涯，茲不贅述。

《赤都心史》的「中國之多餘的人」一詞總難免讓我們想起他臨終的命運，「多餘的人」與「多餘的話」兩詞如此相似，不可能是巧合。他被捕槍斃前寫的《多餘的話》所流露出的傷懷、愁緒的夜鶯之聲，不會只是政治途上山窮水盡時的哀吟而已，而是來自靈魂深層的生命哲學的一種別調。雖然「厭世」一向是瞿秋白的生命底色，他在成為共產主義信徒前，即因厭世而喜歡哲學，《多餘的話》即不時流露出濃厚的厭世情結。一個值得留意的現象是共產黨人瞿秋白喜歡佛學，我們在他的身上似乎可以看到青年梁漱溟的身影。瞿秋白的厭世和「心海」、「宇宙意志」、「生命大流」之類的語言的連結有更深的歷史內涵，它們展開了一個時代的共相。他的《餓鄉紀程：新俄國遊記》及《赤都心史》反映了白日意識底層的濃厚黝黑的生命流動，這種情感表現可視為五四生命哲學的一種亞型。

隨風潛入夜，潤物細無聲。五四天空漫布的生命衝力（elan vital）的滲透力道何止影響了瞿秋白，矛盾共生的情感也不僅見於他這位共產黨人。青年毛澤東恐怕也是當時一時流行的生命哲學中人，他其時填詞道：「獨立寒秋，湘江北去，橘子洲頭。看萬山紅遍，層林盡染，漫江碧透，百舸爭流。鷹擊長空，魚翔淺底，萬類霜天競自由。悵寥廓，問蒼茫大地，誰主沉浮？」[44]詞以疑問句終結。代毛澤東回答，「萬類霜天競自由」源於柏格森的「生命衝力」；「問蒼茫大地，誰主沉浮」的答案當是瞿秋白說的「生命大流」。毛澤東於一九二五年三十二歲填的這首詞應當也反映了一時流行的生命哲學的思潮，或者說同時反映了他的生命的底色。到了三〇年代，革命文學的聲浪取得主導權之後，「自由」、「生命大流」這些語言都要被改造了。但我們觀看五四初期的共產黨人，生命哲學的生之欲力在他們身上不但活躍著，他們也多有自覺。

毛澤東是否有前後期之分？是否有理論意義的青年毛澤東與老年毛澤東之別？本文無能論述。但如果我們從神話意識的幽暗力量著眼，應當可以看到貫穿毛澤東一生行事的精神風格。毛澤東是詩人，是書法家，是革命家，他的革命行動、書法風格以及詩歌內涵有一種側猗橫斜，氣機奔竄的磅礡力道。在上述的任一領域，他的行事總是破壞界線，逸出規矩，於無佛處稱佛。毛是馬克思主義信徒，他相信階級鬥爭，相信階級鬥爭的社會學的「科學」性質，是位政治賭性極強的精算師。但推動他的「相信」為行動的動能不見得那麼科學，它深沉黝暗多了，毛所以能那麼沉穩地掌握群眾的心靈，應當和他的意識中流動著和中國社會底層的無名力量可以相呼應的成分有關。事實上，在他的書法、藝術與政治之間，有明顯的一致的個人風格。我們不妨說毛澤東終其一生，生命哲學強調的生之欲力都未曾退過潮。

五四新文化運動初期的共產黨人人數不多，但瞿秋白和毛澤東不會是受到柏格森、倭伊鏗影響的特例。事實上，柏格森哲學被引進中國，陳獨秀、李大釗是最早的引介人之一。早在張東蓀一九一八年於《時事新報》連載之前，李大釗、陳獨秀兩人皆在一九一五年撰文宣揚柏格森的學說，並分別刊於當年的《甲寅》雜誌及《新青年》的發刊詞上。中國共產黨的創黨元老何以鍾情生命哲學？原因也許多端，但筆者相信兩人都反對幾何性格的冷靜理智處世，而強調轉化世界（包含個體）的生命力的作用。馬克思思想的一大特色在於改造世界的實踐性格，改造世界的意圖不能不有待於強烈的意志力加以實現。所以在五四初期，我們看到生命哲學很奇特地在儒家學者與馬克思主義者身上都發揮了作用，只是生命哲學的生命衝動被他們分別引到了不同的方向。

陽明學、生命哲學是民國哲學的顯學，從清末以來，佛學復興又是一個重要的文化現象，我們如果加上

43　瞿秋白，〈海〉，《赤都心史》，收入《瞿秋白文集》，文學編，卷一，頁二四三。

44　毛澤東，〈沁園春・長沙〉作於一九二五年，最早發表在《詩刊》一九五七年一月號。收入《毛澤東詩詞選》（北京：人民文學出版社，一九八六），頁六。

馬克思主義，這幾股重要的思潮匯聚在二十世紀上半葉的中國，自是一時興會。如果我們要仔細分辨它們的哲學的異同，很可能所同不勝其異。但相對於講人權、法制的溫和的自由主義，相對於人生觀論戰中科學主義的立場，相對於民國之前長期影響中國社會的程朱理學，我們可以看出這幾股思潮都強調非理智作用、非個人意識的深層意識的作用。它們可以說共享了生命哲學的成分，雖然其所涉的生命的層次深淺不同，從帶著生命動能的情意到作為主體依據的良知，皆可含攝於其間。換言之，這些思潮如就其表現出的哲學體系而言，屬於不同的學派。但就共相而言，它們都距離作為生命形式的神話意識較近，都帶有情意力道的深層生命的內涵。從生命哲學著眼，我們比較方便理解一代大儒梁漱溟對毛澤東何以有特別的情結，而身為共產黨總書記的瞿秋白何以又帶有那麼濃烈的波西米亞的情性。

四、幻光魅影

在生命大流波湧的五四時代，儒家學者與共產黨人都參與了生命哲學的潮流，人生觀論戰中的吳稚暉安於此「漆黑一團」的生命力道，方向不明，其實也是「預流」其中，或者他宣揚的無政府主義正是「漆黑一團」的生命力的旨歸。吳稚暉的「漆黑一團」比起張君勱、梁漱溟等儒家學者，或者比起李大釗、瞿秋白等共產黨人來說，似乎更能反映一種流行的五四的精神面貌。但吳稚暉的抉擇很難當成一般人可以安居的生命型態，誠如結構主義者所說的：在一切問題當中，人們最難以容忍的困惑即是沒有秩序的狀態。[45]秩序感的安頓優先於具體問題的解決，漆黑一團的心靈不可能是安居的家鄉，他們累積的無明力量需要有出路，他們需要明光的指引，所以時代就有了「光明」的原型意象。

光明的嚮往是五四新文學運動中常見的主題，在宗教的象徵譜系中，光明常象徵神聖、體悟或理則的分別作用，大光明是破除宇宙性的大謎團所致，小光明是理智之光解決個別議題的明亮知覺，光明是蒙昧黑暗的否定。[46]即使老子以「玄」名道，他的「玄」不是一般意義的黑暗，而是超越一切可能的解釋的超越之物，他的「玄」不礙「明」，「明」不礙「玄」。五四時期的光明與黑暗不能玄學地談，它的「光明」也不是賽先生發出的理智之光，它更像是集體意識的一種生命匱乏的投射。「光明」不是現量的果境之狀詞，而是對此果境的追求之敘述。

新文化運動時期的光明與黑暗是孿生兄弟，幽暗意識需要光明，就像光明需要幽暗意識一樣。五四時期最強調傳統的黑暗面，也最強調破除黑暗以現光明的政治力量，莫如共產主義。最強調光明的力量屬性，而不是強調它的理性或理智功能者也是共產主義。在李大釗的著作中，黑暗總是跟著東方；一九一九年新年開始，他在「黑暗的中國，死寂的北京」期待「新生活，新文明，新世界。」連北京市民對電燈公司不滿意了，李大釗也有同感，他呼籲「我們當真要求光明權，應該不止對於電燈公司。」[47]

李大釗讚美光明，瞿秋白也讚美，但他的讚美更顯示「光明」意象背後強烈的生命力道。他在《餓鄉紀程：新俄國遊記》的〈緒言〉裡表達他撰寫此書的心情，他期待「光明」，也期待擺脫「陰影」，他歌詠蘇聯革命帶來的希望：

45　李維史陀（Levi—Strauss）著，李幼蒸譯，《野性的思維》（北京：商務印書館，一九八七），頁一四—二二。

46　參見拙作，〈從明暗到陰陽〉，收入《五行原論：先秦思想的太初存有論》（新北：聯經出版事業公司，二〇一八），頁一五一—一九六。

47　上述說法，參見李大釗，〈黑暗的東方〉、〈新紀元〉、〈光明權〉諸文，這些文章收入《李大釗全集》，卷三，引文分見頁二二四、一二七—一三〇、二九一。

燦爛莊嚴，光明鮮豔，向來沒有看見的陽光，居然露出一線，那「陰影」跟隨著他，領導著我。一線的光明！一線的光明，血也似的紅，就此一線便照遍了大千世界。遍地的紅花染著戰血，就放出晚霞朝霧似的紅光，鮮豔豔地耀著。宇宙雖大，也快要被他籠罩遍了。「紅」的色彩，好不使人煩惱！我想比黑暗的「黑」多少總含些生意。並且黑暗久了，驟然遇見光明，難免不眼花繚亂，自然只能先看見紅色。光明的究竟，我想決不是純粹紅光。他必定會漸漸的轉過來，結果總得恢復我們視覺本能所能見的色彩。[48]

這是青年瞿秋白二十一歲時的獨白，獨白中的期待懷著些忐忑，因為他一下子不能適應強光的刺眼效應，但他期待視覺的功能可以恢復，迎接即將到來的「血紅」的光明。光明在瞿秋白著作中不時出現，[49]象徵意義容易理解，不再徵引了。

在人生各階段中，生命力最衝撞者當是青少年時期，青少年代表光明。青少年被動員成革命的動力的現象似乎是五四政治文化的一大特色，各種政治勢力都在動員，共產黨是最大的受益者，毛澤東以「早上八九點的紅太陽」讚美青年，已成為經典名言。作為共產黨催生者的李大釗在《新青年》刊物上，他即曾禮讚青年的德性：

以宇宙之生涯為自我之生涯，以宇宙之青春為自我之青春。宇宙無盡，即青春無盡，即自我無盡。此之精神，即生死肉骨、回天再造之精神也。此之氣魄，即慷慨悲壯、拔山蓋世之氣魄也。惟真知愛青春者，乃能識宇宙有無盡之青春。惟真能識宇宙有無盡之青春者，乃能具此種精神與氣魄。惟真有此種精神與氣魄者，乃能永享宇宙無盡之青春。[50]

這是「少年中國」的呼聲，李大釗之言真是「氣魄承擔」了。青少年代表青春的力道，是宇宙性的滾滾力量在紅塵的體現，這是民國政治人物都發現到的新的政治資源，國共兩黨尤其善加應用，或者該說是「利用」。類似李大釗的話語在當時並非罕見的，所以就有了少年中國學會，後來還有了一個名為青年黨的政黨。[51]

青年代表宇宙的青春，但在革命時期，青年的力量是要有光明指引的。李大釗歌詠「青春」不久後，他即面臨俄羅斯共產革命這樁大的歷史事件，他開始歌詠俄國革命的意義，還寫下〈我的馬克斯主義觀〉此長文，[52]成為當時推廣馬克思主義的首席號手。在此文前後，他寫的文章都充滿了革命情緒性的熱情，光明與黑暗的意象，不斷湧現，同年發表的另一篇長文〈物質變動與道德變動〉，他再三宣揚階級史觀的意義，並大聲呼籲道：「太陽出來了，沒有打著燈籠走路的人了。」[53]黑暗與光明在共產主義意識型態中各有歸屬，黑暗屬於傳統，屬於執政當局；光明則歸於共產主義，坐落於燦爛的未來。只有明暗兩種意識結合，交相運用，爾後的革命行動才會產生力量。

當馬克思主義成為唯一的真理後，它即壟斷了真理的光源，它就是光。光之大者莫過於太陽，太陽是天

---

48 瞿秋白，《瞿秋白文集》，文學編，卷一，頁四—五。
49 如〈荒漠里〉一文討論一九二三年的中國文學，瞿秋白於此文結束時即倡言：「『普照的光明』只有在日中的時候。東方的日始終是要出的，大家醒罷。東方的日始終是要正中的，大家走向普遍的光明罷。」參見同前引書，頁三一六。
50 李大釗，〈青春〉，《李大釗全集》，卷二，頁三八四。
51 關於現代中國的「少年」隱喻，參見梅家玲，《從少年中國到少年臺灣：二十世紀中文小說的青春想像與國族論述》（台北：麥田出版公司，二〇一三）。
52 此文分上、下篇，發表於《新青年》六卷五號、六號，收入《李大釗全集》，卷三，頁二二八—二七〇。
53 李大釗，〈物質變動與道德變動〉，《李大釗全集》，卷三，頁三九四。

火。論及太陽，我們就會想到五四運動重要的左派期刊《太陽》，此刊物卷頭語有言：

弟兄們！向太陽，向著光明走！／我們也不要悲觀，也不要徘徊，也不要懼怕，也不要落後。／我們相信黑夜終有黎明的時候，正義也將不終屈服於惡魔手。／我們只有奮鬥，因為除開奮鬥而外，我們沒有出路。／倘若我們是勇敢的，那我們也要如太陽一樣，將我們的光輝照遠全宇宙。／太陽是我們的希望，太陽是我們的象徵——／讓我們在太陽的光輝下，高張著勝利的歌喉：／「我們要戰勝一切，我們要征服一切，／我們要開闢新的園土，我們要栽種新的花木」。[54]

《太陽》是由蔣光慈、錢杏邨（阿英）與楊邨人等人發行的左派刊物，《太陽》雜誌這些同人的否定意識是很強的，雜誌出刊的年代，他們已經否定傳統，否定五四初期傳播的自由主義的個性價值，否定性的精神構造是他們的生命的底蘊。但「個性」這個門檻一旦跨過了，否定性推到底還需要更進一步的自我否定，他們深層的自我否定造成了精神巨大的缺口，引致了生命向光明處仰望，他們相信他們找到了真正的太陽。

想到太陽，我們還是不免想到郭沫若。左派文人中，對太陽極禮讚，或是最禮讚者，除了郭沫若之外，還是郭沫若，「太陽」是他的動盪的靈魂的靈藥。但郭沫若就像五四時期的文人的意識一樣，他的光明意識也是內在的否定意識的「反向流轉」法則的補充作用所致。郭沫若其時否定傳統，否定自由主義的價值，他的內在充滿了幽暗力量的滾燙，也可以說迴盪著無明業力的衝撞。他在五四時期曾寫下足以作為一個時代方向球的〈天狗〉：

我是一條天狗呀！／我把月來吞了，／我把日來吞了，／我把一切的星球來吞了，／我把全宇宙來吞了。／我便是我了！[55]

徹底的狂想曲！天狗吃不了太陽、星星與月亮，能吞下宇宙的我畢竟是幻象。天狗意識不可能長期持有，因為任何人都支撐不住它的滾燙熱度。它的無明力量終究要有個出路，它會被吸納到太陽的強光中。天道好還，天狗吞不了日，只能被日吞掉。因為神話意識中，最接近至高神位階者當是太陽，太陽神往往就是天帝。

我們且看郭沫若在同一時期的詩作〈女神之再生〉裡，他是如何歌詠光明的女神的，他一詠再詠三詠，他歌詠道：

> 我要去創造些新的光明，／不能再在這壁龕之中做神。（女神之一）
>
> 我要去創造些新的溫熱，／好同你新造的光明相結。（女神之二）
>
> 姊妹們，新造的葡萄酒漿／不能盛在那舊了的皮囊，／為容受你們的新熱、新光，／我要去創造個新鮮的太陽！（女神之三）[56]

54 方璧，〈歡迎《太陽》〉，收入中國社會科學院文學研究所現代文學研究室編，《「革命文學」論爭資料選編》（北京：知識產權出版社，二〇一〇），冊上，頁八二。

55 郭沫若，〈天狗〉，原發表於一九二〇年的《時事新報・學燈》，後收入《女神・第二輯》，參見《郭沫若全集》（北京：人民文學出版社，一九八二），文學編，卷一，頁五四。

56 郭沫若，〈女神之再生〉，原發表於一九二一年的《民鐸》雜誌二卷五號，後收入《女神・第一輯》，參見《郭沫若全集》，文學編，卷一，頁八。

同一時期的〈鳳凰涅槃〉，更光明了，他再度歌詠道：

我們光明呀！／我們光明呀！／一切的一，光明呀！／一的一切，光明呀！／光明便是你，光明便是我！／光明便是他，光明便是我！／火便是你！／火便是我！／火便是他！／火便是火。57

詩人到處放火，存在即是火，即是光明。這樣的詩歌頗像口號，郭沫若的詩歌通常帶有行動的、直白的特性，就文學而言，不能不說是大毛病，他剝奪了讀者反應的再生的創造權利。但就時代病理學而言，他的表現毋寧是稱職的。先不說他的共產主義的理想如何落實，單單看郭沫若五四時期的精神狀態，他如果沒有太陽的接引，一任天狗莽撞，不知該如何安頓其時按捺不住的狂熱。

「光明」是人的精神構造的原型意象，作為法則與能量的象徵，任何時代的人都有光明的追求與對太陽的禮讚。但「太陽」在五四新文化運動中形象特別大，亮度特別明。如果「左翼作家聯盟」成立時，革命文學的旗幟已經牢固地樹立，那麼，一種光明的盼望會出現在爾後的諸多文學作品中，應該是可以預期的。事實確實如此，我們看五四文人中，以陽光標誌的文人還真不少，郭沫若外，我們還想到艾青，這位寫出〈向太陽〉、〈光的讚歌〉、〈火把〉的詩人，一生也是狂熱追求光明。我們還看到五烈士的胡也頻，他的代表作小說就是《光明在我們的前面》，此篇小說以一對少年男女走向「燦爛的陽光」結尾，陽光的追尋貫穿了書的主軸。陽光普照，一路照向鋪往一九四九革命的路上。當革命成了時代的目標後，鮮血即告沸騰，火焰與光明的意象自然會到處湧現，族繁不及備載。

論及「太陽」、「光明」的意象，本文徵引至此為止，但最後我們不妨援引穆旦的一首詩以見一斑。穆旦算是後五四文人，但他的內心同樣充滿了無以名之的黑暗意識，而且他對此黑暗意識的相位有較透明的認識，他也知道自己的主體與黑暗意識的關連。此詩名曰〈問〉，穆旦以詩問道：

我衝出黑暗，走上光明的長廊，／而不知長廊的盡頭仍是黑暗；／我曾詛咒黑暗，歌頌它的一線光，／但現在，黑暗卻受到光明的禮贊：／心呵，你可要追求天堂？[58]

詩人衝出黑暗，走上光明，但光明長廊的盡頭仍然是黑暗。光明本來是要破除黑暗的，結果光明卻傾向黑暗，黑暗成了光明的補充原則。五四的「太陽」提供了充沛的能量，但未必提供正向的法則，浸潤五四文化氛圍中的穆旦對「光明」的性質不能不疑神疑鬼。穆旦的疑慮是否多慮？他的〈問〉是否多此一問？他的詩傳達了相當曖昧的訊息。

五、依靠這一片黃土

沉甸甸的幽暗意識與焚熱透亮的光明意識交織成一股不由自已的動力，這股動力在許多狂熱的共產黨志士的推引下，流向一九四九年十月一日的豁然貫通的神祕時刻，時間開始了。

本文此處說「時間開始了」，不是泛泛而論的詞彙，因為明暗這組象徵在所有的象徵中，具有原型中的原型，象徵中的象徵的地位。明暗的象徵首先是和空間的創造有關，卡西勒（E. Cassirer）說：「在幾乎所

57 〈鳳凰涅槃〉原發表於一九二〇年的《時事新報・學燈》，引文為原版本文字，郭沫若後來有修改，但其意不變。引文見《郭沫若全集》，文學編，卷一，頁四六。

58 穆旦，〈問〉，《穆旦詩全集》（北京：中國文學出版社，一九九六），頁三五一。

有氏族和宗教的創世傳說中，創世的過程與光明的破曉溶為一體。」[59]如果用特路爾斯・倫德（Troels Frederik Lund）的話語即是：「不僅我們的地球，還有我們自己，我們的精神自我，從我們第一次驚愕地看到光，到我們最發達的宗教和道德情感，都源於太陽和受太陽的滋養……不斷發展的、對晝與夜、光明與黑暗之區別的見解，是一切人類文化發展的最深層的活力。」[60]光暗的鬥爭即是創世的內容，世界（空間）由此定位。

空間的地位也是時間的開始，「同一個具體直觀，光明與黑暗、晝與夜的交替，構成最初空間直觀和最初時間結構的基礎。」[61]關於光明與黑暗的鬥爭所形成的時空的劃分，也就是創世的內容，更重要的一項因素是一種特殊的神話——宗教的神聖感賦予了每一時間與空間的區隔。如果還原到明暗意象的創造過程，也就是創造的過程，也就是賦予神聖的意義的過程。創世神話中，明暗的區分與時空的區分與區分後每一區隔的時空之神聖化，可以說同時出現。《尚書・堯典》的表面敘述固然是帝堯的偉大政績，但其結構不折不扣即是創世神話，時空的創造與時空方位的神聖化等因素都可從中找到。[62]

五四新文學運動中黑暗、光明、力量的意象相當突顯，這個現象應當是很清楚的。就作為人的重要原型意象來說，我們可以預期只要有人的精神活動處，即會有光、暗的意象創造活動，不只五四時期為然，如果有人提出此種質疑，這樣的說法是可以接受的。但大動亂時期的表現畢竟不同於太平歲月，因為當時的人的精神困擾特別激烈，而在民國新文化運動這段傳統價值體系接近全面崩潰，也就是全面反傳統歙然成風的年代——這是研究民國文化史者可以有的共識，價值解體的時代是滋生神話意識的溫床，此時明暗意識的突顯自然具有更深層的內涵。神話意識所呈現的光明、幽暗、神聖力道的主題和新文學運動文人所表現者不會是兩種意識。

光明與黑暗的題材可以連接新文學運動人物的創作意識的神話源頭，神話意識先於人的主體意識，主體意識所噴湧而出的原型意象固然也是作者的創作，但作者的創作卻是有主體更深的依據的，神話意識可說是作者創造活動的存有論依據。我們分析革命形成的原因，政治的、軍事的、經濟的、歷史的原因等等，大概都有足以成說的理由。但就一九四九共產主義革命這樣帶有巨大的規模、巨大的破壞、巨大的衝撞力道，而且明顯地帶有精神革命的意義者，先不管其是非善惡之判斷如何，我們首先就當從神話意識的角度切入這個事件的精神內涵，因為神話意識本來就是人的文化展現的最初的生命形式。不管創作黑暗與光明意象的文人對這些意象的源頭如何解釋，或者能否解釋，他的創造成果的內涵比他知道的還要來得多，來得深，這是神話意識基本的規定。

但黑暗、光明的力量及其轉化雖帶有衝撞的力道，它們形成了創世神話的原初題材，但創世神話中的世界只能是世界在其一般，它是普遍而尚欠缺規定的世界，真實的世界需要有更具體的規定的內涵。嚴格說來，促成共產主義革命勝利的主體力量雖然應當溯源至神話意識，但作為動力的神話意識不見得是作者自己可以自覺的，引導革命的力量反而要落在共產黨的一套世界觀、價值觀，用現代一個熟爛的語言表之，也就是意識型態的力量。共產黨提供了以往所有反叛者都不容易比擬的世界圖像：「到目前為止的一切社會的歷史都是階級鬥爭的歷史……資產階級在歷史上曾經起過非常革命的作用。資產階級在它已經取得了統治的地方把一切封建的、守法的和田園詩般的關係都破壞了……它按照自己的面貌為自己創造出一個世界……資產階級用來推翻封建制度的武器，現在卻對準資產階級自己了。但是資產階級不僅鍛造了置自身於死地的武

59　卡西爾（E. Cassirer）著，黃龍保、周振選譯，《神話思維》（北京：中國社會科學出版社，一九九二），頁一〇九。
60　同前引書，頁一一〇。
61　同前引書，頁一二一。
62　參見拙著，〈帝堯與絕地天通〉，《原儒：從帝堯到孔子》（新竹：國立清華大學出版社，二〇二〇），頁八五—一三六。

器，它還產生了將要運用這種武器的人——現代的工人，即無產者。」[63]無產階級終於要站上歷史的舞臺了，它要成為推動世界前進的主角，這是歷史的必然，它會提供一個再也沒有私有制，沒有剝削的共產社會。

共產黨人當然不會把黨的宣言所說的內容當作意識型態，意識型態是虛假意識，虛假意識的內容直指表層敘述後面的真實，亦即資產階級的利益，它專屬於資產階級。然而，我們如果將意識型態一詞中性化，當作一套具有解釋效率也有引導功能的世界觀，共產主義所宣示者自然也可以是套意識型態，只是它的內容不被當作虛假的意識構造，宣言所說的是社會領域的科學，有種不以人的意志而改移的客觀性質，它的地位和達爾文（C. R. Darwin）在生物學發現演化論性質不相上下。[64]科學的共產主義具有一種準確科學、形上學或宗教神學共同具有的「必然性」的承諾，它確實帶有極大的動員力量。

本文不會質疑意識型態的作用，但馬克思的共產主義理論只是必要條件，中國共產主義革命的成功另有中國因素。為確保中國共產主義革命的特殊性以及本文所說的神話意識主體，也就是為確保這股滾滾熱流能接地氣，不會錯失方向，革命還需要一個與中國脈絡有關的神話因素的幫助，此即「土」的幫助。從「文學革命」到「革命文學」的轉折中，「民主」蘊含的個體性人格的內涵蛻變為集體性的階級的內涵，「人」的普遍性概念蛻變為「農工」的階級概念。「農」、「工」兩者當中，「工」雖然是馬克思、恩格斯當年欽點的新興階級，期待中的革命的主力，但與中國傳統即中國當時的社會現實關係密切者仍當是「農」。「工」雖是傳統語彙四民中的一民，但二十世紀革命敘述的「工」是馬克思主義帶進來的舊詞新義，它背後有「資本主義興起」這個大的歷史事件的背景，二十世紀上半葉的中國社會欠缺這個大背景。二十世紀中國的社會主義革命的特色可以說是站在固有的農民革命的土地上，接續了馬克思主義的階級理念，再將原有的三農——農業、農村、農民的力量推上歷史的舞臺。三農是「土」的文化，也是「土」在歷史的顯像。

土地與農民在五四運動初期是存有而不活動的，它還沒機會上場，躍升為主角。一九一九年五四運動發生時，發生地在北京，導火線在法國巴黎，響應者在中國的各大都市，比如上海。五四新文化運動的核心人物胡適是留洋學者，早期參與者多為新興的大學堂的學生。五四運動的口號自由、民主，或男女平等，或個性解放，這些理念都來自於中西接觸後引入中國的理念，歐美國家是輸入的源頭。總而言之，五四愛國運動加速引發的文化運動帶有相當濃厚的都市味，民主、自由、平等、個性等等的理念確實也引導了爾後中國歷史的發展。至於土地、農民、農村云云，他們在五四初期是沉默的，要等革命文學成氣候後，它們才向歷史報到。

五四新文化運動後來所以發揮那麼深沉的效果，動力不見得是來自資本主義文明帶來的那一串變化所引致的理念，也不見得是馬克思主義帶來的「階級」、「勞動」的概念。然而，初期的五四新文化運動之所以被左派學人標籤化為一種都市文明化的小資產階級的運動，馬克思主義則被視為可以和中國現實結合的進階的史觀，這種簡化圖像的解釋也是其來有自。因為中國馬克思主義者對五四新文化運動的解釋是建立在運動發生後的回到鄉村、回到民間的社會工程的基礎上，取得成果後，再回顧以往所走過的途徑所賦予的圖像。換言之，五四論述下的馬克思主義真正對照於資產階級民主文化者，不在階級意識本身，而是階級意識被帶進以後對中國土地及農民的重新認識，階級意識的真正內涵是知識人的深層意識構造中對土地及其代表的農夫、農村、農業的黝黑深厚的情感，也可以說是歉意。

土地、農村、農民這些因素在五四的革命用語中，是以政治經濟學的概念現身的，抽離開這些概念與

63 馬克思、恩格斯，《共產主義宣言》，收入中共中央馬克思、恩格斯、列寧、斯大林著作編譯局編，《馬克思恩格斯選集》（北京：人民出版社，一九七二），卷一，頁二五〇、二五三、二五五、二五七。

64 這是共產黨人喜歡引用的類比，恩格斯在追弔馬克思的悼詞中也特別指出了此點。

「階級」意識的連接，我們即無法了解革命文學理念成功後整個中國革命運動的走向。但如果我們僅從政治經濟學的角度著眼，分析農村的經濟結構、土地的生產性能，我們一樣無法理解何以被梁漱溟、張君勱等人一再批判也一再貶視的「量的計較精神」的政治經濟學概念，何以能夠引發許多非出身無產階級的知識分子，尤其是青年學子，踴躍縱身革命洪流。臨淵一躍是需要勇氣的，我們只要想到四一二事件的清黨大清洗，或「左聯」五烈士的例子，或各著名院校的烈士學生名單，大概可以理解如此地一躍可能是事關身家性命之大事。縱身一躍的動力自何而至？它需要道德勇氣，但勇氣的來源問題也是可以再探究的，筆者認為我們或許該更嚴肅地看待「土」與「主體」的深層連結。

「土」是經濟因素，但絕不只是經濟因素，它的根深遂多了。在神話的諸元素中，「土」具有金、水、風、火等元素缺乏的厚重的曖昧性。「土」是存在的根基，土者，厚也，均也，[65]它撐起了萬物的存在，農業、農村、農民都活動於大地上，大地撐起了中華的文明。土也是生命的象徵，土者，吐也，[66]大地吐出了天地萬物，生生不息。大地甚至創造了「人」此一物種，女媧造人即是依土而造。由於中華文明與農耕的關係特別密切，農耕相當程度可以說即是黃土的產物，即使農耕需要「水」的幫助，中國農耕的文化意象所需的水也是來自於黃土地區的黃河之水，黃土、黃河、黃帝等「土」的顏色之「黃」形塑了華夏文明的外在形象。對於華夏人民而言，「土」是具有存有論依據與歷史的集體記憶的雙重特質，黃土地子民的生命構造是被土德滲透骨髓的「與土共在」的結構。

土是生命的來源，但土也是生命的歸所，土德顯像為大母神，大母神常顯現為善惡雙面，她既是慈悲女神，但她也是吞噬女神。漢樂府詩云：「蒿里誰家地，聚斂魂魄無賢愚。鬼伯一何相催促，人命不得稍踟躕。」大母神不一定是友善的。土（大母神）具備的矛盾性格是存在極大的奧祕，而凡是土德所浸潤的人與物通常也都具備生／死、善／惡雙相。[67]輓歌與春吶同時見於土地之祭儀，大地既吐出萬物也吞噬萬物，這種存在的悖論在正常時期即是與日出日落、春生秋殺同類的自然現象，自然現象即是天道之自然。但如在歷史的混亂期，「土」的潛能一旦被召喚起來，它有可能會發揮無比的破壞力量。這股力量極難澄清，因為土德有難以穿透的曖昧性，卻又具有滔滔洪流般的巨大能量。

土地、農村、農民是社會主義革命的資本，圍繞農村—農業—農民所展開的階級鬥爭敘述當是革命文學的主要內容。確實，趙樹理的農村小說、沈從文的湘江記憶都是此一主題的作品，它們都屬於廣泛意義的鄉土文學。然而，趙樹理的小說主題正確，人物類型化；沈從文的文字柔和平淡，極得風雅之緻。就土地原型所需的矛盾、糾結，趙、沈之文因為別有懷抱，都志不在此。中國革命的祕密在農村，土地改革是革命的關鍵，當革命文學成為文學的主流，需要為革命服務後，可以預期地，描寫農村的現狀，土改的景象，如丁玲的《太陽照在桑乾河上》之類的小說當不在少數。筆者的閱讀經驗有限，但竊以為土地的曖昧性應當可以更詭異，也有更大的爆發能量。[68]

農民革命是一九四九共產主義革命強烈的形象，這場革命的公共形象至少可以部分解釋發生於二十世紀中葉這場革命與中國民族主義的關係。民族主義是二十世紀中國主要政治力量共同接受的思潮，它是內在於近代中西接觸以後中國社會的驅力。但共產主義以徹底反傳統起家，原則上，反傳統和民族主義情感是相違

65 《易經．坤卦．象傳》云：「地勢坤，君子以厚德載物」；〈說卦傳〉云：「坤為地，為母，為布，為釜，為吝嗇，為均」這是《易經》的解釋，這種解釋應當來自相當古老的源頭。

66 這是漢儒的解釋，《釋名》云：「土，吐也，能吐生萬物也。」劉熙，《釋名》（台北：臺灣商務印書館，一九六六），卷一，頁四。

67 負面性的大母神之義，參見 E. Neumann, *The Great Mother*（New Tersey: Prineeton Univerity Press, 1974）, pp. 147-208。

68 竊以為當代小說家莫言的《豐乳肥臀》以及閻連科的《年月日》、《日光流年》描述農村的魔幻性格，似乎比趙樹理、丁玲所述者，更接近於土地的原始性質，更值得參考，小說有時比歷史還真實。

背的，它雖然是在救亡圖存的集體欲望上茁壯成長，但它如何動員集體欲望的深層動力呢？土地原型以及它的顯像的三農問題扮演了關鍵性的角色，共產黨人以底層的中國文明的原始結構摧毀他們認定的封建社會的上層結構，或者說摧毀了封建的、帝國主義的、資本主義的三合一的異化結構。這個徹底非中國的意識型態借著全面反傳統思潮的興起，分割中國，傳統的主流文化被打入腐朽的骨骸，它以被壓抑的底層的中國的代表人的身分現於世，底層的中國又被視為即將到來的新中國的社會實體，它因而取得了代表中國的正統位置。

如果沒有農民這個階級加入共產主義革命，中國的一九四九革命應當不會成功，而且也不會成為有特色的中國共產主義革命。而農民成為無產階級隊伍的主力固然可以視為社會階層分析底下精算的產物，但它實質上卻也動員了中國社會底層的無意識的力量：土的象徵、底層人民的潛能。而且也引發了許多非出身無產階級的知識人背叛了他們出身的階級，躍入革命的洪流中。對於一九四九革命的土地的力量，本節將以社會學家費孝通的一篇短文作結，此篇作為證詞用的短文值得留意。面對著從黃土地上升起的新中國，他見證了如下的一幕：

卡車在不平的公路上駛去，和我們同一方向，遠遠近近，進行著的是一個個、一叢叢、一行行，綿延不斷的隊伍。迎面而來的是一車車老鄉們趕著糧隊，車上插了一面旗，沒有槍兵壓著；深夜點了燈籠還在前進，遠遠望去是一行紅星。——這印象打動了我，什麼印象呢？簡單的說：內在自發的一致性。這成千成萬的人，無數的動作，交織配合成了一個鐵流，一股無比的力量。什麼東西把他們交織配合的呢？是從每一個人心頭發出來的一致的目標，革命。

他接著反省他曾參觀過英國海口軍艦的行列，也曾目擊過二次大戰時非洲盟國空軍基地的規模，美、英在二戰時是並肩作戰的盟國，軍事實力可觀，費孝通的印象顯然是深刻的。但相較之下，他那時的感動卻並沒有這次在黃土平原上看糧隊時的激動。因為從前者他只能知道「力量之巨大」，從後者才能明白「力量之深厚」。[69]

「巨大」與「深厚」的對比很值得留意，作為鄉村社會學代表人物的費孝通，他對農村的力量自然有深刻的了解。但土地與「深厚」的意象的關係，他未必研究過。然而，土地作為人類一種基本的經驗，它的特點就在深厚，足以作為任何存在的根基，深厚和均平正是土地最根本的象徵。[70]中國文明的起源是多源的，它的基因中有草原的、有海洋的、自然也有土地的基因。但在文明奠基的三代時期，黃土平原應該提供了更多物質與精神的資源。《易經》的坤卦即是黃土之卦，「地勢坤，君子以厚德載物」，《中庸》說天地之道乃「博厚而高明」，黃甸甸的土地和儒家思想的性格特別地接近。

中華文明和黃土平原的關係特別密切，在亞洲東部，黃河流經的廣袤平原，夏、商、周甚至更早的五帝時代，多少王朝在這塊土地上建都創業，生於斯，死於斯。黃土平原可視為中華文明的搖籃，黃河則可視為蘊釀中華文明的母親河。土與母親的連結是普遍的現象，「土地」與「母親」的連結在神話意義上即是大母神，即是地母。然而，大母神固是生欲之神，祂也是死亡之神，土地創造了萬物，土地也埋葬了萬物。土地是豐饒，土地也是銷毀。在五四運動的文學光譜中，大母神以雙重面目現於世，祂既是慈善女神，也是凶殘女神。慈善女神與凶殘女神原是一體的兩面，這是神話版的矛盾統一。但經階級史觀滲透下的雙面女神，祂

69　費孝通在一九四九年十二月二十八日寫〈我這一年〉，刊於《人民日報》一九五〇年一月三日，收入《費孝通全集》（呼和浩特：內蒙古人民出版社，二〇〇九），卷六，頁四〇〇—四五三。

70　M. Eliade, *Patterns in Comparative Religion* (New York: New American Library, 1974), p. 242.

分化為地主—佃農兩極，地主與凶殘女神合一，他因為需要被鬥爭，所以成了推動歷史的動力。費孝通這篇在一九四九年底寫的文章中，黃土地的意象不斷的出現，面對著來自農村的鐵流一般的力量，他低頭了，他說道：

> 依靠了這一片黃土，終於把具有飛機大炮的敵人趕走，這只是深厚潛伏著的力量的一個考驗，就是這個力量同樣會把中國建設成為一個在現代世界中先進的國家。當我看到和接觸到這個力量時，我怎能不低頭呢？

費孝通是民國時期中國重要的社會學家，他對中國農村的理解戛戛乎獨造。但他解釋農民革命的力量，卻歸因於「依靠了這一片黃土」，他的說法既是認知的，也是抒情的。但正是建立在認知上的抒情的語言，它顯得更真實。就政治動力學的角度著眼，它的意義可能更重大。因為只有這種抒情語的「這一片黃土」，才可扣響人民沉痾已久的心弦，發出了不斷迴盪的共鳴。這群被黃土力量動員起來的農民與知識分子隨後將共同走進滾滾黃沙之中，接受紅血與黃土交織的革命的洗禮。

六、甦醒的神話力量

新文化運動的核心話語中，「民主」是理性的，「科學」是理性的，「階級」是被視為「科學」的，它是科學的社會主義系統中的概念。即使「個性」是帶有情性的概念，但這個來自近代歐美資本主義社會的舶來品，它的形象依然是正面而陽光的。然而，我們看到新文化運動的論述其實有另一面，不管是黑暗或是土地的意象，它們都有穿不透的厚度，黑黝黝的曖昧性。即使「光明」也像是幻光，而不是悟覺之明光。黑暗、幻光、土地這些意象都不只是物質意義的，它們來自意識的底層。這些幽暗力量存在已久，但處在帝國的理性官僚統治下時，它會以各種變形的方式，與之共生共榮，安然地存活於歷史的流變中。時光悠悠，神巫潛蟄，到了二十世紀，原有的天下秩序已接近全盤崩潰邊緣，裂開的秩序之隙縫甦活了沉伏已久的潛層的幽暗意識。「神話」的知識體系則被引進中國，成為中國人文科學裡的一個分支，[71]其魅影分身且滲進各學科中，世界漸不安寧。新興的神話知識喚醒本土潛存的神話原素，幾番混合後，這些原素即從「在己」的性格轉化為「對己」的性格，它潛存的魔力借著新興的學科之名，獲得解放。

神話意識獲得解放，這是有肥沃的土壤作支撐的。在二十世紀，中國這個古老的國度發生了史無前例、並世罕見的反傳統、反正統的思潮，[72]而且一發不可收拾，從新文化運動到一九四九共產主義革命，反傳統的浪潮一波強勝一波。在這股反傳統的思潮衝擊下，作為文明規範的禮儀與作為行事基礎的人格結構動搖了，存在底層的幽暗業力四處流竄，留下重建文明與人格秩序的巨大缺口，缺口需要彌補並重建。神話此時扮演了一種救贖的、活化的生命激素，它賦予主體與群體絕後復甦的活力。魯迅、郭沫若、聞一多、茅盾等名家都有意借助神話的原始血液清洗日漸老化的中國傳統。民國學術的「發現神話」是樁重要事件，它與

71 袁珂認為蔣觀雲於一九〇三年使用「神話」當是此日譯漢字傳入中國之始。參見袁珂，《中國神話史》（上海：上海文藝出版社，一九八八），頁二五。此說頗為學界接受。然梁啟超於一九〇二年，即已使用過。譚佳近更考證，一八九七年十二月四日的《實學報》上已用了「神話」一詞，此詞最早使用的日期因此可跨入一九世紀。參見譚佳，《神話與古史：中國現代學術的建構與認同》（北京：社會科學文獻出版社，二〇一六），頁四九—五二。「第一次」的記載隨著新史料的出現容易被推翻，但「神話」基本上在二十世紀才成為中國學術界通用詞彙，當無問題。

72 參見林毓生著，楊貞德譯，《中國意識的危機：五四時期激烈的反傳統主義》（新北：聯經出版事業公司，二〇二〇）。

「民間」的發現，同樣構成一個時代的風雲偉觀。

在民國時期新知識體系的建構工程中，神話學的出現是值得留意的一樁事件。如果我們觀察《新青年》成立以後的新文學運動史，不難發現新文學的大家通常也就是神話學的大家，魯迅是最典型的例子，他的文學作品運用了特多的神話原素，他的《故事新編》也可以說是《神話新編》。茅盾是第一位寫出較嚴格意義的神話學著作的文人，他的《神話學ＡＢＣ》雖是入門的導論之作，但至今為止，其學術價值仍然存在。聞一多是位嫻熟神話意義的古典學者，他的《神話與詩》新義不斷，訓詁與闡釋都頗可觀，此書至今也仍是中國神話學的經典。郭沫若雖然後來倒向了社會寫實主義的陣營，但他的文學創作與文學研究作品中，神話的成分占有相當的比重，他對《楚辭》的愛好，也可以由神話學的角度見出。我們如果將魯迅、郭沫若、茅盾、聞一多從五四新文學的名單中刪掉，殘剩下的文學成績將會蒼白得可怕。但這幾位五四文學運動的巨人先後都著迷於神話的世界，這個現象到底指向何種意義呢？

對國人而言，神話這個來自西方近代的語彙當然已不再陌生，但我們似乎仍可跨越文學研究的藩籬，回到與人的存在密切相關的原初的位置。神話不只是一套神奇情節的敘述，它是主體深層潛存的幽暗力量，這股幽暗力量不見得可以為主體的理性之光照及，因為它仍在理性之光底層。神話是建立在跨越各種法則的非邏輯的思維，帶有理性無法約束的力量。神話思維不是前邏輯，不是反邏輯，而是非邏輯，它是非知識論導向的另一套語言。它的特色在於跨越了一切的區別，包含死生、性別、人禽等等分類的系統，這些都不會構成神話運作的障礙，它們無一不在神話的衝撞下失掉邊界，臣服其下。神話超出了分類的邊界，意即神話的內涵有多出「敘述」、「思維形式」之外的力量，事實上，神話即是人類生命最底層的力量，卡西勒所謂的生命形式，亦即它內在於生命本身，而且是最根底的運作模式——卡西勒稱作「象徵符號」。關於神話意識與生命結構的本質關連，此義不僅見於卡西勒，我們在二十世紀的神話大家如耶律亞德（M. Eliade）、榮格著作中最可看到。他們對神話的認知的共同交集在於神話是種動能，是生命最基源的展現，也是文明發展的第一個階段。奧托（R. Otto）的《論神聖》所說的神聖（numinous）所指的當也是這種跨越一切區別甚至善惡的神祕力量。[73]

如果神話是生命形式也是生命能量的「力必多」（libido），我們就不要期待在任何重要的文化事件裡可以缺少它的身影，事實上，重要的文化現象都有築基於神話意識的成分，此義可說是二十世紀神話學的主流論述中的一種。神話是文明之母，它平素蟄伏於個人與文明的底層，但一旦規範系統解紐，它即會驚蟄逸出。至於逸出的神話力量到底爾後是成為建構新的文明的正面力量，還是變得沒有規範性的非理性力量，端看它與什麼樣的型塑力量結合。我們不能期待神話不要發揮力量，事實上，沒有這樣的機會，因為神話的力量是內在於生命的結構本身，它可轉化，卻不可能消滅。二十世紀上半葉的中國社會恰好是倫理綱維解紐的動盪時期，神話找到了最好的表演舞臺。

秩序的解紐與神話意識的流竄是二十世紀上半葉許多國家共同的經驗，不只中國，雖然中國的經驗有獨特的地方。關於神話思維與近世世界的關係，卡爾•巴柏（K. Popper）、阿多諾（T. W. Adorno）等人都有著墨，[74]二十世紀影響神話理念甚巨的心理學家榮格也是「預流」中的一位，他很注重神話中無意識的力量，更恰當的說法是集體無意識。無意識概念對應意識而發，既然是無意識，表示它超出了主體控制的範

73 參見奧托（R. Otto）著，成窮、周邦憲譯，《論神聖：對神聖觀念中的非理性因素及其與理性之關係的研究》（成都：四川人民出版社，一九九五）。此書的副標題值得注意，它問的不是道德如何可能，而是宗教如何可能的議題。

74 參見卡爾．巴柏（K. Popper），《開放社會及其敵人》（台北：桂冠圖書公司，一九八六）；馬克斯．霍克海默（M. Horkheimer）、西奧多．阿多諾（T. L. W. Adorno）著，渠敬東、曹衛東譯，《啟蒙辯證法》（上海：上海人民出版社，二〇二〇）。

圍，他是屬人的，但卻不屬個體。但神話思維之重要還不在它是非個人性的，更在於它是集體性的，榮格因此有集體無意識之說，集體無意識不可認識，但它卻可顯現出原型意象，原型意象是來自深不可測的原型底層。[75]筆者認為榮格的原型假說對我們理解五四新文學運動中出現的神話題材可以起照明的作用。

榮格論文學、藝術創作時，很強調來自原型的力量。榮格從精神分析的角度論人的心理與文學的關係時，他將作品分成兩種，一種是「心理學式的」，一種是「幻覺式的」，其實也就是「原型式的」。前者來自人的意識經驗，我們可以說，有革命目的導向的階級史觀所呈現的作品，比如丁玲的《太陽照在桑乾河上》，可屬此類。然而，影響一代思潮最重要的作品，當是榮格所說的「幻覺式的」作品，它的根源來自不可測的人的深淵，榮格說：

> 幻覺式的藝術創作素材不再是人人耳熟面詳的。其本源是來自人類的心靈深處，它說明了吾人與洪荒時代在時間上的差距，同時亦給人一種只有明暗對比之超人世界的感覺。那是一種人類無法了解的原始經驗。因而人亦常有受其驅使的危險。其價值與力量在於它的廣大無邊。它來自無限；令人感到陌生，冷峻，無邊際，魔力，光怪陸離。它是一個無邊混亂之猙獰荒謬的寫照——套句尼采所說的話，便是一種「冒犯全人類的大罪」。[76]

榮格這裡所說的「幻覺」一詞並非意指它是顛倒妄想，而是超越感官或意識層的一種深層意識的性質。幻覺式的作品的主題即是原型意象，原型意象帶有理性難以壓抑的動能，因為它的成因是累積千萬年的人類經驗的積澱，它其實也是另一種的本能。人類有多少重要而普遍的經驗，原則上即可以有相應的原型內藏於人的精神結構當中，這些來自於古老荒邈的經驗遺跡構成了「人」這個概念的「古層」，「古層」的原素來自古老的人類的積澱，而積澱於當下的每一個人的深層意識構造中。在恰當的時機，這些古層的原型動力即會以原型意象顯示出來，榮格本人即有這種原型外顯化的體質。[77]二十世紀的梟雄與大歷史事件可以說都是築基於原型意象的現實顯像，原型意象即為神話主題。

榮格所謂的「幻覺式的」作品，如《白鯨記》、《浮士德》皆屬之，這類幻覺式的作品呈顯出來自存在底層的幽暗力量。我們不會忘了，尼采或哥德（J. W. von Goethe）的《浮士德》在五四運動的時期曾以西方聖人聖書的身分被引進中國，在一九二三年《新青年》的〈新宣言〉即援引《浮士德》之語：「我將創造成整個兒的世界，又廣大，又簇新；請幾萬萬人終身同居住……幾千百年，永久也不磨滅。」《浮士德》此處所說極似千禧年的樂園景像，那是永遠期待，可能也是永遠不會到來的烏托邦。烏托邦的嚮往是人類一齣永恆的夢，也是存在根源的夢。如果聖俗的分裂是文明的第一步，對於聖的嚮往與對於俗的超越是任何文明發展都不可缺乏的動力，那麼，烏托邦的嚮往即不可少。儒家的大同世界、柏拉圖的理想國、基督教的千禧年是赫赫有名者，我們在名單上還要加上共產黨許諾的未來的共產世界。共產黨在一種詭異的意義上可說是另類的基督宗教，黨部是教會，偉大的領袖是救世主，他的語錄是聖經，幹部是傳教士。鏟除一切階級分別的共產社會是馬克思提供的烏托邦的文明圖像。[78]我們不會忘了，烏托邦的想像是新文化運動的一大特色，

---

75 榮格以原型意象解釋二戰的歷史事件，參見卡爾．古斯塔夫．榮格（C. G. Jung）著，周朗、石小竹譯，《當代事件論文集》，《文明的變遷》，收入《榮格文集》（北京：國際文化出版公司，二〇一一），卷六，頁一二九—一八〇。榮格描述文明巨變或歷史巨變的心理前兆，都有類似幻象的敘述。

76 榮格（C. G. Jung）著，黃奇銘譯，《尋求靈魂的現代人》（台北：志文出版社，一九七四），頁一八六。

77 參見榮格（C. G. Jung）著，劉國彬、楊德友譯，《回憶．夢．思考：榮格自傳》（瀋陽：遼寧人民出版社，一九八八），頁四七五—四八七。

78 共產黨與基督教在結構上的相似性並不難看出來，早在二〇年代初期，詩人徐志摩已提出警告，指出蘇聯共黨政權的中世紀宗教性

共產黨人也是預流者，而且是更成功的建構者。

既然說及了浮士德，我們不妨再進一言。依榮格意義的「幻覺」論，我們可以切進魯迅作品的解讀。在民國新文學家當中，魯迅的地位特別高，影響也特別大，他是被毛澤東拿來當作可以和孔子相比的「現代中國的聖人」。[79]魯迅的影響可能來自他有明確著作意圖的小說如《狂人日記》、《阿Q正傳》或雜文，但竊以為他最動人的作品是曖昧魔幻、指涉對象不明的著作，這些作品語義矛盾，敘述跳躍，但字字句句似乎都是來自生命與地底的咒聲，最是扣人心弦。如前文已引用過的《野草》的部分文字，我們再擴大引用如下：

當我沉默著的時候，我覺得充實；我將開口，同時感到空虛。／過去的生命已經死亡。我對于這死亡有大歡喜，因為我借此知道它曾經存活。死亡的生命已經朽腐，我對于這朽腐有大歡喜，因為我借此知道它還非空虛。／……天地有如此靜穆，我不能大笑而且歌唱。天地即不如此靜穆，我或者也將不能。我以這一叢野草，在明與暗，生與死，過去與未來之際，獻于友與仇，人與獸，愛者與不愛者之前作證。／為我自己，為友與仇，人與獸，愛者與不愛者，我希望這野草的朽腐，火速到來。

這是《野草》的題詞，也是此著作的主軸。野草漫野攀延，殳除不盡，不待春風而自生，這是來自於生命底層的神祕。〈野草〉真正的作者不是主體意識清楚的魯迅，而是深藏於魯迅生命深層的摩羅，是《浮士德》的梅菲斯特（Mephisto），是一股流動的無名的地火。摩羅的魔力在於它的魔力之無以名之，它對世界不肯定，也不否定，也不是不肯定也不否定，它是同時肯定與否定，又同時不肯定且不否定。它沒規定，沒破壞規定，它在規定之外——摧毀一切區別正是神話思維的特質。

超越規定之外的「幻覺」的作品來自於超主體的主體力量，它扎根於幽隱無名的生命底層，它是無法規定的X。關於神話意識的生命能量，此義雖不特殊，但中文世界似乎可以更注意此事。本文僅再借當代法蘭克福學派學者孟柯（C. Menke）的觀點稍加引申，[80]此書論及近代西方美學與主體的關係，提供了我們另一個值得參照的角度。孟柯此書受到尼采影響，我們不會忘了影響魯迅思想很深的西洋哲人之一正是尼采，托爾斯泰與尼采是構成魯迅重要思想的「托尼道德」。孟柯此書所說的「力量」如果使用赫德的語言，這種來自無名的深沉力量可稱作「幽暗力量」。如果我們再稍加辨識孟柯所說的幽暗力量，不難發現他說的幽暗力量近於神話力量，事實上，藝術創作的意識、或說是某種意義的美學極接近神話意識，榮格、耶律亞德論神話原型即多取材於文學作品，奧托《論神聖》一書中也多以文學作品或美感詮釋為例，指出在情感深濃運作處即可看到「神聖之感」的力量介乎其中。

神話、美學這兩種領域恰好都是二十世紀中國人文科學重新塑造後新起的學門，它們的興起似乎不是偶然。但孟柯提及「力量」一詞，不是讚美幽暗力量之意，他是站在思想史的立場，指出近世歐洲的美學趨勢。孟柯認為西方藝術史上，尤其是近世藝術史，一直有兩種藝術觀的抗衡，一是官能的，一是力量的。

格。他說：「拿馬克思與列寧來替代耶穌，拿《資本論》一類書來替代《聖經》」（〈「一個態度」的按語〉）；「有幾個前提是不容你辯難，不容你疑問的：天主教的上帝與聖母，共產主義的階級說。你沒有選擇的權利，你只能依，不能異。」（〈關於黨化教育的討論〉），上述引文參見邵建，〈穿刺蘇俄「新教育」〉，《倒退的時代：從梁啟超的憲政到《新青年》的民主》（台北：秀威資訊公司，二〇一八），頁二一六—二一八。徐志摩一向被視為詩人，不是思想家，邵建此書提供了詩人的另一種圖像，也就是作為政治思想家的徐志摩。

79 〈論魯迅〉一文是毛澤東於一九三七年十月十九日魯迅逝世一週年之際，在陝北公學舉行紀念演講時的演講稿。毛澤東云：「魯迅在中國的價值，據我看要算是中國的第一等聖人。孔夫子是封建社會的聖人，魯迅則是現代中國的聖人」。毛澤東，〈論魯迅〉，《毛澤東文集》（北京：人民出版社，一九九三），卷二，頁四三。

80 Christoph Menke, "Die Kraft der Kunst. Sieben Thesen," in *Die Kraft der Kunst* (Berlin: Suhrkamp, 2013).

「官能的」藝術是理性可控制的，藝術是經由社會培養而達成的一種感官活動，它服從於主體的建構法則。「力量的」藝術則來自生命的底層，它非意識所及，它有自行發展的力量，它會參與官能，卻又是官能的「他者」。依據孟柯所述，「官能」、「幽暗力量」與「主體」、「藝術」的關係可鋪陳如下：

（一）官能是意識主體的感性作用，它經由社會性的習練而被養成，官能讓我們成為主體，即能成功地參與社會實踐，以複製其一般形式的主體。但人在被馴化為主體之前就擁有力量，力量是屬於人的，但也不屬於人。它是前主體的代理人，而不是主體；它是活動的，但無自我意識；它是有發展能力的，但無目的。

（二）官能實現一種被社會所預定的一般形式，但力量構成形式，因而是無形式的。力量構成形式，但任何被力量所構成的形式將再被力量轉形。所以藝術其實是在官能與力量之間來回往復的過渡性行動。藝術存在於力量與官能的二分，藝術存在於一種悖論的能力；能不能、有功於無功。

（三）因為如此，藝術不是社會的一部分——不是社會的實踐；這是因為參與社會實踐具有行動的結構，即實現一般性形式的結構。主體意味著實現一種社會實踐的形式，它維繫了既存的社會機制。相反地，真正的藝術在現實的總體之外，我們在產生藝術或在經驗藝術之際就不是主體。藝術不是社會領域中的自由，更是擺脫社會領域的自由；更精確地來說：藝術是在社會性之中擺脫社會性的自由。[81]

推廣孟柯所說，我們似乎可以將藝術分成官能型的藝術與力量的藝術，力量的藝術的動能來源應該就是神話意識。但嚴格說來，真正的藝術只有一種官能且力量相互配合的藝術。因為官能的藝術還是要由力量的藝術所滲透、轉化甚至推翻，才能成立；而力量的藝術，也要經由官能的管道才能進入社會，也才能表現自身。一種沒有官能功用的力量藝術因找不到表現形式，其實即非藝術，藝術是「戴奧尼斯藝術」而不是「戴奧尼斯野人」。就作品而言，「官能」與「力量」其實是同時都需要，但比重不同，結構不同，它們的藝術效果也就跟著不一樣。

我們借著榮格的原型理論與孟柯的力量論，突顯出發生於五四新文化運動的主體力量乃是深入主體深處，而非主體所能意識到的幽暗力量。如再深入探討榮格的原型與赫德的幽暗力量，我們有理由相信兩者同根而發，同樣出自意識的深層，筆者認為此當是構成人格發展與文明發展的底層動力——神話意識。宗教與藝術的源頭都扎根於曠古洪荒的神話意識，兩者同體而異用，同出而異名。神話意識推動二十世紀的革命，納粹掌權，動力來自神話；印度脫離英帝國獲得獨立，動力也來自神話；筆者認為中國的一九四九共產主義革命，也是神話提供了大量的動能。

說到宗教與藝術，我們馬上會想到在五四時期，蔡元培曾提出有名的「以美育代替宗教」說。如前所述，此說提出的時機乃是五四時期中國社會面臨意義的危機時的一種主張。蔡元培是宗教意識與美感意識皆俱足的學者，他會提出這個爭議性強的主張，源於他強烈的時代危機意識，他知道人的主體性的問題是時代問題的一個重要環節。但基於那個時代對於宗教的不信任，人卻又不能缺乏某種意義的宗教性，所以蔡元培提出以美育代替宗教的位置。蔡元培的著眼點很值得省思，他顯然看到宗教與美感在安置人生的意義上，都有合理的功能，但五四時期是反宗教的時期，此時只宜以美育代替。依我們今日的理解，蔡元培對於宗教與美學的理解顯然都受縛於時代的視野，他忽略了宗教與藝術在人性結構上都有更深層的源頭。宗教核心的因素在於一種超理性或非理性所及的聖之意識（numinous），美學的根源則是非感官所能拘束的幽暗力量。聖之意識或幽暗力量可以說都是神話意識的分身，或是本尊，一氣化三清。它們來自於文明的共同母體——神話，神話為文明之母。

81 同上註，pp. 11-14。上述的譯語參考何乏筆翻譯本初稿（篇名：〈藝術的力量：七項預設〉，書名：《藝術的力量》，未出版）。

蔡元培對於野性與理性、野蠻與文明、形式與動力分別之前的幽暗向度，也就是對任何原始的二分之前的蠻性渾沌，正視不足。他理解的藝術只能是官能型的藝術，不能是幽暗意識力量的藝術，他的藝術是用來淑世社會而不是破壞社會規範的。相反地，他所說的宗教只能是頹廢世代的末法宗教，而不能來自於奧托所說的聖之經驗的宗教，他的宗教只能是頹壞社會而不是轉化社會的力量。蔡元培對宗教與藝術的理解都受限於時代的視野，他的「美育代替宗教」說可以確定只能以失敗收場，但他的主張預設了「宗教」與「美育」的相互轉換的可能性，還是值得留意的。

美育是無法取代的宗教的，我們如果拿孟柯的分類與蔡元培的相比，或者可以發現「官能型」與「社會性內涵的美育」、「力量型」與「宗教」的關係，「官能」與「力量」就像「主體」與「非主體」的關係一樣，可以視為兩種類型，但更恰當的說法當是視為兩種功能性的模態，任何成功的藝術品即使以社會性內涵為主，它也要有力量的因素，如陶潛或杜甫的作品。反過來講，任何力量型作品即使以非理性或非主體意識所及的幽暗力量為主，它也要有官能的因素，如屈原或李賀的作品。我們幾乎可以確定完美的藝術作品或文學作品當是它蘊含了來自深層的宇宙意識的原型、深層的歷史記憶、個人深刻感受顯現的風格以及該知識分枝的表達形式，竊以為杜甫的〈秋興〉既有宇宙性的原型意識，也反映了安史動亂的大時代悲歌，自然也有作者兼攝主體意識與非主體意識混合的個人風格。

回到蔡元培的主張所要面對的人生安頓問題，也就是回到渾沌無明的力量的啟示。如果神話是種符號形式——筆者接受卡西勒這個提法，那麼，神話就不可能只是一則人類童年時期的故事，相反的，它是構成人類經驗不可缺少的因素。卡西勒的「符號形式」的地位類同於康德（I. Kant）的「範疇」，只是「範疇」是純粹理性的概念，知識論的義涵重。卡西勒的「符號形式」是文化哲學的用法，它用以解釋人類文明的現象。作為符號形式的神話有時空形式面的表現樣態，它有丙午、元旦、冬至、十三日、星期五這類的神話的時間；有崑崙山、姑射島、伊甸園、麥加、耶路撒冷、寺廟、教堂這類的神話的空間；有「部分即全體」、「變形」這類的表現模式。但更重要地，神話的敘述形式是建立在神話的生命形式上面的，神話是生命的內涵，神話意識是不容自己的神祕動能，卡西勒稱最根源的生命動能為瑪納（mana），這是他借自人類學家的概念。[82]論及「生命形式」，筆者認為我們或許可以比較「瑪納」、「原型」、「幽暗力量」，筆者認為這幾個概念之間可以相互轉譯，這幾個詞彙都指向了人類存在的底層。但作為原始的生命力量，我們沒有理由一定從負面的語義連結之，事實上，它充滿了矛盾的性質。我們在此該正視卡西勒提出明／暗這組對立概念的重要意義。為什麼全世界的神話大概都有天地開闢、明暗分別的始源神話？卡西勒相信它來自於人類根源性的晝夜經驗，明暗開啟了一切存在的模式，它具有存有論的基源的性質。

如果「光明」、「黑暗」是神話的主要素材，它具有存有論的始源意義，那麼，我們當預期它會在許多表達形式中出現，不僅於革命文學的敘述。事實確實如此，明暗就像中國傳統的陰陽一樣，確實是很根本而常見的主題，甚至可提升到二元的思維形式的層次。但正是因為明暗帶有存有論的內涵，它在大動亂時期表現得特別明顯。幽暗是深層的，但光明同樣也是深層的，明暗一體同紐，兩者乃對立的統合，對立的統合是耶律亞德一生極感神祕的神話主題，這個主題幾乎也遍布於古代世界的修身技藝。[83]光明的神話主題如果譯成意識的語言，即是理性或理智的明光，不管大知或小知，哲人常以明光表之。一件理想的藝術作品是力量與官能的結合，一件理想的文學作品是原型圖象與歷史社會意識內容的整合。同樣地，一個合理的新文明的創造固然需要動情獻身的神話力量，但也要理性的統合力量與理智的判斷的引導，換言之，也需要經由明確

82 上述說法參見卡西勒，*The Philosophy of Symbolic Forms*，卡西勒是二十世紀神話學大家，他的神話理論散見於《人論》、《國家與神話》、《符號、神話、文化》諸書中，但竊以為最完整的著作仍當是 *The Philosophy of Symbolic Forms* 此書。

83 M. Eliade, *Yoga, Immortality and Freedom*（New York: Pantheon Books, 1958）.

的人格的管道，因此也滲進了理性的主體性的判斷，這樣的文明才是較合理的模式。

光明、黑暗、土地這些都是原型意象，「原型」不管是否可以作為生理學的事實，但它確實是有意義的神話學的概念，我們如果還原原型到集體無意識的古層生命上去，我們即該重視原型帶有形式化之前的洪荒力量，我們也就了解所謂幻覺式的作品雖然來自於作者自覺的創造，但它的始源卻是來自於某位隱名的集體性的作者不容自己地流出，我們如果要了解五四運動後出現的神話思潮的意義，那麼，先行了解神話來源的那位集體性的隱名作者就是不可少的。幽暗意識的魯迅是唯一的，他是生於一八八一年的那位紹興籍的新文學作家；但作為時代精神的象徵，他也是理一分殊的，超越了特定的時空點，紹興的魯迅是無數個無法表達己意的魯迅們的代表。

一位黑暗的、地火的魯迅代表千千萬萬具有黑暗的、地火的深層意識的魯迅們，他們向著階級史觀承諾的光明邁進，革命的力量就這樣爆發了。而革命的力量能否帶來烏托邦想像所承諾的成果，很根本的因素在於文學家的原型想像能否接上理性的明光？或者他是否有可能讓洶湧而至的原型力量衝垮了理性的力量？神話意識是文明之母，我們不可能消滅它，只能順之並善導之，在動亂的時代，神話意識都會出來的，但我們可以看到成功的例子，如殷周之際的新的天命觀的產生，這種新的天命觀透過制禮作樂的過程，它使得周文明及周君子都得到了精神發展的高度。相反的例子即是納粹，納粹運動帶有濃厚的神話因素，神話濃到連一點理性存活的空隙都不存在，這樣的現象是比較可以取得同行研究者的共識的。

二十世紀的中國是充斥革命論述的國度，革命承諾未來以光明，否定過去以蒙昧，在二十世紀的中國的革命論述中，光明／蒙昧、未來／過去的撕裂之徹底莫過於左派思潮。左派文人或左派革命家在獲得階級意識，承擔起革命的任務後，他們的理性意識即成了更底層的幽暗意識的表現管道，左派文化充滿了必然的、雄辯的、暴力的、火熱的因素，幽暗的因素似乎成了若有若無的存在。但筆者相信革命敘述中的光明只因黑暗的背景而更加朗顯，黑暗是廣漠的生命的底層，它的根源深不可測，它會成為光明原則的意識層之支持力量。當意識層的光明原則是建基於理性的、人格的因素之上時，這種黑暗、光明同紐的結構會創造偉大的英雄史詩。反過來講，如果意識層的明光乃非理性的、偽理性的、掏空人格結構時，那麼，與黑暗共同存在的光明可能是無根的，當它浮晃於異化的未來時，它即擁有魔笛般的力量，群眾會被導向災難的深淵。我們判斷一九四九共產主義革命的意義，或許可從其間理性的力量或道德自主的力量是否喪失此點著眼。

七、結論：光影的辯證

在民國的各種運動中，新文化運動具有特別豐富的內涵，它的重要內涵之一是和一九四九革命之間的關係。一九四九的共產主義革命是世界史意義的事件，它的圖像應該已很清楚，影像也特別高大。在陽光照射下，革命的路途是正大光明的，這是幾代的中國人辛辛苦苦摸索出來的啟蒙道路。在通往共產社會的通路上，淌滿了革命烈士的鮮血，一九四九的共產主義革命是齣神奇而浪漫的傳奇。對許多充滿熱情革命情懷的人而言——筆者相信後世陸陸續續還會有不少這樣的人，一九四九革命這齣傳奇還會流傳下去，它的魔力還會持續地被召喚出來。

我們很難抹殺從新文化運動到一九四九社會主義革命這條歷史途徑的理想主義成分，歷史已經如此呈現，它的存在即有解釋的力道。構成這種光明理性的新文化運動圖像總有依據的，主流的敘述不能說不對，本文也願意先承認這場革命的獨特意義。但在承認之餘，筆者總覺得當中缺少了「深層動力」這個重要的環節。筆者相信築基於理性原則上的理念的作用，理念在歷史是可以有指導的力量的。但筆者同樣相信理念之外、之上或之下的情感、身體或無意識的力量，意識的力量需要無意識的力量的補足，無意識的力量也需要意識的理性原則的引導，理念才可推得動。很可能構成新文化運動真正的力量，不全在「啟蒙」的精神，無疑地，啟蒙思潮中的必然性概念，當時所謂的社會的「科學法則」的力量是巨大的。但必然性法則不一定來自科學，它的另一生母可能來自古老的宗教，[84]宗教和科學法則分享了「必然性」這個概念的內涵，只是定命論將決定權交給了人格以外的非理性力量。「啟蒙」的「蒙」是幽暗力量，它不一定是那麼容易開導的，筆者相信推動社會主義革命更大的因素可能是人的生命中神話意識的作用，至少一九四九革命事件是經歷改造後的階級史觀（亦即以農民為無產階級的代表）的曜光與深層的神話意識兩者合作所致。

神話是推動光明意識與黑暗意識的力量，它是很根源的表現形式。神話、詩歌與藝術同因無名力道的衝動而生，它們應當是同出而異形異名，神話又是其中之最深者，它們構成了生命的表現形式。神話是不可能摧毀的，也不宜摧毀，因為神話的幽暗力量經由始源的理性形式的引導，它生成各分支知識而成了文明之母。但神話是雙面夏娃，它流動於文明的各種表現的底層，具極大的創造性與破壞性。如果它的幽暗力量接上了非理性的形式，非理性表現之大者通常有切合時代精神之議題，民族主義與宗教呼喚是最常見的兩種，它們的真身如部落主義、意識型態會以各種偽裝的形式表現出來，因而帶來極大的災難。我們只有了解神話，才可轉化神話。只有神話在道德理性的轉化功能的作用下，它配義與道，成為完整的身心結構中的一環，我們才算給神話安置在適宜的位置。

反省從新文化運動到一九四九的共產主義革命之途，我們不能不感慨神話學出現的年代畢竟還是轉化不了神話意識的破壞作用。魯迅在五四諸多文人中，風標獨樹，他是一個時代的象徵。本文認為他的象徵作用的核心在於他的深刻的幽暗意識，他的幽暗意識是時代的產物，沒有中國近代重重疊疊的挫敗、屈辱、混亂，即形成不了這種幽暗的意識，但此混亂時局形塑成的幽暗意識卻扎根於萬古洪荒的神話意識之上。除了幽暗意識，作為時代集體象徵的光明原型、土地原型（如地火、地母），魯迅也很天才地觸及到了。魯迅作品中，其實我們不是找不到溫情、明光、希望，他也有深刻的人道原則。但魯迅對革命最大的意義在於他發揮的破壞作用，魯迅之特殊在於他從此遠古的幽暗意識中發展出一個時代的風格。

天才作家的作品的意義不會只是個人的，它也是時代的，魯迅如此，張愛玲也如此。張愛玲是五四運動後期頗具代表性的新文學作家，比起魯迅的橫眉冷對千夫指，張愛玲喃喃兒女語，她的書桌容不下太多的國計民生，更多的是亂世中曠女怨男的喁喁絮絮，叨叨切切。但天才作家的私密總蘊含了時代的訊息，作者的作品的內涵比他自己了解的還要多，本文最後即以結合魯迅與張愛玲這兩位天才作家的話語作結。

張愛玲在代表作〈金鎖記〉的收尾處，安排了七巧在無緣的女婿面前出現了，七巧是一位沒有戀愛能力卻又變態地摧毀女兒幸福的機會的寡婦。她的行事是如此的從容，如此的理性，又如此的深不可測，讀者很難理解這位身現舊社會腐朽人倫關係的婦女的動機。張愛玲描寫這位無法擺脫纏繞自家靈魂的環境的婦女道：「門外日色昏黃，樓梯上鋪著湖綠花格子漆布地衣，一級一級上去，通入沒有光的所在。」這段結尾結得極炫，也極為直白。一個「沒有光的所在」指涉了一個新時代也是混亂時代的人的情感價值的失落，一座黝暗無光的房子吞噬了七巧一家。但被吞噬者應該也包含了敘述者張愛玲這位天才女作家的情感在內，〈金鎖記〉中那位冷靜寡情的感情騙子季澤總不免讓人聯想起常將他人深沉悲傷美學化的胡蘭成。美學化以後的行為即成了無關善惡判斷的中性事件，政治事件也罷，愛情事件也罷，一拍兩散之後，肇事者仍是青梗峰下一頑石，[85]與人無愛亦無嗔。在漆黑一團的年代，走向黑暗者不只七巧，也有張愛玲（或許該說是胡蘭

84　李大釗即說馬克思主義的「必然性」「有如耶教福音經典的效力」，參見〈我的馬克思主義觀〉，收入《李大釗全集》，卷三，頁二四八。

85　「青梗峰下一塊頑石」是胡蘭成下海，參加汪精衛政權時，給自己打的一劑強心針，所謂「我與和平運動是一身來，去時亦一身去，大難過去歸了本位，仍是青梗峰下一塊頑石。」參見胡蘭成，〈漁樵閑話．天下兵起〉，《今生今世》（台北：三三書坊，

成），或形形色色的張愛玲們（或許該說是胡蘭成們）。

不管是七巧，或是張愛玲們（胡蘭成們），「通入沒有光的所在」者何止限於個人或是作家？當個人的解放或新的人的想像成為時代思潮主軸，而來自深廣文化的規範意義消失時，綱紐解消了，每個人似乎都有了自由意志，行動和選擇掛了鉤。張愛玲碰到了胡蘭成，就像七巧碰到了季澤，長安碰到了世舫，他們似乎有了可能性。但一種斷絕關係與漠視厚度的個體性自由是抽象的，追求光明目標的行動終究只能走向沒有光明的黑暗。七巧難道只是代表腐朽的舊封建勢力？樓梯一定通向光明嗎？〈金鎖記〉說的不會只是新舊文化轉型時期一對男女追求愛情的失敗故事，它說的是五四，一座房子就是一個世界。

失望到了絕頂即有希望，沉默至極不見得就是死亡，而是爆炸。論幽暗意識之黝暗厚重，「非人間的濃黑的悲涼」之深刻，五四文人無過魯迅。但魯迅不僅是抒寫主體感受的文人，他也被視為是「骨頭硬」的運動型人物，魯迅既耽溺於黑暗的致命魅力，但他對光明也是有期待的，黑暗閘門內的魯迅也是地火焚空的魯迅。他說：「如果放火比先前放得大，那麼，那人就也更加受尊敬，從遠處看去，恰如救世主一樣，而那火光，便令人以為是光明。」[86]光明之大者莫過於太陽，太陽是天火。魯迅的預言真準，他的預言總帶著幾分悲涼，他永遠不會絕望，但也永遠不會樂觀，這才是魯迅。但預言雖是預言，有時還真準，火放大了，「恰如救世主一樣」的紅太陽果然隨後就會到來。

魯迅和張愛玲不甚相似，文風南腔北調，個性天地睽隔，關心的議題也很不一樣，兩人的世代也差了一輪。但他們兩人是新文學運動中兩位傑出的代表，而他們的新文學創作的成績也有可能成為新文化運動的指標。「革命」的時代氛圍會塑造奇蹟，借用魯迅的語言模式，我們可以說異代者可以是同代，相反者也許可以相成。歷史喜歡弔詭，「沒有光的所在」所以要尋找「以為是光明」，「以為是光明」所以通向「沒有光的所在」，「沒有光的所在」與「以為是光明」兩者乃相互主體性。革命所謂光明即非光明是名光明，這是五四新文化運動的辯證法。

一九九〇），頁一八五。「青梗之峰」、「頑石」皆引用《紅樓夢》的典故。

86 魯迅，〈關於中國的兩三件事〉，《且介亭雜文》，收入《魯迅全集》修訂編輯委員會總編注，《魯迅全集》（北京：人民文學出版社，二〇〇五），卷六，頁九。

第五章

時間開始了：一九四九年的兩場歷史巨變

一、緣起：百年風雲兩巨變

一九四九年十月一日，北京天氣晴朗，全市籠罩在一片肅穆的氣氛中，根據一種史觀，百年來中國人民尋求的答案即將揭曉。下午三點，毛澤東在天安門廣場，對全世界宣稱：「中華人民共和國中央人民政府今天成立了！」其時典禮臺上有各黨派及各族代表多人，臺下有群眾集會三十萬人。隔日《人民日報》報導的主題為「中華人民共和國中央人民政府成立，毛澤東主席宣讀中央人民政府公告」。對參與過十月一日開國大典的人來說，十月一日是個獨特的日子，因為當日共和國的成立代表歷史翻到新的一頁，一個與以往不同的歲月就此展開，這個不同不是量的不同，是質的不同，是一種時間的飛躍與昇華。

中共當時主要文藝領導人之一的胡風為開國盛典寫下了著名的長詩〈時間開始了〉，他以詩人的身分搜羅辭典，從中找出最雄偉、壯美的詞句，禮讚另一位同樣有詩人身分的毛澤東。再以破除一切界限的熱情，歌詠在宇宙新生的共和國道：

> 時間開始了／祖國新生了／人民站起來了／每一縷光輝在歡呼／每一種彩色在歡呼／每一股香味在歡呼／每一條河流在歡呼／每一個山頭在歡呼／每一片平原在歡呼／每一架機器在歡呼／每一粒原子在歡呼／地球在歡呼／群星在歡呼／大宇宙在歡呼！[1]

這種類似《華嚴經》所歌詠的「海印三昧」的景象自從李唐後，在中國已銷聲千年了，而《華嚴經》所歌詠的是神祕的佛陀本懷的境界，胡風描述的是現實世界，是人間的政治淨土。古往今來、六合四方、山河大地、寰宇星辰，一切的一切，全湧向共和國成立的此一刹那。胡風以他所能想像得到的最華麗的言詞，使盡創作最大的能量，歌詠他期待已久的革命政權在中國誕生。

時間這個維度只能從一九四九年十月一日開始算，之前的時間不是時間，它需要被拯救。「開始」之前即是時間的空無。顯然，胡風此處所說的「時間開始了」的時間只能是種特殊的規範的用法，他的表達意味著時間的本體論的分裂，意義始於時間的悸動。我們從共產黨人一向的追求可以理解，「時間開始了」的時間乃意指一種承載解放意識的規範性時間，亦即爾後的中國將走向不再有階級壓迫，不再有異化意識，不再有顛倒妄想的社會結構與歷史經驗。平等的時代即將到來，「一九四九／一〇／〇一」這個符號否定了以往的時間之流的價值。

中國共產黨的勝利反過來看，意味著國民黨領導的中華民國政府徹底地失敗，當中共黨人在天安門慶祝開國大典時，國府在濟南、遼瀋、平津、淮海、京滬諸戰役皆已一一敗北，而且都是慘敗，損失的兵力與土地難以衡量，可以轉化為戰力的資源已相當稀薄，這種一面倒的趨勢在隨後的幾個月中沒有絲毫的改善，歷史的天平不斷地往中共方面傾斜，解放軍很盡責地實行了毛澤東主席與朱德總司令的命令。到了當年十二月七日，國府眼看赤焰滔天，無法挽回，乃毅然於成都宣布中央政府遷都臺北，大本營轉到西昌，繼續剿匪。但中央政府遠遷海島，其實已接受神州赤化的事實。大本營遷移到西昌之舉，後來證明不過是無效的負隅頑抗，落日前最後的一抹殘霞。

一九四九年十二月七日國府宣布中央政府遷至臺北，其時國家最高領導人李宗仁已於前兩日的十二月五日自港飛美，丟下神州爛局不管。在前六日的十二月一日，重慶失守。當時在成都的中央要人為國民黨總裁蔣介石、行政院長閻錫山等人，他們留下來收拾殘局。當日蔣召集會議時，四川省主席劉文輝缺席，怎麼找

1　胡風，〈時間開始了〉，《胡風全集》（武漢：湖北人民出版社，一九九九），冊一，頁二五四—二五五。

都找不到人，蔣介石乃派劉的老友王纘緒去找他，並傳話道：「你去告訴劉文輝，人與人是要講感情的，他做了我多年的部屬，就算我今天死了，也是應該來送葬的。」[2]以蔣倔強、固執、其介如石的個性，這種傷感至極的話是不輕易出口的。即使以一九四九年底那種接近全面崩潰的局勢，蔣雖已作了萬一之想，[3]但仍堅持反抗意志，不稍鬆懈，挫折的話語一般是講不出來的。三天後，蔣即飛抵臺北，此後再也沒有踏上中國大陸一步。

國府在一九四九年的潰敗不只是國民黨長期執政的總體檢，國民黨人固然遭受到難以言說的羞辱，它也給當時不認同共產黨的知識人極大的衝擊，其中即包含參與中國現代化轉型的自由主義學人。就在一九四八年歲末與一九四九年元旦破曉之際，反共大將傅斯年和剛從北京圍城搭搶救學人飛機南來的胡適，在南京胡適臨時的公館守歲，言及國家大事，兩人不禁吟詠起陶淵明的〈擬古〉詩：「種桑長江邊，三年望當采。枝條始欲茂，忽值山河改。柯葉自摧折，根株浮滄海。春蠶既無食，寒衣欲誰待。本不植高原，今日復何悔。」陶淵明這首詩一般認為其本事是指劉裕篡晉自立，建立宋朝（劉宋），陶淵明以似晦實明的詩句詠懷其事。胡、傅兩人吟詠著，想到一生為自由、民主的理念奮鬥，此後的中國有可能即淪為馬克思、史達林的國度，吟到深情處，兩人竟不禁都掉下淚來。[4]

同一個時段，另外一批與自由主義學者學術上不同調的學人，也因反共的因素，紛紛南渡，或至香港或至臺灣。一九四九年年底，以錢穆、唐君毅、張丕介為班底的流亡學人在香港倉促組成了「亞洲文商學院」，也就是今日新亞研究所與中文大學的前身，他們爾後將會和在臺灣活動的牟宗三、徐復觀等人被歸類為文化傳統主義者，唐君毅、牟宗三、徐復觀三人更將被視為海外新儒家的代表。同一年年底，其時落拓南天的壯年儒者唐君毅寫給任職教育部的一位朋友柯樹屏道：

孔子二千五百年紀念，弟二年前即想到，此時學術界必可擴大表示。不料正當共黨靡爛中國之秋，書之痛心。近日時局尤惡劣，席捲之事成，華夏文教之統將暫斬於今日矣！[5]

以唐君毅為代表的一群學人認為共產黨征服中國，這個事件意味著中國文化的大挫敗。想到其時正值孔子二千五百歲聖誕之際，而儒家之道居然從此日落虞淵，明夷渾沌，漫漫黑夜方長。這些淪落南天的文化傳統主義學人認為自己彷若勝國遺民，已是當代的鄭思肖、謝枋得、王夫之、朱舜水，他們要存文化種子於海外，為爾後華夏文化的復興作好準備。

一九四九年中國境內發生了兩樁重大的歷史事件，十月一日的共產主義革命是世界史的事件，它是繼一九一七年蘇聯的十月革命以後，國際共產主義另一次重大的突破。而隨著一九九一年前蘇聯垮臺，整體歐洲共產國家徹底解體，中國共產政權更儼然成為共產主義的唯一代表，馬克思精神的現世顯像，共產主義等於中國模式，中國模式即為共產主義。這個盤據東亞大陸的共產政權之取得中國的統治權不只意味著政權的

---

2 蔣經國，《我的父親》（新北：中央印製廠，一九五六），頁一〇。

3 蔣介石在那個時代有與臺灣共存亡之想，見於多種記載，雖無從檢證，理應不假。傅斯年當時也有「歸骨於田横之島」之想，其墨跡尚存人間。墨跡見傅斯年，《臺灣大學辦學理念與策略》（台北：臺大出版中心，二〇〇六）。原上海市長、臺灣省主席吳國楨後來和國民黨鬧翻，曾在一封給蔣介石的抗議信中提到他們一家由大陸來臺時，「攜帶毒藥」同行。參見劉永昌整理，《吳國楨傳》（台北：自由時報，一九九五），頁五六三。上述的記載有可能是真的，而且，有類似舉止或想法者也不會只是他們三人。

4 胡頌平編，《胡適之先生年譜長編初稿》（新北：聯經出版事業公司，一九九〇），冊六，頁二〇六五—二〇六六。

5 此封信原件出現於二〇一七年嘉德拍賣會圖錄，《唐君毅全集．書簡》收有一封唐先生致柯樹屏之信，內容與此信基本雷同，或為唐師母謝廷光女士的抄錄。據全集標示，此信寫於一九四九年。參見唐君毅，《書簡》，收入《唐君毅全集》（台北：台灣學生書局，一九九〇），卷二六，頁三四〇。

更換，這個政權還是近世最重要的思潮之一的共產主義的具體化。中國與共產主義的關係從來沒有像今日這般弔詭，作為一種新的政經體制的中國模式早已遠遠超出史達林、毛澤東當年的想像，恐怕馬克思、恩格斯見之，也會興起恍惚迷離之感。今日共產主義需要中國，恐怕遠勝過中國需要共產主義。一九四九年十月一日的中共建政是樁世界史的事件，這已是不需多加說明的事。

一九四九年十月一日成立的中華人民共和國仍在發展中，它的前途如何，現在未必可以看得清，但它當年成立的意義未必不能明白。相對之下，一九四九年十二月七日的國府遷臺似乎只是附屬於「中華人民共和國成立」這個世界史事件的餘韻而已，它是一篇大作品中尚待增添的一條腳注，是一件完美的雕塑製成後尚未拋光打磨的鉛粉鐵屑，其存在可有可無。其時敗退到神州周邊的一些國府殘存部隊如同晚秋的落葉一樣，共產黨旋風一掃，將會迅速掉光。即使國府已退守臺灣，但隔著臺灣海峽，能守多久，也是個未知數。「宜將剩勇追窮寇」，毛澤東認為解放軍只要撥出一點零星部隊作最後的清掃工作即可，當然也要掃得徹底，不可假仁假義，養虎貽患。

然而，經過事後多年的發展，再回到原先的歷史現場，我們對當年原事件的價值判斷或有不同。筆者可以理解有人認定中華人民共和國的成立是對封建文化與帝國主義雙重的否定，中共的勝利不只是戰場的勝利，它也是政治的勝利，道德的勝利，中華人民共和國的成立乃是中國歷史長期跋涉的目的地。但不同的視角也是存在的，筆者認為我們同樣有理由認定同年的國府遷臺可視為中華民國的新生，中國歷史方向的重新定位，渡海的新中華民國的存在是對中華人民共和國的抗爭，而且是一種有辯證意義的否定。這個從廢墟中站立起來的國家，它的存在既有歷史臺灣的脈絡，也有歷史中國的脈絡，它也代表一種中國的願景。如果我們將一九四九年的這兩場巨變放在「中國的現代轉型」這個大的歷史框架下解釋，兩個中國的反覆抗爭正意味著中國現代化的艱難，不同的路線導向不同的行程，中華民國／中華人民共和國的路線之爭的理論意義仍有值得闡發之處。

二、時間開始了，「人類歷史以來」的視角

胡風的〈時間開始了〉一詩以他特有的複沓的語氣，雄偉的詞句，詭譎參差的句式，表達出對新中國的禮讚。任何人讀這首詩，正確地說，讀這組以〈歡樂頌〉引首，繼之以〈光榮贊〉、〈青春曲〉、〈英雄譜〉，再殿之以〈勝利頌〉的長詩，都可以感受到詩人難以掩抑的熱情，其情感之濃烈，恰好是華茲華斯（W. Wordsworth）「詩起於熱情後的沉思」的強烈否定。這首詩與其說是由語句組成，毋寧更像是組強烈的旋律結構，整組詩與其說是詩，毋寧更像是交響樂。我們觀看篇名，〈歡樂頌〉很難不讓人想起貝多芬讚美席勒的同名名曲〈歡樂頌〉。而由〈歡樂頌〉起首以〈勝利頌〉結尾的結構，更像是上帝從在其自己↓走入塵寰↓受苦受難↓克服惡魔↓重回榮光的宗教聖歌。事實上，我們如果把詩中的新中國改成樂園，將毛澤東改成耶穌，將馬克思、恩格斯、列寧、史達林改成摩西等先知，將封建主義中國與資本主義歐美改成惡魔，將貧農李秀真、黨員戎冠秀、工人李鳳蓮當成受烤煉的聖徒，[6]再回想中共從創黨到建國的艱困歷程，〈時間開始了〉的結構紮紮實實就是首千禧年頌。尤其詩中的毛澤東是原型人物，原型毛澤東超越了歷史毛澤東，他是新中國的總體意志，舊時間的終結者與新時間的開創者。

詩比歷史更真實，〈時間開始了〉的藝術成就如何，姑且不論，但胡風此詩於今日看來，正可以視作「一九四九」共產主義革命的隱喻。其詩之所以帶有超現實風，有如好萊塢的影片「星際大戰」，其祕密正

6　這三個人是胡風長詩〈時間開始了．光榮贊〉中的人物。

在於其詩既是非常的抒情，也非常的寫實。筆者有理由相信胡風此部詩的基調反應了一個時代的聲音，他是以「詩人總天下之心以為心」的詩人身分寫出了當時相當普遍的情感。胡風歌詠一個新政權的成立乃是一個新時代的開始，此主題從某一方面說，可說政治書寫的共相，任何新朝代的開始，甚至任何新君的登基，往往被詮釋為舊時代的消亡，新歲月的起點，中西皆然。[7]中國歷代皇帝登基，都有新年號，新年號即有新紀元。時間易老，價值易朽，所以皇帝登基數年後，往往即有改年號之舉，歲月從頭算起，一位皇帝多種年號的事並非罕見。新中國的「時間開始了」的時間同樣也是要恢復疲憊歲月的嶄新時間，一樁宇宙全面更新的事件，所有的色、所有的聲、所有的香，從地球以至全宇宙，皆參與了這場時間性質的轉化。

但一九四九年十月一日的新時間的性質還是與世間所有新皇登基的時間大不一樣，它不是永恆回歸的時間，而是永恆不回歸的永劫時間。「一九四九／一〇／〇一」此點突破後，時間即將以獨特的方式自行發展下去，永恆護持這個新興的共和國，這是線性延伸的永續發展。雖然按照共產主義的歷史觀，中華人民共和國的成立仍只是歷史的一站，它還需要向共產主義的全面實現此一終點邁進。但在現實上，終點站永不會到來，中華人民共和國將以歷史列車車頭的資格引導歷史的脈動。更恰當的說，一九四九年十月一日的新時間是在線型的永恆時間內有永無停歇的鬥爭，在永恆的架構中鬥爭以產生歷史的動力。一九四九年共產主義革命勝利以來，中共的統治模式總是在共產主義的形式下從事反覆的鬥爭，而鬥爭的主要動力來自事物本質的矛盾，這是毛澤東的繼續革命論。[8]然而，不管內部的矛盾多深，內鬥如何激烈，共產主義的政權模式與義理基礎始終不動。論及一九四九年共產主義的革命的歷史意義，我們要問的是共產黨人這種變形的歷史終止論的信心是如何來的？

讀者閱讀毛澤東的著作，可能有各種的解讀，但筆者閱讀他的著作時，發現他有一種獨特的表達方式，此即他只要論及和共產主義革命這樁事業相關的重大事件時，他都認為其事有「歷史時刻」的獨特意義，極重要而又必然，感天動地，海枯石爛，亙古洪荒所未有。如五四運動的起因和共產黨無關，但五四運動的發展卻為中共的革命鋪了道路，毛澤東論及五四運動的意義時，有言：五四運動「是徹底地反對封建文化的運動，自有中國歷史以來，還沒有過這樣偉大而徹底的文化革命」。[9]五四運動之所以是歷史上最重要的一次運動，乃因它是反封建意識的，而反封建一向是共產主義革命主要的內涵。五四運動一發展，文學革命即蛻變為革命文學，個性的解放即蛻變為個性的消失，以走向階級性的升起，中共認為五四新文化運動為一九四九年的革命鋪平了路。

魯迅不是共產黨員，但他是左聯（中國左翼作家聯盟）的領袖，這位民國文壇的大家對中共的幫助可能超過任何人，他過世後，毛澤東追念他，有言：「魯迅在中國的價值，據我看要算是中國的第一等聖人。孔夫子是封建社會的聖人，魯迅則是現代中國的聖人。」[10]封建時代已經過去，而且封建文化有待反封建文化的共產主義的救贖，所以現代的聖人和封建社會的聖人並不是並稱的關係，魯迅實質上是中國史上唯一的聖人。毛澤東之所以賦予他如許高的地位，乃因魯迅以極犀利的文筆戳穿了傳統社會的傷口，他起的反封建作用之大，難以言喻。就效果言，魯迅幫忙中共完成搬移封建主義大山的工作。

一九三五年的兩萬五千里長征是中共黨史上的一件大事，它原本是樁挫折的事件，不堪回首的歷史創

---

7 參見伊利亞德（M. Eliade）著，楊素娥譯，《聖與俗：宗教的本質》（台北：桂冠圖書公司，二〇〇一）。

8 毛澤東的繼續革命論建立在對立統一是宇宙的根本定律，也是唯物辯證法最根本的法則此一設定上面，他的〈矛盾論〉即為演繹此一大事因緣而作。參見毛澤東，〈矛盾論〉，《毛澤東選集》（北京：人民出版社，一九六九），卷一，頁二七四—三一二。

9 毛澤東，〈新民主主義論〉，《毛澤東選集》，卷二，頁七〇〇。

10 〈論魯迅〉一文是毛澤東於一九三七年十月十九日魯迅逝世一週年之際，在陝北公學舉行紀念演講時的演講稿。引文見毛澤東，〈論魯迅〉，《毛澤東文集》（北京：人民出版社，一九九三），卷二，頁四三。

傷。但經由毛澤東的創造，後世不斷的歌頌，它變成了一首極悲壯或說壯美的史詩。[11]毛澤東讚美此事道：「長征是歷史紀錄上的第一次，長征是宣言書，長征是宣傳隊，長征是播種機。自從盤古開天地，三皇五帝到於今，歷史上曾經有過我們這樣的長征嗎？」[12]所有歷史事件都是唯一的，不可能重來。但歷史事件的意義有大有小，透過比較，歷史上不曾出現過二萬五千里這樣偉大而艱難的長征，毛澤東如是說。長征是毛澤東領導的，其重要性的時間量度當然是「自從盤古開天地」。

最重要的是「共產主義」這個概念，我們可以預期毛澤東使用的語言應當更意氣充沛，浩浩蕩蕩，亙古來今，綿綿無絕，理念之重要者無逾於此，事實確實如此。一九四〇年，當反共的聲音喧囂直上時，毛澤東撰文反駁道：

> 社會的發展到了今天的時代，正確地認識世界和改造世界的責任，已經歷史地落在無產階級及其政黨的肩上。這種根據科學認識而定下來的改造世界的實踐過程，在世界、在中國均已到達了一個歷史的時節——自有歷史以來未曾有過的重大時節，這就是整個兒地推翻世界和中國的黑暗面，把它們轉變過來成為前所未有的光明世界。無產階級和革命人民改造世界的鬥爭，包括實現下述的任務：改造客觀世界，也改造自己的主觀世界——改造自己的認識能力，改造主觀世界同客觀世界的關係。[13]

引文是毛的名文〈實踐論〉中的文字，毛澤東發表此一文章時，不僅從昇平時代政治領袖的觀點立論，因為他還要改造人的「主觀世界」，政治領袖兼精神領袖乃是共產黨人特別的設計。共產黨人讚美他們信奉的思想有宇宙性的意義，其思想當然是「自有歷史以來未曾有過」的偉大了。

毛澤東對上述五四運動、魯迅、長征、共產主義四件事的言論都用了一種誇張的時間述詞，這四個重要意義的事件都匯聚在「共產主義革命」這個歷史框架內顯現出來。筆者相信類似的表達方式在毛澤東的著作中一定還可以找得到。毛澤東固然可視為一代的詩之作手，詩人創作引譬連類，籠八荒於一毫，時間的跨幅之大是被允許的。但筆者認為毛澤東這些語言的內涵不僅是修辭的意義而已，它們反映了包含毛澤東在內的一代的共產黨人的心聲。共產黨人對共產主義革命有宗教式的情感與信仰，他們認為這場革命一定會來的，此事有必然性，而且此事的性質極特殊而神聖，它與以往所有年代的所有重要的公共事務都不一樣，完全無法比擬。它代表新的存在向度，它的時間是非凡的新時間，也可說時間開始了。任何人、時、事、地、物只要和共產主義革命掛鉤得上的，都會蒙受聖寵，脫胎換骨，變成神聖事件的一環。

毛澤東這些「自從盤古開天地」、「自有中國歷史以來」之類的敘述和《時間開始了》的敘述乃是同一性質的不同表述，這些語言只有掛鉤在「共產主義革命」這個造成本體論斷裂的事件上，才能顯現出它的意義。眾所共知，掌握政權的共產黨人是依生產方式劃分歷史階段的，人類歷史是依原始社會↓封建社會↓資本主義↓社會主義↓共產主義這樣的順序發展出來的。歷史發展到了十九世紀、二十世紀正是資本主義當道的時期，資本主義由於它的經濟方式，必然需要往外找尋原料產地及產品市場，所以必然要發展出帝國主義。[14]在資本主義—帝國主義當道的國家，社會自然會湧現與這種體制相應的意識型態，這是自由主義的理

11　「長征」原本是「西征」，後來變成專指江西的中華蘇維埃政權從瑞金一路被追殺到延安的旅程，毛澤東賦予此事件重大的意義。參見高華，〈紅軍長征的歷史敘述是怎樣形成的〉，《歷史筆記》（香港：牛津大學出版社，二〇一四），頁一二五—一四〇。

12　這是毛澤東率部隊抵達陝北兩個月以後，對此一長征所作的總結。參見毛澤東，〈論反對日本帝國主義的策略〉，《毛澤東選集》，卷一，頁一二八—一五三。

13　毛澤東，〈實踐論〉，《毛澤東選集》，卷一，頁二七二—二七三。

14　這是列寧所以講資本主義的發展必然走向帝國主義的理由。見列寧（Vladimir Lenin），〈帝國主義是資本主義的最高階段〉，《列寧全集》（北京：人民出版社，一九六三），卷二二，頁一七九—二九七。

念。帝國主義國家到了中國，為了有效運作，必然要找封建主義的代理人作買辦，所以封建主義、帝國主義、資本主義三者遂結為一體，自由主義則成了幫凶。然而，歷史的發展將由資本主義社會進到共產主義社會，它們都是不以人的愛憎而轉移的自然規律，這是科學的真理，必然性原理是真理安置在歷史內部的機制。科學的真理即為公理，馬克思之於經濟學恰如達爾文之於生物學，科學的馬克思主義所提供的真理是不可能迴避的，它是公理。[15]

如果公理真如共產黨人所說的，乃是科學的，公理的魔力還不是那麼大。然而，馬克思主義的公理會產生極大的信仰力量，這個公理顯然不只是認知，而是可以引發獻身的情意力量。這種引發獻身的熱情從何而至？頗值得探討。我們如果追溯馬克思主義的世界觀，不難發現他的學說的重點起於對宗教的批判。馬克思認為宗教是異化的世界觀，宗教提供的完美意象乃是此岸世界被剝削的民眾無望地投影於彼岸的天國所致，所以彼岸的祕密就在此岸本身，對彼岸的批判的實質內涵當落於對此岸的批判。馬克思的宗教異化的觀念來自費爾巴哈（L. A. von Feuerbach），費爾巴哈的《基督教的本質》（*Das Wesendes Christentums*）的異化學說將宗教的彼岸性還原到此岸性來，此一宗教的批判深刻地影響了共產主義反超越向度的基本定位。[16]馬克思之大不同於費爾巴哈者，在於他更確認宗教異化的此岸病因，也反對開出博愛那種人道主義的抽象藥方，他將批判此岸的關鍵因素建立在生產模式此經濟基礎上的階級史觀。

如果共產主義只是「科學的」真理，只是經濟學史觀，共產主義的魅力還不會那麼大。在資本主義發展初期，社會底層的民生極悲慘，此事或許造成共產主義的吸引力廣為流傳，共產思想的傳布與社會的階級結構的兩極化有頗大的關係。社會階級的分析所以有益於革命行動，如毛澤東的《湖南農民運動考察報告》，即在此處。但我們翻閱中國共產黨黨史，不難發現參與共產主義運動的人，尤其是領袖級人物，如毛澤東、朱德、劉少奇、周恩來、鄧小平等人多為知識人。即使作為共黨主幹的軍隊，其階級結構亦然，中共革命成功後由黨中央頒發的十大元帥，其中固然有彭德懷這樣出自農家者，但多數可以說都是知識分子，他們顯然不該是首先被共產主義理想吸引過去的人。誠如許多學者一再表達過的，共產主義極像俗世界的宗教，它的教義、組織、領袖多可在教會中找到類似點。知識分子由於掌握了知識，所以他有可能比一般的無產階級人物更容易受到共產主義的吸引，共產主義的致命的吸引力與人的宗教情感的向度有關。

筆者認為宗教性本來就是人性本質的成分，人或許不會只是宗教人，但宗教性總是人此種屬很重要的成分。宗教情感是打不死的，它受挫折了，即會以各種不同的形貌自行轉化。當馬克思作完此界的批判，將彼界異化的美景帶到人間來，化作政治、經濟學的議題。再回到彼界的批判，筆者認為馬克思對宗教的批判除了批倒彼界的幻象外，它也將彼界的宗教的魔力帶到世間，化作歷史目的論的構造。這種難以意識得到的宗教意義感和一種歷史理性的必然性結合，即會附身到奮鬥的共產黨人的身上去。共產黨人在共產主義的世界觀中找到宗教性的依託，聖靈所至，歷史斷成聖／俗兩橛。聖歸共產黨，俗則化入共產黨外的塵沙世界。共產黨人坐於歷史必然性的彌賽亞式王座上，批判共產主義之前的一切歷史階段。

毛澤東身為共產黨人，他那些偉大的大時間或非時間話語來自於共產主義的歷史目的論，應該是可以確定的。但既然說及「必然性」一詞，「必然」是理學的老詞彙，我們或許可以於此偵伺共產黨人與中國傳統的連結。論者論青年毛澤東的思想時，常論及他與理學的關係，[17]筆者也認為上述毛澤東這些話語似曾相識，它也是講理的，而且其理可以講到「沛然莫之能禦」。公理是民國時期曾經相當流行的一個術語，共產

15 民國篆刻名手方介堪為毛澤東的秘書田家英刻有一印，文曰「理必歸於馬列」。印文參見陳烈，《田家英與小莽蒼蒼齋》（北京：生活．讀書．新知三聯書店，二〇〇二），頁一三一。在冷戰年代，此印文當是許多共產黨人的共識。

16 費爾巴哈（L. A. von Feuerbach）著，榮震華譯，《基督教的本質》（北京：商務印書館，一九九五）。

17 李澤厚，〈青年毛澤東〉，《中國現代思想史論》（北京：生活．讀書．新知三聯書店，二〇〇八），頁一二七—一五〇。

主義的理念也被視為一種公理，公理的直系祖先當可推至程朱理學的性理觀念。性理的特點即在於它的「能然」、「必然」、「當然」與「自然」，[18]帶著「能然性」、「必然性」、「當然性」、「自然性」的理對於此世的事、氣、物云云，帶有徹底的規範功能。理先於氣，而且理生氣。共產黨人論及共產主義的理念時，排除了任何的偶然性，可能性與必然性合而為一，動能（能然）、道德（當然）、存在（自然）內在於共產主義理念的必然性中，它等待的只是時機。革命的因素齊全時，理念自然就會呈現。就思維方式而言，我們可找出從共產主義到理學間的連結，也可找到毛澤東與他的岳父民國理學家楊昌濟的連結。

理學在宋代興起的一個重要的意義，我們可以說它提供了主體內的「必然性」、「自然性」的客觀依據；也提供了「能然性」、「當然性」的主體面之應然意識。主客充盈，漢唐儒學欠缺的心性論主張至此得到了補足。理學興起以後，中國思想史上才有完整的三教論述，鼎立相抗，因為理學提供了宗教該有的功能，而又不失儒家特有的人文精神的關懷。理學在新文化運動的浪潮中幾乎滅頂了，但理學的變形事實上還是此落彼起的，形上的義理的必然性也可轉為認知性的客觀法則的必然性，也可演變為人文世界中情理的必然性，最接近「理」的必然性而且威力也最大的一次展現即是共產主義運動。正是在必然性的歷史目的論的推動下，共產黨人（尤其是毛澤東）從言論到行事，才會有幾乎撐破歷史時間容度的那些偉大話語，自從盤古開天地，三皇五帝到於今，沒有比共產主義承諾的人類遠景更偉大的了，新的時間開始了。原來提供意義價值定位的三教被歸為封建遺毒，被共產黨打敗後，它的宗教功能即詭異地由這個反宗教的政黨所吸收。

三、重新界定「人民」與「共和國」，告別自由主義

由現在的中國反省一九四九年革命的中國，其反差之大是很令人玩味的。自從鄧小平實行改革開放政策

以來，中共不管在對外政策、對資本主義體制或對傳統文化的態度上，都發生急遽的轉變，中西之間的面貌相對模糊，雖然筆者相信本質性的差異還是存在的，也就是現在中國的問題在根源處和一九四九年中共建政時的情況沒有兩樣。一九四九年共產主義革命，中共打造了一個旗幟鮮明的共產中國，共產黨反自由主義，反中國文化傳統，主張武裝革命的暴力路線，不管在理論或在實踐上，都是清清楚楚的。共產黨取得政權以後，知識分子不可能再像以前一般地過生活，稍微敏感的知識分子都已有此預警。

然而，共產主義革命不同於中國歷代的造反者，在於它有強烈的意識型態，它不只要以力服人，也要以理服人，而且還有一套改造思想的機制。中國共產黨既善於操控政治語言，但也極不掩飾自己的意圖。從一九四九年以前的舊中國走進革命新中國的知識人，需要面對全面性的新局勢，但他們首先面對的，就是重要的政治語言的含義都變了。曹禺在一九五〇年，也就是社會主義革命成功的隔年，曾批判自己的小資產階級出身的習氣，他說自從稍微懂得「階級」這兩個字後，才知道「原來『是非之心』、『正義感』這種觀念常因出身不同而大有差異。你若想作一個人民的作家，你便要遵從人民心目中的是非。你若以小資產階級的是非觀點寫作，你就未必能表現出人民心目中的是非」。總而言之，「思想有階級性，感情也有階級性」[19]。階級性決定了是非的標準，也決定了語詞的意義，劇作家曹禺面對了一場非常戲劇化的語言革命的變化。

二十世紀中國最負盛名的中國哲學家與中國哲學史家馮友蘭也面臨語言溝通的障礙，當清華大學的共產黨人質疑他「這是個思想問題」時，馮友蘭甚不服氣，「後來才知道，解放以後所謂的思想，和以前所謂的

18　陳淳，《北溪大全集》（台北：臺灣商務印書館，一九七三），卷六，頁一六b。

19　曹禺，〈我對今後創作的初步認識〉，收入王興平、劉恩久、陳文璧編，《曹禺研究專集》（福州：海峽文藝出版社，一九八五），冊上，頁六二。

思想並不完全一樣」。[20]他甚至連「哲學家」這稱呼都不敢用，認為只有像毛澤東這般創造思想價值的革命者才可使用，他自己最多只能算是哲學工作者。[21]經過多次溝通的挫折後，他後來下了總結：「在當時我同共產黨接觸的時候，雖然說的都是一樣的字眼，可是各有各的了解，往往答非所問。在解放之初，許多知識分子都有這種情況。」[22]

語言是思想的器官，語言與主體同根而發，沒有無語言的思想，也沒有沒有思想的語言，洪堡特（W. von Humboldt）在語言學史上所以居有承先啟後的關鍵位置，重點即在上述所說。[23]中共改造字詞的舊義，賦予重要詞彙進化版的內涵，顯示這個政黨獨特的意識型態的宰制作用，它要在靈魂深處鬧革命。語詞的內涵改變了，主體的性質也就改變了，社會的價值體系也同樣跟著改變。因為語言是社會性的，每一個重要的詞彙都濃縮了一個文化系統的歷史積澱與價值取向。雖然，改造語言，賦予重要語詞新義的現象或許不僅見於中共，可能二十世紀一些帶有強烈意識的極權國家都作過類似的事，卡西勒在二戰結束前所寫的平生最後一部著作《國家的神話》（*The Myth of State*），他對集權主義（尤其納粹）在二十世紀的興起有極深的反省，他反省到扎根於人類意識與文明深處的神話意識的作用。在此書的最後一章，他反省到納粹如何掌握德國的命運時，說道：

> 如果我們閱讀最近十年出版的任何種類的德國書籍時，我們會驚訝地發現，我們已讀不懂德語了。新詞被人杜撰，即使舊詞也改變了原意，它們的意義都發生了深刻變化。這種意義上的變化是以這樣一個事實為根據的，即這些詞語昔日是在描述、邏輯、表意的意義上被運用的，而今卻被當作咒語——一種注定須產生某些效果、激起人的某些情感的咒語來使用。我們通常的語言是用來表達意義的，但這些新造詞語卻是用來激發情感的。[24]

卡西勒還引用到當時一部新書《納粹德語：當代德語運用詞彙》（*Nazi-Deutsch: A Glossary of Contemporary German Usage*），此書顯示納粹時期的德語完全籠罩在一片巫術的氛圍中，沒理可講。

借著改造詞語以改造真實，再借著改造真實以改造語言使用者的認知，這樣的精神革命工程或許是二十世紀極權國家的共法，卡西勒的用語如果運用到中共的統治，應該也是一體適用。但中共的案子顯示它似乎相當有效，思想改造就是個重要的指標。中共在革命成功後，曾經發動過大規模的知識分子思想改造運動，藉以「醫病救人」。思想改造的方向自然指向知識分子的共產主義化，與農工打成一片的無產階級化，但也可以說是適應舊詞新義的過程。許多案例顯示知識分子是可以改造的，[25]他們樂以接受新定義的「民主」、「自由」、「人民」、「道德」云云。改造字典的文義，賦予政治的新義，舊瓶裝新酒，實質上就是重新界定人與社會的定義，這是上帝才有能力作的工作。這樣的現象顯示中共這樣的政權帶有強烈的宗教性的權威，它們掌握了終極的真理，不容許歷史有別的路可走，連已退入歷史的語義也要為新時代服務，它們要從字典中爬出來，改造後再重新登場，為人民服務。語言已隨共產黨人進化到新民主主義階段，共產黨人不允

---

20 馮友蘭，《三松堂自序》（北京：生活．讀書．新知三聯書店，一九八四），頁一三四。

21 同前引書，頁二八〇—二八三。

22 同前引書，頁一三四—一三五。

23 參見洪堡特（W. von Humboldt），〈論思維和說話〉、〈普通語言學論綱〉、〈論與語言發展的不同時期有關的比較語言研究〉諸文，收入姚小平譯，《洪堡特語言哲學文集》（北京：商務印書館，二〇一一），頁一—三七。

24 卡西爾（E. Cassirer）著，張國忠譯，《國家的神話》（杭州：浙江人民出版社，一九八八），頁三一七。

25 如清華大學社會學者潘光旦的思想就是個頗有參考意義的案例，參見底下兩本生動的分析：楊奎松，《忍不住的關懷：一九四九年前後的書生與政治》（桂林：廣西師範大學出版社，二〇一三）；聶莉莉（Nie, Li-Li）著，聶曉華譯，《知識分子的思想轉變：新中國初期的潘光旦、費孝通及其周圍》（新竹：國立清華大學出版社，二〇一八）。

許人民對這些舊詞新義有異議的聲音。

中共在「一九四九」革命成功後，曾大規模地發動知識分子的思想改造運動，也實施了語言的改造運動，偉大的革命政黨不只要治病救人，也要治病救語言，而且治療率很可能不差。人的思想扎根於語言，語言的根源極深，可以說與靈魂同在；而語言的意義幾乎只有在全體性的語言系統中才可找到恰當的定位，牽一髮而動全身。但中共居然能深入其境，改造成功，可見其底氣之厚，技巧之精緻，[26]如果不是唯物史觀提供了一套相當完整的配套措施，我們很難相信共產黨人可以先說服自己，再要求人民。中共改造語言是全面性的，但擒賊先擒王，它最核心的改造即是從國名的「中華」、「人民」、「共和國」的概念一一改造起。

如果以「中華人民共和國」一詞作為思考的核心，我們發現當中共高舉「人民共和國」的旗幟時，它對「人民」、「共和國」的內涵即要重作定義，事實上也就是對源自近世西方歐美的「主權在民」、「民主政體」諸說作刮骨洗髓的改造。「主權在民」自從晚清的王韜、康有為、梁啟超、嚴復提倡以來，它已變成了近世中國各主要政治力量共同接受的主張。但中共透過階級史觀的視野，發現了（也可說是建構了）更高發展的共產主義社會的歷史階段。毛澤東的新民主主義時期即是為了達到共產主義社會而準備的過渡階段，新民主主義源於對三民主義的民主主義的揚棄，毛澤東在新舊兩種民主主義之間，作了巧妙的連接與脫胎換骨的工作。新民主主義下的民主不是對泛泛而論的人民開放的，原則上只有以農、工為代表的無產階級才是合格的人民。如果在一般民主社會，公民權的獲得是人與生俱來的權力，被剝奪公民權是公民違反法律時公權力介入才形成的例外。在人民共和國內，公民權的概念是和階級的成分綁在一起的，無產階級才是上帝的選民。無產階級所組成的國家自然要由無產階級的代表所「專政」，這是一個無法以和平演變改變的政體。

連「人民」、「共和國」的概念都改變了，「一九四九」共產主義革命帶給中國社會最大的作用之一，乃是這個新時刻的到來意味著它與以往時間的斷裂。落實到具體的情境，也就是從維新、變法以至民國成立以來，中國社會一直追求的憲政民主基本上是錯誤的，它需要被批判。就在〈時間開始了〉此詩中，胡風以慷慨激昂的語氣宣示人民共和國與以往的現代轉型的模式都不同，更恰當地說，以往的政治模式都是錯誤的，當令的政治術語都需要拆開它們的後臺，重作界定。胡風寫道：

這不是「自由」、「平等」、「博愛」的集合／滾你的吧／你這個西方的大謊和啞謎／你們彼此欺騙／你們彼此屠戮／你們剝削兒童婦女／你們製造了世界戰爭／你們瓜分了美、澳、亞、非／最大者最貪婪／最大者最橫行／最大者最無恥／偽造了那個資本國家／偽造了那個資本國際。[27]

共產黨人不忌粗俗，語言的粗俗化是共產主義革命後的一項特色，「滾你的吧」是符合無產階級者的文化的。詩中所說自由、平等、博愛是法國大革命的標誌，是傳入中國的現代政治的主要內容，孫中山的《三民主義》也是建立在此基礎上的。但共產黨人看自由、平等、博愛，就像他們看個性、民主一樣，這些美妙的詞彙都是過去式的而且是有害的，因為它們建立在資本主義的世界觀上。下層建築不對，上層建築自然不穩，全體建築不對，只能拆掉重建，它們全體都要被否定。

胡風詩中所表述的對歐美自由主義口號的厭惡不是詩人個人的私意，而是整體共產黨人的共識。對現代歐美自由主義的政治理念的揚棄不是始於「一九四九」，也不是僅見於政治領域的論述，更大更激烈的戰場其實見之於革命文學的領域。共產主義革命異於一般的革命之處，在於它有很強的意識型態戰場的想法，要

26　延安整風運動即是代表作，參見高華，〈延安整風運動中的思想改造、制度創設與政治運作〉，《歷史筆記》，頁一八七—二四二。
27　胡風，〈時間開始了〉，《胡風全集》，冊一，頁二六八—二六九。

屈服敵人槍砲之前要先以語言征服敵人的靈魂。中共在一九四九年軍事革命成功之前，早已在意識型態戰場取得了輝煌的戰果，意識型態戰場之大者在於「從文學革命到革命文學」這段的歷史過程。文學革命意指由胡適、陳獨秀他們發起的新文學運動，新文學運動強調人的發現、個體的價值、市民社會型態的情感等等。革命文學以郭沫若、成仿吾等人為代表，他們強調真正的人性不是個體性的，而是階級性的，階級性的人才是真正的人，真正的文學素材存在於農村、工廠、部隊，反映階級人性史觀的文學才是真正的文學，此文學可名為革命文學。

在馬克思整體性哲學及必然性的歷史演化史觀下，自由主義被否定是內在於共產黨人的歷史觀的構造內的。而在中國革命的處境下，被否定的自由主義只能被視為敵我矛盾看待。即使受到共產黨人高度禮敬的孫中山與魯迅，如果圖窮匕見，一定要攤牌的話，他們也要服從於共產主義的意識型態，也要服從中國共產黨規劃下的人生位置。[28]在共產黨人掌握真理的前提下，凡一九四九年之後留在大陸的自由主義者都須自我檢討，自我檢討可比天主教的告解，而凡國外返國者，原則上都需表懺悔之意，才可進入這個新時間到臨的革命場域。這些種種看似匪夷所思之事，以共產黨意識型態衡量之，毋寧是合理的措施。共產黨人將這種強迫的行為視為醫病救人，一種更大的仁政，他們絕不是口是心非，這毋寧是共產主義意識型態必然的發展。

共產主義在一九四九年勝利的意義，就是否定了建立在西方古典傳統上的自由、民主、博愛的概念，也否定了民主制度的可欲性。西方的自由主義通常可向上溯源至古希臘，往下則可溯至歐洲的洛克（John Locke）、休姆（David Hume）、孟德斯鳩（Charles de Secondat Montesquieu）等大師。這些帶著古典人文精神以及宗教內涵的文化在階級史觀的觀照下，全是建立在虛偽意識上的構造，全需要被推倒。西方的自由主義堡壘既倒，這個堡壘從晚清以來逐步建立的海外基地，不管是王韜、嚴復的，或是胡適、俞平伯的，甚至梁啟超、孫中山的，也不能不退入過去，走進歷史檔案。共產主義革命時刻到來，自由主義即當告別中國，掛上謝幕的布條。百年來發展的歷史到了「一九四九／一〇／〇一」這個時刻，轉入另一條軌道，此一時間點既是以往歷史發展的目的，也是對以往歷史的否定。

「一九四九」的時間開始了，乃因「一九四九」之前的時間結束了，共產主義政權的成立和整個中國近世現代化的政治工程斷了線。共產黨人領導的中華人民共和國原則上不是歷史最終的目的，革命勝利當時是新民主主義時期，這個時期仍允許民族資本家與小資產階級這「兩張皮」存在。即使由新民主主義走上了共產主義時期的大道，歷史會如何發展，也難講。誠如毛澤東一再講的，歷史總是矛盾發展的，誰能知歷史的終極呢！但落在現實上，共產主義是所有政治理念中最先進的理念，它的結晶——中華人民共和國是一切政體與國體中最傑出的案例，所以共產黨領導人才有底氣喊出四個堅持，無產階級專政與中共的領導永恆不變。歷史終結了，中華人民共和國會以自在且自為的方式，完成不變中的變化。從一八四〇到一九四九年的烈士可以安息了，因為共產革命已幫助他們完成了心願，這些先行者的思想對爾後的共產主義建設雖然不會有多大的意義，但他們在歷史階段曾有過貢獻，還是值得禮儀式的紀念的。

28　毛澤東、郭沫若都提過共產主義革命成功後，如果魯迅還活著，該如何安置他的有趣說法。牛漢回憶錄《我仍在苦苦跋涉》記載，一九四九年或一九五〇年夏天，有讀者向《人民日報》提問：如果魯迅活著，黨會如何看待他？收信人李離覺得大哉問，此信最後轉至國務院文化工作委員會主任郭沫若處，由郭答覆，郭回答：魯迅和大家一樣，要接受思想改造，根據改造實際情況，分配適當工作。參見牛漢，《我仍在苦苦跋涉》（台北：人間出版社，二〇一一），頁一〇二。不同的訪問者，毛澤東和郭沫若的回答竟如出一轍，有可能這個問題在中共高階之間有溝通過，或者早就有了默契，所以不需溝通即可取得共識。

四、重新界定「中華」，告別封建中國

一九四九年的共產主義革命的意識型態及運動策略是由馬克思、恩格斯、列寧、史達林提供的，中共曾長期以俄為師，毛澤東自居為馬、恩、列、史的學生，天安門上曾長期高掛馬、恩、列、史的肖像，全世界無產階級聯合起來。這個長期固定的中華人民共和國的形象之所以會成為固定的形象，乃因共產黨人是以隱瞞自己的政治意圖為恥的，陽光底下的顯像即是本質。共產主義從理念變為實際的政治力量，它代表從歐洲精神衍生出來的理念反過來對歐洲文化母體的否定，這種對西方文化的否定精神到了中國共產黨人手中，愈發明顯。「一九四九」共產主義革命之所以為特別的時間，即在於它對源於西方自由主義而後成為民國政壇的主流的政治路線的否定。中共開國後，所以不久即有大規模的反胡適運動，可說是「共產主義在中國」自然衍生的結果。

如果「人民共和國」完成了對「主權在民」與「共和國」兩概念的改造，也完成了消除自由主義的工程。我們不會忘掉，中共黨人透過「中華人民共和國」也完成了「中華」一詞的改造，並同時完成了對封建主義的清洗。中國的現代化行程如果起源於鴉片戰爭的話——許多歷史教科書，包括毛澤東的〈人民英雄紀念碑文〉都是這麼說的——那麼，我們看到比較重要的現代化工程的思潮，從曾國藩、李鴻章的自強運動，到康有為、梁啟超的維新運動，到清末張謇、湯化龍的立憲運動，到清末民初孫中山、章太炎的革命運動，這些運動的性質有很大的差別，主事者的能力與視野也不等。但這些進步的思想家活在中國文明深受衝擊而尚未解體的年代，他們討論中國的現代化轉型時，自然而然地就有立足於中國土地上這個不言而喻的基礎，因而也自然而然地形成了中西交融的有機視角。晚清立憲派大將張之洞有「中學為體，西學為用」這樣的語彙，這組名言反應了晚清開明知識官僚對中國現代性的想像。

如果從「體用」一詞的詞語史來看，張之洞的名言自然是有語病的，體用打成兩橛，體不能起用，而要藉西學以為用。但如果我們知人論世，以意逆志，「中學為體，西學為用」這組話應該表示對新知識的吸收要建立在吸收者的文化土壤上，兩相配合，才可達到概念的融合，並形成具體可行的步驟。不管在滿清的官僚如曾國藩、李鴻章、郭嵩燾、張之洞等人，或在橫跨清末民初的張謇、康有為、梁啟超等人，或在更具現代世界性格的孫中山等人身上，我們都可以看到這種寬宏的想法與中西融合的穩健立場。陳寅恪、徐復觀也都相當同情張之洞的主張。[29]

陳寅恪、徐復觀等人對體用論的用語並不陌生，他們同情張之洞的主張，值得深思。他的同情是有道理的。事實上，對於張之洞體用論的用法，我們沒有理由一定採用程朱理學的用法，我們也可採用與張之洞有地緣關係的王夫之的用法，王夫之的體用論的特色正在於即用見體，有器才有道，體／用、道／器有互相轉化的關係，而不是以體併用。如果體用處在變動的交互過程中，體固是存在的依據，但體的本來面目卻有待於用的出現，它才能彰顯。就像王夫之喜歡引用的：體用相函，體以致用，用以備體。[30]有形而後有形而

29　陳寅恪曾自道：「平生為不古不今之學，思想囿於咸豐同治之世，議論近乎湘鄉南皮之間」。參見陳寅恪，〈馮友蘭中國哲學史下冊審查報告〉，《陳寅恪集．金明館叢稿二編》（北京：生活．讀書．新知三聯書店，二〇〇一），頁二八五。徐復觀，〈反集權主義與反殖民主義〉，《徐復觀雜文三．記所思》（台北：時報文化出版公司，一九八〇），頁二一〇—二一六；〈我看大學的中文系〉，收入黎漢基、李明輝編，《徐復觀雜文補編》（台北：中央研究院中國文哲研究所籌備處，二〇〇一），冊二，頁一九三—一九八。

30　王夫之云：「是故性情相需者也，始終相成者也，體用相函者也。性以發情，情以充性，始以肇終，終以集始，體以致用，用以備體。」參見《船山全書》編輯委員會編校，《船山全書》（長沙：岳麓書社，一九八八），卷五。頁一〇二三。形—形而上、道—器、體—用這些重要的形而下／形而上對舉語彙的內涵乃是相涵互發，此義在王夫之著作，尤其注解《易經》的《周易外傳》中常見，王夫之既保存了形而上學，但形而上學和人文化成的事業又不隔絕。

上，有車才有車之道。他的思考方式移之於中西文明的交會，我們可以說正因有西學傳過來的用，我們才可了解提供西學之用的中學的本體。

建立在中華文化土壤上的中西混合的現代化工程原本是道光、咸豐以來，儒者論政時秉持的方向，在實踐的過程中，自然有不少的矛盾、衝突，甚至暴力的案例。但大體說來，前波與後波的運動間總有中華文化土壤作為銜接的利器。這種似迂遠而實穩健的行徑到了五四以後，遂發生了急遽的轉變，這個轉變的發生自然也是內外互動的結果，而且也有演變的過程，不能單單指責任一方。但如果我們以「五四」或《新青年》當作象徵的符號，「建立在中華文化土壤上的中西銜接」之路線確實被拋棄了，對傳統越來越採激烈的批判，而且暴力路線的主張越來越明顯，「全面性的反傳統」遂成了五四運動以後新文化運動重要的標誌。學界論及五四以下新文化運動的開展時，對於民國新文化運動「全面性的反傳統」之說有極高的共識，而眾所共知，全盤性的反傳統運動受到共產主義極大的刺激，這個刺激反過來又激化中國的共產黨人更激烈的全面性地反傳統。中共執政以後，一連串地破舊立新，以至發展到文化大革命，這條暴力路線並不是憑空生起的，它是民國新文化運動極自然的發展。這種極自然的「全面性反傳統」如果與世界各文明的現代化工程相比較，其實是很特殊而且也不自然的，我們極少看到民族主義特別高漲的古文明子民竟然以摧毀傳統文化作為民族新生的標誌。[31]

但共產黨人確實是以摧毀傳統文化作為民族新生的標誌，而他的中華民族的認同又是建立在這種瓦解傳統文化，尤其是儒家文化的價值上的。共產主義作為五四新文化運動中的一支預流，它既承反傳統文化的風潮而興，而又大規模地加碼反傳統的成分。毛澤東以及主要的中共黨人在形式上多有「從孔夫子到孫中山」，吸收精華，淘汰渣質之言。但事實上，他們極少表示吸收精粹之意，因為他們的眼睛即使沒有像狂人一樣，到處看到的多是「吃人的禮教」，他們大概也不太容易看到太多不是吃人的禮教。文革期間，毛澤東評郭沫若的《十批判書》有詩言：「祖龍雖死秦猶在，孔學名高實秕糠。」[32]這是毛澤東的真心話，以共產黨人之不守禮法，不畏暴力，以推動歷史加快行程為尚，他們怎麼會欣賞儒家的溫良恭儉讓的價值。毛澤東曾受過王夫之、曾國藩影響，而且身為理學性格人物楊濟昌的女婿，他成為共產黨人後，對中國傳統文化的精髓及其象徵孔子，卻沒有多大的敬意，因為他不會將歷代偉大知識人所了解的精髓當作精髓。[33]共產黨的執政紀錄說明了一切，從共產主義革命到文化大革命批孔揚秦，這條共產黨人走出的路線應該是調適而下流的發展，所謂下流，意指它向下層的無產階級及其文化流動，這種交引日下的路線並沒有偏離共產黨的特質。

以共產主義本身的性格以及它處的時代氛圍，如果共產主義沒有全面的反中國文化傳統，反而是不合理的。長期主持中共文藝政策的掌門人周揚在紀念魯迅逝世兩週年的一篇文章中，發揮魯迅精神（至少共產黨人認同的魯迅精神），他說中國封建勢力之恐怖：

31　參見林毓生，〈二十世紀中國的反傳統思潮、中式馬列主義與毛澤東的烏托邦主義〉，《中國激進思潮的起源與後果》（新北：聯經出版事業公司，二〇一九），頁九五—一五三，及同書附錄二，蘇曉康，〈真空、烏托邦與民族主義——試論中國反傳統主義的「林毓生分析範式」〉，頁四四三—四五五。

32　毛澤東，〈讀〈封建論〉呈郭老〉，收入劉濟昆編，《毛澤東詩詞全集》（香港：崑崙公司，一九九〇），頁一五〇。

33　毛澤東對儒家傳統及孔子的負面態度隨時可見，如他將孔子和蔣介石並稱，視作負面的唯心主義的代表，認為他們的觀點作為反面教材，也是需要讀一讀的。參見毛澤東，〈在省市自治區黨委書記會議上的講話〉，《毛澤東選集》（北京：人民出版社，一九七七），卷五，頁三四六。他在〈批判梁漱溟的反動思想〉這篇失態的講詞中，罵梁漱溟，連帶也將孔子罵進去：「孔夫子的缺點，我認為就是不民主，沒有自我批評的精神……很有些惡霸作風，法西斯氣味。」毛澤東，〈批判梁漱溟的反動思想〉，《毛澤東選集》，卷五，頁一一三。

這個統治的恐怖，還不只是在於它的政治上的極端專橫殘暴，同時更也在於它的思想上的極端黑暗野蠻。幾千年吃人的禮教，無數的「祖傳」、「老例」，這些支配活人頭腦的死人的力量，它們阻礙著民眾的覺醒，使他們陷於愚昧、迷信、自欺、奴隸的馴服的狀況裡而不能自拔，這種精神上的鐐銬，再加上由於災荒、苛捐、兵匪、官紳所造成的生活的重擔，這就把一般農民小有產者的群眾壓成完全麻木了。中國成了一個黑魆魆的死氣沉沉的國家。[34]

我們很難相信這是代表中共文化理念發言人眼中的中國，周揚對自己所屬的文化傳統用語之粗暴已很難歸在正常用語的範圍內。即使個性一向比較平實的朱德說的話雖然較平實，但仍是此意。他說：「在鴉片戰爭以前，中國幾千年的教育一貫地是封建主義的教育，其目的是培養封建制度下馴服的奴隸。」[35]朱德用的是全稱命題，這個全稱命題所以沒有受到共產黨人的質疑，在於共產主義歷史觀的圖式下，中國王朝的文化即是封建文化，封建文化以儒家思想為代表，儒家所提供的道德即是封建道德，封建道德是要塑造一群馴服的奴隸。類似的傳統中國的圖像在中共黨人的文章中處處可見，他們有很強的傳統中國＝封建中國的印記。[36]

型塑傳統中國內涵的封建知識分子既然不可靠，作為強烈意識型態執行者的共產黨只能將創造歷史的責任交給農工階級的農人、工人，貧下中農與工人是推動歷史前進的主角。共產黨人的創造未來也可以說是發現過去，無產階級才是中國。當封建中國的封建文化被移走後，長期被壓抑的農工階級即從自己的階級變為自為的階級，無產階級透過革命收復了異化的本質，一向被壓抑在社會底層的真中國乃告出現。在以往的論述中，中國是由儒家或儒、釋、道這些大傳統所代表的，它們是中華文化的具體彰顯。但共產黨透過階級史觀的眼鏡重新調光，他們看到無產階級才是中國真正的內涵。掃掉以儒家為代表的封建文化也是「醫病救人」，不，「醫病救國」，真正健康的中華民族從此站立了起來。

中共清算以儒家為代表的價值體系，視之為封建遺毒，一方面固然是時代潮流使然，一方面更與共產主義的意識型態緊密相合。當共產黨人將整體傳統文化視作封建遺毒時，它摧毀了儒家的價值體系，就等於摧毀了整合整體傳統文化的總原理，樹倒猢猻散。儒家在傳統中國一向代表著一種溝通與調合各種文化勢力的價值體系，傳統知識有經、史、子、集四部的分化，儒家的價值意識因經學的一體多元，《尚書》、《春秋》通史部，《易經》通子部，《詩經》通集部，經學統元而又得以和史學、子學與集部溝通匯流，四部成了聲氣相通的有機體，馬一浮所以有六經統攝一切學術之說。[37]在近世中國，儒家透過了三教的論述，而有良知統三教之說，有三教合一之論，完成了境內宗教對話的機能。不論在其他兩教中的儒學被安排在什麼位置，儒學在三教論述中自然就扮演了共法的溝通角色，三教不是以宗教戰爭的面貌呈現，而是三教鼎立且互滲的形式最為常見。在中西交流層面，儒家很自然地又成為天主教、回教入華主要的對話對象，並形成會通基礎。甚至科學這麼具西方文明特徵的知識，它進入中國，也是借自朱子學的格物窮理的途徑，所以其時的科學（science）有格致學的名稱。儒家在中國，就像洞庭湖在長江水系一樣，起了調節、匯通的功能。如果

34　周揚，〈一個偉大的民主主義現實主義者的路——紀念魯迅逝世二周年〉，《周揚文集》（北京：人民文學出版社，一九八四），卷一，頁二八三。

35　朱德，〈關於文化教育工作〉，收入中國民主同盟總部宣傳委員會編，《論知識分子》（北京：中國民主同盟總部宣傳委員會，一九五二），頁一〇〇。

36　我們不妨再度聆聽胡風的聲音：「這不是群賢上壽／滾你的吧／你這東方的傳說／你們捏造綱常／你們捏造禮制／你們餐風飲露／最高者最抽象／最高者最無人味／最高者最最狡飾／美化了那個封建統治／美化了那個封建秩序。」文字很直白，但內容當是共產黨人的共識。見胡風，〈時間開始了〉，《胡風全集》，冊一，頁二六八。

37　馬一浮，〈論六藝統攝一切學術〉，《馬一浮集》（杭州：浙江古籍出版社，一九九六），冊一，頁一二—一八。

宗教領域有「公民宗教」的話，儒家發揮的正是典型的公民宗教的作用，儒家不管能不能被歸為宗教，它卻起了幾乎所有宗教都難以發揮的溝通各宗教及溝通各文化體系的功能。[38]

具有公民宗教屬性的儒家在傳統中國隱然成為支撐社會文化活動的母體，它是文化活動所依託的遼闊大地。當共產主義以全稱否定命題的語言描述中國的文化傳統時，儒家被批鬥是合理的發展。「一九四九」共產主義革命建立了中華人民共和國，它的一個重要意義就是全面地重新定義「中華」的性質，因為儒家被打倒，封建文化也跟著被打倒，俱往矣。中國不再背負傳統的負擔，它是全新的處女地。「中華」不再指向中國歷代所重視的道之統緒，或者說文教傳統。「中華」指的是以新定義的「人民」，也就是無產階級的農民、工人所代表的小傳統文化為本質。新的中華文化的展現是全民向農工學習，全面地無產階級化，不是知識分子向農、工、兵啟蒙，而是知識分子向農、工、兵學習，就像歷年發動的下鄉勞改的情況。

一九四九年十月一日的共產主義革命產生了中華人民共和國，中華人民共和國的一個重要屬性，也可以說是最重要的屬性，乃是「中華」一詞內容的全面更新，「中華」不再指向五千年的文教傳統，恰好相反，「中華」被指認為與文教傳統距離最遠的社會底層：貧下中農；他們的生活習慣以及表現在歷史上的農民革命，這些才是「中國」的內涵，中華人民共和國要將這個顛倒的世界再顛倒過來，並在這個扶正的歷史土壤上，依馬列原理繼續加工，最後達到只有工人階級的社會為止。「中華人民共和國」即是全新的「中華」，全新的「人民」，全新的「共和國」。

五、什麼樣的中國？以新儒家學者分裂的選擇為例

興亡自古尋常事，但歷代的朝代更替，很少像共產中國這樣赤裸裸地將傳統中國的主流價值系統視為完

全負面的封建文化，而且以埋葬它為職志。但很獨特地，二十世紀中國的知識人，甚至有些是以傳統的三教價值為主軸的文化傳統主義者，面對此亙古未見的巨變，或只能靜觀其變，甚或改變立場以迎合之。因為中共的建政和歷代朝廷不同者，在於它有強烈的意識型態的加持，對於社會型貌與歷史演變有一套完整的世界觀加以解說。中共除了是武力戰場的獲勝者外，它也是意識型態戰場的贏家。中共強烈的意識型態的性質和傳統起兵造反者運用的理念工具，如民間宗教或春秋大義等等都不一樣，它和傳統的決裂相當徹底，它提供了另一套的世界觀與話語系統。

理解「一九四九」共產主義革命的困難，在於共產主義革命的內涵彷彿是待解的密碼，答案只存在於共產黨人保存的密碼字典裡。中共改變重要詞彙的舊義，賦予新內容，實質的意義也就是提供了另類的世界觀或真理的標準。就活過「一九四九」巨變的知識分子而言，他們所面臨的處境即是在新舊兩種語義之間的轉換，最根本的就是在「中華民國」與「中華人民共和國」這組彌近理而大亂真的概念之間作調整，以適應新的局勢。本文即以新儒家學者為例，他們同樣要面臨中華人民共和國與中華民國的選擇，這兩個概念的名稱相近，內涵卻極不同，新儒家學者的政治選擇也可以說面臨了兩種語義的解釋問題，第一代新儒家學者與第二代新儒家學者最後分裂了。本文論「一九四九」兩場歷史巨變的意義，實質上是接續民國新儒家學者的觀點而論，筆者即以他們為例，探討「一九四九」兩場巨變的意義。

筆者在偶然機會，看到一批信札，內容與一九四九年前後的新儒家學者相關。這批信札的主角是一九四九年後業已渡海的唐君毅、牟宗三、徐復觀與其時遁居嶺南的業師熊十力。熊十力面對一九四九年這

38　Anna Sun曾提儒家的公民宗教（civilreligion）之說，梅廣先生反對公民宗教的提法。本文認為公民宗教一說可以保留，此義當另論。梅廣，〈中國文化中的道德與宗教〉（未刊稿），二〇一九。

場亙古未見的革命，該何去何從，內心充滿了焦慮。他所以遠行至廣州，即是想遠離即將到來的新政權的統治。唐、牟、徐三人為了其師的行止曾反覆商量，也絞盡了腦汁。熊門師弟對共產黨極度不信任，情見乎辭。熊十力後來雖然北返，沒有選擇同他的三位傑出門生乘桴渡海，但欲去還留，欲語還休，其間的掙扎可說是心力交瘁。一生未曾出過國，幾無外文能力可言的熊十力甚至連到印度講學，到美國講學，遠離華夏，都考慮過了。在八表同昏、赤焰飆天的一九四九年，任何學者個人的去留都不是簡單的事，新儒家學者更認為是事關個人身家性命與民族生命的大事。相對於其他學者的燕處安居，靜待新運來臨，新儒家學者的抉擇特別值得重視。

一九四九歲末，熊十力對出國與否，舉棋不定。面對近世中國未曾有之巨變，熊十力顯然處在極度的煎熬中。有些書信，顯示他的情緒相當不穩定。信中，他恨國府爛鐵不成鋼，責難之言不時有之。但對共產黨的不信任卻更是根深柢固，情見乎辭。尤令人難過者，見於下面一封信札，內容如下：

> 世道至於無死道，而人道乃真窮矣！船山、亭林、念臺諸公，或生或死於明季，皆易為。我輩今日，乃真無以自靖，老夫真苦矣！然老夫自定有不易之矩焉。將來學校不能容余說所欲說之話，而或容吾說其勉強可說之話，吾當教書，冀存一分種子也；如必迫吾說所不可說之話，則必不入學校，或餓死亦聽之安之。如可容身社會，過苦日子，隨大化遷，則亦無不可。如不容為此，則亦死耳！死為自靖之事，當有義在。是則老夫所早自計，所必持而決不易之道也。[39]

「殺身成仁」、「捨生取義」是儒門成德之教，是君子之教，但雖是教義，頗難實行，用以自勵固可，卻不宜常掛口中以要求人。面對「一九四九」的變局，熊十力竟興起「死為自靖之事，當有義在」之感，可見其時心情之沉重。然而，此封信最動人心魄者，莫過於「世道至於無死道，而人道乃真窮矣」之說。在歷代儒者所作的終極抉擇中，情形誠然有極為艱困者，熊十力所舉的劉宗周（念臺）即是極顯著的例子。劉宗周絕食二十日，前幾天尚喝水，後十三天滴水不入，直至油盡燈枯，在學生、家人環繞中，從容走完一生，其抗爭效果極強。[40]絕食之事誠然艱難，但明清易代的價值選擇之義理極分明，明亡不只是「亡國」，也是「亡天下」，「明亡」是連著堯舜禹湯周孔以降的道統一併喪失掉。對劉宗周這樣參透生死場、手握乾坤殺活機的大儒而言，是非判斷不難，行動也很果決，不會有太多的遲疑。從熊十力的眼中看來，這就是生有生道，死有「死道」。

但「一九四九」的社會主義革命在傳統中國素無前例，文化傳統主義者面對它，很難從前賢往聖的案例中，找到效法的模型。這場二十世紀中國最重要的革命，其性質固然可以說是農民革命，農民革命在中國有很長的傳統，但歷代的農民革命從來沒有發生這麼強的意識型態作用，也沒有起過這麼強烈的獻身情感。「一九四九」革命立下的政權是依西方意識型態立國的政權，從主導的馬克思列寧主義、鐮刀斧頭的象徵符號、「人民共和國」的稱呼、早期向蘇聯一面倒的政策等，無一不顯示出這場革命的外國輸入性質。但外來的因素不能決定這場革命的性質，因為它的基礎建立在沉甸甸的黃土地，久被疏忽的農民階級第一次光明磊落地被賦予創造歷史的角色。農民與土地不可能不是重要的中國元素，中國以農立國，農民卻未曾被傳統的

39　參見熊十力，〈與唐君毅、錢穆、徐復觀、胡秋原、牟宗三、張丕介〉，收入蕭箑父主編，《熊十力全集》（武漢：湖北教育出版社，二〇〇一），卷八，頁六〇六—六〇七。此信札原件參見嘉德拍賣公司二〇一六年秋季拍賣會目錄《筆墨文章：信札寫本專場》。

40　劉汋，〈蕺山劉子年譜〉，收入吳光主編，《劉宗周全集》（杭州：浙江古籍出版社，二〇〇七），冊六，附錄二，下卷，頁一七一—一七二。

知識分子挖掘出他們的價值，反而是共產黨使他們走向自為的存在。

「一九四九」共產主義革命的手段極血腥，共產黨人從不諱言暴力，他們毋寧是相當讚美暴力的，列寧、毛澤東皆有明言。我們不能不正視素樸的農民革命的殘酷面，卻不能不承認它有極偉大的理想，農民真的有可能被調撥出他們的積極性了。

共產主義革命是距離中國傳統最遠，卻又與中國土地最近，兩者糾葛最深的一場革命。顯然，只從西方輸入的意識型態的角度切入，我們無法理解中共在「一九四九」的魔力是如何產生的。中共的勝利不只是政治的勝利，它也是道德的勝利，熊十力的說法是：「彼有思想、有學說，有為其所據之正義，而公憤且歸於彼矣。」[41]他這裡說的「彼」即是中共。真理在彼方，此方的儒者要覓得道德勝利的死道，亦云難矣！

熊十力在一九四九年末所以那麼痛苦，最後卻沒有和他的學生南下港、臺，反而選擇了北上上海。代熊先生想，可能因為懷鄉愛國，年紀老大又憚於遠遊離居，國民黨政權則早已失掉民心諸項理由，這些原因都有可能成立。但這些原因事先都可以想像得到，構不成他踟躕徘徊的理由。熊十力一生和國、共兩黨都沒有明顯的瓜葛，不必避政治之諱，他一九四九年歲暮的舉止應該是有深刻的理由的。筆者認為最深刻的理由是他的個人處境與中國的農村、農民特別容易起共感，這種來自生命底層的存在的呼喚普遍見於新儒家學者，他們都遠都市而親鄉村，梁漱溟與熊十力特別明顯。另外，就是他的哲學理據以及他對中國社會的觀察，都和中共的理念有相反而又似有相通之處，這種相反的定位使得他和中共不可能站在同一陣線上，但某些的相似又使得他自認可以和共產黨的理念相容，甚至於自認為可以轉化共產黨。[42]

熊十力哲學和馬列唯物史觀大不相同，熊十力哲學帶有濃厚的心學成分，這是非常明確的，中國馬克思主義者面對熊十力，大概也很少人會將他視為同道。熊十力晚年偶爾發出對唯心論的批判以及對唯物論的同情，不免令人有調整立場之感。然而，熊十力對唯心論與唯物論的解釋，原本即有自己的理據，他完全不需有亮麗的轉身。熊十力的哲學著作從早年的《新唯識論》以至晚年的《乾坤衍》、《明心篇》，心學的成分極濃，他的本心不只是意識的底據，也是乾坤的根基，這都是很道地的陽明義，《明心篇》所說即為此義。然而，熊十力所明之心，重點不只在道德意識，更在宇宙本體義，他的哲學的系譜不是依孟子—王陽明一系，而是依《易經》—王夫之一系建構而成。他的哲學是貫穿心、物兩者的體用論，而不是道德主體論的心學，這是很清楚的。熊十力也自言自家學說接近泛神論，[43]泛神論與唯物論的關係原本即是「彌近理而大亂真」，面貌極像，斯賓諾莎（B. de Spinoza）與王夫之哲學解釋的分歧即是個著名的案例。嚴格說來，熊十力不當屬於心學，而當屬於《易經》傳統的本體宇宙論之學，或者可稱作道體論之學，甚至可逕稱作道學。[44]熊十力在「一九四九」之後對唯心論與唯物論的論述，不管語言的輕重如何，其實與「一九四九」之前沒有根本的變化。但泛神論與唯物論之間的「邪惡兄弟」關係，使得熊十力在一九四九年之後，仍得以不

41 蕭箑父主編，《熊十力全集》，卷八，頁六〇六。

42 熊十力的晚年著作如《原儒》，其批判傳統甚至批判孟子的孝道思想，已超過一般的儒家可以理解的範圍。牟宗三認為其意乃在轉化共產黨，此意聞之牟先生。

43 如言：「所謂真如，又近泛神論。吾固知佛教徒恒推其教法高出九天之上，必不許泛神論與彼教相近。實則義解淺深及理論善巧與否，彼此當有懸殊，而佛之真如與儒之言天、言道、言誠、言理等等者，要皆含有泛神論的意義，謂之無相近處可乎？須知窮理至極，當承萬物必有本體，否則生滅無常、變動不居之一一現象或一一物，豈是憑空現起！」參見熊十力，《摧惑顯宗記》，收入蕭箑父主編，《熊十力全集》，卷五，頁四一六。

44 《宋史》立有〈道學〉傳，「道學」一詞類同「理學」，此自是「道學」舊義。但我們如從道字弘大，貫穿一切存在而言，「道學」一詞更適合指向張載、王夫之以本體宇宙論為核心的學問。本體宇宙論之名亦可以「道體論」名之，道體論恰可與陸王「心學」所代表的心體論，程朱「理學」所代表的理體（性體）論鼎足而三，這種分類更符合理學系統的光譜。參見楊儒賓，〈重審理學的第三系〉，收入林月惠編，《中國哲學的當代議題：氣與身體》（台北：中央研究院中國文哲研究所，二〇一九），頁九三—一三二。

負本心地在兩者之間互換語義。

在政治社會領域，熊十力與中共之間的曖昧情況再度顯示出來，中共對中國傳統（尤其是儒家傳統）幾乎全面性地否定，造成海外新儒家與中原新主人之間的根本矛盾，這種矛盾其實也見於共產黨與第一代的新儒家學者之間，但後者的矛盾中還存有些獨特的親和性。熊十力當然無法接受中共對傳統文化的全盤否定說，但熊十力異於他的海外弟子者，其中一面在於他空想社會主義的傾向特別濃厚，對中國秦漢以後的歷史的價值定位極負面。熊十力認為先秦中國原本具有現代社會合理的內容，但秦漢以後的中國歷代學人對「民族」與「民主」的理解都出了大問題，成了「奴儒」，喪失掉孔子與大《易》的精神。所以他倡言革命，民族革命、民權革命，甚至也主張空想的經濟革命，以期框正歷史的走向。熊十力的歷史哲學往往建立在他獨斷的史觀上面，封閉性強，外人難以進入。熊十力的情況很容易讓我們聯想到康有為，雖然他對這位南海康聖人的印象並不佳；也很容易令人聯想到譚嗣同，兩人都站在以孔子為代表的儒家立場上，幾乎全盤反對秦漢以後的中國社會；但更重要地，他這種極富玄想的史觀使得他在自己的哲學與中共的馬克思主義之間，找到奇異的連接點。兩者都相信人類的歷史在資本主義、自由主義體制之後還有一個歷史目的地所在的社會主義階段，剝削必然死亡，平等終將雀躍歡呼，歷史終點的時代會真正來臨。

熊十力獨特的體用論哲學與批判的外王哲學的立場，使得他自認為可以和中共的理念相合，他幾乎是「一九四九」之後唯一可以出版自己的哲學著作，也沒作過檢討的哲學家，[45]情況很特別，可見中共當局對他的政治立場也可以放心的。而熊十力在一九四九年之後的著作中，也很蓄意地在兩者之間構造連接的橋梁。然而，根本的定位不同，當事者再怎麼彌縫，終究有相當的差異。馬一浮和熊十力在文革前，先後有「確乎其不可拔」[46]的自誓之語，當時的上海市長陳毅面對熊十力這位難以歸類的思想家，終究也不能不承認「學術見解不能盡同，亦不必強求其同」。[47]熊十力最後的歲月遇上了文化大革命，他於紅潮氾濫之際，受紅衛兵侮辱，整日以在上海街頭吶喊「中國文化亡了」作結，他的生命即終止於絕望的吶喊聲中。熊十力的結局雖然悲愴，但文化大革命畢竟是共業，全民遭殃。只是他對社會主義中國的歷史目的論的想像卻導致生命最後的吶喊，此一結局卻不能不說是極有象徵意義的事。

在基本哲學立場與社會主義認同間搖擺，而給自己生命帶來極大困擾者尚有梁漱溟。同熊十力一道，梁漱溟也是第一代民國新儒家的代表人物。梁漱溟不同於熊十力者，在於他參與政治極早也極深，而他對中國的關心是從鄉村建設著手，不管在政治理念上，或實際的政治事務運作上，梁漱溟和共產黨人都有更深的連結。但梁漱溟一生重視以儒、佛心性論為代表的東方學問，視之為人生的真實與宇宙的真實，這種以心性論為核心情懷的價值定位和共產黨人的唯物史觀、階級史觀有極大的差異，梁漱溟期待的最終境界甚至已通到無餘涅槃、非想非非想的不可思議之境了。但落到政治領域，他同樣懷有某種天下太平的社會主義理想。「一九四九」共產主義革命成功時，梁漱溟其時彷若局外人，靜觀時局的發展。毛澤東邀請他參與政府，以他當時和毛關係之密切，他仍覺得以在體制外為宜。接著兩年，他下鄉參觀中共的農村政策，發現到農民的精神狀態確實已激發出來，「中共在沒有階級區別的土地上實施階級鬥爭，因而獲得革命成功」，不能不成為他核心的關懷問題。後來他也參與了政協委員會的政治事務，並修正他原有的某些政治理念，後來又為農

45　郭齊勇，〈熊十力——文化意識宇宙中的巨人〉，收入李振霞主編，《當代中國十哲》（北京：華夏出版社，一九九二），頁二七〇。

46　熊十力的一位學生曾引他的話道：「中國哲學會要我作委員，我和他們說：我是不能去開會的，我是不能改造的，改造了就不是我的。」並引另一段話語道：「馬一浮寫信給我，說他自己是『確乎其不可拔』，我回信說，我也是『確乎其不可拔』。」參見楊玉清，〈關於熊十力〉，收入蕭萐父、郭齊勇主編，《玄圃論學集：熊十力生平與學術》，（北京：生活．讀書．新知三聯書店，一九九〇），頁六六。

47　陳毅，〈致熊十力〉，收入蕭萐父主編，《熊十力全集》，卷八，頁七三六。

民問題和毛澤東衝突，在文革期間，他為不參與批孔運動並以「匹夫不可奪志」自誓，而又引發一陣新的風波。文革後，他對毛仍有惺惺相惜之感，但對階級鬥爭論的批判甚為嚴厲，立場彷彿又回到一九四九年共產主義革命前後的情況。上述種種的後續發展，眾所共知，茲不細論。

梁漱溟一代偉人，生命史極豐富，相關的研究自然甚多，非本文所能及。本文的關懷只聚焦在一件事，一九四九年之後的梁漱溟到底代表什麼意義？梁漱溟於清末雖談不上積極革命，但曾參加同盟會，他可視為中華民國奠基者的一代，但在一九四九年的共產主義革命事件中，他對中華民國的存亡並無關懷，也沒有熱烈擁戴中國的解放。很明顯地，他當時認為來自歐美那條自由主義的憲政民主是行不通的，但他也認定來自東歐的共產主義也是行不通之路。一九四九年共產主義革命後，他見到中國實質的統一，農村的新面貌，中國在國際舞臺上扮演越來越重要的角色。加上他原本即支持的農村路線、反帝思想，他和共產黨的關係確實越來越接近。然而，經過文革這場大浩劫，梁漱溟對毛澤東的晚年有極大的意見，他顯然認為毛澤東是老來昏庸了，但他最佩服的當代中國政治人物當中，毛澤東還是第一人。

梁漱溟身為佛教徒兼儒者，而且是特別同情泰州學派的儒者，他對農民運動起家的共產黨不能不有相當程度的好感。他親眼見證，也多少參與了兩個共和國的建立，「梁漱溟之於『一九四九』共產主義革命」應該是重要的議題。然而，閱讀晚年資料，也就是最晚年的《這個世界會更好嗎？》的詳細訪問稿，梁漱溟在赤色中國的四十年好像沒有改變他基本的人生觀、社會觀，他對共產黨以及毛澤東顯然是很友善的。[48]筆者相信最重要的原因是中國問題一直是他核心的關懷，中國社會之鬆散，有天下觀而無國家觀，農民沒有團體意識與自覺意識等種種問題，在赤色中國境內確實不見了。他和毛關於中國傳統階級的存不存在，鬥爭的手段之可欲不可欲，有深度歧見。雖然梁漱溟似乎曾作過調整，但文革後，顯然還是回到原點。他在赤色中國生活四十年，中國變化甚大，梁漱溟的民族主義情感以及一生最重要的兩個關懷之一的中國問題，好像解決了一大半，梁漱溟對中國共產黨的政績還是肯定的。但中國問題以外，其餘的事似乎一切沒變，梁漱溟還是原來的梁漱溟，連毛對他的批鬥、文革的遭遇等等，用他的用語講，都是「平淡的」。身為二十世紀中國重要的思想家，梁漱溟對於中國現代化轉型最重要的深度歧見：憲政民主—無產階級專政、法理平等公民—無產階級人民、文化傳統的中華性格—貧下中農階級的中華文化性格等等嚴重的出入，梁漱溟的反省似乎都雲淡風輕，擦邊而過，沒有嚴肅處理兩說的矛盾。牟宗三對梁漱溟相當尊敬，但他認為梁先生不能肯定自由民主的普遍性乃「每個民族必經的階段」；梁先生重平面的社會分析，「縱貫性不夠」，意即缺乏歷史哲學的縱深；文化上，梁先生對馬、恩、列、史「不符合中國歷史與民族性者」，亦未處理，梁先生的文化關懷是偏頗的。[49]

牟宗三自然是以自己的判斷加在梁漱溟上，但其言用於熊十力亦通。我們觀察熊十力與梁漱溟兩人的例子，不難發現他們與共產主義理念之間的緊張關係，在基本哲學立場，在對中國社會性質的認知上，雙方的差距很大。但熊、梁兩人後來都留在中國大陸，而且也曾嘗試在儒家理想與共產主義理念之間尋找銜接的管道，面對日落崦嵫的中華民國，他們將它與中國國民黨等同，沒有惋惜之意。他們面對中華民國的體制，也不細究其憲政民主的構想在理念與實際之間的差異為何，一個腐敗的政權不一定表示政權所代表的國家體制是有問題的。中華民國體制大概被他們視為一個不可欲的現代西方歐美文明的產物，它屬於梁漱溟所說的「不可行」的道路之一。熊、梁兩人固為一代大哲，但面對「共產主義在中國」引發的巨變，他們沒有提供合理的解決方案，他們在儒家聖學的基本立場、模糊的儒家現代化方案以及共產主義的強烈意識型態間，並

---

48 艾愷（Guy S. Alitto）採訪，梁漱溟口述，《這個世界會好嗎？：梁漱溟晚年口述》（北京：東方出版中心，二〇〇六）。

49 牟宗三，〈我所認識的梁漱溟先生〉，《時代與感受續編》，收入《牟宗三先生全集》（新北：聯經出版事業公司，二〇〇三），冊二四，頁三七一—三七七。

沒有形成有意義的整合。

如果說熊十力、梁漱溟在情感上同情共產主義，但在理念上沒有清楚地找到儒家的現代化方案與現實中國的關連的話，熊十力、梁漱溟的學生輩、海外新儒家的唐君毅、牟宗三、徐復觀等人則明確地切斷了共產主義與儒家現代化方案的連接。不但如此，落在現實政治上，他們很果敢地選擇了落難的中華民國，而嚴肅譴責中華人民共和國背叛了中國的路線。他們政治上鮮明的立場表達在一九五七年那篇由他們三人與張君勱聯合發表的〈為中國文化敬告世界人士宣言：我們對中國學術研究及中國文化與世界文化前途之共同認識〉，在這篇已成經典的宣言中，他們很明確地表達出他們相信的儒家現代化方案乃是築基於儒家文化的基礎上，整合中西偉大的精神傳統，並能以民主政治方式顯現出來的新的儒家文化。在這樣的願景下，以馬列主義為靈魂的中華人民共和國自然成了阻礙合理的現代化的元凶，「共產主義在中國」的時代終究是要過去的。第一代新儒家學者與第二代新儒家學者對中國現代性方案與對「一九四九」兩場巨變的不同選擇，具有極重要的理論價值。

一九四九年之後的海外新儒家一個共同的立場是強烈支持中華民國，支持中華民國不見得是支持國民黨，也不見得支持蔣介石。最重要的理由是他們認定憲政民主的出現是儒家之所欲，它的出現意味著一個本體論意義全新的時代的來臨，而中華民國當時是唯一有可能實踐民主自由理念的政治實體，國民黨則是唯一有資格抗衡共產黨勢力的組織，情勢使得反共的學者自然而然地站在國民黨這邊。這種國民黨—中華民國的連體性支持的政治選擇其時不僅見於海外新儒家，基本上一九四九年避秦海外的知識人，不管是自由主義者，或是文化傳統主義者，多作此選擇，連名聲響亮的新文化運動大將胡適也只能如此。海外新儒家學者為了支持中華民國，他們甚至不惜觸犯他們（除了徐復觀）平素不太願意碰觸到的現實政治事務。一九六〇年，當香港中文大學實行改制時，香港政府因為政治考量，禁止新亞書院在校園懸掛青天白日滿地紅的國旗，唐君毅先生和新亞書院師生多人在校園內外展開激烈的抗爭，他們是為「道」的象徵而發聲，事情鬧得沸沸揚揚。牟宗三先生也曾在窗口掛中華民國國旗多日，以示支持中華文教傳統之意。[50]唐君毅先生後來回憶國旗事件時說道：這是他在海外所作的三次最費力的運動之一，因為事關原則問題，不能不爭。[51]另兩次費力的運動都是新亞書院併入中文大學的改制事件，茲不贅述。

唐先生反共而支持中華民國的情感在他一生的信札及著作中不斷出現，一九五二年初，唐先生先後接到梁漱溟、李源澄、錢子厚諸先生的信函，或許這三封信是有組織的行為，否則，不會那麼巧，幾乎同時出現。雖然有組織的行為不一定會違反書信者的意志，梁漱溟先生不是一位可以被動員說出違反自己的道德意志的人，但被動員寫信的事實應該是有的。這三封信明顯地都有統戰的意思，三人大概都勸唐先生自港返國，唐先生也分別寫信回覆之。在致李源澄信中，唐先生有言：「國內共黨朋友來信，意亦甚厚，皆爭取之意，然人本非物，何可爭取。又循例國內學者皆須認錯，弟未錯從何能自認錯？真理不以人數多少定是非，亦非可以勢力屈人者也。」信函末段，唐先生自誓道：「如欲弟稱讚馬列賢於孔子以求食，則決無此可能。」在給梁、錢兩師友的信中，唐先生以不同的筆調，傳達了類似的訊息。在致錢信的末端，唐先生再度宣誓道：「本心無處可瞞昧，一處瞞昧，則無處不瞞昧矣！弟行能無似，唯願以此自守。」[52]

唐君毅的政治態度是公開而強硬地支持中華民國，反對中華人民共和國，他的立場反映了當時相當多數

50　此傳聞似曾見之於某書或雜誌記載，一直未找到出處。後向兩位老新亞朋友請益，他們也聽過此事。牟宗三窗戶懸掛國旗之事固可說事微不足道，但就政治象徵而言，則不無意義。

51　唐君毅，《日記．一九七六年五月二十八日》，《唐君毅全集》，卷二八，頁四〇七。

52　〈致梁漱溟〉、〈致李源澄〉、〈致錢子厚〉以上三封信，參見唐君毅，《書簡》，收入《唐君毅全集》，卷二六，頁一六—一八、二四六—二四七、二四八—二四九。

海外知識人的想法。一九四九年的共產主義革命將他們逼到海外來，災難逼使人成熟，這些現代的勝國遺民在島嶼上思考中國的災難時，目標漸趨一致。新儒家所以選擇落難的中華民國，原因不在國民黨，也不在蔣介石個人，他們事實上對現實中的國民黨有相當強的意見。他們之所以支持中華民國，原因就在中華民國的理念，因「中華民國」原則上就是要滿足國家主要性格之一的文化性格，代表中國的國家只能立足於中華文化的土壤上，就此而言，他們相信中華民國的成立即築基於此，它爾後的發展不管良窳，也不管中間的過程有多曲折，一個立足於中國土壤上的政權需要滿足中國文化的要求，這條原則是有規範性的，任何政黨不能脫離這條路線。很不巧地，中共恰好不遵循這條路線。

海外新儒家支持中華民國還有一個同樣重要的理由，同樣是從中華民國的理念出發，他們相信建構中華民國的民主體制雖借自西方，卻是中華民族發展之所欲，而這樣的體制出現後，即有永恆的意義。用牟宗三先生的話講即是：「民主政治是最後的一種政治型態，將來的發展進步不再是政體的改進，而是社會內容的充實。」[53]牟先生的話也可視為一種歷史終結論，建立在民主體制上的中華民國將是中國政治發展的最後型態。也許後來者會因為我們目前尚未明瞭的原因，他們可能不喜歡「中華民國」這個國號，但不管取而代之的新國號為何，就好的政治理念而言，它仍當是憲政民主的型態。換言之，任何破壞民主政治基本規則的設計都是不對的，中國共產黨人所宣揚的新民主主義或共產主義都有可能補充民主社會不足的地方，但它的層次只能是具體內容的層次，不能達到作為形式的民主體制的層次。混淆了民主的兩種層次，[54]共產政權不但沒有作出新的發展，還會帶來極大的災難。從海外新儒家的觀點來看，中華民國一成立，原則上，它的存在理念即是永恆的。爾後剩下的問題僅是如何充實國家的文化內涵，以及有效地維繫民主體制於不墜，其餘皆不相干。

共產黨人及海外新儒家學者分別支持共和國及民國的原因，可以說都沿歷史目的論的軸心而來的。前者認為歷史將由資本主義社會轉向共產主義社會，政治體制也會跟著改變，共產黨人早已站在歷史進化的軸線上，推進歷史一把。海外新儒家學者則殊少考慮資本主義與民主政治的問題，他們相信憲政民主體制的不朽意義，認為中華民國成立，原則上，它即是終極的。國家掌權者（如蔣介石）或許會犯嚴重錯誤，國家的命運或許也有極坎坷的時候，但這無礙於中華民國這個政治理念的永恆意義。一九四九年的國民政府在大陸上被共產黨打敗了，它逃到臺灣，但只要主政者遵守憲法，遵守民主建國的道路，這個政府就該支持。因為在中華人民共和國身上，新儒家學者既看不到中華性，也看不到民主性。從海外新儒家的觀點看，作為他們師長的梁漱溟、熊十力對資本主義運作下的民主政治之缺點，批判甚為犀利，固有足多者。但他們的思考碰到了知識模式的障礙，沒有看出民主政治這種體制出現於世界史的獨特意義，以及它和中華文明相容且相互支持的有機統一。新儒家第一代及第二代政治選擇的分歧，背後反映了深層的學術內涵。

六、一九四九年十二月七日：中華民國理念與臺灣主體性的同時完成

一九四九年十月一日，中華人民共和國成立，它的歷史意義在於重新界定「中華」、「人民」、「共和國」，中華人民共和國是馬克思—列寧主義「普遍真理」與無產階級中國「具體情況」的結合。直至中共建黨百年的今日，在共產黨人口中，中共政權仍是馬克思—列寧主義「普遍真理」與中國這塊「具體情況」的

53　牟宗三，《中國哲學十九講》，收入《牟宗三先生全集》，冊二九，頁一九八。

54　「政治之形式」與「政治之內容」之分雖極簡要，卻是徐復觀論民主最根本的洞見，參見徐復觀，〈中國政治問題的兩個層次〉，原刊於《民主評論》，二卷十八期（一九五一．〇三），收入《（新版）學術與政治之間》（台北：台灣學生書局，一九八〇），頁三一—四五。

現實之結合，一百年來，中國始終是有待聖寵救贖的地區。「普遍真理」與「具體情況」是共產黨一再使用的一組名詞，其效果幾乎等同於中國哲學傳統所說的「體用論」。但何謂普遍？何謂具體？不同政治立場的人是有不同的解讀的。一九四九年十二月七日，不接受中共對國家定位的中華民國政府渡海來臺。渡海來臺的中華民國最大的歷史意義在於重新反省，實踐出「中華」與「民國」的內涵，也就是透過實踐，對中共黨人的否定的再否定。

中華民國既然到了臺灣，臺灣就是它存在的依託，它的歷史意義就要透過臺灣顯現。解嚴前後，「一九四九」渡海來臺的國府常被本土人士視為外來政權、流亡政權，從法律觀點看，臺灣是中華民國的一省，除非中華民國亡了，主權已不及於領土，否則國內的遷移不算「外來」，就像抗戰時期國府從南京遷重慶，不算外來政權。「外來政權」、「流亡政權」之說是政治語言，但政治語言之所以會生效，總有些理由。如何評價此說？如果我們從國民黨凍結憲法，頒布戒嚴法，實施絕非臨時的「動員戡亂時期臨時條款」，因而導致中央執政的合法性危機，一九七一年還被排擠出聯合國，不被國際承認可以代表中國，那麼，外來政權之說是有一定合理性的稱呼。[55]然而，國民黨現實上固然問題重重，但它從來沒有推翻對民主自由的承諾，它所有凍結實施的條文，總是「臨時」的條款。何況，就一九四九年十二月七日的渡海事件而言，應當還有更高的格局可說。畢竟，像一九四九年十二月七日國府遷臺影響這麼深遠的事件，不管臺灣史上或中國史上，都不易找到另外的案例，須嚴肅看待。

一九四九年十二月七日的渡海事件的特殊性在「中華民國」的理念是在臺灣這個島嶼上實踐的，而依據「中華民國」理念的兩大支柱：中華文明的風土性與民主體制的實施，它都不能不照顧到臺灣這個載體的內在要求。因為民主政治的前提是要落實於該體制的公民的身上，在臺灣的中華民國必然要符合臺灣內部的要求，民主政治與本土主義有內在的親和性，這種結果是無從逃避的。

但「本土」一詞是有些神祕的，對不同政治立場的人來說，本土的界限即會有廣狹的伸縮空間，其內涵也會有很大的歧義。自從法理臺獨的聲音出現並蔚為重要的政治主張以後，一種和「中國」對照的臺灣本土意識無疑地迅速傳播。由於法理臺灣牽涉到主權的認同問題，切割性極強，「一邊一國」是個響亮的口號。在法理臺獨意識的照耀下，「中華民國的理念」一詞變得和臺灣不相干，至多是邊緣性的相關。這個概念如果還有解釋的效用，應當是對「中華民國」和「臺灣」仍懷有密切連結的人才有效。

後者確實是本文的主張，筆者認為地理臺灣不同於政治臺灣。臺灣作為在東亞交流與衝突之際才具政治性格的政治板塊，應該粗具於十七世紀初。我們對它合理的政治判斷應當不是依一種抽象性的內部視角而下，而是將它放在內部與各種關係的交織中作判斷。臺灣是海島，它的性格是在海運大開的近代世界形成的，在不同時期，它北與日本的關係，南與南洋的關係，甚至東與太平洋彼岸的美國的關係，關係重層交涉，這些關係構成了臺灣生存的實質條件。但所有關係中，沒有一項關係比兩岸關係更根本。臺灣的命運至少從明鄭以後，即是在兩岸的關係中形成，這是它的歷史性格，筆者稱作兩岸性。而這樣的兩岸性格和它的文化屬性、地理位置、居民組成成分分不開，它們構成了臺灣的「此在」（Dasein）。臺灣的「此在」的性格當然不影響臺灣的公民可以作各種的政治抉擇，民主政治不能排斥這種選擇的可能性。但政治的臺灣是從生活世界的臺灣生起的一種權力構造，生活世界的臺灣有特別緊密而複雜的兩岸性格，兩岸對對岸都有屬己性的要求，即使互斥性的情感也黏著難以釐清的兩岸性的連結。這種兩岸性的性格不會見於新加坡或檳榔嶼，雖然這兩個島嶼的住民屬性和臺灣很接近，這應當是現象學式的合理判斷。

55　勞思光認同中華民國，但認為沒有實施憲政的中華民國即不足以配得上此稱呼。他去國多年，解嚴後，才再回臺灣，最終埋骨斯地。他的選擇從反面看，可以為所謂的「外來政權」之說作一腳註。

由於臺灣的兩岸關係性的結構性因素，合理而本質性的臺灣的內在要求自然也須帶有兩岸關係性的視野。筆者認為從一九四九年十二月七日渡海事件的國家移民性格與世界史意義著眼，落難來臺的中華民國政府最大的貢獻，乃是它帶來中華民國的理念以及史無前例的大批人才與文化財，經由曲折的管道，在不以統治者的個人意志為依歸的方式，它竟能在臺灣補考，回應辛亥革命中華民國的理念。由於歷史的詭譎，歷史的災難同時帶來了歷史的福報，它同時也回應了臺灣四百年來最深切的文化渴望。

一九四九年國府渡海事件是臺灣史上一個極獨特的案例，「一九四九」移民群以龐大的數量及多元的成分相當程度地改變了臺灣的人口結構。一九四九年前後五年間，自內陸湧進臺灣一批數量極大的移民，這些移民部分是因為抗戰結束，中國對臺灣實施了主權的管轄，公務人員奉命來臺。但大部分的內地移民並非基於經濟或和平時期的理由而移入，可以確定的，絕大部分是國共內戰所致，所以我們更有理由稱他們為政治難民。這些政治難民的人數約一百三十萬人，[56]而且來自中國各省，所謂的外省人並不是那麼同質性。筆者因為一些特殊的因緣，有幸蒐集與閱讀一九四九年渡海事件相關人物的手札，這些信主有從青島撤退的劉安祺的北方部隊，有從大陳島撤退的江浙島民與海南島撤退的海南軍民，還有從滇緬邊區撤退的國府游擊隊與從越南富國島撤退的黃杰部隊。他們來自三江五湖，塞北江南，後來雖被籠統地歸類為外省人，但他們彼此之間的差異恐不下於島內的閩、客族群。[57]

我們如何看待這一百三十萬的政治難民？這些以軍公教為主軸的戰士與難民無疑和國民黨有較密切的關係，那麼，我們又如何看待逃難來臺的國民黨所代表的渡海事件的意義？一九四九年政治難民來臺的意義，不可能脫離政治的解讀，但如何解讀，顯然有各種的線索。距離太近，容易膠著於一時的視野，或許我們可以從更宏觀的視角觀察。如就單一事件而言，臺灣史上從來沒有像「一九四九」移民潮帶來這麼廣泛而深刻的影響。它的影響全面性地深入臺灣社會底層，雲深不知處，卻處處都烙上「一九四九」的印記，這群政治難民提供了最有意義的歷史之謎。我們如從文化多元性的角度觀看，這個宏闊現象的圖像反而是清楚的，這群來自三江五湖的各省移民給臺灣帶來極豐富的文化生活，宗教、哲學、文學、藝術，無一不然，連飲食、語言都是，[58]人際網脈與社會生活更是。在這麼短的時間內湧進這麼多的人口，而且帶來了極多的文化內容，它會給原來的臺灣社會帶來難以想像的衝擊，甚至難以承受之重，皆可想像。但截長補短，時間越久，圖像應該會越清楚。抽離掉「一九四九」的因素，我們已很難想像臺灣。此現象極為明顯，「一九四九」文化目前仍充斥在島嶼各角落，毋庸再論。

「一九四九」的移民雖然多的是個人的逃難，但最大的特色是集體移民，更恰當的說法，它是當時的中央政府或領導人在兵慌馬亂中有計畫地轉移人力與物力的國家移民的性格。「一九四九」的渡海事件不是經濟難民事件，不是宗教難民事件，不是族群衝突事件，它的主要當事者是中華民國政府，它是以政權的形式帶著人民、殘缺的組織移到更殘缺的版圖上去。這場渡海事件如果有意義，我們不能不指向它對「中華民國」這個概念所蘊含的文化的中華性質與民主建國的世紀工程是否能夠滿足？而這種理念的滿足是否也和民主政治預設的滿足在地公民的要求一致？

筆者不會質疑「一九四九」渡海事件的國家移民性格對臺灣曾產生破壞，但這些破壞中有創造性的破

56　一九四五年以後大陸來臺人數的統計數字，各家所述，頗有異同。根據林桶法教授的統計，至一九五三年為止，人數約一百二十餘萬人。一百三十萬是依林桶法之說稍作調整，參見林桶法，《一九四九大撤退》（新北：聯經出版事業公司，二〇〇九），頁三二四—三三六。

57　這些信札已成為清華大學文物館的藏品，其中約有百通會收入拙編，《斷鴻殘雁：一九四九說一九四九》（待出版）。

58　小說家黃春明、吳念真都提過「一九四九」帶來的語言的豐富性。老黨外也是臺灣文學史家陳芳明也多次提到「一九四九」之後，臺灣文學的豐饒複雜，遠超過以往的時代。

壞，因而也有創造性的破壞所帶來的創造性的轉化。國府當年南渡不是兩手空空而來，而是帶來大量的文化財與教育財，這是事實，故宮博物院、國家圖書館、歷史博物館、史語所博物館等等皆是世界級的文物收藏機構。這些文化資產是臺灣四百年來所未見，是中國幾千年文化的精華。一九四九年陪著中華民國中央政權轉來臺灣的，除了大量的公家機構與文化組織外，教育機構的急遽增加也是當時顯著的現象。一九四五年，臺灣光復時，臺灣的大學只有臺北帝國大學一所，另外，就是一些以培養中、小學師資為主的師範學院體系及一所工業學院及農業學院。但一九四九年之後，大量人才流入臺灣，臺灣為了生存，國民教育素質需要提高，島嶼也面臨教育突破的關口。所以此後數年，大量的「復校」現象就在臺灣發生了，來臺教育機構激增不知多少倍。清華、交通、政治、中央、輔仁、東吳、中山、暨南及軍事、警政校院等等，一一出現，這些先後在島嶼升起的大學皆是復校。除了復校之外，國府對原有學院的規模也有所提升。復校加上新設（如淡江、文化）或改制（如成大、中興）的大學，臺灣的高等教育機構數量飛速發展，這也是個極明顯的現象。這些在臺成立的高等學府自然要滿足臺灣社會的需要，但其學術內容相當程度和當今兩岸三地的教育有相融的內容，人文科學的情況也是如此。本文僅就人文科學略進數言，以示高等教育提升現象與渡海事件的關連。

二〇一一年，國科會（科技部前身）人文處集合中文、外文、哲學、歷史、語言、人類及宗教等學門的人文科學者，辦了一檔「中華民國百年人文傳承大展」的展覽，展覽的主軸是「臺灣學術雙源流」之說，雙源流指的是日本殖民時期的學院系統與民國的大學系統。我們今日反省當下的人文學術，不能不同時照顧到兩個源頭。但「一九四九」後的臺灣學術、文化雖是雙源流，源頭的水量卻不同，性質也很不一樣。一九四九年後來自中華民國的貢獻遠超過日本帝國治臺時期的貢獻，不管於質於量，皆是如此。我們僅舉一個數字：臺灣在日本殖民時期的大學只有臺北帝國大學一所，它自一九二八年創立並設有文政學部，直至一九四三年底，十五年間，畢業生才三二三名，其中文科三科學生共一〇五名。文科之文學科學生六十一名中，臺籍學生七名；史學科三二名，臺籍學生七名；哲學科畢業生十二名，連一位臺籍生都沒有。一九四五年，日本敗戰前夕，文政學部共有學生三〇四名，臺籍學生才十三名。臺籍學生之外，其餘的學生幾乎都是日本籍。[59]至於教授來源，更是清一色的日本籍。不管什麼原因造成如此奇異的結果，上述的數字實在匪夷所思。[60]

日本殖民時期的臺北帝大人文學科對臺灣人文學術的貢獻自然累積了成果，比如語言學、人類學方面，但對臺灣社會的貢獻實在不夠大，或者說應該要更大。比較兩個時期的學術表現，我們可以放膽地說臺灣學術的主軸即是民國學術。而且「一九四九」之後在臺灣發展的人文科學有相當大的比例是所謂的漢學的內容，廣義的中國學。在漢學程度已大幅提升且普遍流傳的今日，我們要說何地是獨占性的漢學中心，真不好講，但臺北總是不能被忽略的一個城市，這話是應該可以講的。這個現實的現象固然可以說是臺灣光復以後長期的「中國化」的教育政策所引致，但我們或許該考慮這種結構性的現象到底有沒有臺灣社會的支持作底子？

59 我們當然不能排除當時臺灣的學生有可能直接到日本本土念學位，而不在殖民地上大學，如臺大哲學系教授林茂生即是，當時的風氣確實如此。參見葉碧苓，〈臺北帝國大學與京城帝國大學史學科之比較（一九二六—一九四五）〉，《臺灣史研究》，十六卷三期（二〇〇九），頁八七—一三二。儘管如此，考量日本殖民時期的人口結構，臺北帝大文政學部的日籍與臺籍學生的比例如此懸殊，仍然令人不安。

60 上述史學科及哲學科資料，參見陳偉智及邱景墩的統計，收入臺灣大學臺灣研究社編，《臺北帝國大學研究通訊》（台北：臺灣大學臺灣研究社，一九九六），創刊號。最新的研究則指出哲學部有一名臺籍畢業生林素琴，參見陸品妃、吳秀瑾，〈臺北帝大唯一臺籍哲學學士林素琴〉，收入洪子偉、鄧敦民編，《啟蒙與反叛：臺灣哲學的百年浪潮》（台北：臺大出版中心，二〇一八），頁四三五—四七五。即使有一名臺籍學生，數量仍偏少。

還有人才的因素，也不能不論。人才對一個地區的文化提升的作用甚大，漢代文翁在蜀，三國時管寧在遼東，其作用至今傳為美談。一九三〇年代，德國納粹興起，大批猶太知識菁英避難美國，如愛因斯坦（A. Einstein）、霍克海默（M. Horkheimer），他們帶給歐美社會極大的文化能量，希特勒（A. Hitler）詭譎地幫助了他的敵人。同樣地，我們也要感謝共產黨人對臺灣的幫助。「一九四九」來臺人士除受命運玩弄最酷的軍人之外，也有許多知識水準較高的公教人員，渡臺新住民的教育素質呈現兩頭分化的狀況。來臺文化人中更有臺灣史上極罕見的一流知識人如胡適、傅斯年、錢穆、牟宗三、徐復觀、梁實秋、林語堂、張大千、溥心畬、于右任、臺靜農等人。孟子曾批評戰國好大喜功的人君其實是為敵方儲備人才，他說：這是為淵驅魚，為叢驅雀。我們也有理由說，共產黨為臺灣驅趕人才，最明顯地，由於共產主義反宗教的基本教義，使不少原在大陸各省區的僧侶、神父、道士在一九四九年前後湧進，造成臺灣史上罕見的「宗教聯合國」盛況。[61]而像印順這樣百年難得一見的大學問僧及慈航這樣難得的悲智雙運的大和尚被逼到臺灣，配合各方因素，終於釀成中國史上罕見其氣魄的人間佛教的興盛。史實斑斑，眼前現象更是斑斑。歷史像流水般地流過去了，但歷史的每一段時間不是等價的，重要的歷史時刻什麼時候會到達？沒人事先知道。筆者相信一九四九年十二月七日即是此一時刻，這些中國第一流知識人到臺灣後引發的巨大文化能量，四百年臺灣史未見。

四百年的臺灣史，臺灣大體處在中國的邊緣，不管政治或地理意義皆如此。雖然臺灣事實上處於東西交會的前沿，大陸文明和海洋文明的輻輳之區，它應當引發更多的文化關懷。但無可否認地，從一六六一年的明鄭到一九四九年，差不多三百年間，中原的主流文化流入這塊島嶼的質與量頗不足，第一流的文人、學者、書家、畫家，涉足臺灣的人不多，遑論互動並產生影響。重要的文化財，不管是有形或無形的文化財，也殊少有積極地流入臺灣，並產生值得注目的文化業績。由於缺乏足夠的刺激，臺人雖深感民族文化的存在，但同時也詭譎地感到其欠缺，這種欠缺感始終得不到滿足。由於缺乏厚重的文化土壤作為創造的支援意識，臺島士人參與深刻的人文論述的力道即頓顯不足，如清代，臺灣很少有影響全國性的學派、詩派、畫派、書派，也缺乏影響全國性規模的文人、學者或藝術家。筆者相信很重要的原因是時機未到，以兩岸關係性為本質的臺灣缺乏支撐其本質充分發揮的刺激作用。但歷史以災難的形式提供了幸運的實質內涵，作為人類幾個大文明系統之一的中國文明借著一九四九年的巨變，更深刻地土著化於臺灣，臺灣的文化風土才產生了一種奧伏赫變的「中華文明」的視野。

「一九四九」渡海事件是臺灣史上極獨特的案例，它的文化內涵需要不斷地深化，重作解釋。竊以為透過這種「格式塔視角」（the Perspective of Gestalt）的轉變，我們不難看出此事件的歷史效應如何提升了島嶼的文化能量。凡受過唐君毅、牟宗三訓練的學子，他們以後即有機會與世界同行論中國哲學；凡受錢穆、傅斯年學風薰陶者，他們即可在中國史學論域申述議論；凡出入過張大千、溥心畬門下而得其精蘊者，他們即可平等地面對大陸藝壇同道；而凡從于右任、臺靜農門人出身而能得其技者，他們自然即可能縱橫於書法領域；凡受過梁實秋、林語堂……；凡受過徐復觀、殷海光……；凡聽過毓鋆、李炳南、南懷瑾……；凡領受過印順、慈航……，這樣的語式還可繼續延伸下去。幾乎在文化各領域，我們都可以看到「一九四九」的因素加進來以後，臺灣的該領域即可立足於更高的發言平臺上。至於像人間佛教，像新儒家，像雲門舞集，像臺灣新電影，這些對整個華人地區都帶來深遠影響的文化在以往的臺灣是不曾出現過的。清領時期或日本殖民時期的臺灣要說精彩，總可以找到一些可談的向度，但它在整體華人世界或東亞世界的作用很難和

61 參見林朝成，〈臺灣宗教國際化〉，收入楊儒賓等編，《人文百年化成天下：中華民國百年人文傳承大展（文集）》（新竹：國立清華大學，二〇一一），頁五一一—五一二。

「一九四九」之後的文化表現等量齊觀，竊以為後世對「一九四九」之後的臺灣整體文化的評價不可能低。

「一九四九」移民的歷史框架特別豐富而複雜，中華文明視角的重要性在於它切入了這波移民的歷史框架，也就是切入了國共內戰的意識型態之爭。上述所列的一些經驗性的事實所以重要，正在於這些築基於文化傳統上的人文視野乃一九四九年共產主義革命之所惡，卻是渡海國府之所欲，也是臺民之所欲。胡適、傅斯年、錢穆、牟宗三、徐復觀、張大千、印順、慈航、聖嚴，哪一位不是逃共來臺的。上述那些代表中華文教傳統的機構及大知識人來臺，在那個時期，哪一項或哪一人不是臺灣所企盼的？即使到了今日，這些代表中華文教傳統的機構、人物及象徵，哪一項不是臺灣顯著的符號？我們不會忘了，日本殖民時期臺灣反抗運動最重要的武器也是來自中華文化的力量，不管祖國派的蔣渭水或自治派的林獻堂，無不如此。諷刺地，同一時期的中國大陸卻蘊讓著全面性的反傳統思潮，革命派的政治領袖與新文化運動的青年導師面對著業已無聲為自己辯護的傳統價值體系，不斷地以封建文化標識之，仇恨傳統的火苗一引爆後，火勢即不可收拾，遂造成舉世少見的全面反傳統的風潮。「一九四九」代表中華文教傳統的因素進入臺灣，並順利成長，是有適宜的文化土壤的。從一九四九到一九八九年間，兩岸政權對待傳統文化的態度、成績、國際形象，恰好成了強烈的對照。

文化與政治的關係很複雜，原則上政教宜分離，論及政治的大變遷，我們不必一定要將文化牽連進來。[62]但「一九四九」的兩場巨變很特別，傳統文化的性質恰好成為國共雙方鬥爭的焦點。我們只有從根源性的意識型態鬥爭著眼，也就是從儒家文明與共產主義的對撞著眼，有了今日所謂的文明抗爭的角度，才可了解為何會有大量軍公教人員，尤其是那些了不起的文化傳統主義者與自由主義者願意避秦來臺，因為他們信仰的理念在共產黨人眼中是有待醫治的惡疾，他們需要知識獨立成長的空間，所以他們與代表中華民國的政權作了同一種選擇。如果一九四九年十二月七日的渡海事件體現了中華民國的中華文化性格，我們要如何評估這波渡海事件對「中華民國」的理念蘊含的民主建國之實踐呢？

一九四九年十二月七日的渡海事件之重要歷史意義，無論如何，不能跳過民主政治的實施此關鍵事件。民主憲政的要求是一九一二年中華民國政府成立，歷代統治者對人民的承諾，即使北洋政府也是如此，即使有國民黨的軍政—訓政—憲政三階段說，即使有戒嚴法與動員戡亂時期臨時條款，歷代執政者對憲政民主的承諾並沒有改變。「一九四九」國府遷臺後，不管蔣介石與國民黨當局有何用心，但民主憲政的承諾從來沒有被抹殺掉。國民黨在一九八七年廢除戒嚴法，一九九一年廢除動員戡亂時期臨時條款，再接著國會全面改選，換言之，憲法所規定的民權項目基本上已一一還給人民。由於臺灣不幸處於藍綠、統獨惡鬥狀態，中華民國的民主工程的意義極大程度地被忽略掉了。然而，我們有理由認為中華民國的民主工程乃國民黨內的憲政派與民間力量長期結合奮鬥所致，不能歸於一黨一族群之功勞。我們只要觀察從國府渡海之初的《自由中國》、《民主評論》到六〇年代的雷震組黨以及七〇年代中期的《臺灣政論》，看看這些重要文化期刊或政治事件的當事人之背景——大部分是強烈認同憲政民主的外省籍人士，即不難獲得這種結論。即使七〇年代後期至八〇年代黨外雜誌大興，線索固然更為複雜，但中華民國憲法的規範力量始終是指導運動的一條線索。一言以蔽之，中華民國的民主工程仍是延續一九四九年十二月七日的歷史使命而來，而它又有臺灣史的內容。

一九四九年十二月七日的南渡事件帶來極豐富的文化的元素，它促使了島內的文化工作者可以有機地形成了更廣闊的人文精神的視角，促使了「中國」與「臺灣」這兩個符號的有機融合，因而使得臺灣文化有了

62　國府因反共的緣故，因爭代表中國的資格的緣故，它形式上在發揚中華文化的事業上，下了不少工夫。然而，文化恰好不是「作之君，作之師」所能成就的，國府曾以政治手段介入文化領域，最明顯的，莫過於孔孟學會與中華文化復興運動的推動，但於今觀之，這些運動是失敗的。執政者作之君而不作之師，讓師道獨立成長，這才是發揚文化的正途。

文化中國的格局。中華民國的中華性質事實上是在臺灣恢復的，也可以說活化了蘊藏多時的臺灣的兩岸關係性，「一九四九」渡海事件帶來的中華文教因素無疑地是目前臺灣文化中極重要的內涵。此次島嶼的兩岸性復權中，其內容又包含了百年來華人政治竭力追求的民主憲政的實施。千年來中國傳統政治的死結：有治道而無政道，至此才初步獲得解決，爾後政權的起伏與民意的伸張皆有和平而公開的管道。秦漢以後，專制王朝打下的死結，歷代英雄豪傑解不開，它卻在兩千多年後的島嶼自然地鬆開了。沉沉千年陰霾，一旦澄清。一九四九年被中國人民解放軍驅趕到海外的中華民國在臺灣補考後，終於獲得本來面目，它的理念應該可以更有底氣地重回歷史的主軸，它的成就也可以很有底氣地交付給未來的歷史女神作宣判。

七、結論：「兩種中華與兩種民國」之後

一九四九年最後一季，兩岸大分裂，先是一個否定中西兩方面的大傳統而依階級史觀建構的新中國從華夏大地上站起，共產主義革命帶來了中國曠代未有的政治圖像；接著一個敗戰也敗德的政權在喪失大部分的領土與再生的力量後，帶著不認同共產主義的自由主義學人、文化傳統主義學人與一大批軍公教人員及眷屬退居海島，重新實踐中華民國的理念。七十年了，海峽兩岸事實上一直盤據兩個有「中華」之名，也可以說有兩個「民國」之名的政權，海峽雙方的政權在它們的憲法上，都確定中國只有一個，但現實上的政權卻有兩個，互不統屬，這種法理與現實不一致、主權與治權分裂的現狀是問題的起點。「兩個中國」雖然都是被雙方政府否定的，也是被島內的本土派人士否定的，但就現況考量，兩岸各自的「憲法一中，現實兩中」卻是確實存在的。如果存在即合理，這種合理的不合理存在，恰好逼顯出了期間亟需解釋的歷史債務。

就政治的現實看，「一個法理的中國，兩個現實的中國」並不是在「一九四九」之後才出現的，是

一九一二年中華民國政府成立以來的常態。63

但雖是常態，二十世紀上半葉的「兩個中國」的現象俱往矣！「往」不只是時間意義的，一個分裂的中國被一個代表中央政府整編或合併了。「往」也是個歷史理性的概念，一個另外的中國被代表正統的中國整編或合併了，這樣的結局似乎也是理性的，因為它符合晚清以來人民對統合散漫的政治力量的追求。中華民國取代了滿清王朝，國民革命軍從南方統一了北方。三〇年代以後的中央政權先後解決了福建的「閩變」以及「滿洲國」，似乎頗能得到史家正面的評價。這種歷史判斷自然是事後諸葛，理性在歷史事件發生後才能知曉的自我證成，可視為黑格爾式的凡存在即合理的思維的產物。但由於二十世紀中國一直面臨嚴重的內憂外患，一個有效的中央政府是民眾的期待，所以另一個異議的中國不管其興起的機緣為何，它不能不被整合到中央政權所代表的中國，似乎也就理所當然了。

二十世紀的中國政治史可以分成前後兩階段，一九四九年是分界點，分界點前後的中國其實都是分裂的中國。二十世紀上半葉的中國境內的另一個中國，也就是對照於中央的分裂政權，基本上呈現過渡的色彩，它們要併合到下一個歷史階段，一個統一的中央帶來更正面的力量。但二十世紀下半葉的中華民國與中華人民共和國的對峙情況不同，它的內容複雜多了，文化價值也濃厚多了。它事實上代表兩種不同路線的選擇，

63　一九一二年中華民國臨時政府在南京成立後，即有在北京的滿清王朝與在南京的中華民國的對峙。一九一六年至一九二八年底，中國實質上分裂成北洋軍閥統治的北京中國以及國民黨等反北洋勢力聯合而成的廣州中國。北洋中國可能是更被國際社會所接受的正統中國，中國南北政權互相否定，各自統治。一九二八年至一九四九年間，中華民國政府雖然大體上維持有效的統治，但一九三〇年有不服中央政府另立中央的中原大戰。一九三二年，中國東北地區成立了「滿洲國」，這個日本軍人扶持起來的政權延續了十四年之久，它獨立於統一的中華民國之外。類似的情況隔年再度發生，一九三三年福建發生閩變，反國民黨中央的異議者成立了「中華共和國人民革命政府」。同一段時間，最重要的「另一個中國」的代表即是中國共產黨人在邊區設立的「中華蘇維埃共和國」。至於一九三一年至一九四五年在日本侵華局勢下成立的傀儡政權等，因是特殊局勢下的特殊產物，則不足論矣！

而這兩種不同的路線背後呈現兩種大不相同的理念，不同的人性觀，不同的歷史觀。未來的歷史會怎麼發展，很難意料，到底歷史不以人的意志為轉移，它也不見得符合理性的發展。但七十年的兩岸對峙，百年的兩黨抗爭，這些豐富的歷史經驗多少可以給我們一些啟示。

關鍵在「中華」如何理解？「民國」如何理解？這個問題早存在於中華民國的理念與現實中，但基本上卻是由共產黨人將它尖銳地逼出來的。中國共產黨人領導的共產主義革命體現的「中華」，乃是馬克思主義與中國貧下中農代表的農村傳統所結合的新中華；它體現的民國即是由共產黨永遠執政的無產階級專政的政體。共產黨所負的歷史使命，乃是建立在歷史必然性發展的唯物史觀上，將封建社會文化、資本主義文化以及這兩種文化具體顯像的儒家價值體系和自由主義價值體系送進博物館。掃除以往的歷史時間以及盤據在中國的政治空間後，一個嶄新的歷史階段由此展開，時間開始了。

相對於中華人民共和國是在清空的大地上創業，「一九四九／一二／〇七」的中華民國政府渡海遷臺事件則可說是舊邦新命的救贖事件，它要完成辛亥革命結晶的「中華民國」理念。「中華民國」理念預設在中國興起的新政體要滿足立基於文化傳統上的新中華文化的要求，但它也要滿足「民國」一詞蘊含的主權在民對憲政民主的期待，「中華民國」一詞同時預設了「文化建國」與「民主建國」的雙元目標。這兩個目標蘊含的「中華性」與「民主性」被共產黨人認為是可以超越的，或者不是超越，而是重新定位，在重新定位後超越中華民國的格局，以符合共產主義史觀的設計。但中華民國的創立者和繼承者認為中華民國的體制是最終的政體了，文化傳統呼應了每位公民生命結構的內在要求，憲政制度定位了每位公民在現實世界的行事規範，文化傳統加上民主體制乃國家的終極型態。一九四九年之前的中華民國政府沒做好，一九四九年之後的中華民國政府應該完成此理念的內容。「中華」與「民國」兩種價值的體現也是臺灣四百年來政治史曲曲折折要完成的目標，「一九四九」渡海事件提供了這個獨特的機會，它讓臺灣的長期缺憾得以彌補。一九八〇年代起戒嚴法與動員戡亂時期臨時條款的廢除以及憲法的復權，就此看來，具有特別的歷史意義，它既匡正了渡海事件的方向，也可視為近代中國史與臺灣史最有意義的會師點。

一九四九年十月一日的共產主義革命與一九四九年十二月七日的中華民國渡海遷臺是二十世紀中國最富傳奇性的事件，這前後兩個月發生的演義濃縮了百年中國政治史的內涵。「一九四九」後，兩個中華政權要分別兌現它們對人民的承諾，它們要表現出何謂中華？何謂人民？何謂民國？七十年來，兩岸中華政權的執政之途曲曲折折，中間有挫折，有修正，鄧小平南巡後對市場經濟的吸收與對傳統文化的和解即是對岸政治的曲折之大者，新時期的格局至此展開；而此岸在政治民主化後反而產生對「中華性」的疏離，這又是個突出的現象。兩岸分裂分治後七十年間的曲折有沒有改變一九四九年兩場巨變的結構？或者會不會有本質性的改變？仍將是頗富懸疑的議題，也將繼續纏繞有心者的靈魂，事態仍在發展。

第六章

在水一方：日本殖民時期臺灣反抗運動的中華文化元素1

一、前言：風波兩岸

本文處理日本殖民時期臺灣的反抗運動，這是個老議題，但老議題放在不同的框架下顯現，或許可以揭發些不同的面向。本文說的不同的框架是從兩岸的此岸之現代化轉型工程，觀看中華文化居間扮演的角色；也可以反過來說，乃是從中華文化的觀點，看待兩岸的此岸之現代化轉型的工程。由於時間置放在臺灣日本殖民時代後期，落在政治上講，此時的現代化工程不能不是種反抗運動。至於兩岸、此岸的提法乃是彼岸同一時段的歷史經驗是此岸反抗運動很重要的參考座標，而且彼岸、此岸的界線對當時的反抗運動人士來說，其實是很曖昧的。在不同的歷史處境下，同樣的中華文化元素可能遭受了極不對等的對待，但也可能發揮了極不一樣的效果。至於為什麼用「中華文化」一詞，而不用「漢文化」一詞，觀下文自明。

討論本文的問題之前，還是要先回到「兩岸」這個地理詞彙如何轉成政治詞彙的問題。「兩岸」意指臺灣海峽兩岸。「兩岸」這個地理詞彙之所以會轉化成政治性的，唯一的原因，乃因兩岸的關係產生了政治性的巨變所致，綜觀臺灣四百年史，當兩岸處於同一政權時，兩岸的關係就是國內關係，性質也較單純，如一六八三年到一八九五年的清領時期。但當兩岸不屬同一政權時，兩岸的關係就極為緊張，如一六六一年到一六八三年時期的明鄭與滿清，一九四九年之後的中華民國與中華人民共和國。一八九四年，滿清與日本國發生甲午戰爭，滿清戰敗，清日簽訂《馬關條約》。《馬關條約》一生效，臺灣主權易手，新的兩岸關係隨之產生。此後（一八九五—一九四五）統治臺灣的政權是新興的日本帝國，對岸的政權則先是滿清，後是中華民國。一六六一—一六八三年的明鄭／滿清對峙，一九四九年以後的中華民國／中華人民共和國的對峙，以及一八九五—一九四五的中國／日本的對峙，可視為臺灣史上的三大兩岸對峙期。[2]

在上述的三大兩岸對峙期當中，前後兩歷史階段期間的兩岸關係是衝突的形式，明鄭／滿清的對峙固無待中論，它們是以武裝鬥爭的面貌呈現，最後也以武力併吞的方式解決。中華民國／中華人民共和國的對峙仍在進行中，時鬆時緊，但武力解決的陰影始終存在。相對之下，日本殖民時期的兩岸關係由於有《馬關條約》的保證，兩岸在國際法的監督下，主權的問題已不能有爭議，臺灣的殖民地地位定則定矣。但由於殖民地臺灣的統治者與臺灣住民有先天的矛盾，臺灣內部即隱藏了結構性的不穩定因素。加上兩岸居民基本上同文同種，地理緊鄰，歷史互動又深，兩岸的關係很難不是臺灣內部的問題。在臺灣的內部關係與外部（兩岸）關係有結構性的矛盾時，可想見地，兩岸的問題一定複雜，其複雜情況恐不亞於明鄭／滿清及中華民國／中華人民共和國的對峙。

本文探討日本殖民後期臺灣反抗運動人物如何想像臺灣的政治前途，如下文所述，在他們思考臺灣的出路時，傳統文化，更確切地說，乃是築基於漢文化之上的中華文化的因素自然而然地就會介入他們的思想世界。在日本治臺的五十一年間，臺灣始終存在反抗殖民統治的抗爭。依學界一般的理解，臺灣的反抗運動可分前後兩期，前期以武裝抗爭為主，後期則是進入文鬥時期。[3]武裝鬥爭的意識基本上比較像種族主義的抗爭，這種鬥爭的性質是以前近代類型的民族的矛盾為主，多少帶有傳統的夷夏之爭的性質，它牽涉到的現代化轉型的因素較少。但進入文鬥時期，反抗運動是在現代的政治文化的氛圍下籌劃抗爭策略，其思考不能不

---

1 本文草稿曾在中央研究院人文社會科學研究中心以及暨南國際大學中文系報告過，陳宜中、藍弘岳、曾守仁、黃錦樹諸教授以及與會學生多有建議，清華大學台文所柳書琴教授細讀過本文文稿，多有批校，感謝尤深，謹此致謝。

2 一六二四年，荷蘭東印度公司據臺，築熱遮蘭城，臺灣較正式地進入歷史的扉頁。從一六二四年到一六六一年，自然也有兩岸關係可談。但因「臺灣」當時與中原政權的瓜葛不深，大體尚屬中國史的範圍外，兩岸關係的政治性格不濃，茲不列入討論。

3 本文將日本殖民時期的反抗運動分成前後兩期，重點放在後期，這是籠統的分法。二戰發生以後，臺灣已很難有公開的反抗運動，所以本文的日本殖民時期反抗運動後期的焦點其實落在日本統治的中間時段。

涉及現代的政治文化下的各種因素。如果我們以最後一波大規模的武裝鬥爭噍吧哖事件（一九一五）的結果當作分水嶺，那麼，至一九四五年臺灣光復為止，文門的時間約占日本統治時期的一半以上。如果我們以一九一八年在東京成立的啟發會以及一九二一年開始的臺灣議會設置請願運動作為文鬥之始，議會設置請願運動則是發軔於一九一一年梁啟超入臺，臺灣反抗運動核心人物林獻堂等人接受他的議會路線政策的產物，那麼，文鬥時間或許要短些，但也可以說還可以更長。籠統而言，就算一半的時間二十五年。

在文鬥這段期間，日本在臺灣已實施「文明化」統治一段期間。一九一九年以後，日本又任命田健治郎為首任文官總督（一九一九—一九二三），臺灣的治理進入一個新的階段。大體而言，日本帝國明治維新以後仿造歐美模式打造成的現代日本已建立起來。有日本帝國現成的案例在前，臺灣當時的反抗運動人物不可能不受到日本帝國的影響，同時，也不可能不受到當時主要世界的西方現代文明的影響。然而，本文認為日本殖民時期的非武裝鬥爭受到中華文化的影響一樣重大，這裡說的中華文化包含了明鄭以來兩岸共同承受的漢文化因素，也包含了辛亥革命成功、中華民國建立所帶來的新的民國文化的元素。由於日本殖民時期的臺人處在極不平等的殖民統治體制下，漢文化是臺人當時反抗日本帝國殖民統治的強而有力的思想武器，而新興的中華民國又帶給處在焦慮中的「棄民」政治人物很大的想像空間，當時兩岸政治文化的連結比一般想像中要強許多。本文的叩問其實即蘊含了殖民體制統治下的臺籍反抗運動人物，他們如何在殖民地臺灣想像臺灣與中國的關係。

由於時間點放在日本殖民後期，這樣的題目自然已預設了彼岸中華民國的成立，也就是一九一一年之後在中國成立的新政權。本文所說的中華文化其實是混合漢文化與新興的民國文化這兩個概念的結合。民國成立的這個時間點如果對應到臺灣來，指標性的事件應當就是一九一一年農曆二月二十八日梁啟超來臺，將議會路線帶進來的時期。葉榮鐘的名著《臺灣民族運動史》[4]實質上就是從梁啟超入臺當作近代臺灣反抗運動之始，這個時間定位自然和葉榮鐘所屬的反抗陣營的立場有關，當年參與梁啟超來臺盛會的櫟社成員後來多參與了臺灣文化協會，由於臺灣文化協會在日本殖民後期的反抗運動中扮演了相當重要的角色，林獻堂又被視為臺灣文化協會的領袖，葉榮鐘的選擇自然也言之成理。本文底下選擇的人物都是與臺灣文化協會密切相關的成員，他們都是同代人，他們一生最精采的歲月也都是在日本殖民後期的反抗生涯中度過。他們的階級屬性、個性與運動方向多有不同，但異中也有同，從右翼到左翼，個別形式的活動中都有條無形而共通的精神軸線牽引著他們的運動方向。這個名單有相當高的代表性，除了臺共外，基本上涵蓋了日本殖民後期反抗運動的光譜，筆者嘗試從他們的分歧中尋找可供今日借鑒的共相。

二、轉型的遺民：莊太岳與連橫

本文標題所說的「在水一方」見之於日本殖民時期臺灣文人莊太岳的一枚閒章，它被鈐印在他的一件行書書法作品上。[5]

莊太岳名嵩，字伊若，他是日本殖民時期臺灣重要詩社櫟社的成員，也是重要的反抗運動團體臺灣文化

4　此書的今名為《日據下臺灣政治社會運動史》，但竊以為原來的《臺灣民族運動史》的書名更容易顯示從日本殖民臺灣走過來的文化人在殖民歲月時的政治運動的核心關懷，當時的民族認同落在漢民族與中華民族兩端之間，民族認同有很強的土著性，即使近現代的政治活動都很難迴避，這也是任何作日本帝國殖民統治史的研究都不能忽略的因素。在今日，此書書名會有另外的政治聯想，這是今日語境的事，不宜以今律昔。此書有一版本（自立晚報出版）列作者名為蔡培火、陳逢源、林柏壽、吳三連、葉榮鐘合著，誤！此書實為葉榮鐘一人獨撰，其他四人只是提供材料與資金的支援。《臺灣民族運動史》的書名有可能更符合作者撰書的原意，本文行文從之，注腳則依現行的版本注釋之。

5　此幅作品現收於國立清華大學文物館。

協會的會員，鹿港人。他生於一八八〇年，卒於一九三八年，其出生與活動年代約與林獻堂（一八八一—一九五六）、連橫（一八七八—一九三六）相當，三人都是跨越了晚清到日本殖民後期這個動盪的年代，林獻堂更跨進了一九四九國府遷臺後的歲月。鹿港文人在日本殖民時期相當活躍，洪棄生、陳懷澄（槐庭）、丁瑞魚、莊垂勝、葉榮鐘等都是當時活躍於臺灣文化場域的文人，其中多人是當時臺灣反抗運動領袖林獻堂身邊重要的幹部。莊太岳在他那個時代，不屬於領導階層的反抗運動人物，但他是詩人，也是書家，儘管不是位居主流的詩人與書家。詩、書在中國文化傳統中，原本不列為特別的技能，而是文人必具的文化涵養。就此而言，莊太岳是位不以詩名、不以書名的詩人兼書家，這樣的身分或許更可代表那個時代的知識人，他也是日本殖民臺灣反抗運動領袖林獻堂集團的一員。

本文所以特別提及莊太岳，以他開頭，乃因目前有史料顯示他應當是臺中公學〈創立紀念碑碑文〉的作者。臺中一中原是臺中公學，此校在日本殖民臺灣史上具有重要地位，它是臺人集資、由臺灣經費籌設的第一座中學校，之前，臺灣沒有公立中學。在殖民地時期的臺灣，臺人處於被殖民的弱勢地位，「知識」是臺人提升地位或參與反抗很重要的手段，甚至是最重要的手段，但由於殖民地的性質使然，日本帝國統治當局對於臺灣的基礎教育雖頗用心，對中等以上學校則殊乏興趣。在時代的呼喚下，以霧峰林家為首的中臺灣人士遂有中學校籌設之議。根據臺中公學〈創立紀念碑碑文〉所列捐款名單，此學校創校資金共籌得二十四萬八千八百二十圓，捐款人員涵蓋全臺各方人士，中部地區為最大宗，捐款者包括政治立場大不相關的霧峰林家與辜顯榮，後者是個人捐款最多，前者是家族捐款最巨。此次的捐款規模乃是自一八九五年乙未抗日時，臺灣人士在唐景崧、丘逢甲號召下，籌資反抗日軍以後，從社會募得的最大的一筆捐款。[6]由於知識的啟蒙是當時現代化工程重要的一環，所以一九一五年臺中公學的設立是極重要的社會運動，矢內原忠雄的《帝国主義下の臺湾》即以臺中公學的籌設當作日本殖民時期臺人社會運動的濫觴。[7]

此事既然重要，自然有文記其事，此文即一九三二年臺中公學〈創立紀念碑碑文〉，文曰：「吾臺人初無中學，有則自本校始。蓋自改隸以來，百凡草創，街莊之公學側重語言，風氣既開，人思上達，遂有不避險阻，渡重洋於內地者。夫以髫齔之年，一旦遠離鄉井，棲身於萬里外，微特學資不易，亦復疑慮叢生，有識之士深以為憂，知創立中學之不可緩也。」文後再列出捐款者姓名及錢額，並加以讚揚一番。碑文全文不慍不火，然卻有綿裡針之意。「街莊之公學側重語言」，表示更高層級的教育是沒有的；「學資不易，亦復疑慮叢生」，顯示殖民子弟就學的困難處境。但碑文破題即言「吾臺人初無中學，有則自本校始」，開門見山，極有氣勢，一時名言，特膾炙人口。此碑未落款，事久，作者之名遂湮沒不彰。依據林莊生引莊銘瑄之說，碑文作者可確定是莊太岳。[8]單憑此文，莊太岳在日本殖民臺灣反抗運動史上，應該就有一席之地。

回到莊太岳押的「在水一方」此枚閒章，有此閒章，畫面上下左右對稱，作品即不會失衡。但為什麼是「在水一方」四個字？「在水一方」是《詩經．秦風．蒹葭》的名句，此詩是《詩經》中歌詠愛情的名詩，詩中的女主角與詩人隔著一河，伊人在水一方，在水之湄，在水之涘，就是不在水的此岸，詩人與伊人隔著河水可望而不可即，全詩極纏綿飄渺之韻緻。莊太岳是生錯時代的沒落文人，他是小津安二郎所執導〈秋刀魚之味〉影片中那位被明治維新事件甩在時代巨輪後面的落拓漢文教師，屠龍技成，其技（漢學）卻已失掉

6　一八九五年的募款數字為二十五萬圓，臺中中學的募款數為二十四萬八千八百二十圓，數字相去不遠。參見林莊生，〈讀臺中一中校友通訊有感〉，《一個海外臺灣人的心聲》（台北：望春風文化公司，一九九九），頁一七九。

7　矢內原忠雄著，林明德譯，《日本帝國主義下的臺灣》（台北：吳三連臺灣史料基金會，二〇〇七），頁一八三—一八四。

8　參見林莊生，《一個海外臺灣人的心聲》，頁一八四。林獻堂也說及碑文作者為莊太岳，參見林獻堂著，許雪姬等註解，〈一九三二年七月十四日〉，收入許雪姬、周婉窈編，《灌園先生日記》（台北：中央研究院臺灣史研究所籌備處、中央研究院近代史研究所，二〇〇三），冊五，頁二八七—二八八。

作用。莊太岳落拓自守，以儒自命，似乎很能於易代之際的滄桑歲月中維繫沒落士人的尊嚴。[9]從其留傳下來的詩作中，可看到生計給他帶來極大的壓力，一生似乎不太有青衫紅粉的韻事。在筆者看到的同一件書法作品中，還可看到他押的印另有「臣莊嵩印」一枚，此印是典型的清代科舉出生的士人之印的形制，日人作品不興此風。很明顯地，此印的「臣」不會是大日本帝國之臣，而只能是大清王朝之臣。然而，莊太岳身為清國子民時，乃在乙未割臺的十六歲之前，未聞他有參與科舉，遑論功名，他何以押此印章？

我們如果了解莊太岳的家世，對照他的詩集，他何以有「臣莊嵩印」及「在水一方」，應該不會太難了解。莊太岳祖父莊子勳是前清舉人，父親為前清秀才莊士哲，叔父莊士勳也是前清秀才，姑丈施仁恩則為前清舉人，曾積極參與乙未抗日。臺灣是移民社會，鮮少累世遞傳的詩禮世家，但鹿港莊家三代傳經，以臺灣的移民社會而論，已隱然有些縉紳世家的格局，莊太岳的詩所謂「衣冠易代委蓬蒿，門第當時亦自高」（〈清明後二日展先公墓於秀水崙歸而有作〉）[10]所說即是此意。莊太岳和中國舊傳統的連結很深，我們觀他的詩中有句「一線書香懼莫存，傳經心事復奚論」（〈清明後二日展先公墓於秀水崙歸而有作〉）、「詩書長物歸無用，衰病餘生想可知」（〈病後無俚作此自遣〉），[11]若此種種，可以理解他是受傳統文化薰陶長大的。他後來受霧峰林家之請，擔任林家書房教師，傳授的大概也是傳統士子嫻熟的經史、詩賦的舊文人文化。甲午戰爭大清戰敗，乙未抗日臺民潰敗，這一連串的挫折對當時身歷其境的臺人來說，是道難以平復的瘡傷。莊太岳的「臣莊嵩印」應當也是「不降其志」的表現，成惕軒序其詩集曰：「署義熙之甲子」，[12]由於莊太岳的原稿筆跡難見，不知是否如此？但以莊太岳的個性及認同，他在乙未國變之後，不認同日本帝國的統治，應該是可以確定的，筆者看到他的幾件作品之款識確實不署日本統治年號，但少數公共性性質較強的作品也需要「奉公守法」的。不署日本帝國年號與鈐「臣」字印是同一種堅持的不同表現。「在水一方」此閒章的意義應該也是一樣的，放在他的處境下考量，「一方」指的就是海峽的另一方。至於在水一方的內容為何，莊太岳未必可以說得很清楚，但總有那種可望而不可即的氛圍存在著，「在水一方」是個象徵。

莊太岳對影響自己一生行藏最重要的甲午乙未之變，以及作為「棄民」後該如何自處，未必可以找到很強烈的自我救贖的管道。但他參與櫟社，他寫臺中公學〈創立紀念碑碑文〉，他詩歌中對反抗運動人物（包含他的四弟莊垂勝）的同情，[13]他事實上已經用了身體行動語言，顯示了他的價值抉擇。若莊太岳此種行為模式在那一代臺灣的士子中，一方面可以說不算特別罕見，有些共相的因素。比如「在水一方」的共相不要說見於橫跨晚清、日本殖民的「一身兩世」學人，即使生於日本殖民時期的臺灣反抗運動人士，也多有「在

9　莊太岳常有「一笑儒冠自誤身」（〈一笑〉）之感，如詩集中〈有感〉云：「舉世薄為儒，羞稱七尺軀。老方知歲促，病倘有神扶。東閣書無用，生花筆欲枯。留連對青鏡，頭白認今吾。」另有〈腐儒〉三首，言及「生來骨相本酸寒，章甫居然岸一冠。蠶室馬遷歸咎重，土墻宰我欲朽難。」三首詩都極寒愴蕭瑟，但詩人倔強之氣未減，所謂「早盼神奇隨汝化，未應迂闊任人姍。」「姍」字義同「訕」字。他的〈漫興〉詩亦云：「一事無成兩鬢絲，眼看世局正如碁。但求於道毋相背，未敢尤人莫我知。鄭宅樓臺都突屼，隔江煙火自迷離。病軀只合書叢老，獨坐齋頭讀楚辭。」末路儒生的窘困之感在莊太岳詩中很常見，但兀傲寡諧之情畢竟難磨。上述詩見莊太岳著，莊幼岳編校，《太岳詩草》（台北：正言月刊社，一九六八），頁一九六、一七九－一八〇、一七三、二〇一。

10　莊太岳著，莊幼岳編校，《太岳詩草》，頁一九〇。

11　同前引書，頁一九一。

12　莊太岳著，莊幼岳編校，《太岳詩草・太岳詩草序》。成惕軒此處用了陶淵明的典故，義熙為東晉安帝的年號，其時司馬氏的大權已旁落，不久，劉裕即篡晉自立。陶淵明在義熙年之後，作品只署甲子，不署年號，「義熙」一詞成了遺民不服從的符號。

13　《太岳詩草》收有〈中秋夜懷四弟垂勝獄中〉一詩，其弟莊垂勝為反抗運動領袖林獻堂的重要左右手，一九四九年之後，他是徐復觀最親近的臺籍友人。二二八事件發生，莊垂勝被捕，拘於監獄，自撰輓詞曰：「自幸一門三世，無負國家民族。雖淪披髮左衽，未忘禮樂衣冠。」莊太岳、莊垂勝兄弟的文化認同淵源有自。參見莊太岳著，莊幼岳編校，《太岳詩草》，頁一九九；林莊生，《懷樹又懷人：我的父親莊垂勝、他的朋友及那個時代》（台北：自立晚報社文化出版部，一九九二），第三章，頁六六。

水一方」的情執。但自另一方面言，莊太岳在易代之後，仍然能以舊文人的身影參與新興的反抗運動，包含一九二〇年他在日本東京參與了新民會的成立；一九三一年蔣渭水辭世後，他也參與了發揚蔣渭水遺志的工作；[14]他還實質的參與了霧峰地區進步社團一新會的文化活動。[15]他的選擇仍與易代之際的遺民文人有所不同，他代表一種新舊轉折年代過渡的類型。我們如能辨析這種類型的人物的特色，對於被殖民統治下的臺灣應該可以有一番更真切的理解。底下，我們且再舉與莊太岳幾乎並世而生的連橫為例，以顯示舊型文人也有介入新興的政治文化的能力。

連橫與莊太岳同生於清季，年壽相同，生卒年皆差兩歲。他們都是舊文人而具有現代意識者，比較之下，連橫的格局尤為宏闊。在日本殖民臺灣文人中，論政治抗爭或社會運動，連橫固不算一時的風雲人物，但如論一代思潮，論臺灣的新時代轉型，論者撰述時如缺少連橫此一因素，其建構的圖像一定不可能圓滿。在日本殖民臺灣半世紀中，如要找出一位整理全體臺灣文化史有功者，怎麼算，首選應該都是連橫其人。連橫的《臺灣通史》當是臺灣有史書的形式以來，史實最為完整而又具強烈個人風格的通史作品；他的《臺灣詩薈》當是那一代臺灣詩史的歸墟，臺灣三百年以詩鳴的詩人與詩作皆網羅其中；他的《臺灣語典》也是站在發揮臺灣文化的立場上，對閩南語所作的成體系之作。和學者身分同樣重要的，他是位作家而且是日本殖民時期數一數二的文人，其詩其文在同代文人中都是佼佼者。連橫可謂日本殖民時期的黃宗羲，他整理一代文獻所費的心力及成績，傲視一個時代，即使從今日的觀點看，他在日本殖民時期的著作仍具有極為重要的意義。

連橫著作之大者，首推《臺灣通史》。《臺灣通史》在整個臺灣史籍的地位，不只是第一部完整的現代形式的通史而已，更重要的，透過了通史，他將強烈的民族文化精神貫注其中。而此處所說的民族文化精神，毫無疑問的，連橫自己認定的乃是承自明鄭以下的儒家的春秋精神。《臺灣通史》的精神觀乎連橫所撰序言可見，觀乎他對明鄭一朝人物的禮讚，邅迂徘徊，不忍去云，也可以見其一斑。連橫的通史精神即是他的詩歌精神，《臺灣詩薈》發行時，他有詩歌詠其事曰：

大雅今雖息，斯文尚未頹。淒涼懷故國，寥落感奇才。旗鼓騷壇建，詩歌汐社開。傷麟宣聖淚，嘆鳳楚狂哀。……中原王氣盡，海上霸圖恢。正朔存唐祚，衣冠守漢祺。天教荒服啟，人為典章來。復甫經綸在，斯庵痛哭催。……慷慨存吾志，扶持賴眾材。秋蟬聊自苦，野鶴漫相猜。盛事傳瀛嶠，新編繼福臺。諸公能濟世，莫問劫餘灰。[16]

此首五言古詩，六十句三百言，青山排闥，一韻到底。此詩隱然有陳子昂、李白之風，個人的幽閉昂藏情懷中夾有時代風雷之聲。此詩言「大雅」、「斯文」、「宣聖」、「楚狂」，用典繁湊，連橫顯然是以孔子詩教自任。「中原王氣盡」以下則歌詠明鄭，「復甫」為陳永華之字，「斯庵」則指臺灣文獻之祖的沈光文，連橫一生有極強烈的明鄭情結，此詩倒數第三句的「新編繼福臺」的「福臺」即指沈光文的東吟社新集結之《福臺新詠》。連橫此詩不僅意在歌詠孔子、鄭成功，他也將儒家的文化意識與抗爭精神帶到臺灣的文

14 蔣渭水辭世後，民眾黨決議編《蔣渭水先生全集》，此事委由黃師樵、白成枝、陳其昌等人負責，書編成後，被日警沒收。戰後，才陸續有另外三種版本的遺集出版。在原始版本中，有林獻堂的序言，其序實乃莊太岳代寫。莊太岳也有詠蔣渭水逝世之詩〈題蔣君渭水遺集〉，詩曰：「心血拋餘為愛群，紛紛熱淚灑成文。那知是血還為淚？一片模糊辨不分！」詞句頗悲切。

15 他的詩集中有〈一新會創立週年書此致祝〉：「頹風一掃了無餘，促進文明戮力初。行見萬般都美化，清新氣已滿鄉閭。」詩意平平，但足見懷抱。詩見莊太岳著，莊幼岳編校，《太岳詩草》，頁一六九。

16 連橫，〈臺灣詩薈發行賦示騷壇諸君子〉，《劍花室詩集》（台北：財團法人林公熊徵學田，一九五四），頁六一—六二。

化傳統中。詩史同參，經史互證，這是儒家文化的大本大宗，連橫比起同代任何臺灣詩人來，他掌握中國詩歌的本質特別到味，詩歌的倫理面向也顯得特別清晰。

連橫是舊詩人，在臺灣的新舊文學的論爭中，他為舊文學發聲的分貝極為響亮。然而，比起其他的舊詩人來，他對詩歌和新時代該有的連結，不曾懷疑過。顯然，詩人如果不能回應傳統價值在現代的表現，連橫會認為他即是不合格的詩人。連橫在此事上從不含糊，他不但認為詩歌要反映時事，也要參與新時事的創造。連橫在辛亥革命前，有詩〈冬夜讀史有感〉，此組詩有序言「革命之鐃，已喧湘贛，物極則反，天道何常。縱觀時事，追念前塵，心躍血湧，茹之欲出。率賦廿章，質諸觀者。」[17]序言寫到「心躍血湧」，熱情澎湃，直欲破卷而出。連橫既然質諸觀者，我們在此組詩寫成百多年後，不妨權作觀者，以回應詩人連橫對後人的期待。連橫之詩曰：

乘虬披髮叩天閽，欲遣巫陽吊國魂。時勢未生華盛頓，英雄幾見拿坡侖。朝綱顛倒君王醉，生計貧窮士女喧。立憲是真還是假，蚩蚩歌舞說皇恩。

大呼革命起湘人，又見江西義旅伸。黃帝有靈民不死，神州克復國方新。群龍見首飛東土，萬馬喧聲拱北辰。自古南公曾示語，楚雖三戶足亡秦。

飛龍天矯漢旗黃，十萬雄師耀四方。卷土重來仇可復，移山自信力非常。共和主義敷民德，尚武精神慰國殤。旭日中天輝大地，高歌冠劍抖軒皇。[18]

連橫這組詩二十首，可能成於清末民初之際。其格調與同時期唐山的南社詩人詩風遙相呼應，連橫原本也是鯤島的南社詩人。在連橫同代的臺灣文人中，詩歌會歌詠「華盛頓」、「拿坡侖」、「革命」、「人權」者，或可見到，但像他如此熱情澎湃者，仍為少見。在革命剛爆發，大勢可能尚未底定之時，即寫詩期待「共和主義」的來臨者，尤為罕見。[19]以新時代術語入詩，其詩就不可能只是傳統所說的抒情吟志而已，它不能不介入新時代的創造。就此而言，連橫和早他一輩的涉臺詩人黃遵憲、丘逢甲可謂一脈相承，這些詩都當從文學社會學的角度加以定位。

詩人連橫以詩介入政治的格局還真不小，他在滿清末期，已為詩期待愛新覺羅氏退出中國，「神州克復」之語只能是從革命的立場著眼，才講得通。日本殖民時期的臺灣文人對清朝多有微詞，對明鄭則衷心嚮往，連橫亦然。他的詩文一再言及鄭成功（延平），而且只要言及鄭延平時，常會在此抗爭英雄名前冠一「我」字，如《臺灣詩乘》破題即言：「臺灣為海上荒土，我延平郡王入而拓之，以保存漢族」[20]；如「明社既屋，漢族流離，瞻顧神州，黯然無色，而我延平郡王以一成一旅，志切中興」[21]；如「寧南雖小，固我延平郡王締造之區也。王氣銷沉，英風未泯，鯤身、鹿耳間，其有唏髮狂歌，與余相和答者乎」；[22]又如

17 同前引書，頁一一三。
18 同前引書，頁一一六。
19 連橫的《劍花室外集》是從乙未（一八九五）至辛亥（一九一一）年間的詩作集，其中有〈讀盧梭民約論〉一首，詩曰：「平生最愛盧梭子，民約思潮湧大球。革命已成專制死，文人筆戰勝王侯。」青年連橫的新時代精神由此可見。同前引書，頁一〇四。
20 連橫，《臺灣詩乘》（台北：大通書局，一九八七），卷一，頁一。
21 連橫，〈臺灣詩乘序〉，《雅堂文集》（台北：大通書局，一九八七），頁三三。
22 連橫，〈寧南詩草自序〉，《劍花室詩集》，頁九。

「我王真突兀，賤子致誠虔」（〈春日謁延平郡王祠〉）；[23]再如「諸葛存漢岳驅戎，繼其武者，唯我延平真英雄」（〈延平王祠古梅歌〉）。[24]連橫的用語習慣，凡言「延平」必有「我」之語或之意存乎其中。蓋「延平」者，我臺人之延平也。從連橫眼中，臺人的真正身分在於流傳著鄭延平的反抗血液。後來的蔣渭水（一八八八—一九三一）在有名的〈臨床講義〉中，對名叫臺灣的患者的診斷，言及臺灣年輕時因血管中流有鄭成功的血液，所以體魄強壯，品質高尚，蔣渭水之言也是連橫之意。

既然臺灣漢人是鄭延平的子孫，鄭延平保有明正朔之志，不幸覆滅於滿清，因此，漢族之能顛覆滿清而申大義於天下者，即為延平郡王遺志的繼承者。中華民國的革命志士正是其人，中華民國也是漢族一六四四年明室覆亡以後期待已久的政治體制。一九一二年，滿清傾覆，民國初建，連橫為暢通「久居東海，鬱鬱不樂」之氣，乃東渡神州，甲寅（一九一五）年返臺，三年期間共成詩一二八首，最後集結成《大陸詩草》一集問世。連橫因多年鬱氣，久不得發，在殖民地臺灣，亦無從發，而一九一二年，中華民國元年，革命成功之年，也是他期待已久的政治局勢爆發之年。他目見其事，足履其地，發為詩歌，遂一發不可收拾。長年鬱悶之情，傾瀉而出，詩集中有〈壬子十月十日〉之作：

> 三月三，春修禊。五月五，湘纍祭。九月之九作重陽，何如十月之十國民呼萬歲！萬歲呼，甘馳驅；武昌一戰誅東胡，共和之國此權輿。嗚呼！共和之國此權輿，慎勿內訌外侮為人奴。

這是一位滄海遺民對於「鄭國」中華民國的禮讚，其痛惜愛護之情，跳躍字裡行間，這種熱情的詩在其時的中國國民黨人的著作中都未必可以看得到。詩集中另有〈煤山弔明懷宗〉一詩追弔崇禎皇帝，其詩曰：

人生不幸為天子，四海何以處寡人。社稷存亡甘一殉，江山破碎慘無春。鼎湖龍去餘弓劍，廢苑鵑啼亂鬼燐。我欲排天叫閶闔，中原已見國旗新。

明懷宗即崇禎皇帝，崇禎皇帝在清末革命風潮興起後，他是時常被重新喚起的意象。連橫此詩與清末關心國事的文人同一筆調，他們同樣借著追憶晚明的歷史創傷以重構當代的政治秩序。此詩結尾所說「中原已見國旗新」的「國旗」自然指的是中華民國國旗，問題是他用什麼樣的身分說話？

詩集中另有〈黃花祭〉一首，歌詠辛亥年起義的革命烈士，其詩曰：

西風一夜吹黃花，黃花落地起咨嗟。誓將烈士血，造成新中華。中華興，烈士逝，中華亡，烈士繼，年年三月廿九黃花祭。

此詩已不再借陳年舊事以澆自己胸中塊壘，而是直接面對眼前的重大史實，歌詠「新中華」。連橫以人類學家所說的「內在」而非「外在」的觀點敘述其事，他是以內在於中華民國的視角歌詠辛亥革命的史事，敘述觀點是我們判斷連橫政治認同很重要的參考座標。

上述三詩當然是詩集中政治色彩極濃的詩篇，但同樣的情調其實溢滿詩集中，連橫對發生於新興中華民國土地上的重要事件，尤其是烈士遺跡，如秋瑾、吳祿貞、彭家珍、「三烈士」、熊成基等等，都有詩歌詠

23　同前引書，頁三一。
24　同前注。

其事，同樣也都是從「內在」的，而非旁觀者的觀點，敘述其事。而且斷語直截了當，都是出之以正正堂堂之師，絕無躲閃。連橫的《大陸詩草》、《寧南詩草》諸集中，多有此類直白之作。比起同一時期的臺灣代表性詩人如林癡仙、林南強，後者的詩作或許更沉潛耐讀，然就文明轉型時期詩歌作為社會的公器而言，連橫的「中華民國」情結極重，他的詩之直白坦率在當代詩人中，可謂無人能出其右，其衝擊力道應該也會更強。

莊太岳與連橫「一身二世」的背景，與現實疏離而又以文字支持反抗運動的經歷，可作為他們那個時代一種文人的類型。他們不是政治人物，沒有積極地參與政治的反抗運動，卻也支持之，在一些重要的政治事件中顯露身影。[25]他們不嫻熟政治的實務，卻不缺乏現代的政治意識，他們可劃歸為日本殖民後期反抗運動人物中最傳統也可說是最右翼的一種類型。他們身上蘊藏日本殖民時期一些舊文人共同的生命底蘊，遺民氣息甚濃，許多政治人物也和他們分享了這些共通的因素，這兩位舊文人共同的生命底蘊其實可視為一代反抗運動共同的基礎。只是論及民族反抗運動人物，其人須有更明確的政治主張，也需有更明確的價值定位，才足以肩負重任，此事仍有待有志者繼之而起。

三、儒紳的現代化轉型：以林獻堂為例

非武裝反抗運動群雄中，具舊文人生命情調，同樣有詩人身分，心境上可以和莊太岳那輩文人溝通，又能凝聚共識，形成新文化運動方向，並參與臺灣現代化轉型之工作者，不能不推林獻堂其人。林獻堂出生的年代與莊太岳相當，只比莊太岳小一歲，算是同代人，兩人關係相當密切。霧峰林家的家世比起鹿港莊家來，當然更為顯赫，也更具世家的格局。但兩家有通家之好，霧峰林家另一位重要人物林南強即娶莊太岳之

妹為妻，林獻堂家族與莊太岳、莊垂勝兄弟交往頗密，說是照顧，亦無不可。然莊太岳與林獻堂關係雖親，莊太岳也是林獻堂事業的支持者，但就其人其文其作為來看，莊太岳更接近親歷甲午乙未巨變那一代文人——比如同為櫟社創辦人的林癡仙的心境。[26]林獻堂不同，他是另一個時代精神的人物。

日本殖民時代的反抗運動人物當中，論輩分之高、聲望之隆、修養之深者，當數林獻堂。林獻堂是霧峰林家頂厝的傑出代表，霧峰林家在日本殖民臺灣五大家族中，大概是唯一明顯介入政治事務，而且是站在臺灣人民的立場上抗衡殖民政權的家族，林獻堂則是整個家族的中心人物。以霧峰林家累代簪纓，家大業大，社會網絡又廣，林家敢介入公共事務，毋寧是樁非凡之舉。尤其林獻堂本人，做事謹慎，凡事從容中道，不作衝撞魯莽之舉，也不興高亢激盪之言，他竟然能長期成為臺灣反抗運動核心人物，毋寧是樁奇特之事。筆者曾泛覽他的日記二十七冊，他的日記記載林獻堂平生的行蹤，歷歷分明，頗為詳細，這樣的日記可視為盡責的起居注了。但他對一生中重要的事情的判斷為何，他個人的情感如何，日記提供的線索相對有限。我們不能說林獻堂故意隱埋，而當是他行事勁氣內斂，不輕易外洩，此種反應模式已成了他的人格結構的因素。傳統文化中，比較容易表達作者情感的文體是詩歌，詩以言志，詩以抒情，這是中國傳統認定的詩的功能。林獻堂始終支持與家族關係密切的櫟社詩歌活動，一生也沒有中斷寫詩的習慣。林獻堂的詩自然也抒情言

25　如莊太岳也參與了在東京「新民會」的發起人，並在霧峰的「一新會」教授漢文。連橫在治警事件中被約談過，雖然沒被判刑，但總被騷擾了。

26　莊太岳於櫟社詩人中，特親林癡仙，《太岳詩草》中有多首詩懷念他，如〈哭癡仙兄〉兩首：「輕裘白面渡江人，電火俄成過去身。閱世蟲沙餘慘澹，僨轅牛馬見酸辛。斯文將喪吾滋懼，同輩相知子有真。曾是埋憂兼避俗，茫茫後顧重傷神！」（其一）「鯨海風波痛哭回，雄心歷劫漸成灰。已拚斷雁羅矰繳，自合幽蘭沒草萊。貞士姓名今栗里，酒人魂魄古琴臺。重泉漫寄悲秋語，費盡江南後死才！」（其二）見莊太岳著，莊幼岳編校，《太岳詩草》，頁七一—七二。詩極悲愴，詩中的林癡仙形象可看到莊太岳本人的身影。

志，也有一己之興懷，但他的詩風平穩淺易，不疾不徐，其詩與其說是抒情，不如說是達成情的平衡作用的機制。他的詩如拿來與連橫的詩對比，風格恰成有趣的對照。從他一生的舉止與作品來看，林獻堂可視為斯多葛學派讚美的中庸之人。林獻堂連在日記、詩歌這麼私人性的文字上面，情緒都很節制，不願意輕易表露出自己個人的政治判斷，遑論其他。

但正是在霧峰這位「三少爺」[27]身上，凝聚了日本殖民時期臺灣人的政治命運，日本殖民臺灣反抗運動的特色與局限在他的個性上充分地顯現出來。身為重要的公眾人物，林獻堂自然有多重的面向與不同的評價，但在這些人物當中，林獻堂的公共形象與評價又似乎相對地一致。竊以為他的公共形象是和下列三件重要事務連結在一起的。首先，最鮮明的形象當是臺灣議會設置請願運動，此運動從大正十年（一九二一）起，直至昭和九年（一九三四）結束，前後十四年。議會設置請願運動就結果而言是失敗的，但就議會路線的理念而言，每次的請願都會掀動臺灣人民的情感，所以每次的請願行動可以說即是一次的社會運動，其後續效應仍是可觀的。其次是成立推動新文化運動的公共社團。林獻堂參與的新興公共社團以一九二〇年成立的新民會與一九二一年成立的臺灣文化協會的講習運動最為著名，一九三二年在霧峰創立的「一新會」，其性質也可歸入其中。日本殖民後期的重要政治與文化運動除了議會設置請願的政治運動與以階級史觀為基礎的農工運動外，另外可稱作運動之大者，大概就是以新知識、新公民意識為主的文化講習活動。這種以傳播新文化為導向的講習活動和武裝暴動的路線差異極大，和傳統的士人結社活動的性質也大不相同，它帶有更顯著的現代公民社會公民結社的色彩。臺灣議會設置請願運動與臺灣文化協會的社會文化活動參與者不少，林獻堂當是這兩種類型的運動的主要推手及金主。

除了上述兩種明顯的社會運動形式外，林獻堂一生寫詩論詩，積極支持櫟社的活動，推動詩社的現代化轉型可視為他的第三項顯著的公共形象。櫟社不是一般的詩社，它在日本殖民臺灣的詩社中，具有特殊的公共意義。此社成立的時間較早，不是林獻堂催生的，但林獻堂加入詩社後，成了櫟社主要的支持者，事實上，也使得詩社這種傳統的結社方式具有獨特的文化內涵。因為詩社可代表舊文人與傳統價值連結的方式，當它從舊環境脫離出來而與新的生活世界結合時，其中即可能包含了積極的抗爭的成分。

林獻堂入詩社，寫詩，此事所以值得放在殖民統治時期的反抗運動的觀點下考量，乃因改朝換代之際，不接受時局新運的士子往往藉著結社作詩，以抒憤懣，這是中國士子特有的精神反抗傳統。宋、明末季，時值鼎革，其時的遺民往往借詩以表情達意。宋季的鄭思肖、汪元量、謝枋得，明末的顧炎武、盧若騰、屈大均等人皆為顯例。而由於聲氣相應的同志情誼之要求，結社會盟的活動形式也自然會出現，明末的復社、幾社就是朝野多故之際出現的文人組織；徐孚遠於南明時期，亦曾與張煌言、沈佺期等人結「海外幾社」；沈光文入臺後，也將這種結社風氣帶到島嶼上來，他組成全臺第一個詩社「東吟社」。結社會盟，同聲相應，這樣的組織方式給身經甲午乙未之變的臺灣士人帶來很大的示範作用。

乙未割臺之後，臺灣社會從南到北，詩社大興，其盛況為臺灣有史以來僅見。[28]詩社自然以吟詩作對的漢文化文藝活動為中心，在版圖易幟之後，科舉之路斷絕，詩文等漢文化失去了現實謀生的作用，「士」這個概念在社會上已失去了立足的土地。而詩社此時卻如雨後春筍般地興盛起來，連橫所謂「士之不得志於時者，競立詩社，號召徒侶，以作無聊之興會」，[29]這種現象毋寧是相當正常而又特殊的。而詩社大興的結果，陳腔濫調的詩歌氾濫，加上日本文化中原也有漢文化的傳統，所以殖民統治當局以收攏殖民地民心為主

27　霧峰林家是大家族，分頂厝與下厝兩支，林獻堂在族中排行第三，鄉人因有「三少爺」之稱。

28　關於日本殖民時期臺灣詩社的數量，參考許俊雅，《臺灣寫實詩作之抗日精神研究：一八九五—一九四五年之古典詩歌》（台北：國立編譯館，一九九七），頁三〇二，附錄五：〈日據時期臺灣詩社增加數量圖〉。

29　連橫，〈林癡仙傳〉，《雅堂文集》，頁六五。

的大型文學表揚活動如「揚文會」等形式也會應運而生。在各種不同政治目的的詩社活動之牽扯下，詩社的功能遂不免模糊化。當張我軍等人將五四新文化運動的火苗引進臺灣，首先即質疑舊詩及詩社在殖民地臺灣社會的角色。然而，回到詩社成立的基礎，我們不能不說日本殖民時期的臺灣詩社仍是個有意義的社會現象，它指向了保存漢文化意識的社會現實。在日本殖民臺灣時期，舊體詩的大量出現既是文學現象也是社會現象，它反映了對漢文化精神的堅持是任何當時參與臺灣社會改造的活動不可能迴避的前提。

詩歌作為一個時代的聲音，這樣的功能在甲午乙未的抗日此歷史事件、一九一一年梁啟超來臺事件，以及大正十二年（一九二三）的治警事件中，表現得特別清楚。這幾樁事件所以至今仍為人所傳頌，最大的功勞應當是丘逢甲、施士洁、梁啟超、林幼春、賴和等人的詩歌傳達出來的訊息。他們所作的詩歌因為切入了重要的公共議題，變風變雅，噍雜聲作，它的內涵遂與公共議題的傳播泯不可分。比如一九一一年梁啟超來臺，此行所以會帶來那麼大的影響，梁啟超當時的詩作絕對功不可沒。徐復觀說道梁啟超辛亥年來臺所作詩歌的意義乃繼黍離麥秀之歌後的具有「歷史感動力」、「民族感動力」的鉅製。[30]治警事件的林幼春、蔡惠如、賴和的詩歌也有類似的功能，世人對治警事件所以還有印象，當時這幾位詩人受難者的詩歌起了很大的觸媒作用。我們如將詩社的存在當作保存漢文化的象徵，將它視為一種可以介入現代化轉型的重要社會機制，那麼，林獻堂之堅持詩歌寫作，就不能沒有嚴肅的文化抗爭的意義。

詩社如果在臺灣日本殖民時期反抗運動史上有其意義，林獻堂與櫟社的貢獻就非常值得重視。因為相較於其他詩社，櫟社同仁參與社會公共議題的詩人比例較高。櫟社成員的政治態度當然不可能完全一致，如第一代的陳懷澄、傅錫祺等人就較非政治化，陳懷澄後來任鹿港街長，傅錫祺任潭子庄長，他們的詩歌和行為碰觸到政治議題者也不多，「街長」、「庄長」這樣的官銜顯然還是有政治作用的。櫟社有些詩人也是可以與時推移的，[31]但我們如看櫟社社員名單，他們之中多為新民會或臺灣文化協會的會員，林幼春、林獻堂兩位林家代表人物即為顯例。換言之，傳統的結社形式與新興的結社形式在日本殖民反抗運動中有所銜接。如果我們要找一個可以類比的例子的話，清末民初的南社與同盟會的關係庶幾近之，舊文學保守、新文學進步的印象不一定可以普遍適用，具體情況很需要具體分析。

新民會於一九二〇年在東京成立，留日學生是主要推動者，蔡惠如、黃呈聰、蔡式穀、楊肇嘉為發起人，林獻堂為會長。新民會是承繼之前的啟發會而來，新民會創辦的《臺灣青年》是日本殖民臺灣反抗運動重要的機關刊物，可說是第一個機關刊物。新民會除了推動臺灣議會設置請願運動的構想外，主要是介紹新知，推動演講。新民會的具體運作可以從十年後在霧峰設立的一新會上見出，這兩個會顧其名，也可看出其間的連續性。一新會由林獻堂長子林攀龍創立，但林獻堂也提供了相當的支援，可以視為最重要的支持者。一新會算是霧峰地區的公民團體，其成員包含霧峰林家及霧峰地區的人士，其主要活動有傳授和、漢文的義塾與講會，義塾的漢文教師即是林家特別禮聘而來的莊太岳，林獻堂對義塾的漢文教育（教《四書》）等，特別關心，時常巡視，還幫學生改日記，莊太岳有事時，偶爾也代他上課。一新會的演講多為新生活的議題，一新會重視婦女地位，在霧峰的一新會的「日曜講座」中，一半以上的議題與婦女有關，[32]有的講者即是一新會的婦女成員。此會提倡婦女吸收新知，主張破除畜妾、纏足、抽鴉片等惡習，林獻堂還常和太太一

30　徐復觀，〈悼念葉榮鐘先生〉，《徐復觀雜文四．憶往事》（台北：時報文化出版公司，一九八〇），冊四，頁二〇八。

31　黃美娥研究櫟社詩人王石鵬，也指出王石鵬的國家認同頗游移，甚至在加入櫟社之前，即部分地接受了日本的皇國史觀。參見黃美娥，〈帝國魅影——櫟社詩人王石鵬的國家認同〉，《重層現代性鏡像：日治時代臺灣傳統文人的文化視域與文學想像》（台北：麥田出版公司，二〇〇四），頁三四三—三八〇。

32　許雪姬，〈霧峰「一新會」的成立及其意義〉，轉引自林獻堂，〈一九四六年七月六日〉，收入許雪姬編註，《灌園先生日記》（台北：中央研究院臺灣史研究所、中央研究院近代史研究所，二〇一〇），冊一八，注一，頁二三八—二三九。

起聽演講。林獻堂很重視新知識的引介與新道德的涵養，他曾說過：「凡作事需要團體，欲團體之發達，需先涵養公德心。」[33]這種語言非常梁啟超，一新會就是他實踐理念的一個鄉里組織——此會雖是地方組織，但它所作的許多與公德心有關的講會與活動卻帶有新時代的新氣象，成效應該甚彰。林獻堂的君子風範在這種鄉里的實踐中特別彰顯得出來，林獻堂也於此得大自在，他的日記中多記載他參與活動之事。[34]難怪光復後，林獻堂念茲在茲，乃有重續一新會之舉。[35]

一新會是具體而微的案例，此案例可看出舊社會出身的儒紳令人動容的身影。但如論政治的動員力道，新民會成立的隔年，臺灣文化協會在臺北大稻埕創設，此事當然影響更大。臺灣文化協會也是以林獻堂為「總理」，名義上的領導人。臺灣文化協會因為以本土為基地，有地緣與人事的優勢，此會透過讀報、演講、支援抗爭，其運動效果遂遠非以往傳統的結社所能比擬。臺灣文化協會後來雖然經過兩次分裂，其組織形式最後不得不消失於歷史的黑夜中，但歷史效應不應低估。臺灣文化協會與爾後成立的臺灣民眾黨基本上成了日本殖民時期反抗運動的象徵，並實質地牽引了戰後臺灣社會的反抗運動。

林獻堂的為人處事怎麼看，都是傳統的儒紳型人物，而且非常典型，但這位儒紳卻又是如此現代，他帶動了臺灣的現代化轉型。如果我們將林獻堂的三項公共活動詩社、議會、新公民文化從左翼到右翼擺在一起，發現這三項性質頗不相同的活動在林獻堂動盪的一生中，竟然是相互支持，共構成一完整的臺灣現代化方案。詩社是傳統的士人結社活動的形式，新民會此社團是現代市民社會常用的啟蒙式機制，在不同的地區，甚至在臺灣新舊文學之爭的兩方陣營，這兩項活動常是衝突的。但以林獻堂為中心的士人不但不接受衝突說，相反地，他們認為傳統的漢文化與新興的公民之間不但可以相互支持，而且還可以相互轉化。一新會的倡議者是他留學歐洲的公子林攀龍，新民會是留日學生倡議組成的，但這兩會都仰林獻堂之名，以號召群眾，林獻堂事實上也成了新民會與一新會的主要負責人。林獻堂在推動新的公民道德或公民文化時，不遺餘力，竭力支持。他不但在左右兩翼的新舊文化之關係上持相輔相成說，更認為新舊文化與新興的政治形式議會原理也是一致的。在面對臺灣轉型期的關鍵年代，林獻堂很穩健地在幾種運動形式上彼此轉換，達成相互溝通的效果。

林獻堂一生最重要的公眾形象自然不在櫟社的推動者，而是臺灣議會設置請願運動，臺灣議會設置請願運動自大正十年（一九二一）開始推動，連續十四年，年年推動，簽名、演講、募款，反覆翻動臺灣社會數趟，每年的推動即是該年最大的社會運動。臺灣議會設置請願運動在臺灣史上的重大意義乃是「議會」這個新興的詞彙第一次正式登上臺灣的政治舞臺，在此之前，在臺灣島嶼上運作的政治力量基本上以行政權為主，行政缺乏制衡的力量。由於臺灣特殊的處境，總督府擁有日本內地政府甚至朝鮮總督府都沒有的行政力量，所謂的六三法。在殖民體制底下不要說「制衡」兩字了，人民其實連申訴的管道都是缺乏的。

議會這個概念是現代民主機制下的產物，就此而言，議會設置請願運動是跨區域、跨時代的現代化工程中的一環，只要有民主要求的地方即會有議會概念的提出，但臺灣議會設置請願運動還有特殊的內涵。此運動的推動力量來自臺灣留日的學生，他們當時面對臺灣的處境時，即思考臺灣前途該何去何從，依據葉榮鐘的資料，當時留日學生其實主張完全自治的占多數，但現實上，此主張當時冒然提出一定會衝擊到整個日本帝國殖民統治的基礎，可想見的，不可能獲得日方統治當局的同意，即使日方同情殖民地人民處境的民主派人士大概也很難支持他們。所以當時的提議者蔡惠如即主張以議會政治為主，提出臺灣議會的概念，而這個

---

33 見林獻堂著，許雪姬等註解，〈一九三二年二月二十七日〉，收入許雪姬、周婉窈編，《灌園先生日記》，冊五，頁九三。

34 參見周婉窈，〈「進步由教育，幸福公家造」——林獻堂與霧峰一新會〉，《海洋與殖民地臺灣論集》（新北：聯經出版事業公司，二〇一二），頁三一三—三六四。

35 見林獻堂，〈一九四六年七月六日〉，收入許雪姬編註，《灌園先生日記》，冊一八，頁二三八。

概念迅速獲得林獻堂的首肯，並在林獻堂、蔡惠如主導下，獲得當時與會者全體同意，議會路線即形成運動的主流。然而，當時的「完全自治」與「議會設置請願」雖有基進與穩健之別，他們的目的趨向於自治卻是有高度的共識，而這樣的共識應當不難看出。如果我們翻閱一下臺灣文化協會的機關報《臺灣民報》，即可看到「自治」一詞不久以後已是公開的呼籲，越到《臺灣民報》晚期，這樣的呼聲越清楚明朗。

《臺灣民報》都已經表達得這麼清楚了，統治當局焉能目瞞矇霧，渾然不知，《臺灣總督府警察沿革誌》的報告中即特別提出這種運動對日本殖民統治的危害。而十四次的請願運動所以在議會無法獲得有效支持，連進入議案的機會都沒有，主要的理由也是當時的國會議員認為這樣的請願運動只會導向自治甚至自決的要求，第十四次眾議院委員會的清家吉次郎委員如此總結道：「如此請願每年反覆提出實屬麻煩，今後應加以禁止，他們之要求出自民族自決主義，希望臺灣獨立，這是明瞭臺灣事情者所洞悉明白之處。」[36]話說到此，這項提案已很難再繼續運作下去了。事後，《臺灣總督府警察沿革誌》對此運動作了總結，此戰後才公諸於眾的警務檔案有一節〈臺灣議會設置請願運動〉，此文指出此運動絕不只是議會運動，「莫論本運動現在之內容如何，更莫論運動者作如何辯解，本運動至少為到達殖民地自治運動之一階段，亦即非繼續達到殖民地自治不能休止，則毫無懷疑餘地」。[37]這個結論不只適用於參與議會設置請願運動人士，根據《臺灣總督府警察沿革誌》的說法，它也適用於「一般島民」。也就是議會設置請願運動要通向臺灣自治的目標，提出者、島民以及日本殖民統治當局都知道，只是提案者項莊舞劍，在過程中不明說而已。

林獻堂的社會運動還有項不可忽略的因素，《臺灣總督府警察沿革誌》提出了如下的觀察：「有一層不可不加以警覺者，即渠等多以支那的觀念為中心而活動，同時依其見解之差異而異其思想與運動之傾向。綜觀幹部之思想言動大別可分為兩派，其一即立腳於對支那之將來寄與多大之希望，以為支那之國情不久必可恢復正常而雄飛世界，自然必可光復臺灣，所以此際必須保持民族的特性、涵養實力以待時機。緣此民族意識極為強烈，嚮往支那，開口便是高調中國四千年之文化以激發民族自負心，常有反日的過激言動。另一派則對支那不敢作過分的奢望，置重點於臺灣人之獨立生存，假令能夠復歸祖國懷抱，倘遇今日以上之苛政則究有何益。緣此不務排斥日人，堅持臺灣為臺灣人之臺灣不可不專心致志以圖謀增進其利益與幸福。雖然如此，但彼輩係因失望於中國紛亂之現狀之結果而不得不抱此思想，他日支那一旦隆盛，則仍然回復與前者同一見解乃是必然之勢。」[38]這是日方總結者的報告，不可能善意，但也未必曲解，應該就是中性的報導。

行文至此，本文不能不正視以林獻堂為中心的運動圈中的「支那」因素。議會設置請願運動、新民會之類的組織是在東京發起的，它不可能不受到其時大正民主的影響，也不可能不受到一戰後威爾遜總統提出的民族自決的影響，它也不能不受到朝鮮「三一運動」的刺激，這些因素在一般學術著作討論其時的社會運動時，都會被提出來的。但當時的參與者之一的葉榮鐘在他的大作中提到的第一項原因卻是「辛亥革命」的影響，辛亥革命的影響在前文提到的連橫的思想中，即占有核心的地位。我們如果觀察臺灣漢人四百年史，不難發現有兩個重要的心理創傷，難以撫平。一是明鄭的覆亡，一是甲午戰敗、臺灣的割讓，兩者皆打斷了臺灣歷史該有的合理的發展，臺人的集體意識沉入黝暗無明的悲忱的深淵。論者如要究責兩次歷史撕裂的罪犯，矛頭皆指向了愛新覺羅氏的清廷。辛亥革命成功，中華民國建立，此事多少替臺民壓抑多年的怨恨出了一口氣。連橫當年一聽聞此事，馬上於「中華光復之年壬子春二月十二日」，也就是民國元年（一九一二）

36　葉榮鐘，《日據下臺灣政治社會運動史》（台北：晨星出版公司，二〇〇〇），冊上，頁一八一。

37　臺灣總督府警務局編，《臺灣總督府警察沿革誌》（台北：南天書局，一九九五），冊三，頁三一六。中譯文引自葉榮鐘，《日據下臺灣政治社會運動史》，冊上，頁一八七。

38　《臺灣總督府警察沿革誌》，冊三，頁三一八。中譯文引自葉榮鐘，《日據下臺灣政治社會運動史》，冊上，頁一八七—一八八。

的二月十二日，撰〈告延平郡王文〉，秉告這位「開臺聖王」漢族重光的喜訊，[39]他當時的興奮之情可想而知。他應當是上報延平郡王在天之靈後，即動身去作神州之旅了。臺灣光復時，其時的臺大文學院教授林茂生說及臺灣光復的意義時，即道及臺灣的光復含有雙重的異族壓迫的內涵：滿清與日本的統治。光復後臺灣將「復到我父祖五千年來之國家，復到有明抗清之鄭成功之國家」，復到兩岸之間擁有共同民族意識、共同文化精神的「真國家」。[40]我們回過頭來看辛亥革命為什麼會影響日本殖民後期的臺灣反抗運動人物，至少從這兩個案例可以得到詮釋的管道。[41]

日本殖民臺灣反抗運動另一個與「中華」相關的重要的因素，我們從「議會設置請願」之名，從「新民會」之名，從「櫟社」詩社之名，可以得到線索。單單看這些詞彙，箭頭都指向了梁啟超其人。梁啟超在一九一一年農曆二月二十八日自日本抵基隆，在臺灣展開為期半個月的考察，此事在臺灣反抗運動史上是關鍵的事件。日本殖民時期，大陸文人訪臺者不少，但在情感上和臺灣士人產生共鳴，在運動方向上又予臺灣影響者，首屈一指者厥為梁啟超，其影響之大，當不在孫中山之下。孫中山的影響主要是透過辛亥革命的成功，中華民國的成立，這樣重大的歷史事件帶來強烈的歷史效果而呈現的。如果就運動策略而言，梁啟超的影響是更具體的，「新民」之說不管有無中國經書的影子或是大正民主的影響，我們很難抹去梁啟超「新民說」的影子。在二十世紀初的海外華人知識社群中，不知道梁啟超「新民說」的人，恐怕是很難想像的。至於舊詩或詩社的功能，梁啟超事實上也影響了以林獻堂為中心的臺籍知識人。櫟社之於梁啟超，不但之間有一九一一年那齣訪臺的大戲，林獻堂一生的詩文可以說都受到了梁啟超的影響。

梁啟超帶來的最重要的影響自然是「議會」路線，議會路線以導向臺灣自治為目的，林獻堂一生對臺灣自治始終堅持，日本殖民時期如此，光復之後也是如此。林獻堂選擇議會路線，一方面是性格，一方面可能是階級立場使然。但我們如果還原一九一一年那場梁啟超與櫟社詩人會面的場景，我們應該賦予議會路線更重要的意義。因為正是在那場會面中，梁啟超引用了愛爾蘭的例子，指出底層百姓借著議會路線，可以達到制衡統治當局的目的。就現實情況而言，中國本土沒有機會支援臺灣的武裝暴動的能力。武裝暴動其時已走入窮途末路，非改弦易轍不可，議會路線幾乎是唯一可行的途徑。梁啟超的議會路線的提案一方面是很切實的現實方案，一方面又有長遠的普世意義。

筆者認為我們如要劃分現代化的政治運動與傳統的政治運動的類型，其標準當在政治上的主權在民原則的建立及憲法對權力運作的規定之建立，以及不同於舊倫理關係的新的人觀的建立，以這三者為標準，林獻堂皆可代表臺灣近世新政治文化運動的第一波人物。在他的政治運動藍圖中，傳統與現代沒有斷裂，儒家文化是臺灣現代文化轉型很正面的因素。林獻堂的觀點無疑受惠於梁啟超，他的運動模式近於筆者所說的文化傳統主義者類型的那種新文化運動，他的運動當然有局限，但貢獻應當更值得注意。

四、從孔孟到孫中山：蔣渭水的證詞

日本殖民後期臺灣反抗運動群雄中，林獻堂是一種類型，蔣渭水又是另一種類型。林獻堂是漸進式的改

39　此文收入連橫，《雅堂文集》，頁一一五。
40　林茂生，〈祝詞〉，原刊於一九四五年十月二十五日的《前鋒》雜誌，現收入曾健民著，《一九四五破曉時刻的臺灣：八月十五日後激動的一百天》（新北：聯經出版事業公司，二〇〇五），頁二九七—二九九。
41　辛亥革命，滿清覆滅，其時的漢族士人頗有抱遺民之感，甚至參加滿人的復辟運動者。有關滿清遺民的故國之思暨復國之舉，參見林志宏，《民國乃敵國也：政治文化轉型下的清遺民》（新北：聯經出版事業公司，二〇〇九）。臺灣社會似乎沒有發生這樣的效應，主要的原因當是其時臺灣已割讓成為日本領土，但明鄭情結應該也是重要原因。

革者，潤物細無聲；蔣渭水是風林火山的實踐者，從衝撞中找出路。林獻堂是智慧長者，蔣渭水是血氣英雄——縱然兩人的年齡其實差距不大，但出身背景、教育背景、行為模式卻彷若處於不同的時空。兩人聯手抗日，相吸相斥，縱橫捭闔，其張力構成了日本殖民後期臺灣反抗運動的主旋律，餘音嫋嫋，迴盪不已。

蔣渭水在日本殖民時期臺灣的反抗運動群雄中，卓然獨立，最具領袖氣質。他是臺灣文化協會的主將，臺灣民眾黨的實質領袖，他比林獻堂更具現代意識也更富組織能力。臺灣反抗運動在異族統治下不太可能沒有經過運動的過程，即可達到自治的目的。由於臺灣身處日本帝國統治之下，除非反抗運動提升為革命的層次，否則，反抗運動只能在日本帝國的憲法的規範下，尋求自治的目的。更由於兩岸的地理位置特別近，歷史關係特別深，文化又是同源同脈，反抗運動人物言行自然不能不更慎重，以免運動橫生枝節，遭受無謂的打壓。這是時代的框架使然，也是我們面對他們的文獻時不能不有的心理準備。但蔣渭水的反應例外，他不太掩飾他的政治意圖，包含兩岸關係、民族認同以及對共產主義的態度。他以特有的膽識與政治技巧，平衡地走在架於深谷兩岸的脆弱繩索上，筆者相信他已觸犯了日本殖民政權能夠容忍的底線，所以也不免遭受了鎮壓。還好，蔣渭水過世得早，他不必遭逢最糟的狀況。

蔣渭水在政治活動上極清楚的形象乃是他對孫中山的嚮往，臺灣民眾黨從黨旗、黨章到運動模式，處處可看到孫中山和中國國民黨的影子。孫中山逝世，蔣渭水在《臺灣民報》寫社論〈哭望天涯弔偉人〉追悼之，在蔣渭水的文章中，我們極少看到像此篇充滿著不可掩抑的熱情的文字，追悼文以「他是正義的權化，自由正義是永遠不死的，他的熱血還熱騰騰地湧著，而且永遠湧著」終結。等國民黨北伐成功，舉行孫中山的奉安大典，蔣渭水又寫文紀念之。[42]蔣渭水一生的著作中，最長的一篇竟然是〈中國國民黨黨史〉，其篇幅幾乎與他有關臺灣民眾黨的文字之總和不相上下。〈中國國民黨黨史〉的內容雖然以資料蒐集見長，個人判斷的比例較少，但他花了這麼大的精力蒐集資料，撰寫此文，怎麼可能沒有心嚮往之的意圖。蔣渭水自有政治意識以來，「孫中山」這個概念大概就已成為他的靈魂中的政治原型。蔣渭水在後世民眾的形象，也常是以「臺灣的孫中山」被記憶的，就如賴和是以「臺灣的魯迅」的形象顯現的。一九三一年，蔣渭水逝世，其時距孫中山辭世才六年，連橫寫詩追弔他，其詩有句曰：「中山主義誰能繼，北望神洲一愴神。」[43]蔣渭水的公共的政治形象是以孫中山的傳人自任，連橫的斷語是恰如其分的。

作為日本殖民臺灣反抗運動靈魂人物的蔣渭水當然是面對臺灣現實的，但他定位臺灣，其框架和當代臺灣反抗運動極大的不同，在於他強烈中華民族主義的立場。現代意義的「中華文化」、「中華民族」、「中華民國」始終是日本殖民後期臺灣內部的因素，蔣渭水是主要的彰顯者。不管從今日的觀點看，我們如何解釋他的抉擇，他或許可以被視為受限於時代或個人的限制，或者說他的立場在當時就只能選擇民族主義的管道，別無他法云云。但回到歷史現場，蔣渭水堅持民族主義的立場始終一致，而且是中華民族主義的立場，這是確切無疑的，很難被稀釋掉。蔣渭水對農工階級相當同情，他晚年還要面臨以臺灣共產黨為代表的極左勢力的挑戰，臺灣的反抗運動事實上是分裂了。但面對共產主義與民族主義的抉擇——假如必須抉擇的話，蔣渭水的立場極清楚，毫不猶疑，他相信任何一個沒有民族主義支撐的運動或革命都是不可能的。在反抗運動面臨激烈內鬨之際，蔣渭水發表一連串文章〈階級鬥爭與民族運動〉、〈共產主義向左去，三民主義對右來〉、〈中國的民族運動〉、〈對臺灣農民組合聲明書的聲明〉等等，這些文章一看題目，即曉得蔣渭水沒

42 此為名為〈中山先生的奉安，中國曠古的大典〉，原刊於《臺灣民報》，二六三號（一九二九．〇六）。收入王曉波編，《蔣渭水全集》（台北：海峽學術出版社，一九九八），冊上，頁一九四—一九六。

43 連橫，〈哭蔣渭水〉，《寧南詩草》，收入《劍花室詩集》，卷二，頁七八。此詩有序曰：「渭水宜蘭人，為醫臺北，平素服膺中山主義，與諸同志組織文化協會及民眾黨，鼓吹改革，主張民權，數次下獄，堅毅不撓。歿時年四十有二，余在臺南猝聞噩耗，愴然以弔。」

有迴避敏感的階級議題，臺灣民眾黨事實上已將階級問題當作黨的生存問題。但他雖然對共產主義的理想表現了相當的同情，也表示以農工階級為基礎的方向也是不可免的，但其目的都是如另一篇相同目的的文章篇名所顯示的「以農工階級為基礎的民族主義運動」，關鍵在民族主義運動，而不是階級運動。

民族主義是蔣渭水從事政治運動的基礎，基礎縱然不是全局，但全局一定立於基礎之上。既然圖窮匕見，民族主義的宗旨都提出來了，他更進一步不能不落實民族主義何所指。一九二四年他因「治警事件」被取締，在法庭上必須申述他個人的行為時，蔣渭水滔滔不絕，視法庭為教會，將申辯當作佈道。面對「中華民族」此罪名的指控，蔣渭水答辯道：

> 中華民族是什麼？豈不是可怪的話嗎？既做日本國民，怎樣不說日本民族呢？這是官長對民族和國民的區別，沒有理解哩，民族是人類學上的事實問題，必不能僅用口舌便能抹消的。臺灣人不論怎樣豹變自在，做了日本國民，便隨即變成日本民族，臺灣人明白地是中華民族即漢民族的事，不論什麼人都不能否認的事實。國民是對政治上、法理上看來的，民族是對血統的、歷史的、文化的區別的，人種是對體格、顏貌、皮膚區別的。民族中含有相同的血統關係，歷史的精神的一致、文化的共通、宗教的共通、言語習慣的共通、共同的感情等諸要素。[44]

「中華民族」是二十世紀中國的語彙，之前，無此名詞。它是因政治的演變湧現出來的新概念，它由「漢族」演化而出，卻混合了中西交流的新因素。「漢族」和「中華民族」絕不等同，滿族、蒙族可以是中華民族，卻不會是漢族。「中華民族」與「中華民國」是孿生同胎，沒有中華民國即不會有中華民族，兩者同為中國現代化轉型下的寧馨兒，蔣渭水的「中華民族即漢民族」之說很難成立。以蔣渭水學識之豐，他怎會不知道「中華民族」的稱呼的政治內涵，他不用「漢族」，而用「中華民族」，顯然是蓄意的，在「治警事件」那般重大的案子的公審會前，任何政治人物的用語都會考慮其效果，此用語明顯地是自我揭示，也有向孫中山精神靠攏的內涵。不知道日本法官是否學識不夠豐富，或者有意放水，蔣渭水這一席直白的陳述竟然沒有引致更重的判刑。[45]

筆者認為蔣渭水在治警事件法庭上說的話是有意為之，這個說法並非源於自我作古，強作解人。事實上，治警事件剛發生時，蔣渭水已作好入獄的準備，他其時有文仿〈歸去來辭〉，以表心志。此文文末曰：

富貴非吾願，故鄉不可居，懷抱負以孤往，向中原而問津。登金陵以憑弔，臨赤壁而賦詩。策士同以歸正（世界大同歸正義），共扶人道復奚疑。[46]

這篇仿陶淵明的文章名曰：〈快入來辭〉，「入來」是河洛語，意為「進來」，進來牢獄之謂。青年蔣渭水這裡使用的「中原」、「金陵」、「赤壁」不會是空洞的比擬之詞，它們指向了民國初期的政治現實。「向中原而問津」縱使不是問鼎中原之意，但總有托命於中原的隱藏意圖。「赤壁」指的當是國府要樞且與

44　〈「治警事件」法庭辯論〉，原刊在《臺灣民報》，二卷十六號（一九二四．〇九．〇一）。收入王曉波編，《蔣渭水全集》，冊上，頁二七—二八。

45　蔣渭水入獄，最後被判服監四個月。

46　〈快入來辭〉，本文依據王曉波編，《蔣渭水全集》，冊下，頁三六二。原刊於《臺灣民報》，二卷三號（一九二四．〇二．二一）。如果依據蔣渭水著，蔣朝根編校，蔣智揚翻譯，《蔣渭水先生全集》（台北：財團法人蔣渭水文化基金會、國史館，二〇一四），頁一五六。「中原」作「神州」，「金陵」作「大屯」，「赤壁」作「劍潭」，不知何故？

國府關係密切的湖北，辛亥革命於此爆發。孫中山〈輓劉道一烈士詩〉：「半壁東南三楚雄，劉郎死去霸圖空。尚余遺孽艱難甚，誰與斯人慷慨同；塞上秋風嘶戰馬，神州落日泣哀鴻，幾痛飲黃龍酒，橫攬江流一奠公。」[47]赤壁一戰，天下三分，東南成了半壁，此詩借劉備典故指涉當代同志劉道一。孫中山不以詩鳴，此詩是他少數動人的詩作，傳頌一時。日本殖民臺灣反抗運動名宿葉榮鐘的書房名為「半壁書屋」，即取自孫中山此詩。金陵當然是南京之謂，朱元璋與孫中山的國都，其政治義涵不言可喻。蔣渭水此文最後兩句歸結於世界大同的理想，「大同世界」從晚清以來，一直是志士仁人追求的政治烏托邦，[48]宣揚尤力者當是孫中山，孫中山一直把《禮記》的〈禮運大同〉篇當作他的政治的旨歸。

〈快入來辭〉因是詞賦作品，我們不易看到他的中原之思如何實踐，甚至於他有沒有明確地實踐的意圖都很難講。但身為運動家又是醫生，他的生命和孫中山有獨特的連結，他一生的行事確實也是順著孫中山的軌跡走的。蔣渭水的大同思想是中國儒家固有的理想，不是孫中山的專利，但孫中山一生服膺建立在民族主義之上的大同思想，卻是極清楚的事實。蔣渭水在臨終前四年寫的〈臺灣社會問題改造觀〉一文中，他旁徵博引，以作為改造臺灣社會的指針。文章最後，他引汪精衛與孫科的話語，以作「我的結論」。他引汪精衛的內容見於汪氏著〈中國用不著階級鬥爭〉，觀此文標題，其義已明，不用再論。他引孫科〈國民革命唯一之路〉的論點如下：

> 中國革命已到了一個歧路，一是伊太利之法西斯蒂主義（有產專政），這是張作霖所走的死路。二是蘇俄的共產主義，無產專政也是一條絕路。三是孫總理的三民主義的大道。你們要認識國民黨領導的路，才是你們唯一的生路。你們不要左顧不要右顧，只要照著這條中央大路向前猛進罷。[49]

法西斯蒂（即法西斯）主義是死路，共產主義也是死路，陽關大道在三民主義。談論臺灣社會問題的改造，他竟然引中國的三民主義的藥方，難道孫中山此帖藥方的藥效不只可用於中國，它也可用於臺灣？蔣渭水徵引孫科之文難道是文不對題嗎？

蔣渭水的民族主義與大同思想同樣顯著，他的民族主義情思不只見於當代的「中華民族」的認同，他遠有所承。他的中華民族主義與其說是血緣的概念，不如說是文化的概念。在有名的〈臨床講義〉中，我們看到他大聲呼籲臺灣人民正視臺灣病情的嚴重，他也呼籲臺人對公共教育、看報等種種的治病手段，都需要加緊進行。在臺灣這塊土地上發生的任何病症，蔣渭水開的處方都用了「極大量」的劑量，沒有中醫慣用的君臣佐使那般的調和劑量。如果我們用中西醫來類比當時兩大運動領袖的話，蔣渭水是西醫，下藥極猛；林獻堂則是中醫，處方頗為王道。但如果不論手段，而論內容的話，蔣渭水這位西醫卻有極濃烈的中國文化的情懷。在他的處方中，最當注意的當是他對臺灣歷史與現代的關係的診斷，這個文化診斷是提綱，總的源頭。他說臺灣人具有如下的性格：

遺傳：明顯地具有黃帝、周公、孔子、孟子等的血統，遺傳性很明顯。

素質：因為是前記聖賢的後裔，故有強健天資聰明的素質。

既往症：幼少時（即鄭成功時代），身體頗為強壯，頭腦清楚，意志堅定、品質高尚、動作靈活。但到

47　孫文，〈輓劉道一烈士詩〉，收入秦孝儀主編，國父全集編輯委員會編，《國父全集》（台北：近代中國出版社，一九八九），冊六，頁五五一。

48　參見竹內弘行，《康有為と近代大同思想の研究》（東京：汲古書院，二〇〇八）。

49　參見蔣渭水，〈臺灣問題改造觀〉，收入王曉波編，《蔣渭水全集》，冊上，頁一六四。

清朝時代由於政策中毒，身體逐漸衰弱、意志薄弱、品質卑劣、操節低下了。轉居日本帝國以來，受到不完全的對症療法，稍有恢復，但畢竟有二百年的長期慢性中毒症，故不容易治癒。[50]

這篇對臺灣的診斷書在有關蔣渭水的論述中不斷被引用，它甚至刻在宜蘭的蔣渭水墓園上，作為一生事業的標誌。此文是日本殖民臺灣反抗運動史的一篇大文字，幾乎可以視為一代運動的出師表。它的內涵太清楚了，在解釋上沒有迴旋的空間。但這一段太清楚的表白因為表之於青天白日之下，陽光熾烈，踏著蔣渭水的足跡向前邁進的後行者反而因目眩神迷而看不清了。

蔣渭水此文是以一位政治醫生的身分替臺灣社會作的一個總體的體檢，裡面的內容固然代表他個人的思想，但他的個人想法相當程度可以代表當時臺灣反抗運動共通的論點。此文的其他節目姑且不論，筆者認為此文有兩樣顯著的特點，一是他高度讚美鄭成功，將鄭成功時代視為臺灣奮發向上的青春期，清領時期則是一片黑暗。清領臺灣是否如此不堪，此公共形象其實大可爭議。但此問題之重要不在於客觀的歷史真相為何，而在於蔣渭水那輩的臺灣反抗運動人物如何看待自己。他們顯然更喜歡一位「撐起東南天半壁，人間還有鄭延平」[51]那種形象的臺灣先祖，這位先祖在天崩地解的明清政局劇變時期，他以義不帝秦的春秋精神，明知不可而為之，在海上與滿清鬥，與荷蘭鬥。明鄭在臺灣施政才二十三年（一六六一—一六八三），但這二十三年留給臺灣人民極深的精神養分。臺灣青春期的明鄭是被視為不義的大陸政權的反抗者，鄭成功如少年哪吒一樣，拆骨還父，割肉還母，他坐鎮在歷史意識上新興的島嶼，反抗泰山壓頂的殘暴大陸政權。[52]一六八三年施琅入臺，明鄭確實亡了，但明鄭所代表的反抗精神卻透過各種管道滲透到臺灣社會各底層。

蔣渭水也是在這種漢文化滲透的臺灣社會成長的，我們找不出他個人的思想來源源自何處。以他的出生背景與日本殖民時期宜蘭的文化條件，蔣渭水不太容易碰到文化素養濃厚的知識人。[53]但我們追溯他的思想來源或許不該從人的因素著手，而當從大的社會結構背景著眼。蔣渭水一生中，從出生以至病逝，日本帝國的殖民體制與臺灣社會始終存在著根本性的矛盾，這個壓倒性的體制因素塑造了他的生活世界，蔣渭水身屬的生活世界很自然地又塑造了他強烈的民族文化認同。他也和他那一代的知識人以及反抗運動人物一樣，一面倒地傾向於明鄭高舉的夷夏之辨大旗的精神。但蔣渭水肯定鄭成功，也可以說是肯定鄭成功對臺灣反抗運動的意義，不僅止於血緣或鄉土的內涵而已，他更進一步主張這種為挽救「亡天下」而努力不懈的精神具有很根源的文化傳統，文化傳統可視為民族的遺傳基因，這個遺傳基因正是蔣渭水在診斷書診斷臺灣的體質所說的「黃帝、周公、孔子、孟子等的血統」。

以血統辨識民族其實是大有問題的提法，不管就生理學或就道德學的觀點來看，皆是如此。如果依儒家的傳統來看，建立在血統基礎上的民族論一樣是有問題的提案。韓愈說：「諸侯用夷禮則夷之，進於中國則中國之」，[54]這是儒家判斷民族的典型依據，文化的表現才是夷夏之分的標準。儒家在「民族」的理念上，

50　〈臨床講義〉一文原為日文，刊於《臺灣民報》一九二一年。引文為傅力力譯，收入王曉波編，《蔣渭水全集》，冊上，頁三—四。蔣渭水診斷日本殖民臺灣這個病患的一個大病是不能用代表民族文化的漢文抒情達意，沒想到他的臨床診斷書也要用日文寫，這是極荒唐而悲愴的現象。

51　丘逢甲，〈有感書贈義軍舊書記（四首）〉，《嶺雲海日樓詩鈔．卷六》，收入廣東丘逢甲研究會編，《丘逢甲集》（長沙：岳麓書社，二〇〇一），頁四二九。

52　醫生作家陳耀昌追溯臺灣三太子崇拜的來源，發現此崇拜與鄭成功關聯甚深。三太子崇拜帶有極濃的明鄭味與臺味，這是個極有意思的觀察，鄭成功的命運確實與哪吒頗為相似。參見陳耀昌，〈三太子與鄭成功〉，《島嶼DNA》（台北：印刻出版社，二〇一八），頁一四四—一四八。

53　柳書琴教授看過拙稿後，認為宜蘭從一八一二年設仰山書院以來，一九一四年有仰山瀛社，一九二二年有登瀛吟社，文化水準不會太低，蔣渭水的漢文化是否沒有受益於鄉賢，仍待檢證。謝謝柳教授提醒，此事確實需要更進一步的求證。

54　韓愈，〈原道〉，嚴昌校點，《韓愈集》（長沙：岳麓書社，二〇〇〇），頁一四七。

較符合今日的民族學理論，它居然帶有梁漱溟的「文化早熟說」的印記，於今觀之，這種文化構成說的定義毋寧是較合理的。何止今日看來合理，蔣渭水身為臺灣總督府醫學校（臺大醫學院前身）的高材生，他怎會不知道民族的文化構成，何況，蔣渭水本人還是位堅強的大同主義者，不可能支持血緣決定說的。正因他知道民族的內涵，所以他對臺灣反抗運動的中華民族主義的定位，就很難忽視。而他的中華民族主義追溯到黃帝、周公、孔子、孟子，儼然是道統論的圖像，而這種道統論的圖像我們不會陌生，因為它也見於孫中山的言論中，這樣的共鳴現象毋寧更值得我們注意。

一位立足於殖民地臺灣土地上的反抗運動領導者，他以當代意識的中華民族為傲，他以儒家傳統的繼承人為傲，他以孫中山精神的傳人自許，他構思出來的反抗運動的光譜，除了國體上不能有「中華民國」的提議外，他與孫中山路線——至少是蔣渭水本人詮釋下的孫中山路線——竟然如此呼應。蔣渭水英年早逝，他留下來的文字，不算太多但也不少，從中可看出他的社會運動家的特質超過思想家的成分。蔣渭水既是中華民族主義者，又是築基於平等主義、主權在民的議會運動的支持者，也是採納階級鬥爭路線的社會主義政治人物，他如何說服日本帝國政府相信臺灣的反抗運動是有節制的，這股來自臺灣土地的野性力量不會利用議會政治的文鬥路線，有朝一日時機成熟，會徹底撕毀殖民體制，回到民族認同與民權革命同步完成的道路上去？這個問題在蔣渭水生前是無法公開問的，蔣渭水也是不便公開回答的，但卻是無從迴避的。既然不能問、不能答、又無法迴避，所以蔣渭水只能存而不論。如果天假其年，我們或許會有更完整的蔣渭水的思想圖像可以依循。但由他留下的這些文字，蔣渭水的意圖應該已經呼之欲出了。

蔣渭水身上確實帶有很強的社會主義的色彩，他對馬克思、列寧也有相當深的敬意；他對農工階級的同情不但見於個人情懷，也見於臺灣民眾黨的正式決議。蔣渭水無疑是他那個時代臺灣最具政治敏感度也最有共感能力的政治人物，他的整體定位確實有如具體而微的孫中山。但正是作為孫中山精神的繼承者，我們發現蔣渭水的左派意識從來不將傳統文化與封建糟粕劃上等號，從來不將階級意識提升到人性的基本屬性，也不將階級分化的經濟現象提升到無產階級專政的國家政策。他的中華民族主義的認同是極清楚的，事實上，他過世之後，與他關係最親密的家人，也可以說是他的事業的同志，他的弟弟蔣渭川、他的兒子蔣朝欽、他的女兒蔣碧玉的表現，雖然其政治認同有左右之分，但「祖國派」的圖像卻極清楚。他的同代人，包括日本臺灣總督府當局對他的定調也是相當一致的。[55]

五、建立在文化傳統上的階級意識：王敏川的案例

林獻堂與蔣渭水是日本殖民時期臺灣反抗運動的領導人物，他們的性格與運動路線很不相同。前者像中國傳統士大夫問政的類型，後者則帶有現代世界社會運動的模式，而且階級的概念已被他引進運動的藍圖中。但兩人以及他們所代表的團體因同處殖民地的背景，這個殖民地的生活背景形成了一個大框架，框住了兩種運動方式都不會走向敵我矛盾的分裂，而只能是運動團體內部的著重點不同的路線分歧。這個共同生活體的大框架是一方面他們在島內不可能提出脫離日本帝國的主張，但另一方面他們也不可能接受日本帝國的殖民統治，所以一種突顯文化、民族差異的漢民族（甚至是中華民族）文化是他們共同的基點，他們可以說都是程度不等的祖國派，[56]而一種以主權在民的平等意識為依據的立憲精神也是他們共同的目標。上述這兩

55　總督府編的《臺灣總督府警察沿革誌》即將蔣渭水歸為「祖國派」的代表。

56　蔣渭水被日人歸為「祖國派」固不待多論。林獻堂在日本殖民時期的一大生命事件是他在大陸時用了「祖國」一詞，返台後，日本統治當局乃唆使日本浪人在公開場合公然地打了林獻堂一巴掌，蓄意羞辱。林獻堂隨後遠遁東京，以示抗議，此即所謂「祖國事件」。

點在他們的團體內部應該有相當高的共識，我們在兩人皆有交往的同志友如賴和、連橫等人身上皆可看到相似的印記，甚至更加明顯。

本文陳述了林獻堂路線與蔣渭水路線的共通面，並不是有意抹殺他們之間的區別，臺灣文化協會成立以後日益左傾，所以有一九二七年的分裂，分裂出去的力量因而成立了臺灣民眾黨。再有一九三〇年的分裂，不滿臺灣民眾黨左傾的路線者再走出去，因而成立了「臺灣地方自治聯盟」。分裂一定有原因的，個人性的因素不談，日本殖民臺灣反抗運動的分裂不能沒有路線之爭的因素，蔣渭水與林獻堂兩條路線之爭——更恰當的說法是分合，構成了日本殖民後期臺灣反抗運動的主旋律，關鍵的因素在於「階級」兩字。以林獻堂的個性、階級屬性以及對運動方向的認知，他顯然難以接受反抗運動由民族、民權的主軸轉向「以農工階級為中心之民族運動」。但林、蔣的路線差異並沒有改變他們的路線是立基於民族文化的傳統以及自由主義的政治論述上面，借用左派的語言，林、蔣的矛盾沒有提升到敵我的矛盾，他們仍是同志。蔣渭水過世後，林獻堂及其親近的戰友如葉榮鐘、莊太岳、楊肇嘉、蔡培火、羅萬俥等人都曾為文追弔之。相反地，最左翼的臺共竟然沒有一人撰文公開弔唁蔣渭水，他們顯然是別有懷抱了。[57]

但如果是更左翼的反對者或是臺共黨人呢？他們是否分享了日本殖民後期臺灣反抗運動的主流因素？一九三七年七七事變爆發，全臺進入戰爭期，就運動而言，則是全臺大整肅，所有的運動全被禁止。但是在整肅前，不安的左派騷動已到處流竄，一九二四年之後即發生了許多農民爭議事件，一九二五年發生的二林事件最著名，新高製糖會徵收小作、三菱侵占竹林等等的爭議也陸續發生，農民的組織如二林蔗農組合、鳳山農民組合、曾文農民組合、大甲農民組合也陸續成立。工人方面也有「工友總聯盟」、「臺灣機械工會聯合會」、「臺灣總工會」的成立或籌設計畫。我們再看一些統計數字，如工友總聯盟於一九三〇年一月二日開的三次代表大會時，底下有四十三個勞動團體參加，會員數一一四四六名，處理勞動及農民爭議計有二十二件，成功十一件，妥協三件，失敗八件。勞動爭議中，包含臺灣製鹽會社及淺野水泥會社這麼大的公司的罷工案件。[58]顯然，當時的臺灣，以階級為核心概念的左派運動模式已經成了氣候。左派健將史明（施朝暉，一九一八—二〇一九）的《台灣人四百年史》以及連溫卿（一八九四—一九五七）的《臺灣政治運動史》即是從左派眼光看到的日本殖民時期臺灣社會階級鬥爭的面向，他們的論點與葉榮鐘的《臺灣民族運動史》所見者頗有異同，我們如何評估左派鬥爭模式？

共產主義在二十世紀是全球性的現象，在殖民地，由共產主義引爆的反帝鬥爭也是普世的現象。在日本殖民臺灣後期，不管是在日本，或是在中國本土，共產主義也都是極顯著的社會力量，中國的共產主義力量尤為可觀，臺灣社會沒有任何機會不受日、中兩地的左派思潮的滲透。一九二八年，當臺共由日本共產黨臺灣民族支部轉為上海國際共產東方局底下統轄時，臺共是否有獨立於中共之外的路線，不無可疑。然而，由於臺灣的殖民地屬性，這個特殊的歷史處境使得任何抹殺傳統文化價值的主張都難以著力。在日本殖民反抗運動的左派光譜中，我們仍可看到傳統文化與左派意識的連結。

在日本殖民時期，反抗運動人士結合議會路線與民族文化兩者，以作為運動的基礎，這種結構極常見，普遍地為當時的反對人物所共享。問題是如果帶有濃厚的階級史觀的左派運動健將也持這種觀點，這個現象相對於同時期對岸中國的全盤反傳統，遂不免顯得突兀，中間也許透露出尚未被正視的訊息。底下，我們且以王敏川（一八八九—一九四二）為例，再申此義。王敏川在日本殖民臺灣反抗運動中是蔣渭水的合作伙

---

57 王曉波說蔣渭水逝世後，臺灣的政治力量除了日本當局外，唯一不追悼他的，只有主張階級鬥爭的無產派。不但如此，他們本來還想在蔣渭水的追悼會上，散布反對的宣傳單。參見王曉波，〈民族正氣蔣渭水〉，收入王玉靜編，《蔣渭水紀念集》（新北：財團法人臺灣研究基金會，二〇〇六），頁二五五—二六九。

58 參見連溫卿著，張炎憲、翁佳音編校，《臺灣政治運動史》（台北：稻鄉出版社，一九八八），頁二五一—二五七。

伴，但相當程度也可以說是蔣渭水的困擾者。這位出身早稻田大學的臺籍知識分子的反抗運動策略帶有早大的抗爭之風，在舊江湖中開出新潮流。早期的臺灣文化協會多謙謙君子，從容進退，他們不見得支撐得住王敏川及其同志帶來的震撼力道。

一九二一年臺灣文化協會成立後，很重要的運動方式就是演講，在特定的時空背景下，演講所帶來的動員效果頗為驚人。王敏川即是當時主要的演講者之一，他的演講題目很特別，除了「婦女解放運動之推移」、「社會奉仕」的社會議題外，他居然於大庭廣眾之下，講了兩回的「中國古代哲學史」，王敏川對以儒家為核心的「中國古代哲學史」似乎情有獨鍾。更特別的，他將這樣的題目作為政治動員的議題。比這種特別的選擇還特別的事，莫過於一九二五年冬天時，臺灣文化協會因公開演講處處受到日警限制，主持人蔣渭水大怒，思求有以抵制之。王敏川乃應主持人蔣渭水之請，每晚公開演講《論語》，連續講了一個多月，而群眾竟然熱情不減，如期前往聽講。[59]在王敏川一生的抗爭活動中，這份紀錄恐怕是特別顯目的了。

王敏川為什麼要在政治運動場合宣揚《論語》？這位質樸硬朗的左派政治人物給我們留下了一則公案。我們在同時期的中國左派政治運動中，很難想像其時的共產黨人面對工農大眾暢談《論語》大義。但王敏川不但演講了，我們在他的其他著作中，還不斷看到他引用孔、孟之語，作為立論的標準。在一篇自勵且勵人的文章中，他說及社會改造家的精神：

若孔子一生之受磨折而不改其志，可謂社會改造家之模範。孟子曰，天將降大任於是人也，必先苦其心志，勞其筋骨，餓其體膚，增益其所不能。又曰，富貴不能淫、貧賤不能移、威武不能屈，此之謂大丈夫。嗚呼，蓋如是者始足以稱社會改造家歟。[60]

這種正直的社會改造家的精神也是真正的學者的精神，[61]王敏川和中、日兩國近代啟蒙期的思想家如梁啟超、福澤諭吉一樣，很注重道德修養與社會改造之間的連結，他是從社會運動的角度評估孔子思想的價值的。

但最足以顯示他的儒學精神者，在於他對臺灣教育的反思。在殖民帝國統治下，如何維繫民族的傳統，一向是近代海外華人政治文化的特色，教育問題因此不能不與民族的解放問題掛勾，我們且看底下這兩則文字：

> 漢文為載道之文，舉萬國之文字，無以匹其雅，可以傳久而垂百世焉，而況為世世相傳之文字，思想賴以進於高尚，詎可任其衰頹乎。[62]

59　參見王曉波，〈敢將此心向日月〉；莊永明，〈更留癡態在，書卷當良儔——王敏川傳略〉，收入臺灣史研究會編，《臺灣社會運動先驅者王敏川選集》（台中：臺灣史研究會，一九八七），序言。葉榮鐘〈革命家蔣渭水〉一文記載蔣渭水為抵制日本警察，乃「請來一個有國學素養的同志，登臺講解《四書》。講仁義，說道德，聽眾本來是不感興趣的，但是他們以心傳心，知道這是和警察鬪法的，所以他們樂得『騎高牆看馬相踦』，風雨無阻，每晚源源來捧場。」如此連續四十餘天，日本警察妥協，才告一段落。葉榮鐘所說的「有國學素養的同志」當指王敏川，所說的內容當也是同一件事。參見葉榮鐘，〈革命家蔣渭水〉，收入李南衡編，《臺灣人物羣像》（台北：帕米爾書店，一九八五），頁一〇四。

60　王敏川，〈吾人今後當努力之道〉，收入臺灣史研究會編，《臺灣社會運動先驅者王敏川選集》，頁九一。

61　王敏川說：「孟子說那『富貴不能淫、貧賤不能移、威武不能屈』的樣子，這就是真正學者的精神啦。」參見王敏川，〈怎樣是真正的學者呢？〉，同前引書，頁四四。

62　王敏川，〈臺灣教育問題管見〉，同前引書，頁一一。

> 何謂闡明孔教之道以養成人格乎?曰:孔教之教義,實大有裨益於吾臺之社會,豈惟裨益於我臺之社會而已,實為東洋文化之淵源,歷數千年而不磨之真理,愈見其價值。就其人格言之,可謂東洋文明之代表。就其教化言之,是築東洋社會教育之基礎焉。烏可捨其學而不講乎。[63]

王敏川這些文字是啟蒙用的,他既注重漢文的價值,也注重漢文所承載的孔孟之教的內涵。這種思想定位可以與馬來西亞早期華教推動者如林連玉、沈慕羽等人相比,理路非常一致。殖民統治下的人民從事反抗運動時,民族文化往往是他們一無所有中極重要的抗爭武器,英屬馬來西亞與日本殖民臺灣的現象可能還有更深層的內涵可以勾勒。王敏川身為左翼運動者,他對中國左翼運動自然有相當的同情。但如果我們觀看同一時期中國左翼運動者對漢字、孔孟之教的態度,不難發現王敏川與他們簡直是立在相反的路線上。

二十世紀早期的東亞,包括中國、日本或淪為殖民地的臺灣,對保守、封建的儒家形象都不是陌生的。作為左翼思想家的王敏川在這點上又和一些左派同志唱反調了,他相信孔子之教(他稱作孔教)即使有不適宜今日社會之處,仍可修正,而且這正是孔子所期待的,因為「孔子得稱至聖者,亦以其有綜合群善,不自以為能之虛心坦懷也。故孔子之教義者,必能思有養成其高尚之人格。」[64]儒家不但有自我調節的能力,它還具有與時更新的潛能,也就是「以東洋之儒學為經,以西洋之科學為緯,然後固有之文化,愈得發其光華也。」[65]東洋(或中國)儒學、西洋科學之語頗帶有清末「中體西用」或幕末「和魂洋才」之意,這是調和論的聲調,王敏川的文明觀近於此路。他最後以宣誓的語氣呼籲道:「周雖舊邦,其命維新,孔孟之道,雖舊猶新矣。」[66]

一九三〇年全臺檢肅中,王敏川鋃鐺入獄了,他在獄中寫詩給朋友道:「顛沛獄中猶讀書,憂慮不惜惜三餘。自從解識孔顏樂,何羨區區萬鐘祿。」[67]「孔顏樂處」是理學公案,理學家一生多有「孔顏之樂」的追求。[68]王敏川寫此詩時，簡直像是位理學家。他的同志友蔣渭水其時寫文寄贈他，兼有鼓舞作用，他的文中引用王君的話語道：「幽囚於牢舍，思今而憶古，坐佛禪以終日，讀詩書以自遣。詠於聲，心可慰；寫於文，意可舒。起居有時，惟慣之安，與其有譽於官，孰若無毀於其民。與其有榮於身，孰若無害於心。官祿不食，劣紳不為，嫖賭不近，服飾不華。大丈夫為民請命者之所為也。」[69]講此話的王君即王敏川，蔣渭水聽了他的一席話後，精神為之一壯，特別寫序贈之。儒家不只是一套解釋世界的理論，它也是一套用以安身立命的價值體系，就此而言，它自可稱之為「教」，而王敏川不能不說是具有極高的儒教修養。

王敏川在日本殖民反抗運動光譜中居於左翼一側，而且是相當有代表性的一位。和其他著名的左翼人物如連溫卿、謝雪紅、蘇新等人比起來，王敏川的儒家氣質特濃。他也許是那個小圈子中的特例，但特例也有啟示的作用。王敏川對傳統文化的溫情很可能來自彰化地區的文化底蘊，他的好友賴和一樣也是位破除階級意識的民族主義者，人品高潔，卻又能和光同塵；立足鄉土，對中華文化又同樣有崇高的敬意，他們分享了共同的生活世界。不管王敏川的民族文化情感如何養成，他的案子至少顯示即使階級史觀進入運動的意識後，如何尋得可以和作為社會基礎的文化傳統對話，或和對傳統文化有較深的共感的階層人士合作，仍是當

63 王敏川，〈書房教育革新論〉，同前引書，頁二一—二二。
64 同上注，頁二二。
65 同上注，頁二五。
66 同上注，頁二四。
67 王敏川，〈寄施至善兄及李山火君〉，同前引書，頁一七三。
68 參見拙作，〈孔顏樂處與曾點情趣〉，收入黃俊傑編，《東亞論語學：中國篇》（台北：臺大出版中心，二〇〇九），頁三—三二。
69 蔣渭水，〈送王君入監獄序〉，收入蔣朝根編校，蔣智揚翻譯，《蔣渭水先生全集》，頁一五六—一五七。

事者可以有的選擇。事實上，從事後的反省來看，有些堅強的左派分子甚至臺共都指出這種連結不是不可能的，更不是沒有意義的。王敏川的例子顯示社會主義者不一定會僵化，有些極左派人士喜歡運用的含沙射影的鬥爭策略如不善加控制，往往會壞了局，最後還把整個運動賠了進去。[70]

六、結論：內在的「在水一方」

日本殖民時期臺灣人民的政治活動的主軸可說是反殖民體制的抗爭，早期採武裝鬥爭的方式，武鬥基本上是順著甲午戰爭、乙未抗日的路線沿襲下來的。武裝鬥爭自然也有它的意義，但評價就得用另一種標準了。如果我們從非武裝鬥爭，也就是非革命的實踐觀點著眼的話，日本殖民後期的文鬥和戰後臺灣的政治發展更為密切，可作為兩岸政治關係的借鑒的功能也更強。

本文所列舉的日本殖民後期文鬥的反抗運動人物：莊太岳（一八八〇—一九三八）、連橫（一八七八—一九三六）、林獻堂（一八八一—一九五六）、蔣渭水（一八八八—一九三一）、王敏川（一八八九—一九四二），他們的年代緊密相接，出生年代之差都在十年內，應該視為同代人。他們的個性與運動策略頗有差距，但主要的關係可定調為同志，他們的抗爭方式與思維習慣的差別並沒有改變他們運動的共相。比如我們如果將他們與甲午乙未巨變時期的臺籍重要文人如許南英、施士洁作一比較，後者很明顯地是傳統的文人類型，近代的特徵不明顯。

換言之，近代類型的日本殖民後期臺灣非武裝反抗運動帶有近代世界的特色，一方面，它就像同時期的日、中兩國的情況一樣，它們都處於自由、民主、平等等價值已普世化的時代，也處於反資本主義的社會主義大為流行的年代，所以這三個地區同樣流行自由主義、共產主義與文化傳統主義的思潮。由於臺灣處於東西、陸海交會之區，相對於中、日、歐、美，它的量體相對之下不夠大，所以臺灣意識的建構或者主體的建構，與其說是在臺灣內部形成的，不如說是在臺灣與周邊的關係中形成的，而由於血緣、文化的關連、地理的鄰近與歷史的傳承，最重要的關係就是與對岸中國及隔鄰日本的關係，尤其臺海兩岸的關係。在二十世紀早期的中、日兩國，自由主義、社會主義、文化傳統主義都因現代化轉型的工程而躍上歷史舞臺，可謂一葉三秀，爭妍鬥麗，差別在於三者扮演的角色的輕重有別、成分的濃淡不同而已。我們反省日本殖民臺灣反抗運動的意義或特色，周遭地區（尤其是中國）的經驗很自然地會成為重要的參考座標。

日本殖民後期臺灣的反抗運動是在一個特定的時空背景下形成的，不管個別的人在運動上持什麼立場，他們都要面臨共同的處境，這個共同的處境是他們都是殖民地下的人民，殖民者與被殖民者在血緣與文化上有差異，在政治權力的結構層面有歧視與被歧視的關係，前者的差異是深層的情感因素，後者的歧視是生存層次的不平等。如果在良好的政治文化運作下，這兩種差異在理論上不見得不能克服，當今世界許多國家的人民都是由異民族組成的。但在日本殖民時期的臺灣，在殖民統治的格局下，敵我矛盾的差異顯然是始終存在的，這是最大的公共背景。其次，由於臺灣進入有文字傳統的時間較短，臺灣社會是移民社會，有書寫能力與詮釋自家經驗能力的漢人是主要的移民，他們沒有形成跨越區域性的地方認同之上的臺灣認同。臺灣意識大致可以確定在清領晚期才形成，在日本殖民時期才有明確的圖像，「國家」的意識較為薄弱，「臺灣共和國」之類的稱號缺乏相應的社會基礎，所以也就沒有成為口號。更重要地，在當時的殖民統治底下，主權的挑戰在政治實踐上不可能有優先性，也不可能是好的運動策略。

70　蘇新晚年反省當年的文協分裂事件時，即指出其時左派人物方法的不妥，參見蘇新，〈連溫卿與臺灣文化協會〉，《臺灣》，一九八二年二月。後收入蘇新，《未歸的台共鬥魂：蘇新自傳與文集》（台北：時報文化出版公司，一九九三），頁一〇〇－一〇六。

由於第一點的基本矛盾與第二點的基本限制，日本殖民後期的臺灣反抗運動就有相當的共相，這個共相就是要能動員最大的能量，滿足臺人最大的心理需求，而且要有實踐的可能性。實踐的可能性意指如果不採取革命的手段的話，它只能在不斷衝突的格局下，逐步的改變現狀。日本殖民後期的政治活動，要根本改革，不可能不撞擊殖民體制的問題。如果武裝革命不屬於可實踐的選擇，那麼，不管是保守的林獻堂派、較激進的蔣渭水派，甚至是社會主義派，其選擇都只能是體制內的抗爭。唯一的例外或許是臺共的主張，臺共提出的「臺灣獨立」的政綱固然有它的時代背景，但這種主張在當時的運動團體中特顯孤峭，也不知其具體步驟如何實踐。我們當然不能排除體制內的抗爭也會發展，最後有可能導致對體制的顛覆。政治的目的與意圖永遠是複雜的，即使政治意圖該如何詮釋，也是複雜的，因為之間總包含可說與不可說的成分，而且圖像常是在演變當中。

在大的歷史框架下，日本殖民時期臺灣的反抗運動乍看之下，相當複雜，短短半世紀的一半歲月，各種思潮好像都湧到臺灣的知識人身上。一人身上同具三種顯性的主流思潮的情況並非罕見，蔣渭水就是明顯的例子。而且，臺灣的政治運動團體，比如臺灣文化協會，內鬥得很厲害，內鬥的原因固然有私人性的因素，但路線的分歧也是有的。儘管如此，我們如果仔細分析一下這些成員之間的差異，不難看出差異中共享的成分。日本殖民臺灣文化協會健將、林獻堂的左右手莊垂勝的兒子林莊生給林獻堂的政治路線作總的判斷時，說林獻堂是「以民權思想為中心的民族主義者」，「在文化意識上他認同中國文化，但在政治權益上是主張臺灣人的主體性」。[71]林莊生的判斷很精確，以此為準，那麼，蔣渭水呢？他不是更徹底的「以民權思想為中心的民族主義者」，在文化意識上認同中國文化，在政治權益上也主張臺灣人的主體性嗎？莊太岳呢？連橫呢？他們一樣有民權的信念，對民族文化的執念恐怕比蔣渭水、林獻堂更強。甚至王敏川呢？他應該也是民族主義者又是民權主義者，在文化上則認同中國文化吧！

民權思想與民族主義是日本殖民時期臺灣的反抗運動兩個明顯的特色，第一個特色無疑地是普世的政治現代化的現象，我們可以將它歸類到「自由主義」範疇下的核心概念。但「民權」如何落實，卻不能沒有和生活世界結合的具體步驟。日本殖民時期的反抗運動和周遭地區流行的自由主義的政治理念高度契合，在並世豪傑中，梁啟超、孫中山、板垣退助、矢內原忠雄應該發揮了相當的影響力。但由於臺灣在日本殖民時期的特殊狀況，筆者認為我們有理由更重視一般已耳熟能詳的梁啟超、孫中山在臺灣反抗運動中扮演的角色。梁啟超對以林獻堂為核心的臺籍文化人的影響相當巨大，他提出的議會路線、公民修養、儒家價值在當時中國境內固然有影響，在海外臺灣，他的路線同樣有真實的實踐者。至於孫中山的影響，除了他的三民主義、辛亥革命外，還當包括爾後的中國國民黨人對孫文思想的實踐。日本殖民時期臺灣反抗運動人物對在水一方的南北中國的政治認同，圖像相當清楚，《臺灣民報》上的論點幾乎是一面倒地押在中國國民黨這一方，孫中山對以蔣渭水為核心的政治人物的影響是相當巨大的。

我們所以要提出日本殖民時代臺灣反抗運動中的梁啟超、孫中山因素，乃因梁、孫兩人反省中國的政治問題時，從來不諱言需要引進歐美的民主制度與理念，但他們同樣相信中國文化傳統有助於這些制度的建立，同時還可提供相當重要的政治資源。換言之，中國文化傳統與民主制度在本質上是高度相容的，日本殖民時期臺灣主要的反抗運動志士幾乎都抱持同樣的理念，連本文所說的最右翼的莊太岳、連橫也是如此。連橫早在辛亥革命爆發前，即有詩〈遣懷〉言及此志。詩中有言：「博古而昧今，頑然徒林兕。尊今而薄古，蠢如遼東豕。曰古有唐虞，曰今有歐美。唐虞典籍存，國粹長不死。歐美思想新，民權日興起。世界入大同，進化循其軌。如日光中天，如泉流不止。萬派本同源，道在人驅使。」青年連橫的詩歌反映了那個時期

71　林莊生，〈林獻堂先生〉，《懷樹又懷人：我的父親莊垂勝、他的朋友及那個時代》，第十五章，頁二八七—三〇八。

追求臺灣現代化的志士匯通中西、貫通古今的心聲，其格局特顯平正恢弘。此詩如用於日本殖民時期的臺灣反抗運動人物，尤其是蔣渭水，一個字都不用改，完全適用。日本殖民時期反抗運動中的梁、孫因素不只提供了我們思考那一段臺灣史的切入點，它也有助於我們重新進入辛亥革命，對「中華民國」的理念重作解釋。

走進日本殖民臺灣社會，我們畢竟不能不碰觸到該研究領域的老議題：如何評估日本殖民時期臺灣反抗運動的民族主義的成分。這個成分雖然沒有被研究者所忽略，事實上，也沒有任何機會可以被忽略，但竊以為受到正視的程度仍不足。由於臺灣當時是殖民地，漢民族和大和民族在政治上屬於被統治階層與統治階層的關係。所以在臺灣的反抗運動人物中，文化傳統主義的傾向很強，他們的情感與「中國」意象的關連可以說是血的連結。我們如果要找出貫穿林獻堂、蔣渭水與王敏川的共同精神傾向，乃是他們的反抗運動都建立在文化民族主義的基礎上，而且，也都圍繞文化民族主義的價值意識展開。至於更具傳統文人精神的莊太岳、連橫等人，其思想定位更不用說了。換言之，他們都認為以儒家為代表的中國文化傳統與反抗運動的目標是一致的。我們如要找出二十世紀上半葉海峽兩邊現代化工程最大的差異，當是兩邊的政治人物如何看待中國傳統與現代化的關係。

由於民族文化因素與政治運動目標的結合，民族文化的因素因而也就變成了政治的議題，而且是核心的議題。在處理臺灣反抗運動重要資料集成的《臺灣警察沿革志》對臺灣反抗運動人物的心態有如下的描述：

> 臺灣人的民族意識之根本問題，實繫於他們原是屬於漢民族的系統；本來漢民族經常都在誇耀他們有五千年傳統的民族文化，這種民族意識可以說是牢乎不可破的。臺灣人固然屬於這漢民族的系統，改隸雖然已經過了四十餘年，但現尚保持著向來的風俗習慣信仰等，這種漢民族的意識似乎不易擺脫，蓋其故鄉

福建廣東兩省與臺灣，只有一衣帶水，且交通來往也極頻繁；這些華南地方，臺灣人的觀念，平素視之為父祖墳墓之地，思慕不已，因而視中國為祖國的感情，不易拭清，這實也難以否認的事實。[72]

從統治者日本帝國的觀點看，被統治的異民族臺灣人是本質上不安定的因素，不管這些被統治的知識人如何避免民族自決的口號，日本統治者總認為他們是潛存的分離主義者。臺灣反抗運動人物該如何面對統治者或明或隱的指控呢？筆者認為這項指控是沒有辦法逃避的，臺灣反抗運動人物確實以他們五千年的文明為榮，視之為文化血緣的DNA，他們也以明鄭的傳人自居，自詡擁有光榮的近代史的抗爭傳統，日本統治當局並沒有冤枉他們。蔣渭水的〈臨床講義〉之所以被視為一代文獻，乃因這篇短文揭舉了日本殖民時期臺灣人民的文化認同的集體意識。日本殖民時期臺灣反抗運動人物既然自認為自己是悠久傳統的民族，他們就不可能接受種族歧視的政治制度，長屈人下。這樣的認同既非理性也非非理性，它是超出認知功能上的社會情感的連結。日本殖民臺灣反抗運動人物的民族情感不可能是史明所說的幻象或虛象，它只是「日本帝國殖民臺灣」這個結構必然產生的合理現象。

日本殖民臺灣反抗運動人物立足於「民權思想為核心的民族主義」基礎上，乍看無特色，但如果我們比較二十世紀中國現代化的行程，其差異就特別顯現出來。簡言之，在近代西方出現並傳播到世界各地的自由主義政治概念，如主權在民、三權分立、結社自由云云，雖是普世的，其表現型態卻不能不受制於各地的接受情境。二十世紀上半葉的海峽此方之不同於海峽的另一方，在於臺灣沒有出現全面反傳統而且顛覆極徹底的現代化工程，沒有以新造的階級意識取代民族文化傳統的社會本體論的主張，沒有武裝鬥爭的中國共產黨

72 王詩琅譯註，《臺灣社會運動史：文化運動》（台北：稻鄉出版社，一九八八），頁二。

革命路線，沒有無產階級專政的共產主義的治國藍圖，也沒有出現國史上千年罕見的大革命者毛澤東，偉大人物才會帶來偉大的衝擊——不管是正確或是錯誤。

存在決定了意識，日本帝國主義殖民下的臺籍反抗運動政治人物對於傳統文化的溫情，可以說是深入骨髓。陳寅恪、錢穆對近代中國知識人的呼籲：溫情！溫情！再溫情！同情的了解！同情的了解！再同情的了解！他們的吶喊對深陷於革命躁鬱症的中國現代知識人未必有效，但對傳統的溫情卻是日本殖民時期臺灣反抗運動者實踐的起點。他們認同中華文化，亦即包含傳統漢文化以及它在中華民國時期的表現，他們不但沒有認為儒家傳統阻礙了進步，反而認為儒家其實鋪陳了臺灣現代轉型很好的軌道，「以中華文化或漢文化傳統的傳人自任」乃是那個時代反抗運動者共同接受的價值意識。

日本殖民時期臺灣反抗運動的光譜確實有些亂，變化也太迅速，但喧嘩混亂中卻也難掩共相：五千年大傳統的認同、明鄭反抗傳統的認同加上民俗臺灣的鄉土傳統的認同，這幾個認同混合而成，拼成當時反抗運動人物從事運動共同的基礎。兩岸關係非比尋常，這些先行的臺籍政治人物對傳統中國有自然的溫情，對現實中國也有共同體的同情。從很多方面看來，日本殖民臺灣後期的反抗運動人物對文化中國與現實中國的連結，恐怕比當今所理解者要濃了不少。[73]但如何落實兩岸關係，在政治上並非易事。一九四五年臺灣光復的全島狂熱以及不到兩年之後的二二八事件之悲慘，這兩種現象的激烈都是臺灣史上少見的，由此可見日本殖民反抗運動中的「中華文化」元素在現實上落實的窘境。

但「中華文化」元素如果不單指現實中國，也指向心理臺灣呢？回到反抗運動的現場，身處甲午乙未巨變的莊太岳鈐印「在水一方」時，如果其時的心情是悵惘或期盼的話。反抗運動發展的結果顯示「在水一方」並不飄渺，實即「在水此方」；所謂伊人，亦不在遠，即在島嶼本身，也在島嶼之子的生命本身。「中華文化」一詞誠然是在中華民國境內活動的文化，但「中華文化」的理念在現實中國的處境有太多的扭曲與折損，反而在本土周遭的殖民地區更能維繫中華文化的理念。從心理的真實看，彼岸的中華不見得比此岸的中華更中華，中華文化原本即是臺灣意識核心的成分，也是保衛臺灣價值的重要力量，它是內在於臺灣共同體的社會情感。臺灣與中華文化絕不會是政治地理的區隔關係，而只能是生命存在的共構關係。

包含傳統漢文化與現代中國文化在內的中華文化到底對華人社會的現代化轉型是正面還是負面？是接生的產婆還是惡毒的白雪公主的母后？一個具有深厚文化傳統的社會在接受新時代的挑戰，需要作現代化的轉型時，它是否需要雙腳踩在其上的文化傳統的支持，就像莊子說的：一個人行走於世界上，他除了需要支持其每一步伐的那塊土地外，是否需要更廣闊的大地的連結以為支撐？沒有「無用」作為「用」的基礎，「用」是否容易枯竭？具有大傳統內涵的民族主義的情感不見得就是地域性的，或者情緒性的，它或許是人民更寬廣的存在之依據。[74]二十世紀上半葉海峽兩岸的政治人物因存在的處境不同，政治判斷也不同，效果當然也就大異其趣。比起二十世紀以國共兩黨鬥爭為主軸而展開的中國現代史的規模，日本殖民臺灣的臺人反抗史的格局當然小多了，也不夠徹底，但小而不徹底的格局不一定提供小而不徹底的訊息，它應當還有照明今日時局的作用。

73　關於此義，陳昭瑛的長文〈啟蒙、解放與傳統：論二十年代臺灣知識分子的文化省思〉，談得更詳細，陳文所說的二〇年代與拙作此文指涉的年代重合。陳文收入陳昭瑛，《臺灣與傳統文化》（台北：臺灣書店，一九九九），頁一二三—二二八。

74　莊子的寓言見於《莊子》〈外物〉篇以及〈徐无鬼〉篇，海德格反省納粹德國的災難時，曾引用之，以說明「無用的民族」的意義。

第七章

兩岸共鳴的儒鐸聲：徐復觀與臺中學人

一、前言

徐復觀先生生長在飄泊流離的動盪時代，他的足跡遍及大江南北，沙漠島嶼。在他動盪的一生中，臺中是他羈留最久的一段歲月，時間長達二十年，正確的數字是二十年零三個月。[1]而且他的臺中歲月並不是羈留，甚至也不是臺靜農先生堂號「歇腳庵」那樣的意義，而是一種安頓的家鄉的感覺。事實上，徐復觀待在臺中的時間比待在他家鄉的時間還要久。他只要回憶起臺中的人、時、事、物，常都是充滿了溫馨的情感，這種情感與他那種充滿爆炸力道的公共形象大不相同。徐復觀把臺中當作他的第二故鄉，他的周邊朋友都知道他的生命中有這麼一段深情的因素。[2]

臺中所以令他懷念不已，主因不在其氣候、物產、工作或是這段歲月提供他安靜的生活空間。[3]最關鍵的因素是人，是當時中臺灣的知識分子。徐先生自言：幾十年交往的朋友雖多，他在臺中時交往的朋友特別令他難忘。徐先生的這些臺中朋友也知道他們在徐先生心目中有特殊的位置，因為只有他們是「超越勢力」的至交，徐復觀一生頗以有這些朋友「為安慰」。[4]徐復觀先生所說的臺中至友，主要是指葉榮鐘、莊垂勝、洪炎秋、張深切諸人，他們周遭還有一些臺籍人士與徐先生也結了深淺不等的友誼。徐先生如是看待他們，這些人也把徐先生視為平生至交，其交情甚至傳到下一代，成了通家之好。徐先生的朋友品類極雜，意氣相投如徐高阮、殷海光先生者固亦有之；學術理念相近如唐君毅、牟宗三先生者亦間可見到，但交情會延續到下一代，而且彼此的交往始終帶有他們極重視的「人與人」的真實情感者，恐怕只有臺中這群朋友。

他的這群朋友可說都是在野的知識分子，「知識分子」或「知識人」的稱呼乃是現代的用法，這種用法著重知識的淑世作用，但徐先生交往的這些臺中朋友除了具備現代知識人的特質外，還帶有舊社會中濃厚的「士」之生活型態與文化理念，因此，筆者假借舊日的詞彙，稱作學人。他這些朋友不一定只住臺中縣市，如洪炎秋就是彰化人，但終究以臺中人為多。而且方便而言，「臺中」亦可取中臺灣之意，所以本文從俗從眾，稱呼當時這些中臺灣的知識人為「臺中學人」。

徐先生與臺中學人的密切交往，發生在四〇年代末到六〇年代末，那是兩大國際集團對壘，代理人戰爭在中南半島與第三世界國家火烈進行的年代，國際冷戰體制已經定型。敗退來臺的國府經過多年的整肅、整裝，基本上已經建立了戒嚴威權體制、國際垂直分工的資本主義的經濟模式、全球化、現代化的思維模式。不管在島內或在島外，一種穩定性的構造已被樹立，國民黨的政治建構工程在相當的程度內和臺灣社會的構造一致化了。徐先生在臺中的歲月，可以說是工具理性起飛、價值理性冷凍的超穩定構造的年代，知識分子的功能已被設定了，那是個知識分子失聲的年代。

「知識分子失聲」之說可能是言過其實，因為知識在任何歲月、任何政治形式下都會尋找自己的出路的，臺灣在冷戰時期，我們仍可看到小說、新詩、繪畫在現代主義的引導下，曲折地顯現了一種被壓抑的反抗意識。而一種站在本土意識上的反抗意識也始終未曾斷絕，我們看此段時間，不管在學術或在文學、藝術上，「中國化」、「本土化」、「鄉土化」的呼聲總會不時興起。只是此時的「本土」的內涵較曖昧，它到底是深層結構的漢文化意識，或是政治論述倒映在臺灣現實上的建構，其間頗有糾結。

---

1 這個數字是徐先生自己算出來的，算得如此精確，很可能顯示他對這段歲月特別懷念。

2 洪炎秋在民國六十三年十一月七日寫給葉榮鐘的私人信函中即有言：「復觀以臺中為第二故鄉，離開以後，夢魂繫之，理所當然耳。」

3 他在臺中的歲月當然不全然是愉快的。他與系上的同事梁容若睚眥齟齬，整體學術社群幾乎都聽過他們的咆哮之聲，他對東海大學當局的一些作為也有過意見。但這些工作上的不愉快，並沒有掩蓋過他對整體臺中的溫馨之感。

4 上述的話語出自洪炎秋寫給葉榮鐘的另一封私人信函，洪炎秋的兩封信參見國立清華大學圖書館特藏「葉榮鐘全集、文書及文庫數位資料館」（https://reurl.cc/12mdo9）。

放在廣義的「本土化」脈絡下考察，我們不能不說：在戒嚴體制籠罩的沉寂中總還有些異議的聲音，徐先生就是發出這些異議聲音中最響亮吵雜的一支麥克風，而他所發之聲乃是當時相當邊緣化的儒家之聲。就表面形式而言，四〇年代到六〇年代的臺灣，並不是沒有儒家的因素，站在官方的意識型態著眼，儒家是它用以對抗共產中國最重要的思想工具，所以怎麼可能不提倡。但就真正關懷儒家價值體系的學者之立場而言，官方的支持常是有不如無，因為一種與人民要求脫節、與土地失去關連的思想，是不可能有生命力的。當徐先生竭力為儒家發聲時，他所獲得的最大奧援，不是來自於中央，不是來自於同鄉，而是來自原為「遺民」、「棄民」身分的島嶼儒者。徐復觀與臺中學人交往關係極佳，乃是情感與理念交織的結果。

「徐復觀與臺中學人」在當時不是一樁事件，即使到了今天，也還不算是，但歷史的意義是不斷生成的，重要事件之意義不會中止於發生的時刻。隨著兩岸局勢與世界局勢的翻轉，它會呈顯日趨重要的意義。在政治上反共當令、學術上西潮喧囂的年代，一群語言不太相通、政黨屬性不同、歷史背景迥異的知識分子竟然可以針芥相投，結為至交。這樣的交往透露了一個很重要的訊息：兩岸之間的關係有各種的線索，不是單線可以決定的。至少對當時的一些知識分子來說，一種具有現代感的儒家價值體系是他們終身追求的核心要素，其分量遠超出自然血緣與政治認同。這種交往也顯示：以儒家價值體系為主的漢文化是構成臺灣歷史的重要因素，這些文化因素在不同時期或隱或顯，我們不方便說它們是主流，但它們是不可能被遺忘的力量。儒家的文化因素總會在不同的發展階段中找到相結合的因素，茁壯、成長，並形構不斷生成的臺灣新文化面貌。

徐復觀與臺中學人的交往不但對當事者是重要的生命事件，即使就儒家文化史或臺灣思想史的角度來看，也具有相當重要的意義。他們交往的事跡，世人多已知曉，但其意義仍有待發覆，本文想要闡述這一點。

二、從遺民到臺中學人

徐先生舊學邃密，情感豐沛，對古典詩歌的理解自然也十分在行。[5]他不以舊詩名家，在他半生勤勉撰述的文字生涯中，舊詩詩作亦不多，但他的全集中卻有與臺中生涯有關的詩作，如下列七絕一組：[6]

〈丁未初冬，與煥珪、少奇、頂順、君石、培英、惠郎、運登、今生諸君子聚東山吳家花園飲卻賦〉

園林猶見舊規模，王謝風流感逝波。賴得文君堪賣酒，不教門巷可張羅。

清談謝傅有東山，裙屐聲中雜管弦。此日天涯那可擬，放懷聊借酒杯寬。

青梅竹馬兩無猜，評畫論詩各費才。禪榻鬢絲俱老大，卻羞重說我曾來。

此亦人間一局棋，畫堂東畔草離離。休將世事輕相比，夢裡麻姑豈得知。

丁未為一九六七年，此詩原刊在一九六八年《東海文學》第十三期，《東海文學》為校園刊物，知者不多，此詩想必也不太會受到重視。

徐先生的舊詩不多，此組詩在他的舊詩中，也不算突出。很明顯的，這是組酬酢性質的詩。古典詩的功

5 徐先生的《中國藝術之精神》是戰後臺灣出版的藝術史之名著，牟宗三先生看了此書，曾寫信給徐先生，要他同樣寫一部《中國文學之精神》，可惜徐先生工作量太大，沒有撰寫。

6 徐復觀有詩〈丁未初冬與煥珪、少奇、頂順、君石、培英、惠郎、運登、今生諸君子聚東山吳家花園小飲卻賦〉，刊於《東海文學》，十三期（一九六八年初），頁二二，轉引自許建崑，〈孫克寬先生行誼考述〉，《東海中文學報》，十八期（二〇〇六），頁九九。

能是多重的，現代意義的文學性當然也是古典詩追求的目標之一，但不是唯一的目標。根據孔子論詩著名的定義，詩至少有興、觀、群、怨四種主要的功能，還有事父、事君的次要功能，甚至也還有「多識鳥獸草木之名」的邊際效應。[7]觀徐先生此組詩，它明顯地發揮了「群」的作用，多少也有「興」、「觀」的效果。朋友在郊外的名園雅集，會中或會後，大家寫詩唱和，甚或為文記之，這是舊文人的一種生活習慣。至少從石崇金谷園、王羲之蘭亭以後，它成為一種悠久的詩歌傳統，衍至今日，它仍屬於小眾傳統的一種表現方式。

正因為此組詩歌的文學成就不見突出，它更可突顯此組詩歌傳達的內容具有典型的意義。此處的典型並非意指特別好之意，而是指它代表一種日常化的敘述，日常化也就常態化了，常態化的詩歌之功能不在創造，而在溝通情意，喚起當日的共同記憶。徐先生從一九六三年以後，與臺中友人的交往日益密切，他與這一群朋友遂有「臺中雅集」的聚會，每月聚會一次，聚餐，品茗，暢論時事、藝事、學術。同樣在一九六五年這一年，徐復觀還曾與李君晰、林培英、林雲鵬、黃天縱、蔡惠郎、藍運登等人至后里毘盧寺郊遊，並攝影留念。[8]可想見的，徐先生在臺中的歲月，大概有相當長的一段時間是這樣度過的。

徐復觀先生與臺中學人的集會真的是相當密集，葉榮鐘先生是徐先生在臺中時期交往頗密切的一位朋友，在他的一九六七年至一九六九的日記中，[9]筆者大略檢察他與徐先生的往來狀況，其中包含他到東海拜會徐先生，徐先生到他家拜會，或是他們在朋友家見面的次數也不少，還有直接在餐廳或花園見面的情況。另外，彼此通信的次數也記載了下來。總計這三年的日記裡提到徐先生的次數達到六十四次，這些統計是依直接提及徐先生名諱的文字計算的，未呼其名的載錄不算在內（參見附錄：一九六七—一九六九年《葉榮鐘日記》裡的徐復觀）。葉榮鐘先生是徐先生在臺中認識較早並深交的友人之一，他們兩人的互動自然較密切，但可以想見的，徐先生和其他臺中學人的交往一定還有。可惜從一九四七年的二二八事件後一段相當長的時間，葉榮鐘先生為避免以文賈禍，所以沒寫日記，否則，他們交往的頻率可以更精詳地統計出來。但以這三年的日記作樣本，也可以看出徐先生與臺中學人的交往已是他的生活世界中的常項，抽離了這常項的部分，我們即無法了解渡臺後長達二十年時光的徐先生思想之發展歷程。

筆者所說的臺中學人，他們和徐先生的交往都達到了相當密切的程度，而不是泛泛之交。在徐先生夫人王世高女士所著的〈徐復觀先生年譜〉民國三十八年條目下，王女士云：「在臺中居住長達二十年，與莊垂勝、張深切、張煥珪、葉榮鐘、郭頂順、林培英、洪炎秋、洪耀勳、楊逵、林雲鵬諸先生建立了真摯的友誼。」綜合這幾條資料，筆者將徐先生交往的主要的臺中友人簡單列表如下：

1	莊垂勝	臺中圖書館館長
2	張深切	小說家、記者
3	張煥珪	臺中中央書局董事長
4	葉榮鐘	興南新聞記者、林獻堂秘書
5	郭頂順	豐原客運董事長、「文化十字軍」成員
6	林培英	林幼春之子

7　孔子的原文如下：「詩可以興，可以觀，可以群，可以怨；邇之事父，遠之事君，多識於鳥獸草木之名。」這段論詩的名言可以分成五層討論，參見張亨先生的解說，〈孔子論詩〉，《思文之際論集》（台北：允晨文化出版公司，一九九七），頁六六－一〇〇。本文因不是專門論詩，所以將第三、四、五層的「怨、群、觀、興」合在一起討論。

8　一九六五年的這兩次集會之照片與相關詩文，參見前引國立清華大學特藏「葉榮鐘全集、文書及文庫數位資料館」（https://reurl.cc/12mdo9）。

9　參見林莊生、葉芸芸編，《葉榮鐘日記》（台中：晨星出版公司，二〇〇二）。

7	洪炎秋	臺大教授、國語日報社長
8	洪耀勳	臺大哲學系教授
9	楊　逵	小說家
10	林雲鵬	攝影家，傅錫祺外孫
11	蔡惠郎	醫師，「文化十字軍」成員
12	藍運登	畫家、記者
13	李君晰	彰化銀行經理，翻譯家，楊肇嘉妹婿
14	黃天縱	律師，黃天橫之兄

除了上述十四人外，在國立清華大學典藏的葉榮鐘數位資料庫檔案中，筆者還發現到徐先生與丁瑞彬、陳滿盈、甘得中、還有一位不知其名的廖先生的合照。據葉榮鐘女兒葉芸芸女士告知，合照的背景很可能是陳滿盈或甘得中的彰化住所，時間在一九六二年之前。陳滿盈是跨越日治與國府治臺時期的彰化詩人，也可算是「臺中學人」。甘得中為林獻堂秘書，早期臺中學人當中少數能用北京話表情達意者，在一九一一年梁任公來臺此事上，頗費心力。此張照片顯示徐先生當時交往的本地知識人的圈子頗廣，但徐先生與他們的交往不知達到何等層次，所以上表未列。

徐先生在臺中的重要友人除了楊貴（逵）需另外討論外，上述的人名一列表，其共同的背景就很清楚地顯現出來了：這些人可以說都是日治時期「臺灣文化協會」的成員，或關係極密切的人士。其中的葉榮鐘先生可能是除了莊垂勝先生外，徐先生交往最密切的朋友了，莊垂勝先生於一九六二年過世後，葉先生似乎扮演了團體聯絡者的角色。葉先生和莊先生以及蔡培火先生都是「臺灣文化協會」的重要成員，都是林獻堂的核心幹部，莊、蔡是三大名嘴中的兩位。林培英是櫟社代表詩人林幼春之子，林幼春在臺灣文化圈地位極高，他與林獻堂可視為日治時期臺灣反對運動中一政治、一文化的代表人物，兩人同樣居領袖群倫之地位。徐先生在《南強詩集》的序中讚美林幼春其人其詩曰：「先生乃以生人之大節，激勵其性情，而一人性情亦即潛通於家國廢興之運會。由此發而為詩，實萬劫不磨之民族精魂之所寄，豈與嗟一己之榮枯、感四時之代謝者之所能同其量哉！」[10]徐先生此序「情深而文明，氣盛而化神」，辭義兼備，聲氣高朗，真有得於桐城派之法要。徐先生之序與林幼春之詩可謂異代同情，儼若敵國，可說是臺灣詩文批評史上的大手筆。

上述這些人皆與「臺灣文化協會」關連頗深，「臺灣文化協會」成立於一九二一年，它是日治時期臺灣最重要的民間組織之一，其成員可以說是臺灣在野文化勢力的總集結，沒有「臺灣文化協會」以及與它相關連的機構，如之前的櫟社或之後的臺灣民眾黨，五十一年的日治臺灣史將黯然無光。這一批臺中學人在日治時期是日人眼中釘的「非國民」，在日人強壓的統治政策下，他們千方百計，千迴百轉，既要從虎口中搶得現代國民應享的民主權利之大餅，又要在軍警特務打壓下延續漢文化之傳承於不絕。一經光復，臺灣人民乃得重現「本來面目」。[11]但光復的熱情延續不了多久，「今朝光復轉淒然」。[12]天真的島民才發現到祖國的另一種本來面目：「祖國」只相信與國民黨有淵源的另一批臺灣人，而且統治上基本延續了日人的高壓統

10 徐復觀此序參見林資修（幼春），《南強詩集》（台中：林培英排印本，一九六四）。

11 「本來面目」是禪師與理學家喜歡用的語彙，如《六祖壇經》云：「不思善，不思惡，何者是上座本來面目」。楊繼盛詩亦云：「本來面目頻頻照，恐落寰中第二人」。這個詞語在經歷光復的臺灣知識分子林茂生、莊垂勝口中，先後出現過，前者出處待檢，後者參見徐復觀，〈一個偉大地中國地臺灣人之死——悼念莊垂勝先生〉，《徐復觀雜文四．憶往事》（台北：時報文化出版公司，一九八〇），頁一四六。「本來面目」此用語內涵雖經轉換，但意義仍舊連貫。

12 此為葉榮鐘〈乙酉八月十五日〉詩中的第二句，第一句為「忍辱包羞五十年」，這種迅速的心境之轉變在同時的臺人詩文中常可見到。

治。在文化的認同上，也有了紛歧，莊垂勝曾帶著嘲諷的語氣，不勝欷嘘的嘆道：「日本人要我們忘記中國的文化，內心裡認為中國文化對我們是有價值的。而我們祖國的先生們，希望我們忘記中國文化，公開地是認為中國文化對我們是沒有價值的。」[13]

徐先生當時交往的就是這一批日治時期臺灣文化與政治運動的主幹人物或其朋友、後人，這一批在日治時期被打壓、進入祖國懷抱以後一樣被打壓的人物，他們的經歷鮮明地反映了近代臺灣知識分子坎坷的命運。徐復觀先生與他們密切交往，筆者相信：有一種很重要的心理動機，來自於徐先生追求正義的俠氣。在徐先生的懷舊式追悼文章中，有一大部分的傳主人物顯現了共同的命運：他們在追求民主、自由的路途上都貢獻過心力，但都受過嚴苛的打壓。徐先生既追悼殷海光、雷震、甚至某一部分的胡適；他也追悼莊垂勝、葉榮鐘、張深切，這兩批各種屬性都不同的人物在這點上有了交集。上述這些受難者所處的歷史時空點不同，但都受過同一個統治集團的打壓，他們個人的挫折都反映了一種人民的權利此普世價值被羞辱了。徐先生對上述人士的追悼，反映了儒家傳統中極突顯的一種「同志情誼」，這種朋友交誼與道義承擔結合的人倫關係在明代理學文化中達到前所未有的高峰，公義與私情在此作了最圓滿的交集，徐先生繼承了這個傳統。

然而，為追求民主價值而付出，身心受盡折磨所引致的「同志情誼」固然重要，但此因素恐怕不能完全解釋他與臺中友人的交往何以如此親密，因為與臺中友人的交往，徐復觀顯現了與他一生行事風格頗不相稱的主動、耐心。徐先生常感嘆自己的不通人情，因此，得罪了極不想得罪的朋友。但他與臺中友人的交往卻不是不通人情，相反的，是俠義柔情兼而有之。「臺中雅集」的召集人，不是別人，正是徐先生本人。這種主動積極的交往恐怕在他一生的經歷中，並不多見。個中因素可想見的不會只有一兩項，但有一點似乎可以肯定的，那就是：徐先生抱有一種代「祖國」贖罪的心理。

徐先生雖沒有使用「贖罪」之類的詞語，但從一九四九他到臺灣以後，我們看到他只要論及「中央民意代表」或國民黨統治集團之類的文字，都極為辛辣，公開文章如此，我們現在看到已公布的私人信件與談話，更是如此。即使他與國民黨個別的要人包括蔣中正本人在內，多有交誼，也不乏正面的評價之語。但對整個統治集團的本質卻定義得清清楚楚：一個找不到出路的利益集團。在這樣的基本認知下，他的文章只要觸及臺民與國府當局矛盾的議題，他幾乎一面倒的站在臺民這一邊。[14]最明顯的證據莫過於他對受壓迫的左翼文人運動的同情，因為以徐先生九死不悔的文化民族主義的立場，他對左派的「傳統文化觀」是難以認同的。但站在同受當局壓抑的同儕意識支持下，他將臺灣的左派知識分子視為我輩（weness）成員，他和老牌政治犯楊逵在語言不易溝通的情況下，結為好友。他對因左入獄的陳映真之小說給予極高的評價，「海峽兩岸第一人」與其說是讚美其文學成就，不如說是聲援其人。在鄉土文學論戰熾熱，當局磨刀霍霍之際，徐先生透過公私兩種管道，堅決地支持鄉土文學的作家。

贖罪之情更明顯的見於徐先生對「臺獨」的寬容。以徐先生民族主義情感之濃烈，一生可說都在為他理想中的民族文化而奮鬥。但他的學生中主張臺獨或同情臺獨者並非沒有其人，在私人信函中，他最多只能勸其兒女不必要像臺籍學生一樣加入臺獨運動。如果是臺籍學生呢？徐先生顯然很難支持此種立場，但他很同情此種主張何以會出現，他也能接受此問題可以討論。徐先生個性火氣十足，很難說是位寬容平易型的學者，但他在「臺獨」此政治議題上的態度卻相當內斂，因為他知道個中的因素有情、有理、有勢，不可能是

13 參見徐復觀，〈一個偉大地中國地臺灣人之死——悼念莊垂勝先生〉，《徐復觀雜文四．憶往事》，頁一四六。

14 且舉一例以見一斑，葉榮鐘先生撰有〈光復前後〉一文，此文頗犯時忌，對「民意代表」批評極厲。葉先生將此文先送邱念臺過目，邱氏雖極知臺人辛酸，也嫻熟臺灣歷史，但他也很了解官場現實，因此，為之潤改文字，減少刺激性的語言。葉先生後來也將此文送徐先生過目，徐先生讚不絕口，不但沒採煞車，而且頗有「拿柴添火的氣味」。見葉先生寫給兒子的家書，引自葉光南、葉芸芸主編，《葉榮鐘年表》（臺中：晨星出版公司，二〇〇二），頁九〇。

道德問題。如果不是抱著極大的同情，甚至贖罪心理，我們很難想像徐先生會如此壓抑平素根深柢固的中華民族主義信仰。一九四九來臺的大陸人士中，抱著此贖罪之同感心者並非絕無其人，但徐復觀當是重量級知識分子中表現最突出的一位。[15]

徐先生的俠氣及贖罪之情都是真的，但這兩個因素仍舊無法解釋何以徐先生和臺中學人可以交往得這麼深，這麼久。筆者認為毫無疑問的，最緊密的膠黏劑仍是他們對中華傳統文化的情感，這種情感包含了對傳統文化的舊形式及新使命的認知。徐先生交往密切的這些臺中學人的舊文化涵養無疑地不如他們上一代先人的林南強、洪棄生等人，但他們是在這種文化氛圍中成長的，他們也是用這種與生俱來的知識反抗日人的壓迫的。最重要的，他們理解中的傳統文化與民主的追求乃是一體的兩面，缺一不可。在五〇年代的臺灣知識社群當中，不同思想立場的學者對民主是有相當的共識，但民主與傳統文化到底是種矛盾還是相容甚至是加乘的關係，學者的意見頗有分歧。大體說來，自由主義分子持矛盾說者居多數，而文化傳統主義者則持加乘說。以當時的學術權力而言，文化傳統主義者實屬邊緣。

避難來臺的邊緣儒者遁居到臺灣政治邊緣的臺中，遇到島嶼邊緣的舊儒者，兩種類型的邊緣儒者都相信漢文化與民主自由的理念是相容而且相成的，共識就這樣產生了。

三、莊垂勝的獨特地位

在徐先生的臺中友人中，最關鍵性的人物當是莊垂勝先生。徐先生曾提及他與莊垂勝的交誼始末，兩人因雙方共同友人蔡培火之介紹而認識，之後兩人不但交往日親，而且連自己的朋友都介紹給對方。上節所提的這些臺籍人物，恐怕多半是經由莊垂勝之介紹而認識的。徐先生也將自己的朋友如涂壽眉介紹給莊垂勝，兩人的交友圈子因此也日益擴大。更特別的，徐先生和莊垂勝的諸位兒子後來仍維持聯繫，而且是關係極密切的聯繫。[16]在當代知識分子中，徐、莊兩家的交誼情況絕不多見，兩家是典型的通家之好。徐先生的諸多文章中，一再言及莊垂勝其人，他對臺中這般懷念，莊垂勝可能居了一大半的因素。

在諸多的臺中友人中，論個性之相似，葉榮鐘、張深切似乎比莊垂勝更接近徐復觀，但徐和莊卻結成了生死之交。莊垂勝的至友葉榮鐘在懷念故友的一篇文章說道：「晚年受徐復觀教授的影響，對於中國文化，尤其是儒家思想的研究，頗為致力，崇信儒教，似已達到安心立命的境地」。[17]「安心立命」這個詞語分量很重，它是一種信仰，也是一種承諾，葉榮鐘這個形容詞應當不是隨意加的。徐先生看了這一篇文章後，曾更正其語道：與其說徐復觀影響了莊垂勝，不如反過來說，如一定「要說影響，乃是一種相互的影響」。[18]徐影響莊，或莊影響徐？徐復觀的友人各有說明，這個問題大概不會有標準答案。但兩人關係之深厚，大家的意見是一致的。

莊垂勝人品高潔而又善體人意，是位同情感極濃的人物，幾乎他的朋友對他都有極高的評價，他們如果不是將他視同兄弟，如葉榮鐘、徐復觀都懷有此鶺鴒情念；要不就是認為莊垂勝是影響平生最深的人物，如洪炎秋、陳虛谷皆言及莊垂勝對他們的深刻意義。當蔡培火晚年與昔日同志漸有距離時，莊垂勝與蔡培火的

---

15 筆者原本即相信徐先生有代所謂外省族群受罪並代為贖罪之想法，但苦慼文獻不足。研討會期間，東海大學洪銘水教授也提及此說。洪教授是徐先生東海早期的學生，深知徐先生為人，其判斷應當很可靠。

16 參見林莊生，《懷樹又懷人：我的父親莊垂勝、他的朋友及那個時代》（台北：自立晚報社文化出版部，一九九二），林莊生此書論徐先生的文章，可視為眾多追念文章中的白眉。

17 葉榮鐘，〈臺灣的文化戰士——莊遂性〉，《臺灣人物群像》（台北：帕米爾書店，一九八五），頁一五七。

18 參見徐復觀，〈一個偉大地中國地臺灣人之死——悼念莊垂勝先生〉，《徐復觀雜文四・憶往事》，頁一四三—一五〇。

友誼似乎仍不受影響，而莊垂勝也始終得到蔡培火的尊重。一位立功不深、立言不多的舊知識分子能以人格自然的魅力維繫各方友情，這毋寧是亂世中的異數。徐先生在官場打滾久了，冷眼人情，久厭世機，他打從心底喜歡且尊重莊垂勝，其情完全可以理解。

然而，人品不是唯一的因素，很明顯的，徐、莊結交最重要的黏著劑乃是兩人都將儒家思想視為終極的價值，對此終極價值都有終極的寄託，葉榮鐘所說的「安心立命」絕非泛泛之語。文化協會與櫟社中人，大抵都有儒家文化的修養，但很難說自覺地認同儒者的身分，並將儒家的價值體系當作宗教性承諾的終極關懷。日治時期臺灣民族運動領導者林獻堂有詩道：「總角入塾時，所學皆希聖。」[19]「希聖」語出周敦頤《通書》，這是理學教育的目標，「大學」階段的概念，總角時童蒙教育的內容不應當會這麼深，林獻堂的詩句只能視為泛論看待。但林獻堂童年時所受的儒家教育對他有極大的影響，這是可以確定的。在日治時期臺人的反抗運動隊伍中，林獻堂大概是最具漢文化修養的反抗領袖，不管在做人做事上面，他都表現出典型的舊社會儒者的紳士風格。他的戰友蔡培火是虔誠的耶教徒，老是勸林獻堂改信耶穌，林獻堂卻始終維持傳統士子三教同宗的態度，而且其比例大抵是儒教七分，佛教兩分，耶教一分，[20]儒家的影響是相當深刻鮮明的。

如果說林獻堂的儒教信仰是柔性的話，是即自的，而非對自的話，莊垂勝的情況則是即自且對自的，儒家體系被他視為終極的價值，是維繫人格動力的軸心。林莊生描繪他父親和他一起掃墓時，父親一再言及孔子「慎終追遠」的意義，其言真是親切有味。二二八事件發生後，莊垂勝無辜受累，於監獄中自作輓辭，並有短文記其事：「民國三十六年四月六日於臺中憲兵獄中。『自幸一門三世，無負國家民族。雖淪披髮左衽，未忘禮樂衣冠。』臺北二二八事變引起臺中三二騷擾，余四月一日被扣，七日釋歸，十日以煽動群眾叛亂撤職」，[21]所謂「撤職」，即是撤掉臺中圖書館館長一職。讀其自撰輓辭，想其為人，真是令人泫然欲泣。很明顯的，在莊垂勝遇見徐先生之前，他已是一位堅強的儒家價值的守護者。不管用古代或現代的意義，莊垂勝都可視為儒教徒。

莊垂勝過世後，有許多輓聯都指出了莊垂勝生命中的儒家情懷。蔡培火說他：「淡薄自守、篤信上帝、存心遂性、期無負人、為三臺儒者保一場地」。王金海說他：「六十年居仁由義，社會完人」；紀金欉說他「一生低首唯道義」；張聘三作聯道：「平世情誼兼師友，一生言行在墨儒」；曾申甫說他：「舊道德，新思想」。他的至親施維堯說道：「由義居仁，一脈道根終不朽」；臺中一中校長黃金鰲輓聯亦具體道：「氣節效夷齊、早識高風堪典範；衣冠崇孔孟、原知大義在春秋」；莊華說：「言希賢，行希聖。生不惑，死不憂。」[22]抄了這些輓聯，我們不能不讚嘆：這些原來可能為行禮如儀的酬酢語，放在莊垂勝身上，它們傳達的訊息卻非常一致，絕非敷衍。他們都指出了：莊垂勝不只是一般的文化鬥士，他更是位持志甚堅的儒者，儒家的價值理念是他一生用以自勵也是勉力以赴的目標，而且達到不憂不惑、安身立命的境界。

在上述的輓聯中，蔡培火的輓聯特別值得注意。蔡與莊是日治時期文化抗日的老戰友，同是臺灣文化協會中與蔣渭水鼎立而三的中堅人物，一生交誼，幾同手足。蔡培火是極虔誠的耶穌教徒，他對這位至友的「靈魂之得救」當然是始終關心的，莊垂勝卻始終各行其是。莊垂勝公子林莊生描述他父親臨終前的一則故

---

19 全詩見林獻堂，〈步鶴亭社長見示原韻〉，詩云：「總角入塾時，所學皆希聖。今年滿花甲，尚未知天命。何幸附驥尾，略解事吟詠。文運有盛衰，和漢難相併。舊學漸謬訛，有誰能矯正。九老下香山，啟蒙還本性。輕車方就軌，漸愈呻吟病。忽忽四十年，於今一老剩。北極拱清輝，列宿光相稱。四海任奔馳，明珠豈有脛。諄諄誨不倦，洗耳共傾聽。塵埃經一拭，光返菱花鏡。所望示周行，庶免由小徑。先覺覺後覺，孰云有逕庭。」此詩收入林獻堂，《灌園詩集》（新北：龍文出版社，一九九二），頁一一a。

20 此比例自然無法精準，但林獻堂是很典型的近世中國農村社會的儒紳人物，論者或許不會有異議。

21 引自林莊生，《懷樹又懷人：我的父親莊垂勝、他的朋友及那個時代》，第三章，頁六六。

22 上述聯語皆引自《遂性先生輓聯》，收入莊垂勝撰，《徒然吟草》（新北：龍文出版社，二〇〇一），頁五一—六四。所引聯語多取上半聯或下半聯，因另半聯與本文主題較遠，所以不再細引。

事，大有啟發人之處：「培火伯。他天天來，最近二、三天即每天來三次。他以宗教性的問題跟爸談論。後來爸已不能討論，而只有聽。漸漸地就睡著了」。[23]莊垂勝臨終前仍心定神閒，意志未嘗懈怠，再度辜負他的至友的雅意。蔡培火輓聯說：「篤信上帝」，顯然是將自己的期待讀進莊垂勝的行誼當中，至少莊垂勝如真有「篤信上帝」，恐怕也不是同一位上帝，否則，蔡培火不須在他臨終之前，仍想拯救他。倒是輓聯其他文字所述，皆可謂實錄，「為三臺儒者保一場地」之語所說尤為貼切，不愧為平生至友。

從「儒者」的身分入手，我們可以理解徐、莊兩人的交誼何以如是情深相契。徐復觀輓聯：「國命正垂絲、滄海橫流、苦語孤懷常我共；履綦真絕跡、九原難作、斷篇零墨待誰傳」，[24]其語洵為實錄，絕不可作應酬看。「國命」指的當然是傳統文化，「滄海橫流」所說尚包含對儒家不懷好意的共產主義與一些自由主義者。「履綦真絕跡」之語不只指莊安貧樂道，他更是葉榮鐘先生描述的：是位臺灣「臺灣的文化鬥士」。徐復觀那本引來官方討伐的《學術與政治之間》在一九八〇年於臺灣再版時，徐復觀在〈新版自序〉中寫道：「在我流浪的一生中，住臺中的時間，比住生我的故鄉還要久。臺中的人物風土，都給了我深厚的感情，自然也縈迴著我永遠的懷念。假使九原可作，則為我題封面的莊垂勝先生，看到由他所發心的這部書，能以面目一新的姿態，重新回到臺灣，他該是多麼高興。念及此，不覺為之泫然」。[25]「假使九原可作」回應了輓聯所寫「九原難作」之語，其時莊垂勝已過世二十年，徐先生每一思友，仍情思迴盪，不能自已，可見莊垂勝在徐先生心目中真有非比尋常的地位。

四、百年儒學兩盛會

從一八九五年至今，至少到一九八七年解嚴前，臺灣與大陸除了在一九四五到一九四九這短暫的四年之間統一於共同的國家外，其他的時間都是分裂的。政治分裂，尤其是敵我關係的分裂，很容易造成文化交流的斷流，臺灣與大陸的情況正是如此。從一八九五到一九八七這段期間，就儒家思想史的觀點而論，筆者認為具有足夠歷史縱深的兩岸儒家交流事件有兩次，一次是一九一一年，梁任公、湯覺頓等人應臺灣民族運動推行者林獻堂之邀來臺；一次是一九四九年徐復觀、牟宗三先生等人來臺。這兩次的交流具有一些結構上的相似性，首先，一九一一與一九四九恰好是二十世紀中國最動盪的兩個年分，整個中國甚或東亞地區都面臨秩序的重組。其次，這兩波海峽兩岸儒者的會合，其性質已非舊日文人聚會的新亭對泣或蘭亭雅集，而是在新時代中尋找儒家奮鬥的形式，也可以說同時在給儒家與華人社會尋找出路。第三，兩波聚會的地區主要在臺中，與梁任公、湯覺頓、徐復觀、牟宗三交往的臺中學人是同一社會團體的人物，前後兩代的臺中學人中有的是父子，有的是朋友，關係綿密，他們的經驗因而有連續性。從地點與人脈著眼，兩波的儒學交流可視為一個大的歷史敘述的不同階段之事件。

梁任公父女與湯覺頓於一九一一年連袂來臺，此事始末，恍如一齣傳奇，[26]此行對後來臺灣的影響更遠

---

23 林莊生，《懷樹又懷人：我的父親莊垂勝、他的朋友及那個時代》，第五章，頁一〇八。

24 同註二二。

25 徐復觀，《（新版）學術與政治之間》（台北：台灣學生書局，一九八〇），頁I—II。

26 先是林獻堂等人早已受到梁任公感發，一直有意識其人，聆其訓，但苦無機會。一九一〇年林獻堂一行人至日本奈良時，聽聞梁任公也至奈良，他們循跡到奈良一旅社，問投宿其間的華人有關梁任公的消息。應門者知其來意後，乃自言自己即是梁啟超。兩方相

超出梁任公的預期。葉榮鐘先生在《臺灣民族運動史》的第一章，即直寫梁任公當年來臺所帶來的衝擊。一九一一年的梁任公是文化界的天之驕子，傳奇的經歷加上奔放流溢的熱情，只要他的足跡與筆跡所到之處，萬民齊仰。他的臺灣之行也收到同樣的效果，或者說：更強烈的效果。他從基隆上岸，一路南下，一路與在地臺人酬酢交流。他以如椽巨筆、「艱難兄弟自相親」的同感之情，傾瀉出在異民族底下討生活的臺人心境。許多當日親與其事或親聞其事的臺籍知識分子如葉榮鐘、黃得時等人都能背誦梁任公在臺時寫的一些詩歌，可見其時梁任公的影響有多大。

梁任公當日的影響所以無遠弗屆，他的人格魅力當然是很重要的原因，但卻不是唯一重要的原因。更重要的原因乃是當年臺灣處於日帝統治之下，武裝抗爭已徹底失敗，外援之路也已斷絕，臺灣人士面對此新興帝國之異族統治，找不到反抗運動的出路。梁任公當時指引他們：武裝抗日不可行，依賴中國不可期，唯一可作的，乃是仿效愛爾蘭的議會鬥爭路線。梁任公見多識廣，嫻熟國際局勢，其指引的策略長期地引導了臺灣民族運動的發展。我們不妨說：在社會主義思潮沒在臺灣壯大之前，臺灣的民族運動基本上是走梁任公的改良路線的，而臺灣主要的運動推動者，大概是以受傳統漢文化教育而又浸漬新時代思潮的知識分子為主幹，其階級屬性及生活型態接近傳統社會的仕紳，林獻堂本人即是位典型的代表，他們很容易接受梁任公的主張。

梁任公之後，大陸與島嶼地區的交流雖然始終存在，但我們如和歷史的主流稍作比較，其規模終屬涓涓細流。其間雖有些重要的知識分子如林琴南、辜鴻銘、章太炎等人先後來臺，他們在文化界的地位不見得比梁任公遜色，但他們的思想很難說在臺灣生根，臺灣經驗對他們的一生也很難說有什麼重要的意義。他們的臺灣之行是逸事，逸事也許可構成新聞事件，但談不上是歷史事件。新聞事件在事件過了，即成明日黃花，最多是流傳成為輕鬆的傳奇，它可供追憶，也可使微弱的餘燼增添些持續保溫的熱能，但卻無能改變歷史的行程。

一九四九年新儒家渡臺的第二波交流的情況不一樣，當時來臺的徐、牟等人雖然在學問上不能說業已成家，但他們當時都已嶄露頭角，而且以後的思想發展越趨成熟，他們現在普遍被視為是可以代表一個時代思潮的大知識分子。如就引領一個時代的思潮而論，他們當然比不上梁任公的作用，但就專業知識的深度，他們自有後出轉精之處。即使僅就對民主政治的理念之疏通而言，張君勱、徐復觀、牟宗三這些海外儒者的貢獻絕不下於民國以來的任何學術社群，其深度也超越了梁任公。牟、徐諸先生的學術成就主要是在臺灣發展的，他們的學術影響力也是以臺灣為基地向外擴散的，臺灣提供了他們安頓的空間以及創作的時間。除此之外，筆者認為臺灣還不僅是他們創作時有利的外部因素，而是有更深層的內部因素存焉。

徐復觀等人在爾後的臺灣儒學史上所以會占有一席重要地位，這是有歷史因素的。因為我們只有將「徐復觀等新儒家學者與臺中學人」的命題放在之前的「臺灣儒學史」的角度考量，才可以了解它的意義。臺中學人在日治時期最大的反抗武器就是民族文化，而儒家自然是民族文化中最重要的資源。臺中這些儒者在日治時期艱苦奮鬥，在情感上相當孤立，他們很少得到來自大陸大儒的支持，[27]他們是標準的亞細亞的文化孤兒。等國民政府入臺灣後，理論上情況應該會改善。事實不然，雖然統治者已易位，但臺中這批文化分子，並沒有得到應有的位置，國府重用的還是要與他們有舊同事關係的「半山」人物。[28]林獻堂、陳炘、葉榮鐘、莊垂勝等人在政治領域上，迅速地再度淪落為邊緣人。在文化上，雖然當時口頭上宣揚民族文化者不

見甚歡，或該說是悲欣交集，因而訂下隔年來臺之約。

27 日治時期來臺的重量級知識分子如章太炎、辜鴻銘、林琴南、陳衍等人的著作中，臺灣主題的詩文不多，可見其時他們與臺民的互動並不密切。

28 省參議會成立，陳儀硬擠下林獻堂，而以黃朝琴代之，即是一例。如論兩人在當時臺人心目中的地位，黃自然遠不如林。

少，但實質上可以招年輕人之魂的仍是自由主義者的口號。臺中學人在重回文化母國後，發現原有的武器淪為無所著力的屠龍之技，他們在自己的文化上也是寂寞的，一樣是邊緣人。

一九四九年後的新儒家學者同樣也是寂寞的。離散是後現代社會極顯著的現象，作為傳統文化守護者的新儒家也參與了世界性的離散文化，成為大遷移時代的一分子。他們離開了原鄉的土地，告別了紅色中國，自己選擇了邊緣化；流離到了島嶼之後，他們僻處臺中，與臺北主流的政治與文化脫鉤，這是他們的第二重邊緣化。在一九四九年後的臺中，這個遠離政治與文化中心的城市，竟然同時存在著兩種以儒家價值作為行動導向的知識分子。不管在籍貫上他們是淪落異鄉或是安居本土，就精神之遠離於臺北的專制政治文化與西化社會習俗而言，他們可謂同是天涯淪落人。也難怪一落腳中部這個城市，徐復觀等人立刻發現了一股來自臺灣本土的聲音，居然與他們吶喊的頻率和內容都很接近，惺惺相惜，匯流就產生了。

匯流在兩批傳統的士人集團間發生了，但它的意義卻遠超出一時的個人或集團範圍之外。「徐復觀與臺中學人」的意義是超出了徐復觀、莊垂勝等人自己的理解的，我們看到以櫟社、臺灣文化協會為主軸的這批知識分子，他們一生的活動很明顯的具有「傳統」與「當代」的雙重面貌。論及這雙重面貌的關係，我們很容易設想他們是從傳統過渡到現代的轉接型人物，他們的奮鬥好像是不徹底的，其存在是在為下一個階段作準備。筆者不以為然，因為臺中學人的奮鬥其實有條明顯的線索：傳統漢文化的因素與自由民主的追求，而且認為這兩者是有機地結合在一起的。我們如果觀看新儒家的基本訴求，不也是儒家的現代性的議題嗎？而所謂的儒家的現代性，其具體內涵不就是在一種民主的體制中，過著一種人之所以為人的儒家文化的生活嗎？民主生活與文化傳統是有機地結在一起的，相互支撐，缺一不可。一九四九的新儒家與日治時期的舊儒家，在這點上的見解不是一脈相承嗎？不，當說是異脈相承。

「徐復觀與臺中學人」最重要的意義不在他們一群人之間的個別交往，而是我們看到一種連續性的臺灣文化史發展的脈絡。更具體地講，乃是原有的臺灣儒學的脈絡接上了大陸儒學的因素，遂有了港臺新儒學。否則，我們很難相信：兩種不同歷史經驗的人，他們甚至連口語溝通都不見得可以水乳交融，最後居然可以發展出如兄弟般的情感。我們也很難相信：新儒家在臺灣人文學界有這麼大的影響力，讀經運動在臺灣社會有這麼強的滲透力，其因素竟然只會是歷史偶然地外加的結果？

在影響臺灣的諸多思潮當中，新儒家之所以特顯重要，無疑的是他們深邃的知識內涵。民國以來的諸種思潮可以說都源於對現代化的回應，有些思潮的回應重點落在思維方式，有些落在政治、經濟議題，經過長時間的沉澱，我們如作一個總體性的觀察，恐怕不能不承認：新儒家的知識成就應該是最為可觀。我們僅就一九四九年後的港臺知識圈而論，當時以《自由中國》為號召的自由主義社群一直比以《民主評論》為核心的新儒家社群擁有更多的群眾。但時移境遷，《自由中國》的作用大概是歷史的意義大於理性的意義，《民主評論》的情況卻倒了過來，時隔半世紀，裡面的文章至今多仍有理論引導的功能。但新儒家的重要性除了哲學面以外，我們不能不注意到它還帶有民族文化情感、甚至宗教信仰情感的面向，就後面這一點而言，我們評估新儒家時，不能不將臺灣在地文化氛圍的因素放進去。

華人社會中的儒家從來不會只是學術社群的概念，與其拿儒家與黑格爾哲學、新實在論、自由主義等相比，還不如類比於佛、耶、回諸教。從民族文化或宗教情感的觀點考量，我們不能不考慮焦點人物背後的廣大社會之基礎。戰後臺灣佛教大興，新興的佛教叢林通常帶有儒佛兼濟的面貌，如釋曉雲、釋證嚴等人的傳教策略，儒家教義幾乎被整編為護教的大護法。同樣的情況也見於一貫道的傳播，一貫道在臺灣的興起也是個傳奇，由於它的傳播和體制性的宗教以及執政的國民黨間有競爭的關係，因此，備受打擊。相對之下，儒家在近代臺灣因為被拔掉了之前賴以生存的文化土壤如科舉、書院、祠堂，它遂成了余英時先生所說的遊魂，因此，不但沒有機會參與聯手打擊的共犯結構，反而被一貫道吸收，成為調和庶民宗教情感與大傳統詮釋系統的核心環節。筆者估計儒家與基督宗教，尤其和天主教的關係，恐怕也有結合的情況。

我們評估第二波兩岸儒學會合的歷史作用時，也不能不注意到更廣大的知識背景。在一九四九年的兩岸儒者之第二波會合中，除了像徐復觀、牟宗三、葉榮鐘、莊垂勝、林獻堂這些較受注目的知識分子外，我們還當留意環繞他們身邊一些較受忽視的知識分子的作用，比如來自大陸的黃金鰲、陳兼善、彭醇士、李炳南以及臺中地區的醫生（張深鑐）、書店主人（張煥珪）等文化人，他們同樣浸潤在儒家文化的影響下，也各有其交往的人際網絡。兩地知識分子雖然不能或不太能使用對方的口頭語言，但卻擁有共同的文化語言，這些共同的文化語言構成了文化發展最重要的氛圍。臺灣當代的新儒家思想應當是島嶼與大陸兩股儒家思潮匯流的結果。

五、結論

臺灣孤懸大陸東南，鄰近福建，但和中國大陸沿海的一些島嶼如海南島、舟山群島等相比，其開發獨晚，它早期的歷史是由遺民、移民、逋民、難民組成的社會，生存之外，無遐文化。到了清代晚期，應當已慢慢有士族社群出現，亦即慢慢有詮釋自己存在處境的知識力量出現。但這股新興的臺灣知識力量恰好碰上百年來最詭譎波折的一段歷史，臺灣士人如何詮釋自己的處境，如何尋找政治與精神上的出路，這個問題不能不出現。

徐復觀先生一九四九年逃避赤禍，遠遁臺中，這是他的選擇，但也可以說是無從選擇的選擇。由於他的信仰以及和國府的關係，他不能不離開共產中國。由於他和臺北的政治與文化氛圍都搭不上邊，所以他只能僻居臺中。但臺中當日恰好聚集了一批從舊臺灣文化協會過來的邊緣知識分子，他們與徐先生分享了共同的文化理念與政治藍圖，兩方的交情遂日益密切。當日來臺的知識分子不算少，聚集在臺中的也頗有一些人，但似乎只有徐先生一人與臺籍知識分子的關係特別密切，他們的交往不只私誼，還有學術理念與政治承諾。徐先生在一九四九年後的臺灣可以說近似於梁任公在一九一一年的臺灣，歷史將前後這兩批人串聯了起來，歷史的意義凝聚在臺中這塊版圖上緩緩展開。

「梁任公在臺灣」的歷史意義與圖像應該已經清楚了，但「徐復觀在臺中」的歷史意義仍在進行當中。臺灣自一九八七年解嚴後，政黨不得不將包攬已久的政治權力交還民間社會。經過二十餘年整體國內外局勢的演變以及反覆的選舉實踐，兩波邊緣儒者一生追求的民主體制有可能可以在臺灣確立下來，也許也有機會成為大華人社群中指標性的機制。但有關傳統文化的現代性意義仍在重構當中，臺灣在這波再重組的歷程中該扮演什麼樣的角色，非常令人好奇。

如果當代新儒家在臺灣生根，有來自頑強的本土文化的因素為之加持的話，那麼，我們在辨識臺灣當代儒學中作為「本來面目」的本土性的同時，也不得不檢視：在這種匯流的過程中，是否因為人們過度的選擇，以致儒學的發展失衡了？儒學不等於哲學，新儒家的意義不可能只是哲學論證的意義。太著重儒家的知識面向，臺灣當代新儒學中的臺灣源頭是否有可能湮沒斷流，最多成了點點滴滴的細水長流，少掉應有的衝擊力道？「徐復觀與臺中學人」這樣的現象應當會給我們相當大的啟示。

附錄：一九六七—一九六九年《葉榮鐘日記》裡的徐復觀

一九六七	一月一日	連絡往鹿港為徐教授（徐復觀）壯行事。
	一月三日	晚借銀行汽車往東海接徐教授同往鹿港聚英樓為徐氏壯行，主人余、郭頂順、林雲鵬、藍運登、黃天縱、蔡惠郎、李君晰、黃夫人、藍夫人一行共十人。
	五月四日	接徐復觀教授由九龍來航空便謂接到《小屋大車集》讀後振奮大加勉勵。
	七月十二日	六時頃徐教授來乃偕耀錡同赴沁園春。
	七月十六日	下午徐復觀氏來談。
	七月二十六日	用電話與雲鵬君連絡宴請徐教授事。
	八月一日	請徐教授煥珪兄不參加重新打請帖三封寄書局轉交雲鵬君送去。
	八月三日	乘銀行巴士往鹿港同行徐教授及其小姐……一行十九人。
	九月二十二日	中午吃飯查悉徐復觀夫人在臺大附設醫院住院，下午四時往臺大看徐太太。
	十一月二十五日	上午書局派人來請謂徐復觀氏在書局等我，我正準備上街乃直接往書局和徐氏相會。中午邀藍運登、郭頂順、李君晰、張煥珪諸兄及耀錡同往別府吃午飯，本來是徐氏請後來變成書局會鈔。
	十二月三日	往東瓜山吳家花園受徐教授招宴。
	十二月二十五日	藍運登兄來宅邀往大度山看徐教授，煥珪兄同行。
一九六八	一月五日	歸來發信與徐復觀教授。

一月七日	接徐教授來信及雜誌。
一月九日	藍君通知徐教授已再來信。
一月十四日	上午十一時趕到書局，與徐教授等同赴東山吳家花園聚餐，同席九人徐復觀、孫克寬兩教授、陳定山、郭頂順、蔡惠郎、張煥珪、藍運登、林培英及我。
一月十七日	下午四時餘徐教授偕林培英君來宅。
一月十八日	徐教授寄來之《中華雜誌》攜交耀錡託轉送頂順兄。
二月九日	傍午上街訪藍君，約同去東大會徐教授。
二月十一日	三時頃徐復觀兄來邀往煥珪兄處不遇。
二月十六日	往蔡內科赴宴，同席有徐教授、何永、林培英等十多人。
三月十九日	往大度山訪徐教授，攜將莊生原稿交他一閱徐教授意見叫我把原稿寄自立晚報發表。
三月二十一日	接徐教授來信寄還莊生原稿，即將其轉送吳三連兄，請在《自立晚報》發表。
三月二十三日	徐教授亦來大描一通之後，與耀錡、榮品五人同往沁園春吃中飯，然後再回書局雜談三時頃老冉歸北，余帶《朝日新聞》歸宅，傅師自編年譜與徐教授斟酌結果決定將其附在詩集後面出版。
四月十九日	乘十二時餘之觀光號上北，培英夫婦、徐教授同車。
四月二十日	十二時往青年會會徐教授，然後炎秋、培英、耀勳及余同受徐氏邀往山西餐廳吃中飯。

一九六八	四月二十八日	六時過培英偕徐、孫兩教授來宅。
	六月七日	轉書局雜談片刻耀錡送徐教授《石濤研究》一冊。
	八月一日	煥珪兄欲請連震東兄到酒店去玩叫我為他聯絡席散後徐、孫教授徐杜生一行六人同往鳳麟酒家。
	九月二十四日	性嫂來宅託向徐教授提起莊生與徐小姐婚事。
	九月二十五日	託森君訂製花籃一口送徐宅祝壽。
	九月二十八日	因要趕回栽種不及經訪徐教授。
	十月九日	往東海找徐教授同徐氏訪莊田君於其令郎宿舍。
	十月十二日	起床十時餘接徐教授寄來徐小姐芝加哥住址。晚攜徐氏信訪性嫂將信交她轉寄莊生。
	十月二十三日	寄莊田君書籍及其詩稿連同寄徐教授「苦悶する民主」。
	十一月十三日	下午徐復觀氏來訪還來書本。
	十二月一日	赴書局會炎秋不久徐復觀、蘇薌雨亦到，中午受書局招待在沁春園吃飯煥珪耀錡父子作東。
	十二月十七日	接芸兒及徐教授信。
	十二月二十日	下午徐教授來宅，然後往書局用電話連絡煥珪兄及藍君同赴欣欣餐廳，主人外有孫克寬教授、彭醇士、陳定山共七人同席九時頃歸宅。
一九六九	一月十日	發信與徐教授通知十五日上北。

一月十二日	上午九時餘藍君偕煥珪兄乘計程車來邀往大度山訪徐復觀教授十一時餘歸宅。
一月十六日	下午二時五十分到臺北用電話與老冉及復觀連絡。
一月二十六日	接徐復觀氏寄來《文化漢奸得獎案》。
二月五日	途遇藍君謂徐教授促我恢復十人聚餐會。
二月八日	訪蔡內科談徐教授慫恿恢復聚餐會事。
二月二十八日	下午徐教授偕培英、運登兩君來訪，應邀同他們到欣欣餐廳吃晚飯再邀陳定山、彭醇士來同席。
三月二日	接徐教授來信。
三月五日	用電話連絡郭頂順等人並發一限時信與徐教授請東大諸人出席。
三月七日	初次聚餐會今晚在意文飯店二樓舉開。到會者蔡內兒科夫婦、藍君夫婦、徐教授夫婦、張煥珪、許乃邦、孫克寬、林培英男女一共十二人團團一席。
三月二十三日	下午藍太太來宅邀往東海大學訪徐教授因內子病辭之。
三月三十一日	徐教授寄來《朝日新聞》係日前所說要我翻譯的文章。
四月二日	接徐教授來信。
四月三日	找藍君不遇餐會決定改期發信通知徐教授。
四月九日	三時半偕藍君往訪徐教授，他們談起為我祝壽事。
四月二十日	五時餘出門赴復興園徐教授及陳教授夫婦已先來。
五月二十二日	下午徐復觀教授來訪談片刻辭去。

一九六九	
五月二十八日	下午作信復貫而告以徐教授等為我祝壽事。
六月三十日	與藍君商量上山看徐教授事。
七月五日	晚藍君來邀往大度山看徐教授。
七月十三日	性嫂宴請蔡內科夫婦及徐教授夫婦，我們作陪。
七月十六日	因喉痛書局宴徐教授之席辭退，在書局碰到徐教授等。
八月二日	寄限時信與老冉又寄平信與徐復觀請他們五日務要賞臉光臨。
八月五日	東海大學徐太太參加七十祝壽宴。
十月七日	接徐復觀來明信片告即日往香港。

第八章

遲來的兌現：一九四九後的民主建國工程[1]

一、當代的「一九四九」反思

二十世紀的中國及東亞是個動盪的年代，東亞諸國在這個年代皆面臨現代轉型的嚴苛考驗。東亞諸國在這個世紀所碰到的問題有些是傳統累積下來的，這些老問題匯合了全球化格局所帶來的諸多新問題，漲潮加乘，群聚效應，症狀特別難處理。兩次世界大戰，東亞諸國皆捲入其中，二戰後冷戰格局形成，東亞諸國也都是首當其衝的當事者。在二十世紀東亞諸多事件中，一九四九年十月一日中華人民共和國建立，同年十二月七日中華民國撤退來臺，這樁世紀大分裂的影響極為深遠，無疑地也是指標性的事件。對華人世界而言，更有可能是整個世紀中歷史後續效應最強的事件。

二〇〇九年是一九四九事件一甲子的紀念年，那一年，身為事件當事者的臺灣出現了幾本與一九四九相關的著作，引起了廣泛的注意。先是龍應臺出版了《大江大海一九四九》，此書旨在為「失敗者」致意，內容可說由一群一九四九的「失敗者」及其後裔所組構而成的另類的失敗史，她也以「失敗者的下一代」為榮。後來齊邦媛老師出版了同樣引人注目的《巨流河》一書，此書描述齊家從滿洲、四川、武漢到臺灣的流離過程，她借助滾滾遼河（巨流河）與墾丁半島尾端的啞口海的意象，突顯了二十世紀那段江湧海嘯的流離歲月，一個家族的流亡史撐起了一個大時代的悲歡離合。此外，張典婉的《太平輪一九四九》、王鼎鈞的《關山奪路》，也都引發了相當的迴響。相關的學術論述，自然也不可少，如《思想》雜誌的「一九四九：交替與再生」專號、林桶法的《一九四九大撤退》、劉維開的《蔣中正的一九四九：從下野到復行視事》先後出版，形成一股熱潮。除了書籍外，影視也參與了這波的熱潮，有關「黃金運臺」、「故宮文物南運」、「搶救學人計畫」、「老兵日記」的紀錄片不時可見。二〇〇九是一九四九的還魂年，歷史的幽靈以感傷懷舊的身影，重新顯像於糾纏在歷史業力中的島嶼。臺灣是後一九四九的臺灣，共和國也是後一九四九的中國，一九四九是現在進行式，從未過去。

筆者在數年後，也出版了《一九四九禮讚》一書，此書的定調和上述幾本重要書籍不一樣。學術書籍姑且不論，上述名單的其他著作帶有濃厚的傳記史的意味，龍應臺、齊邦媛這些作家透過了自己參與的苦難，勾勒起一個個孤零零的個體或微弱的家庭在狂風暴雨的歷史業力下，其流離、受苦、忍耐、昇華的演變歷程。拙著則嘗試將一九四九放在大中國史的脈絡下定位，賦予它特殊的歷史座標意義，勉強分類，可視為史論。筆者認為一九四九的國府南遷不只是臺灣史上最富文化意義的年分，其重要性超出一六六一年的鄭成功復臺、一八九五年的日人據臺以及一九四五年的臺灣光復。它在整個中國史上的地位也非常重要，可以比美東晉的永嘉南渡，以及南宋的靖康南渡。拙著的定位和島內常見的「災難性的一九四九」以及共產中國的「社會主義光榮革命的一九四九」頗不一樣，不一樣不表示這些史觀之間沒有交集之處，但不一樣至少表示一個關鍵性的歷史事件可以有不同的解讀，筆者不隱藏自已對「臺灣」、「兩岸」的另類想像。

一九四九直接的當事者是海峽兩岸的人民與政權，一九四九的意義因此別無選擇地會牽連到兩岸的當事者。由於一九四九事件的歷史因素相當複雜，其內涵極為幽暗而豐饒，因此，我們很難期待會有光亮而一致的圖像。從任何觀點看，一九四九之於臺灣，不可能沒有歷史強加上來的創傷，身為國共內戰的失敗者，又身為國際冷戰體制第一線的承擔者，加上國府前現代的國家機器的操作模式，一九四九之後的臺灣歷史如果沒有極黑暗的紀錄，才真是咄咄怪事。但筆者依然相信：一九四九事件的光明的成分更為重大。雖然筆者也了解歷史總是由個別的人組成，每位具體的人、具體的家庭在歷史的血腥絞刑下，其痛苦都是具體的，都是獨一無二的，都是無可取代的，因此，也都不存在「幸福比重如何」的計量問題。然而，既然對重要的歷史

1　本文原稿〈一九四九的民主建國論〉刊於《中國現代文學》，三三期（二〇一八．〇六），頁七—四一。

事件的總體判斷不可免，重要的歷史事件形構了相應的生活世界，帶著歷史影響的生活世界本身即孕育了歷史事件的解釋，因此，筆者從文化潛力的角度看待一九四九此一歷史事件，期待它之後可以發揮文化轉型的力量，這種定位應該是可以容許的。

在《一九四九禮讚》一書中，筆者分別從文物的南遷、大知識分子的來臺、重要學術及文化機構的復校與遷移，以及整體政治體制的移臺，指出一九四九這波南渡事件的非凡壯闊。筆者在該書中，也指出了在臺灣實踐民主的重要意義，更恰當的說法當是民主在中華民國實踐的意義。雖然在一九四九年十二月七日國府遷臺後，「中華民國」和「臺灣」在地理的意義上已一體化，兩個名詞的用法很難避免交互使用。但「中華民國渡海遷臺」作為一個特定歷史的節點，它除了指涉領土的作用外，尚有額外的歷史意義。「民主在中華民國」此政治實體上的實踐因此雖然和「民主在臺灣」實踐，兩種論述高度重疊，「中華民國」敘述卻又有另外的內涵，這種「意義的盈餘」顯示了政治詮釋學的特色。但在該書中，因為焦點頗多，「民主的實踐」相對之下被稀釋了。筆者認為：民主的實踐乃是一九四九中華民國遷臺重要的歷史效應事件，是現代化工程中最重要的一環。

「民主實踐」是任何現代國家都會發生的社會體質調節工程，一九四九年之後，由於臺灣與中華民國一體化，此一特殊的國家型態，面臨到國史上前所未見的挑戰，其內容特別複雜。本文將假借新儒家學者對「民主」的反思以及此段時期中華民國境內的民主實踐交相印證，以解釋此一大事因緣。本文的論述方式是敘述的，但也是規範的，筆者假借唐君毅先生的說法，稱此一大事因緣作「民主建國論」。[2]「民主」本來即是二十世紀中國政治的主軸概念，它隨著時間的推移，不斷在各個歷史的節骨眼上反覆興起，但這個概念在一九四九之後的兩岸才有實踐的機會，而且實現了不同的型態，兩岸內部可以說各有不同的民主建國論。「民主建國」可說是一九四九事件的主要內涵，它除了指涉政治活動的形式外，也有規範的意義。

二、辛亥與五四：未完成的革命

一九四九之後，海外新儒家所以還要提「民主建國論」，簡單地說，在於他們看來，辛亥革命是個未完成的革命。辛亥革命來的太快，革命後所面臨的命運特別坎坷，內憂外患，未遑安治。辛亥革命成功後，不少原來同情甚或參與革命的人士對新成立的民國相當失望，這樣的失望似乎是相當普遍，身為武昌起義人物之一的熊十力，甚至可視為「中華民國」創造者之一的章太炎，都屬箇中人物。顯然，辛亥革命所建立的中華民國的理念並沒有落實，人民對它的期待落空了。在辛亥革命之後，更具體地說，在孫中山過世之後，繼起的政黨或政治人物幾乎都以繼承辛亥革命精神為己任，國、共兩黨及民主同盟等莫不如是，他們之所以繼承遺志，顯然也是認為辛亥革命是未完成的。二十世紀上半葉的中國不存在足夠寬敞的歷史實踐的空間，辛亥革命的理念只能處在飄飄渺渺的虛空中，無法落實下來。

辛亥革命是未完成的革命，它的本質需要被完成，這種想法相當流行。然而，什麼意義的「未完成」卻是有爭議的。對國民黨人士來說，辛亥革命、民國成立，這樣的發展是符合中國發展的理念的，作為革命成果的「中華民國」的概念也是合理的。辛亥革命帶出來的「民國」理念是有具體內容的，它從政府產生的方式、政府構成的形式以及國家的目的等等，皆有規定。作為中國政治史幾千年來總樞紐的政權的正當性問題將因「中華民國」理念的實現，一舉解決。身為後辛亥革命的國人或黨人，革命目的的問題基本上只要將「中華民國」的內涵，或者說：將中華民國的締造者的孫中山的學說加以實踐即可。「辛亥革命未完成論」

2　參見唐君毅，〈百年來中國民族之政治意識發展之理則〉、〈論與今後建國精神不相應之觀念氣習〉、〈理性心靈與個人、社會組織及國家〉，《中國人文精神之發展》（台北：台灣學生書局，一九七九），頁一六三—二四〇。

此命題的內涵只能意味著述詞的「未完成」，「未完成」即是「未完成」，不意味著主詞的「辛亥革命」的理念是有問題的。「辛亥革命」的內涵雖然也在發展之中，但革命所提出的民主理念一旦應世現身，即有普遍的意義。革命之所以會發生問題，只因國人或黨人沒有依照《三民主義》的方向進行。一九四九之後海外新儒家學者看待辛亥革命的價值，基本上類似國民黨人的視野。

但就共產黨人的觀點看，辛亥革命之所以是未完成的革命，乃因這場革命在理念上即有缺陷，先天不足。因為這場革命只解決了民族革命的問題，它在「民主」的設想上，受限於當時統治階級的意識型態，沒有辦法撼動作為這種意識型態基礎的社會生產模式。這個問題要等到蘇聯革命的炮聲一響，歷史給中國送來了馬克思主義，透過了馬克思主義這片明鏡，共產黨人看清了歷史演變的規律與動力之後，問題才看得清楚。他們認為辛亥革命先天不足，它的完成有待於另一種性質的革命承繼其業，中國的現代化轉型才能趨於完善，這幅理想的藍圖就是毛澤東的「新民主主義」。[3]「新民主主義」針對著建立在資產階級基礎上的舊民主主義而發，舊民主主義者的民主是資產階級的民主，資產階級的民主在中國不能不是依附在帝國主義基磐上的買辦階級，它同時也依附在土地私有基礎上的封建主義的領土上。資本主義、帝國主義、封建主義構成了二十世紀中國社會的內涵，也可以說壓在中國社會上的三塊巨石。辛亥革命解決了部分的問題，但因為革命黨人的階級屬性，或者因為他們的認識能力，看歷史看得不夠真切，所以也就沒有解決核心問題的能力。

後辛亥革命的國人如想解決問題，完成未完成的辛亥革命的遺志，不能不有待中國共產黨的介入歷史。一九五六年孫中山冥壽九十，在中國大陸已全面取得控制權的共產黨紀念孫中山誕辰時，毛澤東很謙虛也很自豪地紀念以前革命的先行者，尤其是「偉大的革命先行者孫中山」，因為他推翻了帝制，建立了民國；因為孫中山在國共第一次合作時，曾將三民主義發展成新三民主義：聯俄、容共、扶助農工，但新三民主義還是不足的，孫中山還沒找到打開歷史之謎的鑰匙。一切還要依賴新思潮：由馬克思列寧主義發展出的新民主主義，藉著它，毛澤東說：「我們完成了孫先生沒有完成的民主革命，並且把這個革命發展為社會主義革命。我們正在完成這個革命」。[4]「民主」所以在一九四九之後仍是核心的政治目標，正因辛亥革命是未完成的革命，它需要透過新的認識與新的實踐步驟，其實也是透過與舊思維撕裂的一舉，化為火鳳凰之後，舊概念的旨趣才可實現出來。一九四九的社會主義革命是一九一一辛亥革命的繼承者，繼承也是斷裂，無產階級專政是辛亥革命的目的，共產黨的社會主義目的論鋪平了辛亥革命的歷史演進途徑，兩種革命的意義就此連結了起來。

如果一九四九的革命只是總結一九一一革命的未了因，它仍不夠偉大，作為「時間開始了」[5]的彌賽亞事件也就有了缺口，一九四九的社會主義革命還有其他重要的內容。一九四九年十月一日中華人民共和國成立，此樁歷史事件說是社會主義革命固可，但依據共產黨人提供的意識型態，一九四九的革命應當是共產主義革命。共產黨出現於世的一大因緣即是要將歷史推向一個新的歷史階段，它要奠基於不同的經濟型態與不

3　毛澤東於一九四〇年寫下〈新民主主義論〉，之前的一九三九年又寫下〈《共產黨人》發刊詞〉及〈中國革命和中國共產黨〉兩文，對抗戰時期的共產黨路線作了較詳細的說明。毛澤東這幾篇著作為澄清共產黨政治論與三民主義的關係，在這些著作中，毛澤東結合新三民主義與新民主主義的用意是很清楚的，這也符合當時國共兩黨聯合抗日的目標。毛澤東此時將共黨的革命論分成「新民主主義」與「社會主義」革命兩階段，就共產黨內部考量，這兩階段革命牽涉到資本家還容不容許存在等具體問題，這樣的區別當然是有意義的。但就本文考量，新民主主義依然是建立在階級史觀上的政治圖像，中國社會仍被定位為封建的以及帝國主義侵凌下的性質，「新民主主義」與「社會主義」兩歷史階段的區別其實不那麼重要，本文不再作區分。

4　毛澤東，〈紀念孫中山先生〉，《毛澤東選集》（北京：人民出版社，一九七七），卷五，頁三一一。

5　〈時間開始了〉是胡風在一九四九年中共開國前夕所寫的一首禮讚「中華人民共和國」歷史意義的詩作，全詩詩風高昂軒揚，辭氣凌厲，是篇現代啟示錄的詩作。

同的主體狀態上面，它與以往的歷史是質的差異。共產主義革命還回應了一個特殊的歷史環節，在一九一一年的辛亥革命與一九四九的社會主義革命之間，還有一九一九五四運動此一重要的文化事件。新文化運動提出的問題超出了五四愛國運動原初的政治領域，它牽涉到文化的各領域，更牽涉到對主體的不同想像。一九一一—一九一九—一九四九構成了民國史三個重要的歷史節點。討論一九四九的問題，我們無法繞過「五四新文化運動」這一關卡。共產黨人的一九四九革命不只要回應辛亥革命，它也回應五四新文化運動。

五四新文化運動的光譜甚廣，後續發展所關連的議題顯然複雜而多元，絕不是一兩個題目所能限制，但「民主」與「科學」最後畢竟成了最核心的角色，「德先生」、「賽先生」兩詞語的流行預設了東西文明交流、衝突、融合的大劇場，這兩個舶來品詞語，是中國自鴉片戰爭後一步步地開放自己，一步步地向國外借鏡的結果。然而，民國時期的政局並不是適合引介民主理念的時刻，五四時期自由主義者提倡的「民主」、「科學」帶有布爾喬亞階級的那種理性意識，平穩勻當而缺乏熱情，這樣的渠道在救亡圖存的時代是無力的，「科學」的活動也安撫不了五四人物火燙的救國熱情。由西方資本主義國家引進的民主理論和中國本土的情境一時不見得相容，它一時也同樣無法平靜五四時期的狂熱救世之情。我們面對五四的種種複雜現象，如想了解它的核心內涵，與其將焦點集中在重要的知識概念上，不如透過反映時代意結最明顯的重要文人如魯迅、巴金、曹禺、郭沫若、聞一多等人，從他們身上更能尋得時代精神的痕跡。從《家》、《雷雨》、《女神》、《紅燭》等等的作品中，我們看到的主軸如不是秩序（倫理）完全錯亂的社會解構的情節，要不然就是焚燒到不能自已的幽暗意識的詩句，這種渾沌無明而又爆裂無盡的力量顯示了一種存有秩序的失調，這是社會解體的時代，解體的時代行動著價值解體的行動者。這種主體解體的精神需要找到真正的出口，否則憤怒絕裂的無明業力將會焚燒身心困陷於存在臨界點的人子。

黑暗的主題在新文學作品頗為常見，黑暗不只指向社會，指向歷史，也指向文人，幽暗的意識是那個時代許多文人共同的心態。但弔詭地，同樣是在這些著名的五四文人作品中，我們看到很明顯地追求光明的意象，幽暗的無明意識與沒有形式的光熱力量糾結在這些作者的生命中。郭沫若的〈鳳凰涅槃〉禮讚光明道：「一切的一，光明呀！／一的一切，光明呀！」這樣的調性在他同時期的作品如〈女神〉組曲中反復生起。見微知著，黝暗意識與光明嚮往同俱，這樣的時代對意識型態掛帥的思想有利。代表新興力量的共產主義既扎根於中國農村黝黑的土地上，又具備了有效的意識型態，它同時滿足了黑暗的誘惑與光明的指引，它提供了抒發時代精神的管道。

在五四運動發生兩年後，中國共產黨成立，它伴隨蘇聯革命—五四運動這條歷史線索而來。至少從中國共產主義哲學家的觀點看，共產主義是五四運動的寧馨兒，是新文化運動必然的產物，也是中國人民在摸索歷史前途的過程中，經由對中國封建主義與對西方資產階級的揚棄所尋得的正確南針。共產黨的革命運動是以既反傳統也反西方的另類西方意識型態被引進中國的，五四運動的路徑通向共產主義的樂園，新民主主義是「德先生」真正的身分。我們探討當代中國思潮時，「主體性」因素是條不可能跨過不論的線索，它當是五四新文化運動核心的環節。[6]

關於五四新文化運動與共產主義的關係，我們且借一位赤色史家的觀點對此節作了結。在厚達九百多頁，煌煌四冊組成的《中國史綱要》最末一冊的最末一章最末一節，中共重要史家翦伯贊說道：「新文化運

6　王元化反省五四運動，很強調個性、個體性的因素，五四結穴於此。他的著眼點甚犀利，也有個人親身經驗的背景。但如果我們把郭沫若、成仿吾這些左派文人強調集體性、階級性的著作也視為五四文學的作品，那麼，個性和反個性、五四和反五四恰好都是同一場文化運動的兩組不同的主張。本文此處所說的主體性的議題即包含個性與階級性的人性論主張。王元化的論點參見王元化，〈對「五四」的思考〉、〈對「五四」的再認識答客問〉，收入《清園文存》（南昌：江西教育出版社，二〇〇一），卷二，頁二六二—二八六。

動在政治上和思想上給封建主義以前所未有的打擊，對知識青年擺脫舊思想的束縛起了巨大的作用」。「五四」已經獲得耀眼的勳章，它可以作為舊時代總結，也可以作為開啟新時代的曙光，但目標仍未達到。翦伯贊接著是以這樣的語句結尾的：「一九一七年俄國十月革命的勝利迅速地引起中國先進人物對於世界無產階級革命學說——馬克思列寧主義的熱烈歡迎和認真學習。一九一八年七月一日，李大釗在《言治》季刊上發表了《法俄革命之比較觀》，指出十月革命的社會主義性質，號召中國人民迎接新的革命潮流。接著，十一月中，他又在《新青年》發表《布爾什維主義的勝利》，歡呼『試看將來的環球，必是赤旗的世界』。這樣，新文化運動就迅速發展為學習和傳播馬克思列寧主義的運動，中國革命也就迅速地轉變為新民主主義革命。」[7]厚厚四巨冊的中國史在五四運動處留下伏筆後，即告終止。

《中國史綱要》一書其實已不是綱要，而是詳細的通論了，此書的結尾很耐人尋思。顯然，翦伯贊這位紅色中國史學的代言人認為中國歷史發展到五四運動，由於對封建社會採取激烈的鬥爭，摧陷廓清，已可算是個光榮的事件。但此運動在方法和目標上仍然不足，所以要接上一九一七年俄國十月革命傳來的真理的訊息後，一個空前偉大的運動步上了正軌，最後才會脫身質變，成就一個更光榮、更偉大而且更正確的社會主義革命，或曰新民主主義革命，毛澤東〈紀念五四運動〉此文就是這樣赤裸裸的界定五四。共產主義革命也可以說是接收新文化運動的成果，它生於五四，又反噬了五四。

五四運動是未完成的運動，它要由文學革命走向革命文學，接著再與時俱進，走向更具政治內涵的新民主主義階段。就像辛亥革命也是未完成的革命，它要由民族主義革命、資產階級革命走向無產階級革命，才算告終。民國以來的兩大革命的潮流都要匯聚到一九四九年十月一日共和國誕生那一天，豁然貫通，二十世紀的兩大革命血脈同時打通。[8]爾後的歷史就是逐漸完成這兩場起了頭的革命的歷程，共產黨人接了棒，一九四九冬季後，黨的承諾終究要化為具體的成果顯現於世。

三、紅星照耀下的新中國

一九四九年冬季的共產主義革命是共產黨人經歷創黨後二十八年的辛苦奮鬥才獲得的成果，這場革命被視為是辛亥革命的繼承者，也是五四新文化運動的繼承者，二十世紀早期這兩場未完成的革命在一九四九年十月一日匯聚在一起，歷史進到新的階段。共產主義有很強的歷史性格，它確定共產黨人在當代的使命時，往往帶有人類史以及人類史落實於當下的歷史階段的雙重視角。歷史是有方向的，中國近現代史更不能沒有方向，透過共產黨主義革命的勝利，它要一舉擺脫封建主義及資本主義階段，通向新民主主義，新民主主義階段和社會主義階段是高度重疊的。

新民主主義是有限定的內容的，不能僅以「民主」兩字遐想之。中共興起，以至建國，自始至終，從不掩飾中華人民共和國是依馬克思、列寧主義立國的國家，馬、恩、列、史、毛五人的畫像長期掛在天安門城牆上，宣示自己國家的性質，毛澤東的新民主主義是馬克思思想的道成肉身。新民主主義用了「民主」一

7　翦伯贊，〈資產階級領導的革命運動及其失敗〉，收入翦伯贊編，《中國史綱要》（北京：人民出版社，一九七九），冊四，頁一八一。

8　一九四九的共產主義革命匯聚的其實不只二十世紀多少仁人志士的力量，一九四九年的革命應該往上推，它是中國現代化這個大工程的歸墟，百川之總匯。近代中國起源於哪裡，一九四九共產主義革命的源頭就在哪裡，如果一八四〇的鴉片戰爭是近代中國的起點，一九四九革命的意義至少也可以追溯到那個時候。這也是毛澤東撰寫於一九四九年的〈人民英雄紀念碑文〉上，先讚美解放戰爭三年期間犧牲的英雄，再讚美共產黨成立以來為革命而犧牲的英雄之後，他接著寫下：「由此上溯到一千八百四十年，從那時起，為了反對內外敵人，爭取民族獨立和人民自由幸福，在歷次鬥爭中犧牲的人民英雄們永垂不朽」的理由。如果中國現代性源頭還要往上追溯到十七世紀王學興盛之後的階段，共產主義革命的意義也就可以從那時開始算起，這就是「資本主義萌芽期」的說法，侯外廬史學就是這樣看待一九四九革命與中國史的關連的。

詞，但新中國成立後，甚至成立前，許多日常的語義都變了。「新民主主義」的「民主」，是別有天地非人間，不能以五四時期的用法解釋之。它要放在新中國成立後的語境下解釋，以馬克思—列寧主義立國的國家對此是有具體的規定的。首先，它是個建立在經濟決定論上的階級史觀的國家，《中華人民共和國憲法》第一條即如此規定：「中華人民共和國是工人階級領導的、以工農聯盟為基礎的人民民主專政的社會主義國家。」接著從第四條到第十六條，完全規定產業的性質，重點在如何過渡到社會主義的國家。我們且看第六條的規定如下：「中華人民共和國的社會主義經濟制度的基礎是生產資料的社會主義公有制，即全民所有制和勞動群眾集體所有制。社會主義公有制消滅人剝削人的制度，實行各盡所能、按勞分配的原則。國家在社會主義初級階段，堅持公有制為主體、多種所有制經濟共同發展的基本經濟制度，堅持按勞分配為主體、多種分配方式並存的分配制度。」[9]

類似語言也見於其他各條，條條排列，粲然大觀。「工人階級領導、工農聯盟為基礎的人民民主專政的社會主義國家」對於非工、農階級的富農、資本家、知識分子云云，也一一放在「工業聯盟」這個框架下尋得他們在共和國內的地位。從今日的眼光來看，這種經濟決定論反映了下層建築決定上層建築的意識型態，反映了其時所理解的馬克思—列寧主義，這樣的設計原不足怪。但憲法是國家的構成法則，權力的法源，一個國家的主要內容幾乎全由經濟決定，從非共產黨人的觀點看來，不能不說是極奇特的事。

中共建政以後的憲法的特色反映了共黨的自我認識，我們不妨以一九四七年行憲的憲法或五五憲草作為對照，或可反襯出其特色所在。因為共產主義革命的目的正是要推翻舊有的體制，並完成辛亥革命未完成的革命。我們看一九四七的中華民國的憲法第一條是這樣規定的：「中華民國基於三民主義，為民有、民治、民享之民主共和國」；五五憲草的第一條是這樣規定的：「中華民國為三民主義共和國」。兩者都提到「三民主義」一詞，三民主義當然是國民黨創黨之憲章，這樣的設計仍帶有特定時期的內涵。但三民主義的內涵原本即雜揉歐美現代的政治理念與中國儒家傳統的價值意識而成，中華民國的憲法建立在普遍義的人民主權的基礎上。我們如再追溯到中華民國創立時的臨時約法，它的第一條是這樣訂下的：「中華民國由中華人民組織之」，這樣的界定幾乎是同義反覆，但它的「人民」不分階級、種族、宗教、性別，則可確定之。相對之下，中華人民共和國的憲法的定位確實特別，階級與經濟模式是核心，它是馬列主義在憲法上的反映。

如果我們在中共建政以後公布的憲法中看到「階級」或「生產模式」之類的用語出現的話，不用訝異，中共黨人只是很誠實地將他們對人民的承諾記載到憲法中而已。而中共憲法上所規定的事項都有所本，在馬克思、列寧以及毛澤東本人的著作中都可找到源頭。「階級」這個舊詞新義被引進中國後，它很快地形塑了共產黨人的思考模式，階級、階級分析、階級立場、階級矛盾、階級鬥爭、階級敵人等等這些語詞構成了日常政治生活的核心。在中共的世界觀中，階級鬥爭原本就存在現實裡，而要完成根本的階級鬥爭任務，達到消滅所有制，全面無產階級社會的出現，那就得從生產模式上根本解決。我們這裡所說的是共產主義的基本知識，但我們觀看中共在新民主主義的實踐過程，三反、五反、共私合營，尤其是三面紅旗：社會主義建設總路線、大躍進、人民公社，共黨的施政正是大躍進，其目標很明顯地是要往無階級分別的無產階級共產社會邁進。

共產主義社會是烏托邦的理念，作為人類社會的一種嚮往：沒有剝削、沒有異化、人的全面發展、一切全面平等，這樣的理念未嘗沒有精彩處。但消滅階級、剷除所有制、去除產權概念，這些措施不但在進入文明階段以後的社會不曾出現，它是否可以達成？或者這些「私」的概念是否都是非道德的？其實都有極大的

9　全國人民代表大會常務委員會辦公廳編，《中華人民共和國憲法及有關法律彙編》（北京：全國人民代表大會常務委員會辦公廳，二〇〇五），頁七—八、一〇。

爭議。中共黨人是很好的馬列信徒，他們也依馬列的規畫推動歷史的行程。中共的新民主主義的實施成果已被後來者否定。至少在文革結束前，中共藉以自許的無產階級革命補課資產階級的辛亥革命，結果明顯地是失敗的。

階級史觀無疑是極端非中國性的，中共建國後，與中共關係匪淺的第一代新儒家代表人梁漱溟即百思不解。在梁漱溟的中國圖像中，「倫理本位，職業分途」的非階級性是中國最重要的特徵，換言之，中國的「階級」是製造出來的。事實上，我們也有很強的理由認定中共的「階級」論述的獨斷。但毛澤東的青年成名作《湖南農民運動考察報告》即已依階級成分劃分中國社會，而且終其一生未變。「階級鬥爭，一抓就靈」、「階級鬥爭，天天講」，伴隨著階級史觀而來的，乃是在哲學上的唯物史觀，物質作為世界終極的基礎，精神是物質的副現象，文化是物質基礎的反映，這些乃是中共一向的主張。唯心論在共和國的歷史上，則只能是錯誤意識型態的代名詞。打天下和哲學關連，本來不是特別奇怪的事，政治推到極致，總會走進形上學或宗教的轄區。中國歷代開國皇帝幾乎都有神異詭怪的傳聞，偶爾也會有「赤帝子斬白帝子」這類五行終始說的印記，這些記載屬於政治神學的範圍。相對之下，純哲學思辯的議題離權力太遠了，解釋起來太費事，打天下的英雄豪傑不為。

一九四九革命是個例外，像共和國這樣的一個國家的意識型態會深入到世界的本質的形上學問題，國史上前所未見。中共的新民主主義的內涵由唯物史觀、階級史觀所構成，它顛倒了以往「民主主義」的內涵。一九四九年之後的新中國的使命即要去除「帝國主義」、「封建主義」、「資本主義」這三座大山，「三座大山」一詞是共產中國論述的主旋律，毛澤東的「愚公移山」的名文反映了一種山的情結。在共產中國的論述中，這三座大山是環環相連的，彼此相互強化。移去這三座大山，乃是近代中國歷史發展的目的，共產主義革命正是百多年中國革命救亡圖存路線的總結。但由於中共接受了馬克思主義的經濟決定論，三座大山嶺巒相連，其中的「資本主義」一山占有經濟生產模式的基礎，地位尤為特別。加上共產黨人革命的心態很濃，超英趕美的企圖心甚烈，所以才有從三面紅旗以至文化大革命時期，一連串超速左傾政策的失誤。如果我們要追究中共建政以後如何彌補辛亥革命的不足，莫過於共黨的階級史觀對於平等的追求，透過了國家制訂的經濟政策，私人企業的規模急遽地萎縮，私人所有制的產權概念急速地凋零。從最隱密的私人性的意念到生活所依附的企業都要化私為公，全心全意，早日達到公有制的世界，人民公社即是指標性的設計。

中共建政以後的國策可以說即是經濟政策，而經濟政策背後一直有對財產的所有權制的否定之預設。但財產的所有權制是否即是罪惡的來源？它有沒有可能抹除掉？這是個極大的爭議。黑格爾論人類精神的發展，財產是不可能繞過的環節。財產是物質，是精神的對立面，精神則是自由，是對於限制的超越。但精神的自由不能僅止於主觀的狀態，精神自由要由主觀到客觀，它需要中介物的轉化作用，財產即是精神轉化的中介物。人透過了財產的轉讓，人與人之間產生了互動的道德關係，「財產是自由最初的定在，它本身是本質的目的」，[10]黑格爾論財產與自由的關係，極玄思之能事。但如果人的存在總是在人與人之間，或人與物之間存在，人的精神發展是在人與人或人與物的互動、或人與人經由物的交換中產生，這樣的設想也是合理的。[11]

如果中共在繼承辛亥革命的遺產上不能有成就的話，它在完成五四新文化運動的成績上，同樣不能給予太大的肯定。如果五四新文化運動的核心概念在於前文所說的個體性或主體性的問題的話，我們看到從一九一九年的五四運動到百年後中國共產黨的成立，一個極大的價值觀的轉變，即是「人的文學」的「人」

10　黑格爾（G. W. F. Hegel）著，范揚、張企泰譯，《法哲學原理》（北京：商務印書館，一九七九），頁五四。

11　參見霍耐特（A. Honneth）著，王旭譯，《自由的權利》（北京：社會科學文獻出版社，二〇一三），頁二七八—三一七。

由個體性之人轉向階級性之人。在從文學革命到革命文學的轉變過程中，「個性」是和「小資產階級」這類的語詞擺在一起的。從共產黨成立到左派作家聯盟成立到毛澤東的〈延安文藝講話〉，中共引導五四的反向已非常清楚，而且取得極大的成功。

作為自由主義的五四符號和作為共產主義的五四符號的轉換作用，我們在當時的當事者的省思作用，已明確地看得出來。郭沫若的知識分子留聲機說；瞿秋白的埋葬五四說；胡適、傅斯年對五四後來的發展越來越有戒心，也可以說越不肯定，我們都可看到中共的繼承五四精神的實相。一九四九年中共建政後，大規模地反胡適，反胡風，反右等等一連串的文藝政策可以說是〈延安文藝講話〉自然的發展。中共階級史觀下的文藝政策沒有給所謂的個性留下發展的空間，其實質的意義即是毀掉作為人的本質的精神之自由。

中共建政以後，因為要加速達到共產主義的目標，在經濟上所帶來的災難，毋庸再論。新民主主義要去除私有制，除掉產權的觀念，它帶來的深刻的影響是這樣的平等乃非經濟的，二十世紀所有共產國家的經濟實驗幾年都以失敗收場；這樣的平等也是非社會的，二十世紀的共產國家的實驗通常沒有去除掉階段，而只是製造了掌握權力結構的新階段。更重要地，中共的平等實驗因為使得精神的自由沒有客觀化的過程，往往造成實質上的非人現象，文革時期最明顯。中共的文藝政策和它的經濟政策一樣，同意使得個性受縛於外在的政治框架，失去了作為精神本質的自由之作用。對於中共建政以後的民主建國，毛澤東早說過了，社會主義革命後的人民是有民主的，但人民是需要特別定義的，這就是「人民民主專政，或曰人民民主獨裁，總之是一樣，就是剝奪反動派的發言權，只讓人民有發言權。」[12]但反動派的標準在什麼地方呢？

四、中華民國與辛亥革命的理念

以階級史觀—唯物史觀作為立國基礎，以打倒三座大山作為施政目標，這是中共立國的基本原則。一九四九之後大膽超速而且揠苗助長的經濟政策，大規模而有組織的思想改造運動，即是中共民主建國的內容。階級史觀、唯物史觀皆非華夏文明的概念，但卻成了指導未完成的辛亥革命—五四新文化運動持續向前發展的戰略明燈。文化傳統主義學者也認為辛亥革命—五四運動是未完成的，但兩者所認知的歷史方向顯然有段極大的差距。對文化傳統主義者而言，一九四九的共產主義革命不可能不是傳統文化的一大浩劫，中共建政以後的表現也只能強化世人對它的印象。就一九四九的現實政治局勢來看，「中華人民共和國」的成立雖是勢之必然，卻未必不是理之逆流。「中華民國」一詞在國民黨長期的腐蝕下，雖然日益失去光芒，但文化傳統主義者別無選擇，只能也只願選擇「中華民國」。他們相信「中華民國」的理念原本金甌無缺，後人只需好好的發展它，它在一九四九之後的島嶼上會找到適合發展的土壤。我們底下且以渡海新儒家學者的觀察為例，觀看他們如何詮釋一九四九之後中華民國該有的發展。

在一九四九年兩岸分治的大局中，渡海新儒家堅決支持在臺的中華民國，而強烈否定中共政權的正當性，這種選擇是極清楚的，連渡海新儒家中最少直接談及現實政治的唐君毅論及政權認同的抉擇，也是嶒稜分明。唐君毅對中華民國的支持始終無渝，他在新亞書院任教內經歷過兩次大風波，一次是新亞書院併入中文大學的改制問題，唐君毅在這場高度爭議性的事件中堅持理念，遍體鱗傷，最後以失敗告終，世人多知道此事。另一次是被港府下令不得在新亞書院懸掛中華民國國旗，引致新亞師生與官方的衝突，此事較少受到

12　毛澤東，〈論人民民主專制〉，《毛澤東選集》（北京：人民出版社，一九六九），卷四，頁一三六四。

注意。唐君毅面對港方當局的壓力，堅持掛國旗是大事，是身為文化遺民不可撤退的底線，所以百般抗爭。雖然最終仍不得不妥協，但至少該盡的力都盡了。他在港，每年都參加中華民國的國慶紀念會。一九六〇年十月十日的日記，唐君毅還記載：「出外看國旗，下午歸」。[13]十月十日是中華民國的生日，流離在距離大陸甚近的島嶼上的文化遺民觀看流離在另一個遙遠島嶼上的政府所代表的國家生日，淚眼人觀看淚眼人，其心酸可知。牟宗三在所謂的「國旗問題」鬧得最厲害的時候，也在自家房舍懸掛中華民國國旗，以示不屈服於香港政府以及左派勢力之意。[14]

我們現在很難想像身為一代儒宗的唐君毅、牟宗三居然會對國旗有如此高的認同。看國旗、慶國慶，當然是很素民而且素樸的情感的表現，但以唐、牟這麼高的學術位階的學人居然會堅持看似儀禮的行為，應該是當時受到特定的政治局勢的刺激，所以才要以此舉表明認同態度。更根源地講，他們這種直接的表現乃是源自新儒家對兩岸政治所作的明確判斷。我們且引用唐君毅的說法：「然臺灣之國民政府，其所依賴以存在之人民之政治意識，仍代表百年來之政治意識之最高一階段之發展。」[15]他更進一步引申其義道：「國民黨與國民政府，卻最後並未改變要實現民主憲政的理想，亦始終未把其政治的基礎只放在一階級上，並始終要想延續中國之歷史文化。總而言之，即始終要建立一中華的、民族的、民主的國家。」[16]他所說的「一階段」意指孫中山曾援引俄國勢力的「聯俄容共」、國民政府曾實施的訓政或是在臺曾實施的戒嚴體制，這些歧出的政策都是過渡的階段。唐君毅與人為善，認為國民黨曾經過的這些階段，雖然都是曲路，卻不改其施政往民主走的方向。

唐君毅的話語在不同的政治立場的人看來，當然非常刺眼，但他認同的中華民國始終是在歷史階段中呈現的理念之中華民國，它既是中華民族的，也是民主體制的。理念的中華民國與現實的中華民國政府之緊張關係構成了唐君毅等同代新儒家學者政治意識發展的主旋律。旋律的發展有高低起伏，但由於中華民國的理念沒有失去規範的力量，現實的政權的力量最後還是不能不向它歸依，民主步上了建國的大道。

面臨一九四九之後的複雜局勢，新儒家首先要面對的，是如何面對中國國民黨、中華民國、中華人民共和國三者之間的競合關係，他們的選擇不會只是政治的意義，而是事關儒家的基本價值在當代呈現的問題。新儒家對在臺的國民黨與國民政府的態度是相當清楚的，他們選擇蔣介石及國民黨作為合作的夥伴也很清楚。他們在論政上一直要維護國民黨與蔣介石的顏面，認為反對人士不宜反黨反得過頭，這樣的態度也很明顯。在一九四九之後，海外兩本重要的雜誌，代表自由主義的《自由中國》與代表文化傳統主義的《民主評論》，其現實的政治影響力所以有差異——亦即《自由中國》的銷路所以遠超過《民主評論》，根本的原因之一在於兩本雜誌對國民黨與蔣介石的態度有關，溫和的、理論性強的政論雜誌不容易有市場。

如果單就理念而言，或就雙方主事者的民主認識水平來看，《自由中國》與《民主評論》雙方的水平是相當接近的，他們是可以代表當時海外反共知識人最高知識水平的兩組人馬。他們的差異主要落在：就現實的處境而言，如何對執政的國民黨施以適當的壓力？是書生論證的方式？還是要有更強的現實的衝撞力？如果我們往後看八〇年代以公職人員為主及以辦雜誌為主的黨工之間所發生的黨外路線之爭，所謂雞兔問題，我們不難看出兩者的競爭模式基本上是相似的，都是面對阻礙臺灣前進的國民黨意識型態，到底要用什麼態度及方法去面對的問題。當然，形成於八〇年代的反對勢力之規模已遠非五〇年代的政論雜誌的反對力量可以比擬的。

---

13 唐君毅，《唐君毅全集．日記上》（台北：台灣學生書局，一九八八），卷二七，頁三九五。

14 此事曾見之記載，一時檢索未得。曾問過幾位在臺任教的新亞書院出身之學者，他們也聽過此事，但也未說明出處。

15 唐君毅，〈百年來中國民族之政治意識發展之理則〉，《中國人文精神之發展》，頁一八一。

16 同前引書，頁一八三。

在一九四九大撤退之後，在臺灣解嚴之前，構成臺灣政治活動的主軸主要是繞著國民黨的政策展開的。就一個行憲的國家而言，黨國分離，國大於黨，軍隊屬於國家，政黨當退出校園與軍隊，這原本是當代政治的常識。但面對外界呼籲的學校不設三民主義課程，政黨退出軍隊、學校這種正常的呼籲，蔣介石卻如此回答：

> 須知三年以前，我們本黨因為要求統一與實行憲政，所以不惜犧牲一切，急與各黨派聯合起來，爭取和平統一。孰知結果是造成一個反革命，反三民主義，反五權憲法，推翻本黨為其目標，間接增強共匪莫大的助力。而本黨所依據的革命靈魂——三民主義，和本黨革命最基本的工作——軍隊和學校黨部，亦就根本撤銷，以爭取各黨派之聯合，與國家之統一。大家試反省一下，這個政策之結果如何？這種自動繳械，解除武裝——撤銷黨部，拋棄靈魂，取消三民主義課程的行動，所換取的利益是什麼？豈不是共匪得計，大陸淪陷，本黨六十年的革命歷史，幾乎要根本推翻！不僅如此，本黨革命失敗以後，中華民族五千年的文化、歷史，亦要隨之毀滅了。[17]

蔣介石此文來頭很大，名曰〈為誰而戰為何而戰〉，其文為民國四十年的一篇講稿，此稿在十一年後還重訂刊行，可見他對此文之重視。此文初稿宣讀於行憲三年之後，也就是剛撤退來臺之時。行憲時，政黨、軍隊自然該依憲法行事，脫黨入國。面對當年的措施，蔣竟帶著悔意，他把政黨的中性化、軍隊的國家化這種正常的呼籲視作共產黨奪權的口號，他的歷史經驗使得他作了極離譜的判斷。

蔣介石這樣的回答不是一時一地的突發性奇想，而是他來臺後的基本回應，一朝被蛇咬，十年怕草繩。每當他面對外界自由民主的呼籲時，他的反應大抵是「固然我們應該『以更多的民主，去革除民主的流弊』

（總理語），但是也必不可能以一味講民主來取勝，更不能為一般利用民主之名，而行反民主之實的人所胡鬧，而馴致迷惘無主」。[18]「由本黨培育而成的委員，他們卻不以違反黨紀、不服從中央的決策為恥；相反地，還以為這種違紀悖黨的行為，就是自由，就是民主，引以為榮……這種反文化，反歷史，反民族，反倫理的人，那與共匪的同路人何異？這種人如果還要他留在本黨為黨員，乃無異代共匪滲透在本黨之內，來癱瘓本黨，消滅本黨，亦就無異為共匪來自毀我們的三民主義和國民革命反共復國的基地罷了。」[19]這兩段話不是在一般場合說的，蔣是慎重其事，在重要場合言說的，而且演講稿被編入全集中的。他這種戒嚴心態的認知後來長期成為國民黨的政策，直至一九八七年解嚴，才算告一段落。

很明顯的，面對一九四九大潰敗，敗退臺灣後，國民黨反思大陸何以丟失，國府何以大敗，內部一直存在兩股大不相同的解釋。一種是認為國民黨不夠民主，所以為人民拋棄。一種認為國民黨不夠集權，所以為共產黨所乘。蔣介石本人頂著中華民國的法統，登上國家最高領導人的位階，他在目標上有民主國的想法，可能不假。但在政策上選擇了違背歷史潮流的第二案，也很清楚。國府在臺時期所發生的重要政治案件，如吳國楨案、孫立人案、自由中國案，大概都與蔣介石本人的政治認知有關。蔣介石的歷史評價問題或許還不到蓋棺論定的時候，但筆者相信他在歷史上獲得評價之高低，和他在推動中華民國民主化過程中的角色是分不開的。新儒家所以在現實政治上常有失落感，源於期待與現實這個基本的落差所致。

由於蔣介石政權當時沒有採取更好的民主的途徑，對付共產黨不是以有效的民主的程序對待之，而頗有

17　蔣介石，〈為誰而戰為何而戰〉，參見張其昀主編，《先總統蔣公全集》（台北：中國文化大學中華學術院先總統蔣公全集編纂委員會，一九八四），冊二，頁二七二七。

18　蔣介石，〈復國建國的方向和實踐〉，《先總統蔣公全集》，冊三，頁二七六二。

19　蔣介石，〈本黨在反共革命大形勢中的責任〉，《先總統蔣公全集》，冊三，頁二九〇四。

以其人之道還治其人之身的意味，反對派人士自然會認為國民黨與共產黨乃是五十步笑百步的邪惡兄弟。新儒家學者由於認定其人與國民黨在現實政治上的不可取代性，他們在語言與行動上因此不能不委婉。但新儒家在政黨與國家之間，領袖與國家之間，始終劃分得清清楚楚，確實是沒有爭議的空間。張君勱、徐復觀固然如此，牟宗三也是如此，即使最溫和的唐君毅也是如此。筆者翻閱他的日記，即發現他兩次與蔣經國會談，內容都環繞在他主張的「國家高於政黨」之上，理念高於領袖之上。[20]他談到平生的「自定自守」重大原則有如下之語：「對臺國民政府之態度，我承認國民政府為中國政府，承認其重視中國文化之價值，每年我亦參加國慶紀念，但不參加總統祝壽，不講三民主義，亦不對國民黨歌功頌德。」[21]唐君毅的「自定自守」，大概也可代表當時新儒家學者共同的立場，甚至可代表一九四九以後流亡海外的知識人的共同原則。

很明顯的，新儒家之所以堅持中華民國，乃因中華民國在理念上超越一切政黨與個人之上，政黨、個人可以換，中華民國不能換。中華民國是一個政治學意義上的「形式」，它提供了主權在民的框架，以及連帶而來的各種民主清單所提的原則，並有機地與社會生活連在一起。所謂社會生活指的是中國文化傳統塑造的生活方式，新儒家學者討論民主自由的問題時，始終堅持制度面的引進與文化風土的接引並重，這是文化傳統主義者的共同主張。他們認定孫中山的三民主義能結合民主制度與文化傳統，可謂有識，[22]所以也才構成彼此能夠合作的基礎，雖然他們不喜歡國民黨在臺的三民主義政治教育。

在流亡海外的文化傳統主義者看來，「中華民國」這個概念的形式意義既像亞理斯多德那般的形式與內容分開的形式，但也像黑格爾式的內容與形式結合的形式。由於「中華民國」被提升到形式的境地，或者提升到程朱或新實在論者所說的理型的高度，因此，雖說在理型這個框架下，一落到現實，還需要有許多內容加以補充，但這個框架卻不能拋棄。領袖可以換，政黨可以變，但國家不能改，這是海外新儒家版的「抽象繼承法」。徐復觀常說的「為萬世開太平」，牟宗三說的「普遍性的價值」，唐君毅說的「中華民族發展的結晶」，都道及了他們對民主這個概念清晰的圖像。新儒家在「中華民國」與《禮運大同篇》，以及在孫中山與程朱陸王之間，看到了這種連結。

由於新儒家看待「中華民國」的理念既是順著中國歷史發展而成的結晶，但又具有普遍性的意義，因此他們完全不能接受以俄為師、以中國為封建社會、以唯物論為世界觀模型、以階級鬥爭史觀為指導原則的中華人民共和國。中華民國一九四九之後在中國大陸為中華人民共和國取代，是事的演變，而不是理的敗退。國府在戰後的諸種愚蠢的表現，治道的無能，操守的敗壞，幾乎成了國人的共識。就政權被取代而言，並沒有不合理之處。但中華人民共和國取代中華民國，不只是政權替換的意義，而是價值體系的全面重組。從新儒家的觀點看，其興亡也就是「亡國」與「亡天下」的差異。[23]中國共產黨一九四九的革命在當時是國際馬克思主義運動的一環，是對整體中國的整體價值體系的撕裂與重建。它所撕裂者是中國的文化傳統，所重組者是一種建立在階級史觀、唯物史觀上的新價值體系，而且這套價值體系是帶有強迫性的意識型態，它是利維坦（Leviathan）式的國家指導原理。從新儒家的價值定位的觀點著眼，一九四九的共產主義革命既不是發展，也沒有進步的內涵，而是一場浩劫。「國府渡海遷臺」最重要的意義是作為「共產主義統治中國」這

---

20 唐君毅民國四十五年八月九日日記：「下午應蔣經國約談，我與彼談國家高於領袖及個人之義，與民主政治之不容否認」。民國五十年九月十一日日記：「下午與蔣經國一談文化與政治應相對獨立之理」。參見唐君毅，《唐君毅全集》，卷二七，頁二四九、四二四。

21 見民國六十三年七月十八日的日記，起因是台北《中央月刊》希望唐先生為國民黨八十週年撰文，唐先生拒絕。

22 徐復觀說孫中山「接受了西方的政治思想，卻以中國的道統為他思想的根幹。此之謂有品格，此之謂有識量」。參見徐復觀，〈「偷運聖經」的意義是什麼？〉，《徐復觀最後雜文集．記所思》（台北：時報文化出版公司，一九八四），頁一二〇—一二四。

23 「亡天下」之感普遍見於一九四九之後流亡海外的新儒家學者著作中，這種悲愴的歷史感是推動他們行事極大的動力。

個世紀的變局而立下的，新儒家看待一九四九的變局，始終有一種價值理性的高度。

依新儒家「國家高於領袖、政黨」的理念，一九四九之後的國民黨與中華民國，必須嚴格分開。一九四九之後的中華民國政府，只有在戒嚴體制廢除、一切回歸憲法結構以後，才是真正的中華民國。港臺新儒家兩位著名的異議分子張君勱與徐復觀表現得特別明顯，張君勱可說是中華民國憲法的催生者，是憲法之父，但自流亡海外後，就不願意踏上號稱行憲的臺灣這塊領土。徐復觀的著作中，只要論及「中央民意代表」之類的語詞幾乎都成了政治領域的「骯髒語彙」，他對國府在戒嚴法保護下所實施的政策，幾乎都以揶揄不屑的語言作結。他與蔣介石、蔣經國父子的關係始終尷尬，關鍵在於他反對蔣家「傳子」的布局。與新儒家學者關係密切的勞思光的堅持也很有象徵意義，他出國後，即不再回到戒嚴時期的臺灣。臺灣解嚴後，才改變這種態度。等一九九七年中共收回香港後，他不再居留香港，也不回他的家鄉長沙，而是回到臺灣，度過餘生。他死後，埋骨於宜蘭的太平洋海畔，與浪捲而來、浪捲而去的潮汐共朝夕，這是儒家自由人的選擇，勞思光一生的行動也反映了「儒家與中華民國連結」這樣的理念。

如果說《民主評論》儒者對渡海來臺的國府那麼有意見，而他們仍願意容忍、甚至支持的話，在於他們都共同面對「共產主義在中國」這個世紀的劫難，國府到底還是最有抵抗力道的有形力量。另外一方面當然和國府至少承認它的政治力量來自於中華的文教傳統，它縱不能積極支持之，但終不能反對之。至少它容許教育、文化有相對獨立的空間，也承認教育、文化所構成的價值體系有高於政治的價值地位。一九四九後的國民黨是中華民國的體制的一環，黨不能壟斷國，中華民國的民主建國的實踐不能局促於政黨的視野。

由於中華民國的理念的規範力量，新儒家人士認為辛亥革命的完成是在一九四九之後的臺灣實踐的，他們期待民主建國的理念最後在中華民國的領土上落實。由於臺灣政局的發展後來有往本土勢力甚至臺獨主張發展的趨勢，新儒家人士不及看見這種發展所帶來的諸多問題，他們也沒有機會作出足夠的回應。但我們可以確定：他們當會同意臺灣的解嚴以及政治的全面回歸憲法乃是辛亥革命理念該有的發展，他們的信念應該有很廣泛的民間的支持力量，而且如下節所述，它事實上也獲得執政黨內部一些人士的支持。一九四九之後，在臺灣的中華民國這種政治的發展與共產中國的新民主主義是平行的兩條途徑，彼此各以「民主」之說建國。筆者認為比較兩者，在臺的中華民國路線顯然是較合理的「民主建國論」的模型。

五、忠誠的反抗：以「中華民國」理念校正「中華民國」政府

上述所說乃「渡海來臺的中華民國之意義」的解釋，這樣的解釋是價值的定位，尚未觸及到落實的過程。但理念如果徹底了，就會發揮實現的作用。從一九四九至今，我們就看到了中華民國的理念曲折地在島嶼展現出它的內容。

在臺灣民主化的過程中，蔣介石與國民黨的功過如何，這是一回事。筆者雖然遺憾其人其黨沒有彰顯出該有的高度，但不相信當中不能找到對他們有利的正面業績，此事有待有心人士加以折衷，筆者無能也無意去處理。但一九四九的意義雖然離不開國民黨，一九四九這個符號有獨立的意義，它觸及到中西文化交流以及中國現代化的向度，它的深度與廣度遠超過政黨的層級，國民黨不能壟斷一九四九的意義。就理念而言，一九四九對臺灣甚至對整體中國的意義，在於遍體鱗傷的中華民國是否還有再生的機會？是否還可以提供其他競爭黨派無法提供的規範力量？中華民國的民主工程是否能夠打通中華民族的發展血脈？說到底，中華民國的規範性功能在於「有本土文化風格的民主制度」，流落島嶼的國民黨政權是否還能體現此義！無疑地，中華民國的理念的實現不能局限於一人一黨，而當開放給所有具有文化傳統的民主化的人士，他們都是民主

建國工程的參與者。[24]不管參與這個建構工程的政黨與個人的貢獻為何，但就體制的判斷，他們同樣是實現中華民國這個憲政大工程的建構者。

新儒家一九四九後的政治抉擇應當比我們一般設想的要合理許多，其溫和的主張背後卻有極強的堅持力道，他們長期在臺灣的寂寞也是必然的。其原因在於：（一）當他們認定中國共產黨背叛了中國文明該有的發展方向；（二）又認定在一九四九年之後唯一有力量校正這種歷史「歧路」的現實力量只有國民黨；然而（三）以蔣介石為代表的中國國民黨又不肯光明磊落地依憲政行政，而走上「戒嚴體制」的歧路，新儒家處境困難的問題就聚焦在此。上述前面兩點其實是當時許多避劫港臺人士的共識，不管他們是自由主義者，或是文化傳統主義者，或是國家主義者，他們都既反對違反中國文化傳統的中共，也不喜國民黨，但又體認大概只有臺灣的國民政府才是唯一有機會與共黨抗衡的有形力量。即使一九四九之後海外有所謂第三勢力之說，他們也不能不承認這兩點。但第三勢力之說所以不成氣候，正因前面兩個因素鐵硬難移，是當時的新遺民很難不承認的現實，他們別無選擇。不管顧孟餘或張君勱這些人物如何的努力，最終只能是曇花一現，沒有形成有力的第三勢力集結的政治力量。

但反過來說，海外之所以有第三勢力之說，臺灣島內之所以有不斷升起的反對力量，根本的原因在於上述第三點，即蔣介石實施的戒嚴體制。戒嚴體制原本是一時的應急措施，不能常態化的，但蔣介石與國民黨為了一己一黨或自以為一國的考量，卻將它體制化了。這個體制明顯地是憲政體制的違章建築，它的出現乃緣於國難之後，蔣介石對於如何反共的認知偏差所致。他顯然相信只有以更嚴密的組織、非民主的方式，才可以抗衡中共。但自一九四八年行憲後，原則上，中華民國已是民主體制國家，任何政權只能依法行政。蔣既是行憲的主導者，理論上他當是相信中華民國的憲政體制的，但他事實上也是戒嚴體制的催生者。蔣在一九四九年之後的選擇造成了國民黨在理論與現實間的自我矛盾，也造成了國民黨路線與中華民國路線之間的矛盾。矛盾是實踐的火種，解決矛盾則是催生民主運動的動能。

一九四九之後的臺灣政治發展的主軸，一種常見的論述是從「中國—本土」這組對照的概念入手。由於現實的中國與法理的中國的落差，也由於在臺灣的政權的正當性一直受到戒嚴法的保護，也就是一直與主權在民的民主體制有嚴重的出入，「以本土對抗中國」是個自然的選擇，甚至不必說選擇，因為體制已伏下了或指出了運動的方向。至於從本土的反抗聲音發展到法理上的臺獨，到底還是有段演變的路程，源起於海外的臺獨運動在島內成了氣候恐怕要到民進黨成立後，尤其一九九二年廢除刑法一百條內亂罪後，才躍上檯面，正式成了政治的主張。[25]在民進黨成立之前，筆者毋寧認為臺灣政治運動的主軸乃是國民黨路線與中華民國路線之爭，也可以說是理念的中華民國克服現實的中華民國政權的歷程，這種「中華民國的自我實現」的解釋可能是更符合史實的敘述。這兩種路線之爭與「本土—中國」之爭的解釋模式各有著力點，或許各有偏重，但未嘗不可提供另一種參考的解釋模式。

一九四九年底由國民黨率領的中華民國政府遷至臺灣，並不僅是以政治與軍事的面貌出現，而是攜帶大量的文化財以及無形的理念南來的。由於在體制上，中華民國已實施了憲政，但在現實上，國家因為處於戡亂階段，政府不能不實施戒嚴體制。因此，在臺灣的政治土壤上，一直並存著憲政體制與戒嚴體制，也可以

24 蔡英文在二〇一五年競選總統時曾言：「民進黨不等於臺灣，國民黨也不等於中華民國」，如果我們不將這些話語當作一時的政治謀略，也不要作政治上惡意地解讀，箇中話題正有深意。

25 關於民進黨的成立以及刑法一百條的廢除等問題，參見張富忠、邱萬興編著，《綠色年代一九七五—二〇〇〇：台灣民主運動25年》（台北：印刻出版社，二〇〇五）。馬起華，〈刑法第一百條修廢之研析〉，《法律評論》，五七卷十一期（一九九一．一一），頁四—一二。張瓏，〈「中華民國刑法第一百條修正草案」審議經過〉，《立法院院聞》，二十卷九期（一九九二．〇九），頁三六—四九。

說存在中華民國路線與國民黨路線的矛盾，這個矛盾基本上是難以克服的。因為戒嚴體制如果短期實施，或許可以說是過渡時的，或者是臨時的——正如〈動員戡亂時期臨時條款〉所說的「臨時」。但一旦「臨時」條款變成常態法規，它與憲政的競爭關係就不可能不出現。

憲法體制與戒嚴體制的競爭是構成一九四九之後臺灣島內政治鬥爭的主軸，連綿三、四十年不熄。鑒於一九四九年丟失大陸之慟，蔣介石認為原因在於他沒有實施高度集中的管控制度，無法有效地動員。何況共產黨解放臺灣的威脅又是眼前的真實，所以他要將政局推回一九四八年行憲前的狀況，再度強化列寧式的政黨，這個決心是動搖不了的。但中華民國的憲政是國民黨以及相當多的反對派人物長期追求的目標，是從革命時期開始，也就是從辛亥革命的理念一成立之時，開國諸公對中國人民的許諾。行憲是內在於國民黨內部及國家內部的動力，是一體難分的DNA，無從取消的。國民黨既宣揚民主，又不開放民主，它在臺灣的處境注定是矛盾的結構，亂源很難排除掉。時間一長，隨著國際局勢的演變、臺灣內部本土勢力的興起，蔣介石路線會日漸失去號召力與影響力也是可以預期的。

國民黨路線與中華民國路線的矛盾普見於一九四九之後的臺灣社會的各層面，但不用訝異，最大的矛盾就見於其時的國民黨本身。事實上，我們看在《臺灣政論》興起前的臺灣反對運動，基本上都是由國民黨內部的中華民國派發動的。在一九四九年之後的海內、外政論雜誌中，《民主評論》與《自由中國》是兩本具有代表性的刊物，兩本刊物原始的資助者都是國民黨，甚至是蔣介石本人。《民主評論》成員和蔣個人及國民黨大體維持友好的關係，該社主要負責人徐復觀與蔣及國民黨的關係非常密切，國民黨敗退來臺後的改造工程即有徐復觀的因素在內。但徐復觀和《民主評論》在一九四九之後出現的意義，恰好就在對國民黨戒嚴體制的否定，他們要建立一種理性而有民族文化風格的民主政治。至於號稱自由派大本營的《自由中國》其主導人物雷震、殷海光、夏道平等人，無一不是國民黨籍，殷海光任過《中央日報》主筆，曾是蔣介石堅強的支持者；雷震身為國民黨的中央委員，在一九四七年的制憲國民大會中擔任大會秘書長的要務；即使是《民主評論》的要角徐復觀，他也是國民黨出身的，曾任職蔣委員長侍從室機要。這些人物之所以對其時的總統與執政黨提出諍言，乃因依中華民國路線，理當如此。

筆者且以夏道平為例，指出「中華民國」理念對臺灣民主的意義。在《自由中國》核心人物中，胡適、雷震、殷海光扮演的角色，學界耳熟能詳，夏道平相對之下，被忽略了。筆者最近重讀夏道平在《自由中國》所寫的諸多文章，不能不讚美他們在那個時代所作的努力，今日讀之，其論點仍有餘溫。《自由中國》同仁們所作的努力，可以說是以理念的中華民國對抗現實的中華民國，以《中華民國憲法》對抗《動員戡亂時期臨時條款》，或者乾脆說：以中華民國對抗中國國民黨。夏道平在他於解嚴後編成的文集中，我們看到幾乎所有的文章都指向只有遵守法律——尤其是遵守憲法——才是正途，憲法的中華民國構成其論述的主軸。在文集中的〈立法院給憲政開一惡例〉、〈又一個關係憲政的問題——俞院長說辭不掉兼職〉、〈好一個舞文弄法的謬論——所謂「修改臨時條款並不是修改憲法本身」〉諸文明顯地將憲法列為標題，夏道平以憲政抨擊國民黨的不守憲、不守法，態度躍然紙上。

夏道平的其餘文章其實論述主軸也始終很確定，在《自由中國》的諸多名文，也可以說引發的諸多爭議中，如〈政府不可陷民入罪〉、〈一份祝壽的心儀（為中國國民黨六十周年紀念作）〉、〈我們反對軍隊黨化〉、〈蔣總統不會作錯了決定吧〉、〈論言論與新聞的管制〉，他同樣依憲政原理反對現實政治。夏道平一生在《自由中國》的論述主軸，也可以說是整體《自由中國》同仁論述的主軸，始終一致。依夏道平的說法，其原則乃是「憲法的遵行」與「憲政根基的培養」。

我們且再以《自由中國》之後最重要的反對運動刊物《臺灣政論》為例，也可看出中華民國路線與國民黨路線之爭。相較於《自由中國》基本上以渡海來臺的國民黨開明人士為主，《臺灣政論》的主軸則已移到臺灣的本土派人物。《臺灣政論》名聲響赫，其論述風格卻意外地和平理性，今日看來，不覺訝異於昔日當局何以無法容忍這樣「忠誠的反對黨」的雜誌。相對於《自由中國》、《民主評論》，甚至相對於後來的一些黨外雜誌，比如《美麗島》或《八十年代》，《臺灣政論》的論點更務實，雖然也有少數文章如姚嘉文的文字論及修憲的問題，難免會碰到當局珍貴脆弱的神經。但籠統看來，《臺灣政論》殊少碰觸到敏感的問題，反而我們還可看到郭雨新追憶光復後臺灣省參議會的美好時光，我們也看到他追憶「郭大炮」（郭國基）提案出兵占領琉球而被否決的案子之經過，這種文字在今日所謂本土派的刊物中是不會出現的。看過這五期的《臺灣政論》的內容，筆者不能不指出中華民國路線與國民黨路線之爭，仍是貫穿這個時期的臺灣政治活動的主軸。

《臺灣政論》是正式以臺灣本土政治勢力作為運動主軸的期刊，此期刊的精神是在「中華民國」的理念下進行的。國府渡海來臺三十年後，民國六十八年（一九七九）八月十六日，劃時代的黨外雜誌《美麗島》創刊了，其時正是臺灣與美國斷交後的悲慘時刻，但戰士沒有悲觀的權利，他們仍秉持「民主」的理念繼續奮鬥，《美麗島》當是《臺灣政論》之後最具代表性的政論雜誌。當時的雜誌發行人黃信介先生在〈發刊詞〉上，以鏗鏘堅定的語氣宣稱道：

> 我們認為：在歷史轉捩點的今天，推動新生代政治運動，讓民主永遠成為我們的政治制度，是在臺灣一千八百萬人民對中華民族所能作的最大貢獻，更是我們新生代追尋的方向。[26]

這位在黑暗年代的黨外運動的領導者是位帶有一身土氣的老派仕紳，他將臺灣的民主運動放在近代中國史的脈絡下定位。[27]他的〈發刊詞〉反映的可不只是他個人的論點，而是當時共同組社成員的共同意志。

這群黨外人士的共同意志即顯現於同期創刊號的社論上，這期的社論以〈民主萬歲〉的名稱出現於目錄後的第一篇，作者名曰「本社」，「本社」自然代表的是《美麗島》雜誌社的立場。在這篇洋洋灑灑、充滿正義的憤怒之聲的社論上，作者以堅定的口氣宣揚民主的普世意義，民主的不可逆擋，臺灣現行局勢的危險，以及國民黨抵制的徒勞無功。作者以大無畏的語言宣稱：

一百多年來，勇敢的中華兒女在自己的土地上，懷抱著被侮辱被傷害的靈魂，以勇毅的信心，用自己的鮮血，粉碎了：

——帝國主義者的侵陵；

——歷史積累下的黑暗與腐敗；

——阿諛文人的扯淡：中國不適合實行民主。[28]

社論接著繼續說：「中華民族這一百多年來，經歷了兩次大的『民族反省運動』和『社會改造運動』以後，民主是必需的，一個優秀的民族，經過反省、改造以後，不容別的民族來蔑視、欺負我們，同時也不能讓自己同胞中的少數人蔑視、欺負絕大多數人，這就是要民主。我們相信，懷疑我們民族實行民主的能力就是懷疑我們民族的優秀。一百多年來，勇敢的中華兒女沒有懷疑過這一點，所以，一百多年來中國人血淚的

26 黃信介，〈發刊詞：共同來推動新生代政治運動！〉，《美麗島》，一卷一期（一九七九．〇八）。

27 黃信介是《美麗島》雜誌的發行人，很可能也是主要的出資者與推動者。他為了推動臺灣的民主運動，喪失掉「萬年國代」的職務，是位兼具中國式傳統「鄉紳」與臺灣式共感能力甚強的老派「歐吉桑」於一身的政治人物。

28 美麗島社，〈黨外政論：民主萬歲〉，《美麗島》，一卷一期，頁九。

夢就是：民主」。社論作者雖然相信民主的普世價值，但他不會輕信現代西方的民主就是完美的，他很大方的承認西方的「獨裁性的民主」相當不完美。但這正是我們的機會，「我們中華民族對民主的實踐還大有貢獻的餘地，我們如何在歷史的實踐中創造一個可以保障每一個人有達到其政治的、經濟的生活目的的平等機會的社會條件，以實現『人民當家作主』的民主原義，這是歷史給我們的考驗與任務！」說到底，社論作者以先知摩西的語氣宣揚一個新的中華民族復興時代的降臨。

不要懷疑，這篇創刊號的社論和前面的發刊詞都是《美麗島》中人寫的，代表當時異議人士的「黨外」聲音。「黨外」後來確實是分流了，臺灣民族主義的獨立運動在黨外陣營中占有顯著的地位。但至少從當時的政治氛圍來看，「黨外」和「民主」結合的方式不必然是反中國，尤其是反中華文化的路線，恰好相反，它也可來自中華文化而又回饋中華文化。事實上，我們觀一九四九之後臺灣政治的發展，不管是本省外省，不管是黨內黨外，其原先的主軸都是環繞中華民國的理念，也就是繼承辛亥革命的理想，逼使獨裁的國民黨一層一層地脫去反民主的外衣，讓民主在華人的土壤上第一次正式的落實下來實行。

六、另類的五四新文化運動之省思

從歷史發展的眼光來看，以五四愛國運動發展成的新文化運動，它的發展帶來了分歧的方向。新文化運動除了正面地提倡民主、科學、人的解放的理念外，它更直接的主張以及實質的影響可能在於舊文化與舊價值體系的批判，新文化對照舊文化而生，沒有批判舊文化即無新文化可言。但就新文化運動的歷史效應考量，新舊文化之間的關係該如何呈現？新文化的批判力道是什麼意義的批判？就後來的結果而論，共產主義是新文化運動最大的贏家，共產主義路線下的中國傳統文化和「封建主義」一詞可以等同，價值極低，它的存在的意義是作為一組和解放意義的思潮相對立的地位而呈現的。這種顛倒舊有價值體系而又缺乏明確的文化價值體系的運動給當事者留下了巨大的精神黑洞，也給一九四九的共產主義革命打開大門，共產黨人對五四的讚美自是不遺餘力。

但作為傳統文化承載者的文化傳統知識人是否即是新文化運動的對立者？如果我們就新文化運動的目標：民主、科學、人的發現云云，答案顯然不是，文化傳統主義者只是選擇了不同的價值定位而已。我們現在有理由相信：在現代中國的政治轉型中，不管是戊戌變法、辛亥革命或是五四新文化運動，顯然文化傳統主義者都曾參與其中，而且也都是一股重要的力量。五四新文化運動的性質很複雜，共產黨人與自由主義者都可以找出符合自己理路的線索。事實上，這樣的聲音已經夠大了，但筆者認為我們應當有政治主流論述外的另類新文化運動的敘述，從真正現代化轉型時期的戊戌變法時期開始，儒家即參與其間。如果我們將參與現代化論述的儒者稱作新儒家，那麼，儒家即是另類五四新文化運動論述的代表，從第一代的戊戌儒家到一九四九之後的海外新儒家對中國的現代化轉型的性質皆有不同於自由主義與共產主義路線的論述。

事實上，作為民國思潮主流之一的新儒家就是引發五四、弄潮五四，而與五四運動的其他各種思潮競爭文化的發言權的一股力量。如果說新文化運動的主流是帶有相當濃厚西方近代社會特色的自由主義，或者說：先是自由主義，後是共產主義，這些東來的新興思潮乃是顯著的五四地標，新儒家則代表五四運動的另一種型態。從康、梁開始的新儒家即相信民主（民權）、科學的重要核心價值，也相信中國文化的現代轉型，但他們在儒家傳統與自由主義所催生的民主、科學或共產主義所宣揚的平等的價值中，找到連繫點。他們相信五四的價值，但賦予五四不同的意義，用溝口雄三的話語講，有另一種五四。[29]這種另類的五四在民

29　參見溝口雄三，〈もう一つの「五・四」〉，《中国の衝撃》（東京：東京大學出版會，二〇〇四），頁一六六—二〇五。中譯文

初時期的中國本土出現，隨著北伐、抗戰的演變，它也跟著成長，後來則在一九四九之後的海外中國茁壯，中國在改革開放後，另類的五四精神又反哺了九州大地。從長距離的歷史縱深來看，至少從文化傳統主張者的眼光來看，很可能這種另類的五四才是五四該有的型態，是真正的五四。

新儒家學者在五四運動中找到其核心關懷與儒家傳統的連結點，他們的觀點不能只從信仰的角度解釋，這種連結說是有史實與理論的依據的。論及新文化運動的歷史形構過程，我們發現文化傳統主義學者不管在清末君主立憲的發軔期，或者在五四愛國運動的發起時機，或者在政治運動轉為更進一步的文化運動的過程中，他們始終是這股洪流中重要的一支。最明顯的，五四愛國運動的發生和梁啟超在巴黎和談中扮演的角色有密切的關係，作為現代突顯的愛國知識人形貌的梁啟超，始終注意歐戰結束後，事關中國基本利益的領土完整、主權完整是否會被出賣，這個惱人的問題是當時全國輿論的焦點。眾所共知，醞釀五四運動的輿論薪火相當程度是由梁啟超等人所提供的，如果我們無法剝奪梁啟超一生活動中的儒家情懷的線索，我們即無法否定五四愛國運動的儒家連結——雖然我們將五四愛國運動單純化，不與任何特定的思想體系連結，這樣的設想也是合理的。

梁啟超作為我們反思儒家在中國現代化議題上的重要支點頗為重要。因為關於民權、立憲、國民性這些關鍵性的現代政治的議題是他與康有為、譚嗣同在戊戌時期帶出來的。我們更不會忘了，對來自西潮的現代性內涵，梁啟超也是較早提出批判性反思的重要學者。身為現代中國輿論驕子的梁啟超在歐戰結束後，面對滿目瘡痍的歐洲大地，他不得不同時嚴肅思考：現代性的內容該是什麼樣的模式？如果歐洲現代性引發的歷史變遷沒有隱藏根本的病根，何以會引發人類史無前例的大屠殺？難道說現代性的內涵能夠沒有更複雜的價值理性的因素在內嗎？

伴隨著五四運動的日益進展，梁啟超一方面仍宣揚他的憂國、愛國主張，但他也同時返身內求，既重視西洋新思潮的引介，但更重視東方文化傳統的再詮釋。梁啟超思想前後期的轉變當然不是特例，我們在上一輩的代表性學者如嚴復、章太炎身上，也看到類似的轉變，亦即由傳統的批判者變為傳統的再詮釋者，但在批判與詮釋間仍有條連續性的精神貫穿其間。這些人的活動期間前後相疊，交錯影響，彼此互滲。這股同時重視新興的文化理念與傳統價值理念，只是其間的比重不同或時間的轉移稍有差別的情況，在清末民初的中國絕非罕見。事實上，我們在晚清與民國時期的不少知識人身上，都可看到類似的身影，梁啟超與嚴復是較突顯的例子。

筆者所以舉梁啟超以及同代的進步型儒家知識人為例，其意在於突顯我們以往詮釋五四運動太單線化了，我們其實不一定只依自由主義（如胡適）或社會主義者（如毛澤東）的眼界看待其事，我們大有理由從歷史的連續性，或者說斷裂與新生辯證的連續性的眼光，重新解讀五四新文化運動的性質。如果五四新文化運動是未完成的中國現代化轉型的運動，那麼，重新詮釋這股運動的性質是必要的。我們重新詮釋五四新文化運動，重視文化傳統主義者在這股運動中所扮演的角色，不是想推翻自由主義或共產主義曾經扮演的角色，我們只是想宣稱：新文化運動不是單一的，有不同形貌的五四。所謂不同形貌，乃因不同思潮背景的人都加入了新文化運動的巨流，他們的價值的基本定位相去懸殊。但反過來說，不同形貌的學者所以都可稱為某種意義下的五四人，乃因五四所提倡的「民主」、「科學」的目標仍是他們共同的關懷。文化傳統主義者在晚清、在民國，不但不反科學，也不反民主，只是他們對「民主」、「科學」另有解釋罷了。以徐桐、剛毅這些封建的官僚或袁世凱、張勳這些舊軍閥作為文化傳統力量的代表，這只能是革命時期的口號，不是學

見〈另一個「五四」〉，收入王瑞根譯，孫歌校，《中國的衝擊》（北京：生活・讀書・新知三聯書店，二〇一一），頁一五三—一九四。

術的論述。

入民國後，作為一種另類的五四文化人的形象在大陸時期的新儒家代表人物梁漱溟與熊十力身上，表現得最為明顯。梁漱溟與熊十力是具有代表性的民國儒者，他們一生奮鬥的意義都是在「民國」的範疇下展開的。身為儒家價值體系堅強的捍衛者，他們都參與了二十世紀初的倒滿革命，熊十力更是辛亥武昌革命的參與者，他們兩人以身體力行的模式，獻身於民主理念在人間的落實。和高他們一輩的康有為、梁啟超相比，梁、熊兩人的「五四人」的標誌更清楚。梁漱溟作為民國初年保守主義的代表，他常和梁啟超並稱為「二梁」，但放在「五四新文化運動」的視角下觀察，梁漱溟另有一種突顯的形象。從「二梁並稱」到「梁熊並稱」，這種並稱的轉移顯示文化傳統主義在新時代思潮的重新洗牌中，應該有新的主張出現，也就是民國新儒家之所以為新儒家，應該是此學派已帶出了該學派的特色，而不只是具備了「儒家」的符號而已。簡言之，民國新儒家學者之參與五四，不只是擔任接收者的角色而已，他們是批判的繼承者。

如五四運動史學者一再指出的，在新文化運動如火如荼展開之際，梁漱溟的《東西文化及其哲學》適時出現，這本書在當時常被視為是以一股反制新文化運動的保守主義的立場出現於世的。事實當然不只是如此，而且遠為複雜，但與其說複雜，或許不如說是遠為簡單。身為一位具有理學精神的儒家關懷者，梁漱溟自然對現實問題，也就是當時有心人士必須面對的民主、科學的問題，不能不思求解決。但同樣身為帶有濃厚理學精神的儒者，他對現實問題的關懷不可能不連帶提及意義的問題，他理解的意義的問題類似傳統中國所說的安身立命。政治問題與人生問題掛鉤，外王敘述與內聖敘述連結，這是典型的梁漱溟思維的模式。

《東西文化及其哲學》一書很重要的特色乃是他站在意欲的表現方向上論述文化的問題，他由此切入了五四的論述。梁漱溟處理五四運動的命題較特別，眾所共知，他最具體落實的辦法是從鄉村運動著手。由於農業人口、農村經濟在現實中國占有極高的比例，農民—農業—農村不可能不成為政治議題。即使在現代的政治光譜中，鄉村運動仍占有一席之地，梁漱溟本人與共產黨的種種糾結，愛恨交加，很根本的原因也在於兩者都將政治問題聚焦於農村問題上，從農村具體的問題出發，尋求民主落實的機制。毛澤東說：「中國革命的根本問題在農村」，這句總結語也可視為中國共產黨運動的一條指導性原則，梁漱溟也是贊成這種主張的。但背景不同，所見有別，遂使得兩種主張不免時有扞格，並導致梁與毛澤東兩人的公開決裂。

然而，就哲學高度考察，梁漱溟的五四論述最大的特色在於將民主、科學的目標當作人生活動方向的一種抉擇。西洋文化之所以有民主、科學，中國文化之所以欠缺民主、科學，都是受制於該文化的意欲活動。梁漱溟的文化是有目的性的主體，文化的方向和個人的生命方向是同構的。當中西文化的不同被解釋成生命方向的不同時，我們知道梁漱溟是如何結合儒學與自由、民主的理念的。依他的佛教信仰，生命後返的方向當是人的本質之回歸，用理學的語言講，也就是恢復人的本質的「復性」。但這種宗教性講法的歷史軌道是玄思的，情感的，很難作為現實的敘述。梁漱溟也承認：印度文明太早熟了，也就是太早進入了歷史，因為它的當令時代只能擺在不可測的未來。二十世紀乃是文明的青年期，理智設計的當下與本能衝動的向前聯合構成了世界行動的圖像。這個近代西方提供的文明興盛一時，其中包含民主與科學的興起。但歐戰打破了這個美好的圖像，此時，只有儒家的體系最適合當下的國情，它既可以呼應民主、科學的需求，但又能免於近代西洋文明的弊端。

梁漱溟對五四運動的回應，比較像是站在精神導師的立場發言，五四的價值在其思想體系中固然有價值，但是較消極的。他的關心更在於凌駕於西洋現代性內涵的民主、自由之上的宗教層面。熊十力和他相比之下，同樣也強調儒家的價值超越了五四運動的自由、民主，但超越乃是涵攝的意思，而不是排斥。依熊十力的體用論的思想，儒家的本體涵攝了民主、科學之用。熊十力的立場比梁漱溟更積極，他相信民主、科學原本就內在於儒家的價值體系。身為辛亥革命的元老，熊十力生命的一大特色在於他強烈的民族主義情感，但辛亥革命原本即有種族革命與民權革命兩種面向，熊十力對「民主」理念的堅持，也是他一生的堅持。熊十力對西洋文化的了解相對有限，所以當他建構儒家的「民主」傳統時，不能不走上清代公羊學者的老路。他大量地借用春秋學的語彙，建構孔子如何破除階級，打破限制，以達到人人平等的世界。在這個理想的世界上，專制政體不再存在，每個人處在目的王國之內，熊十力的語言在在令我們聯想到譚嗣同的主張。

熊十力對儒家與科學的連結，也比梁漱溟來得深，他使用的連結的工具仍是來自於經學。在他建構的中國史的圖像中，晚周是個科學昌明的時代，《周禮》提供了科學昌明的論述，墨子、惠施這些人提供了更多具體成就的細節。這種可以媲美西方科學的成就之所以中斷了，熊十力再度指向了秦漢後的中國專制政治扼殺了科學的生機，同時也扼殺了民族文化的生機。晚明儒家學問復興，包含科學的成就也遠邁前朝，此時期的科學之所以秀而不實，無法茁壯，熊十力認為原因再度是政治的。因為滿清入關，異族統治容不下學術的自由。所以民主與科學在中國的命運極相似，都曾發展過，都是儒家內在的成分，但都扼殺於專制的政治制度。

梁、熊都是五四運動中的人物，他們都參與了民主科學的論述，他們明顯地不同於胡適、陳獨秀、魯迅者，在於他們的文明論築基於一種理學式的主體基礎上。梁、熊兩人都曾隨歐陽竟無學佛，都有親切的內在體證，深入到作為個人與世界基礎的無之意識上面。他們的學問所嚮往的，以及整體思考的方式毋寧接近張載、王夫之的模式。他們的思想世界中沒有純粹而孤立的外王的問題，外王問題都是道在歷史中的彰顯，也都有內在的意識的基礎，內在的意識顯現為外王現象，則都是倫理、道德的項目，西方現代價值的民主、科學被定錨在東方的意識的磐石上，也被置放在傳統的倫理價值上。

五四運動的內部分化，或者說路線之爭，在一九四九年的十月一日中華人民共和國成立與同年十二月七日的中華民國政府遷來臺灣這場大的歷史巨變中，發揮得淋漓盡致。五四運動的意義，或者說：另一種五四運動的意義，只有經由這起歷史洪荒野火的考煉，其成果才能具體地顯現出來。如前所說：新儒家第一代人物的梁漱溟與熊十力，他們都帶有社會主義的情懷，也相信自由主義的價值，但他們將「民主」、「科學」的理念扎根在儒家的傳統上面，也扎根在深層意識的基礎上。他們在嫁接儒家的價值理念與西方的民主、科學的價值時，很自覺地越過了清代考據學的範圍，直接接上了宋明理學的傳統。中國現代化的問題連接了宋明理學的議題，這是梁、熊這些大儒的貢獻。他們相信宋明理學所代表的學問才是儒門該有的知識型態，宋明理學核心要義的心性論更被視為是中國的現代化工程不可缺少的成分，心性與政治的關係類似體與用的關係。梁漱溟、熊十力兩位先生對接儒家與五四，對儒家的現代化工程該如何理解，起了頭，定了調。但因為身處在中國史上少見的社會大動盪與思想大混亂的年代，他們的反省留下了許多的曖昧地帶，這個曖昧地帶在一九四九的大分裂後的冷戰時期留下的時空中，逐步地被澄清，被實踐，新儒家的五四運動形貌被突顯了出來。

一九四九流亡到海外的新儒家學者都要面臨人生空前的抉擇，他們要拋開原有的家財、職業、人際網脈，可以說是拋開了一切，到一個充滿不確定的島嶼——很可能就是下一個會被解放的島嶼。五四的問題此時是個生命交關的問題，也是個顧炎武所說的：「亡天下」的問題，他們在去留間，不能不慎重抉擇。如果選擇離開大陸，去了海外，尤其是港臺，這個舉動無異於以行動回應了共產主義的五四新文化運動，也就是拒絕了以高度政治意識型態詮釋的五四新文化運動。

一九四九流亡海外的新儒家學者，如參與一九五八年〈為中國文化敬告世界人士宣言：我們對中國學術研究及中國文化與世界文化前途之共同認識〉的牟宗三、徐復觀、張君勱、唐君毅甚至加上錢穆等人，基本上都肯定五四提出的民主、科學的價值，但對中國共產黨的路線都是否定的。其中一個否定的理由乃是拆解五四新文化運動與共產黨的關連，認為共產黨的成功恰好是對五四新文化運動的背叛。在共產黨統治地區，民主、自由不再可能。新儒家在這點上和當時流亡海外的自由主義人士如胡適、傅斯年、殷海光等人的立場是一致的。相反地，同樣反共的中國國民黨卻不時有不同的判斷。國民黨由於在大陸和新文化運動人士的緊張關係，也由於在臺灣採取以專制對抗專制的策略，這個政黨對五四新文化運動此一符號的判斷遂不能不與新儒家與自由主義者都有差異，這個如驚弓之鳥的政黨始終對「運動」懷有戒心。

國民黨在五四運動發生之後，也曾是五四的受益人，但一九四九之後的國民黨雖然還承認五四文藝節的存在，對五四基本上是相當反感的，當一九五〇年代國民黨實施改造運動時，如何反省大陸失敗的經驗，如何確定國家未來的走向，一直是有爭議的，當國民黨確定走威權路線時，它與五四的關係即不可能不處於緊張的狀態。由於新儒家一直認為和國民黨合作以抗共產黨，乃是現實上唯一可行之路，所以對於國民黨與蔣介石的批判一向甚溫和，其實當時的自由主義學者也曾經抱持類似的想法。但國民黨和五四的緊張關係是確確實實的，新儒家對五四確實也有批判，但其著眼點不同，不可混為一談。國民黨後來會走向民主化，和五四新文化運動的關係重新和解，則是另一個階段的事。

共產黨員視一九四九共產主義革命是百年來中國歷史的目的地，是五四運動的瓜熟蒂落。但從新儒家的觀點看，一九四九的革命既反中國傳統，也反現代西方傳統，這種反不是超越，而是背叛。一九一九年五四運動之後有共產主義的流傳，這樣的思潮並非歷史必然的發展，只能是支流。由於共產主義的一些核心價值如平等、重農、人的社會性等等原本也存在於原始儒家的教義，新儒家當然也很肯定這個層面的社會主義，第一代的梁漱溟、熊十力無庸再論，徐復觀的生命情調與理論主張背後的社會主義情懷也很明顯。張君勱創立的政黨名為「中國國家社會黨」，後又改為「中國民主社會黨」，憲政的社會主義始終是他的重要關懷。連新儒家學者中帶有極濃形上學思想的牟宗三其實也有社會主義的論述，晚年同樣肯定除了列寧式的社會主義之外的社會主義都有可取之處。一九四九兩岸大分裂的主要對峙力量從政治上說來是國、共兩黨，但從理論意義的觀點著眼，也可以說是中國馬克思主義與新儒家。牟宗三生前曾自言他才可以代表北大，代表五四的精神，這種話語有它的依據。

我們反思從戊戌時期直至今日的儒家對新文化運動的理解，基本上會認為它是一個口號正確但基礎需要強化的運動。海外新儒家對五四運動所代表的中國現代化的工程，有個著名的規範性的定位：「返本開新說」，「返本開新」說可以視為百多年來儒家學者共同接受的思考模式，雖然大陸時期的新儒家學者有此義而無此詞。「返本開新」說是新儒家之所以為儒家的分析命題，一個不能在儒家傳統內找出思想源頭或思想因素的主張即不可能是儒家的主張。新儒家的「返本開新」說和中國馬克思主義者的面對未來「去本以開新」，固然成了尖銳的對照；和自由主義者主張的民主與傳統不相干說——至多是弱勢的相干說，其定位也大不相同。我們且以一九四九之後的海外新儒家之說略加說明，作一了斷。

新儒家對民主、科學的態度，採取的是「返本開新說」，此說最著名的代表是牟宗三的「開出說」，亦即由儒家思想內部開出民主、科學來。「開出」一詞無疑地預設了民主、科學已內在於儒家思想內部，所不足者，只是發芽成長的時間問題而已。「開出說」一詞指向了開出的主體，但這種開出的主體到底是一種如同黑格爾的絕對精神？或是一種如同《中庸》、《易經》的翕闢不已的道體？還是一種牟先生曾讚美過的《大乘起信論》的「一心開二門」的「一心」？答案可能不是那麼確定。牟宗三無疑地承認本體宇宙論是合法的學說，這也是他一貫支持《論》、《孟》與《中庸》、《易經》是一個系統的兩個方向的理由，他在渡海以後寫外王三書時，也是他對黑格爾的歷史哲學興趣正濃的時候，因此，他此時運用了黑格爾的理論，並沒有說不過去之處。但本體宇宙論的思考不是典型的牟宗三的思考方式，孟子學、陽明學的良知才是，這種攝所歸能，依能為世界立法的思考在新儒家學者中，牟宗三表現得特別地清楚。牟宗三一直強調新外王時期需要將理性的縱貫呈現表現為理性的對等表現，這似乎也可視為一種「開出」。無論何種說法為準，牟說的理據皆是依賴無限心的本體作支柱的。

然而，「開出說」也不一定要以形上學的立場闡釋，「開出說」也可以是歷史的敘述，「開出說」意指在中國文化的體系下，原本即已孕育了民主與科學的因素，後因故——主要指滿族統治的文字獄後果——發展受阻了。一旦時機來臨，敗芽枯種仍會重新萌發。新儒家學者都強調明末儒學在中國現代化工程上的意義，他們都強調現代政治該有的一些規範在明末三大儒的著作中，不時可見，如君王制度的批判、道統與政統的對分、中央與地方的分權、法的客觀意義等。新儒家和中國馬克思主義者都認為五四新文化運動是未完成的革命，但他們賦予的「未完成」的內涵不一樣。他們也相信五四是前有所承的，新儒家始終相信民主與科學有主體論的根源的，這種前五四時期的良知學精神賦予「民主」、「科學」的概念更充沛的內涵。新儒家的「開出說」一直有心性的與歷史的兩個面向，心性與歷史可說是一體的兩面。

徐復觀說：孔孟如生於今日，宣揚教化，也一定是以民主自由為主要的內容，論中國文化而接不上這一關，便不算了解中國文化自身的問題。「欲融通中西文化，首先必須從中國已經內蘊而未能發出的處所將其迎接出來，以與西方文化相融通，這是敞開東西融通的一條可走之路。」[30]通過中國文化自身的體質，在中國文化自家的土壤尋求科學、民主的種子，一向是新儒家自任的職責。新儒家這種尋求中國現代性的自家根源的方法在域外漢學處並不陌生，最有名的是內藤湖南、宮崎市定師徒所提的唐宋變革說，[31]此說以宋代為近世中國之始，這樣的近世中國具有儒紳社會、平民社會的特色。如果我們再將宋代學術乃是力挽唐代佛教文明由超離轉向入世的關鍵，則現代性的中國源流說更容易理解。新儒家對五四運動有批判，但他們的批判不是否定，而是一種打通，一種銜接。現代當今的「民主」一詞誠然是老詞新義，它是democracy一詞的中國化身。[32]但民主既然傳入中國，就很難逃脫與中國古老的民主理念產生有意義的對撞並產生新的連結。民主不能沒有民族的風格，誠如徐復觀所說的：「基於此立場所作的對於五四運動的批評，乃是五四運動向前的發展，文化運動向前的發展。」[33]

從新儒家的觀點看，五四是個未完成的運動，五四提出的民主與科學這兩個來自近代西洋文明的概念在當代有確定的內容，也有體制性的可供檢證的實踐步驟，這是無法迴避的。新儒家的「返本開新說」，不管是採取形上學或歷史學的解釋，都不是主張從儒家之體直接開出當代的民主、科學之果出來。恰好相反，新儒家學者一直很大氣地承認：現代的民主制度與科學精神都是儒家傳統缺乏的，但確是儒家所欲的。牟宗三認為：民主制度的出現雖源於西方，出於階級鬥爭後的產物，這是它的生因。但民主制度一出現即帶有普遍的意義，不受生因的歷史條件的限制。牟宗三堅信：民主政治乃是「新外王」的第一義，建立在「攝所歸能」的主體之上的民主，才是真正的理想主義。民主政治為理性主義所含蘊，他甚至帶點福山假說的口氣道：「憲政民主式的政治型態便是最後的型態了。」[34]我們有理由相信：五四新文化運動的目標，尤其是民主的實踐，是在一九四九中華民國南渡臺灣後初步完成的。

---

30 徐復觀，〈為生民立命〉，原刊於《人生》，七卷二期（一九五四．〇一），收入《（新版）學術與政治之間》（台北：台灣學生書局，一九八〇），頁二八一。

31 內藤湖南提的唐宋變革說是中國史的一個大命題，滋乳之說甚繁，一篇較完整的評介參見張廣達，〈內藤湖南的唐宋變革說及其影響〉，《史家、史學與現代學術》（桂林：廣西師範大學出版社，二〇〇八），頁五七—一三三。

32 漢字「民主」一詞固然不是新興語彙，但現代流行的民主概念，參見陳獨秀，〈《新青年》罪案之答辯書〉，收入吳曉明編，《德賽二先生與社會主義：陳獨秀文選》（上海：上海遠東出版社，一九九四），頁九七—九八。江宜樺，〈五四運動一〇〇年後的德先生〉，《傳播研究與實踐》，九卷二期（二〇一九．〇七），頁一—二四。

33 徐復觀，〈歷史文化與自由民主——對於辱罵我們者的答復〉，原刊於《民主評論》，八卷十期（一九五七．〇五），收入《（新版）學術與政治之間》，頁五四〇。

34 牟宗三，《時代與感受》，收入《牟宗三先生全集》，冊二三，頁四〇八。

七、結語：仍進行中的民主建國

一九四九是獨特的歷史時刻，它差不多中分二十世紀。往前，它凝聚了二十世紀三大革命的意義於此年十月一日以及十二月七日，民國史上兩場未完成的革命：辛亥革命與五四新文化運動的意義在此年與共產主義革命—國府渡海南遷事件匯聚在一起，兩條不同意義的「民主建國」的實踐途徑就此展開。從此年的十月一日起，共產黨人要在他們新征服的土地上具體兌現他們對共產主義革命的承諾，而從此年的十二月七日起，國民黨人要在他們相對陌生的島嶼上補考他們對辛亥革命的理解。時序進入二十一世紀，臺灣的政局發生了第一次的政黨輪替，兩岸的情勢大變，一九四九兩岸分裂事件又面臨兩股不同方向的新趨勢的挑戰，一是此岸的臺灣民族論的本土論，一是彼岸的中國和平崛起此世界史意義的事件的挑戰。

「民主建國論」的語言是新儒家提出來的，它用於解釋儒家在二十世紀後重要的使命。但這個概念也可以視為二十世紀中國主要政黨與政治思想的共法，辛亥革命為的是民主建國，五四運動的目標也集中在「民主」的口號上，孫中山的三民主義後來變成中華民國的建國方略，毛澤東的新民主主義則被視為新中國的建國藍圖。在民國重要的概念群中，「民主」、「科學」並列，但「民主」由於牽涉到人群的構成原理，它與人的存在的基本性質更為相關，因此，這個概念在理論上的優先性以及在歷史上發揮過的作用，都顯得更為突出。

一九四九年之前，「民主」的口號雖然已滿天作響，動盪的時代卻容不下從容實踐的空間。對於一九四九之後的島嶼的民主實踐，筆者借用新儒家的「民主建國論」的主張以述其義。新儒家的「民主建國論」常以「民主開出說」的面貌顯現於世，新儒家的「民主開出說」可採心性論的講法，心性主體坎陷為政治的主體。但「民主開出說」也可以是個歷史的解釋，至少是歷史哲學的解釋。因為新儒家學者在宋明理學六百年的思潮中，發現到一種想要衝破專制政體的內在要求，他們在以民為主的理念與君王專制極權的現實糾纏難解，兩重主體性的矛盾一直是困擾這六百年來儒者內在極大的困惑。學者在明末的顧炎武、黃宗羲、王夫之的思想上，看到更具體的綰結儒家與民主關係的努力，新儒家竭力奮鬥的思想血跡斑斑可考。晚明時期，儒家內部的民主焦慮症發展到了高峰，黃宗羲的《明夷待訪錄》、王夫之的《黃書》，我們或許還可加上唐甄的《潛書》三書，可視作封建中國長期焦慮症的診斷書。但因一場突發的歷史劇變，滿族入關，關閉了所有的歷史可能性，儒家的民主沒有發芽成長的歷史條件。這種困局只有等到民國建立，五四發聲，歷史條件俱足了，已槁之木乃得重新成長。

從新儒家的觀點看，中國原本即有實行民主制度的需求與社會條件，宋明儒者對此的反省已累積了相當的資源。現在當令的民主與科學雖然確實是源自西方，但卻是儒家所欲。學習本為聖人所重，《論語》、《荀子》開卷的開宗明義皆始於學，中國接受民主與科學制度絕無損於民族的尊嚴。歷史思想總是在發展，文明總是在調整，各民族總是在相互學習的，中國在二十世紀，不能不作現代化的轉型，接受西洋現代文明結晶的民主制度是極自然的事。另一方面，作為世界極古老而連續的文明場域，一個在中國土地上運作的民主制度，不可能不帶有中華文化的風格，這種中華文化風格面貌的民主制度不只是民主制度落實在中華文化地區的產物，也是中華文化對民主制度的補充甚或修正。中國傳統原本即有相當多有利於民主的因素，新儒家的「民主建國論」主張毋寧說是兩種現代性的結合。

新儒家雖然始終堅持民主制度是儒家所欲，但同樣始終堅持、甚至更堅持只有民主制度不可能實行真正的民主。民主是整體人生活動中重要的一環，民主提供了實踐的框架的形式，但文化作為風土總體稱呼的民主功能一樣不可少。文化是人生的具體的生活世界，它需要民主這個框架，卻也可以支持這個框架。如借用以撒・柏林（Isaiah Berlin）有名的「消極自由」（negative freedom）與「積極自由」（positive freedom）

之分，新儒家認為民主與這兩種自由都不可分。相對的，自由主義者如張佛泉、殷海光則主張兩者不相關，最多只是弱勢的相關，引進兩者入民主制度，即是混用了兩者的功能。兩種自由與民主的爭辯，乃是一九四九後發生在臺灣這塊島嶼上的重要事件。[35]

在一九四九之後發生於臺灣的民主、自由之辯之所以可以有意義地辯論，乃因道德與自由這兩個概念在當時的自由主義者眼中，已不是矛盾的語彙，而是相不相干的問題。新儒家學者當時的辯解，我們如果引進霍耐特（A. Honneth）的「社會自由」（social freedom）的概念，更足以顯示「消極自由」的自由只預設「個體」的終極價值的立場是不足的，一種沒辦法和主體產生連動的外在性理念無關於精神的表現；但一種純粹內在性的道德意識的表現，同樣也拙於解釋內在性的道德意識與社會價值的銜接問題。「社會自由」的概念來自於黑格爾的「承認理論」（theory of recognition），「承認理論」預設了主體之相待性質，關係當被視作主體構成的成分。主體的自由性質要個人在具體的社會脈絡中因應著具體的社會機制：家庭、市場、國家，「使個人在其中能夠以規範規則互動的方式與他人共同感受相互承認的體驗」。[36]因此，一種無法將「關係」帶進主體建構中的主體理論，原則上就是不夠圓滿的模式。新儒家所講的自由其實比柏林所說的還要廣，它包含了「關係」在內。唐君毅、牟宗三強調「感通為用」，在體用一如的原則下，已意味著主體與生活世界的連帶。徐復觀雖不太談思辯的理路問題，但人的「社會性」確是他的人性思想的核心，社會性既然內在於人的本性，則自由自當包含「社會自由」在內。

本書在前面的章節中論及情境主體論、文化的本體論、支援意識的個人知識論等處，都可與「社會自由」說相互詮釋。本書始終認為新文化運動竭力提倡的民主、自由之說，固然不能脫離個體性的因素，個體性即以主體的判斷顯示之。但放在政治的領域，個人性的主體要參與到文化的主體上去，並由文化的主體湧現上來，在這種參與湧現的過程中，聯繫社會整體的語言、文字、習俗、共同感覺等即蕩漾於群體的人士當中，文化傳統的性質先於主體的顯現。

新儒家面對一九四九這場悲壯的歷史劇，他們主要做的工作就是疏通中國文化與民主之間的糾結。他們與自由主義者辯，與共產主義者辯，主要是強調「民主」有中國現代性的因緣，不能斷了本土的線索。他們與國民黨辯，主要是強調民主清單中的人民權利法條是不能迴避的，它們是構成可供運作的民主體制的內涵，「民主」不能詭辯。他們主張不同意義的「開出說」，但他們也知道「民主」與「開出」這兩個概念間的隔閡。所以他們除了同樣宣揚民主的理念外，他們還花了很大的精力作概念的疏通的工作：兩重主體矛盾說、隸屬格局與對列格局說、理性的運作表現與理性的架構表現說、政道的民主與治道的民主說、民主建國論、中華文化的必然表現說、倫理本位職業分途說等等。他們對民主理念的疏通不但遠超過前代的文化傳統主義者，即使與同代的自由主義思想家相比，他們事實上提供了毫不遜色的理論資源。

一九四九之後的民國與共和國隔海而治，「民主建國」的百年渴望終於有了可以實踐的空間。透過「民主建國」的理論模式，我們可以較為合理地檢證兩岸分治的成績。一九四九之後兩岸「民主建國」的工程大

35 爭辯的雙方主要即是徐復觀對上殷海光與張佛泉。三方論戰的資料參見殷海光，〈政治組織與個人自由〉，《自由中國》，十卷二期（一九五四．〇一．二三），頁五七—六六；殷海光，〈自由日談真自由〉，《自由中國》，十卷三期（一九五四．〇一．二三），頁八八—八九。徐復觀，〈自由的討論〉，原載《民主評論》，五卷六期（一九五四．〇三．一六），收入《徐復觀雜文三．記所思》（台北：時報文化出版公司，一九八〇），頁一九三—二〇五。張佛泉，〈亞洲人民反共的最終目的〉，《自由中國》，十一卷二期（一九五四．〇七．一六），頁三七—三九。另見，李明輝，〈徐復觀與殷海光——當代新儒家與中國自由主義的爭辯之一個剖面〉，收入徐復觀學術思想國際研討會執行委員會編，《東海大學徐復觀學術思想國際研討會論文集》（台中：東海大學，一九九二），頁四九一—五二二。李淑珍，〈自由主義、新儒家與一九五〇年代臺灣自由民主運動：從徐復觀的視角出發〉，《思與言：人文與社會科學期刊》，四九卷二期（二〇一一．〇六），頁九—九〇。

36 霍耐特（A. Honneth）著，王旭譯，《自由的權利》，頁一〇八。

體可分成兩個階段，大約從一九四九年到一九八七年，中華民國朝野經過長年的磨擦、抗爭、整合的過程後，終於解除了多年桎梏的戒嚴體制，一切回歸憲法，政權正當性的問題基本上獲得解決，被長期壓抑的社會生活逐漸地展現豐富的面貌。我們終於可以比較清晰地看到辛亥革命、五四新文化運動提供的「民主」之真面目。如果歷史可以和平地穩定發展，民主制度很可能以後即會成為中華民國實質的內涵。

大約同一段時間，共產中國也開展了它承諾已久的新民主主義路線：三反、五反、公私合營、大躍進、人民公社，一一出臺。這條路線的實踐發展出了文化大革命，文化大革命成了一九四九共產主義革命重要的象徵。文化大革命的價值意義基本上已被當代中國否定了，但如果沒有新民主主義的階級史觀、鬥爭哲學、唯物思想作支柱，文化大革命恐怕也無從興起。革命不是請客吃飯，革命總有暴力，但歷史上發生的暴力之大、暴力之深、暴力之理直氣壯如中國共產主義革命者幾乎絕無僅有，這樣的現象不能不發人深思。一九四九之後至今為止的前半段，在兩岸分別展開的民主主義與新民主主義實踐的成果如何判斷，後世史家自當有公論。

一九四九的「民主建國論」最難著墨者當是在這段期間的後半段，也就是大約二十世紀末期以後兩岸的政治表現如何評價的問題，這段期間就臺灣而言，大抵可從解嚴的事件開始算起。解嚴開啟了臺灣民主化的大門，臺灣民主化的結果一方面是民主制度的建立，以及一連串帶有社會性力量的新文化之豐富展現；另一方面是「本土化」成為政治論述的主軸，而「本土化」一詞經過一連串的民進黨之黨內及黨外鬥爭的結果，其中的一個涵義衍變為主權獨立以及臺灣民族論的論述。臺灣民族論有一套配套的政治主張，它否定現實的政治秩序，淨化過去的文化內容，建構一個未來的想像共同體。整體說來，即是宣揚脫中國的本土論。

民國新儒家也強調本土文化對民主的實質貢獻，他們和自由主義者爭辯，和共產黨人爭辯，焦點可以說集中在對方忘掉了自家安身處世的本土文化，但他們說的本土文化基本上是由幾千年歷史凝聚而成的華人共通的文化傳統。他們相信老一輩臺灣知識人，也就是由日本殖民時期走過來的抗日知識人，這群說河洛話或客家話的知識人同樣流動著滾熱的中華文化的血液，同樣以中華文化作為文明轉化的基磐。[37]

依照新儒家以及一九四九後臺灣初期的民主實踐的經驗來看，中國文化傳統應當是中華民國的「民主建國論」很重要的成分。但由於兩岸的政治鬥爭，「中華人民共和國」在現實上取得極大的優勢，「中華民國」被壓到世界陰暗的一隅，苟延殘喘。「中國」、「中華文明」、「中國文化」諸詞語被共產黨壟斷，它們失去自性，迅速地「中華人民共和國化」，同時也就迅速地反彈到臺灣，造成「去中國化」的歷史效應。「中國」及其家族語彙（如中國文化、中華民族）在島內急遽地變成了公共生活中的禁忌，即使有識者也是欲語還休，無從說起，臺灣的政治表現遂被捲入難以自已的藍綠鬥爭以及兩岸鬥爭的漩渦當中。如何整合「民主」與「文化傳統」？或者如何判斷臺灣民族論的「去中國化的本土論」與新儒家的「連續中國文化傳統的本土論」，何者才是有解釋力道的「本土論」？恐怕島嶼子民不能不嚴肅面對的關鍵課題。

海峽此岸的「民主建國論」在解嚴後才告初步實現，但一種脫政治中國與文化中國的本土論卻帶來新的問題。海峽彼岸的共和國的政治同一段時期也發生了急遽的變化，但方向極模糊。一九八九年六四民運發生，全世界抵制風潮湧起，歐洲共產主義體系解體、「蘇東波」一發不可收拾。中共的對策則是經濟繼續開放，政治繼續抓緊，意識型態無法擺脫，但對傳統文化則付出了較大的善意。從一九八九年以來的三十多

37 參見徐復觀，〈中國人對於國家問題的心態〉，《徐復觀雜文三．記所思》（台北：時報文化出版公司，一九八〇），頁三二一—三二五。海外新儒家（包含徐復觀在內）無疑地都是文化民族主義者，在他們的思想中，難以想像分離主義存在的可能性。但他們的著作對「臺灣獨立」的敏感問題碰觸不多，一方面的原因當是他們生前，「臺獨」並沒有成為可觀的政治勢力；但更重要的原因當是他們了解「臺獨」的思想出自獨特的政治土壤：早期的國民黨戒嚴文化以及共產黨的新民主主義實驗都頗令人失望，現實的中國構不成認同的理由。徐復觀此文最後的結語：「至於進一步的政治問題，我是決不去參與討論的。」結語即顯出他深層的無奈。

年，中國與世界的局勢大變，世界範圍內的民主風潮急速地退潮，阿拉伯世界與第三世界的各種顏色革命，幾乎都以想像開端，以悲劇收場，民主制度受到極大的挑戰。中共則經濟驚人發展，一帶一路無疑是全球強權格局的布局，總體國力的成長飛速奔馳，中國的治理模式彷彿已成為另一種價值的代稱。「民主」仍是當今共產主義中國核心的價值理念，但共和國的治理技術到底與民主是什麼關係？共產主義核心價值的民主到底在法的規範下該如何運作？它與所謂的「優秀傳統文化」又是什麼關係？此事真是費人思量。

海外新儒家主要活動的期間，早於蘇聯集團瓦解、八九民運發生時，也早於「臺灣主體性」成為片面發展的年代。他們沒機會親睹二十一世紀世界局勢急遽的變化，也沒機會看到歐美民主政治面臨到嚴峻的危機，歐洲國家落入冷戰結束後空前混亂的狀態，恐攻四溢，民粹當道。美國在共黨集團倒臺後的一連串民主輸出幾乎都是負面的結果，美國本土的表現也距離古典自由主義的理想越來越遠，「歐美民主」一詞已是退神的符咒，召喚不了第三世界國家人民的擁戴的熱情。在歐美民主模式退潮的情況下，各種的「新民主」紛紛競起，新加坡的模式、蘇聯的普欽模式、菲律賓的杜特蒂模式一一出臺，而且人民的擁戴之聲都不弱。其中最具規模的自然是中國模式，習近平已有了思想，也有習近平思想研究所，該怎麼理解呢？

縱然世局詭譎變化如斯，但筆者相信新儒家學者不會減低對民主建國的信心，基本的判斷標準也不會改變。問題還是要回到新儒家的民主圖像，以及他們對「中華民國」理念的理解。[38]一九四九以後的新儒家形構了另一種的民主圖像，這是一種嫁接西洋現代性與中國現代性的模式。他們相信民主制度的普遍有效性，但我們不妨再重述一遍，普遍有效性不是抽象的有效性，它要建立在該地的文化風土以及公民良好的倫理性主體上。民主的有效運作不能脫離民主清單的設計，但不能單靠民主解決，它要有更廣闊的基礎，中國的儒家價值體系正代表博厚深潛的坤土文明。從這種觀點看，新儒家持的民主論，可以說是批判的民主論，也可以說是在文明融會的過程中顯現的辯證發展的民主論。他們（也可以說是我們）對一九四九後兩岸的民主建國工程的評價，不可能脫離這條規範的紅線。

38 無疑地，當代西方世界甚至全球都出現了民主倒退的現象，但這種現象不是在今天才出現，第一次世界大戰時已出現過，二十世紀三〇年代全球的法西斯主義思潮又是一個顯赫的反民主的例子。反民主的聲音在任何時期都出現過，但誠如牟宗三批判的：不該將文化的問題和民主體制的問題混淆一起。民主制度誠然很脆弱，但新儒家認為它雖然是歷史性的事物，但歷史中出現的事物因為符合由儒家性善說理論轉化出的所有個體平等的民主原則，所以原則上這種制度就很難被取代。

結論

在中華與臺灣共生的基礎上

自己身處其境的國家會成為思考的對象，這樣的議題是頗特殊的。但今日的「中華民國」確實備受挑戰，從概念意義到實體意義皆是如此。它明顯地是政治議題，但不會僅僅止於政治層次，它也是與每個人的生存息息相關的切身議題，對筆者而言，也是儒家無法迴避的時代課題。儒家的現實感特別強，每個時代的重要議題幾乎都是那個時代的儒者關心的議題。西周的制禮作樂是周公關心的重要議題，東周的仁心仁政是孔、孟關心的重要議題，北宋的內聖外王議題是周、張、二程的核心關懷，清末的立憲變法是康、梁關心的議題，一九四九之後的民主建國是港臺新儒家的核心理念。對渡海來臺那一代的儒者而言，民主建國是在中華民國的架構下進行的，但中華民國在當代所面臨的最大挑戰就在中華民國理念的證成本身。

中華民國百多年來的歷史相當坎坷，如我們以一九四九為界分成兩個階段，它在前後兩階段都遭受強烈的質疑，都有不同政治路線的團體提出了不同定位的國體，想取而代之。這兩階段的挑戰都是革命性的，雖然經由不同的手段，軟硬訴求的強度也不同，但都以奪取政權為目標，以不同奠基基礎的國家作為價值定位的座標。本文即以這兩個階段的兩種不同路線的競爭之藍圖再綴數言，以束收論述，總結全書。

中華民國成立後的前三十八年，根基相當不穩，歷史際遇也特別壞，烽火不斷，內外交困。這個國家連著催生它的辛亥革命一起被共產黨人視為是不徹底的，過渡性的，它只有歷史中繼站的價值。在後七十年，它又被獨派人物視為與本土不相干的外來種，它最多只有強撐門面的作用，島嶼早晚要回到它非中國或去中國的本來面目。這兩種主張都提出了代替方案，前者即是中華人民共和國的國體，後者雖然無法以實體的面目出現，但只要對政治稍為關心的人，對其想像共同體的臺灣共和國的主張應該不會太陌生。

一九一一年，中國發生了武昌起義，中華民國是上世紀第一個辛亥年一場起義事件的成果。革命是《易經》的老名詞，但現代的用法也混雜了外來的內容。「revolution」譯成「革命」一詞，乃是清末借自日本明治時期的漢譯。[1]依據網路索引劍橋英文字典的解釋，革命（revolution）意指經由非常的管道，改變了政治運作的模式，通常使用了武力的手段。這本字典的解釋符合我們日常語言的用法，革命是撕裂，是斷層，沒有徹底的決裂就沒有新生。如果辛亥年這場起義算作革命，而中華民國真的是革命之子的話，那麼，本書要尋找中華民國與它所依託的中華大地的文化傳統的關係，將非常辛苦。因為辛亥革命常被視為不徹底的革命，它的決裂不夠深刻，所以需要更基進的革命幫它補足功課。

中華民國是亞洲第一個民主共和國，它也是古老的中國文明中出現的第一個民主體制的國家，它的革命性質應當是很難否認的。構成中華民國這個國體的理念來自於非傳統的域外因素：公民、民主、憲法、三權（五權）分立等等，這些概念在新中國誕生前的十九世紀末葉，在美國、法國、英國等國，應當已是百姓日用而知之的概念，但已被堅船利砲羞辱了半世紀的大清臣民顯然還是無法肉身實感地知道這些陌生的語彙到底傳達了什麼樣的內容。辛亥革命如果不是一場代表決裂的政治行動，我們就很難理解何以在民國成立之後的幾次帝制復辟行動（從袁世凱稱帝到溥儀的滿洲國）中，都還有些學問與人品風評不惡的漢人參與其中。如果沒有一種與「三綱」之類的文明體系之決裂，價值世界成了真空，即不會有老仕紳參與復辟之事。我們解釋梁濟或王國維自殺的著名事件，如果沒有革命與傳統價值觀的決裂作為背景，也就不太容易了解他們何以要以身殉「道」！

但革命也許不一定要解釋成徹底撕裂的暴力行動，誠如梁啟超指出的revolution不一定要解釋成易姓流血之事，它也可以是效法天道無時不變的「人事淘汰」之義，更恰當的翻譯是變革。[2]《易經》有上兌下離

1 實藤惠秀著，譚汝謙、林啟彥譯，《中國人留學日本史》（北京：生活．讀書．新知三聯書店，一九八三），第七章〈現代漢語與日語詞彙的攝取〉，頁二八三、三三〇。

2 梁啟超，〈釋革〉，收入張品興編，《梁啟超全集》（北京：北京出版社，一九九九），冊二，卷三，頁七五九—七六一。〈釋革〉此文寫於一九〇二年，顯然有為清廷的立憲變法之議張目之意。

的〈革卦〉（䷰），此卦彖辭說：「天地革而四時成，湯武革命，順乎天而應乎人」。〈革卦〉是中國革命說的重要經典依據。「天地革而四時成」，天地變革，四時代序，各季之間沒有決裂的時刻。易之為道也屢遷，但遷是從彼地到此地，有先後銜接的推移，道的運行與其說是徹底撕裂的新生，不如說是新舊遞進的變革。湯武革命固然是武力暴動，但他們的武力暴動仍有「順」、「應」的銜接構造。他們要效法天道運行的軌則，也要呼應人事的要求。武王伐紂是革命，但此場革命，仍有商湯伐桀的前例可尋，一種或隱或顯的「天命有德」的政治理念依然是兩場武裝行動依循的依據。

從「革命」不一定指向決裂，而是指變革，我們對辛亥革命的性質可以有更貼切的理解。辛亥革命這場革命的性質常被認為不夠徹底，決裂的藕斷絲連，它的不徹底性好像也有相當的共識。比如原本在清末勢如水火的兩股造反運動：革命派與君主立憲派，民國一成立後，「驅逐韃虜」馬上變成「五族共和」，民族革命的核心概念可以調整。連民族主義情感甚濃的章太炎在更早的時間撰寫〈中華民國〉解時，即主張中華民國是文化傳承累積而成的。而原本的君主立憲派在幾次的復辟行動中，卻為搶救中華民國而努力，君主制也不需堅持了。更明顯的，中華民國的成立即是革命派與立憲派合作的產物，革命軍的武力部隊沒有像美國的獨立戰爭或後來的中國共產黨的一九四九革命一樣，與舊勢力打過轟轟烈烈的仗。相反地，促成大清王朝瓦解的臨門一腳是當時各省的紛紛響應，宣布獨立。而參與其事者，雖有新軍，但也多前清的舊仕紳，他們多是清末立憲派的同情者。

辛亥革命的不徹底，最好的對照還是發生於二十世紀中國另一場革命，一九四九年的共產主義革命。二十世紀中期中國發生的這場革命的性質即相當徹底，它要與以往的中國史或人類的歷史劃清界線，劃分得相當果斷。它的革命行動更是血淋淋的，從紙墨煙硝到武器批判，從文化戰爭到軍事戰爭，極暴力之極致，沒有哪個細目是含糊的。而且廣大的農民階層在中共的解放戰爭中被動員了起來，這場革命動到了舊社會的底層。國共內戰的幾場著名戰役：遼瀋戰役、平津戰役、淮海戰役，其規模之大、死傷之慘，比起八年對日抗戰的格局，都不遑相讓。即使和以戰場規模著名的二次世界大戰的大戰役來比，也都是驚人的。

相對於共產主義革命的轟轟烈烈，辛亥革命的不徹底不言可喻，但不徹底性如何解釋，大可商榷。共產黨人說辛亥革命的不徹底性，真正的重點還不在手段激不激烈，也不在它沒有徹底洗清頑固分子，而是革命黨人囿於資產階級意識，沒有接上無產階級革命的潮流，共產黨人的批判依據特定的史觀而來。但本書認為所謂辛亥革命的不徹底正是它的正當性所在，階級史觀沒有理由當作檢證歷史進不進步的標準。我們與其將辛亥革命解釋成資產階級革命，共產主義革命是無產階級革命，而因為無產階級革命是歷史更高階段的發展，所以辛亥革命只能是不徹底的。本書寧願從另一種詮釋學的角度入手，認為兩場革命所牽涉到的「革命與傳統」的連結不一樣，辛亥革命之不徹底在於參與中華民國成立的兩股政治力量的人物都活在中西混雜的文化氛圍中。他們吸收新的民主理論時，都在吸收中有抉擇，在抉擇中有批判，沒有全面西化，也沒有以俄為師。他們都有自覺程度不等的中西核心概念對接的工程，嚴復、孫中山、梁啟超甚至章太炎都是如此。他們的不徹底其實是反應了一種更合理的現代化方案，他們認為沒有一種脫離各自文明的歷史脈絡的現代化方案，合理的中國現代化方案是中西混合的現代化模式，中華民國不能不是築基於中華文化傳統上的一棟新的政治建築，開國先賢的不徹底恰好有不徹底的正當性。

中國共產主義的現代化方案建立在唯物辯證法的史觀與階級鬥爭的人性論上，經過建政七十年來的檢證，其理論特色與弱點都相當明顯。相對之下，獨派心目中的國家因尚未實現，而且曾長期處在被壓抑的位置，一九八七年解嚴以後才有機會成為公開的主張，此派的主張比較沒有經過嚴肅的檢證過程。如果我們採取同情理解的角度，可以說因為中華民國的主權和它的治權領域有極大的落差，兩岸經過七十餘年的分裂，兩地社會的發展頗為分歧，臺灣人民以「臺灣」作為政治思考的軸心是政治結構與歷史過程交會下的自然反應，獨立的主張有現實的基礎。

理論上講，中華民國在政治意義應該代表中國行使職權，但這種訴求落實下來實踐，在國際上以及海峽兩岸，恐怕都已沒有說服力。即使在島嶼這邊，雖然有相關的法律條文加以解釋國家主權與治權的落差，但中華民國無法執行「中國」該有的權利與義務，它的現實存在依附在臺灣這塊島嶼上，仍是無法改變的事實。我們可以如此設身處地，代為設想。在臺灣意識甚或獨立意識不斷強化的情況下——共產中國對臺政策對這個現象的形成有相當大的貢獻，「中華民國」不免成為告朔之餼羊，一個想像中的共和體國家不能不振振欲躍，躍躍欲試。

但躍躍欲試終究沒有轟轟烈烈地一試，全民沒有共識、兩岸國力懸殊、經濟緊密相連以及國際社會的牽制，這些自然是關鍵因素，但更關鍵的因素可能在於認同的改變這個內在意識的連結此關鍵點沒有建構成功。如果臺灣民族主義的認同形成了，上述這些因素都無法阻擋獨立意識的傳播。暴力的威嚇當然是有效的，但共軍的武力威嚇或許一時起作用，長期看來，反而是獨立意識的盟軍。筆者認為，想像的共同體無法成真，連踏出關鍵性的一步：制憲、改國號、重新入聯合國，步步皆難，還有更根本的原因。原因或許就在島嶼內部，臺灣本身的存在位置以及文化風土規範了臺灣可以選擇的範圍。在這個先行的存在結構以及共產主義體制無法獲得臺灣人民的首肯這兩個前提下，我們可以合理選擇的方案應當是在這兩個前提中間游動。「中華民國在臺灣」的處境相當艱辛，但它或許不是無奈的被選擇，它的意義可能內在於島嶼本身，關鍵的因素在於臺灣風土性的「兩岸性」的事實。

想像的臺獨共同體需要臺灣主體性的建構，這棟建築特別難建。大概任何國家認同或主權的主張都難免踏進難以指實的國民心理的領域，都需要工程輕重不等的想像共同體的設計，臺灣的情況也難免。本書認為臺灣的想像共同體的主張時常迴避特殊的文化地緣政治學的現實，也迴避了臺灣的屬性中有兩岸性的盲點。

本書論本質與關係的性質，提出了「兩岸性」的觀點，亦即我們理解臺灣，尤其要將臺灣提升到主權決裂的門檻時，很難迴避臺灣的「主權」問題都牽涉到兩岸憲法的問題，也牽涉到十三億人與兩千三百萬人民的國家認同重疊的向度。國家認同重疊的問題不是始於一九四九，也不是始於一九四五，它的根源深多了。臺灣的兩岸性可以說是臺灣的時空境遇決定的，一個同時影響兩岸而且具有歷史縱深的問題如要濃縮到島嶼內部自行決定，對岸中國沒有置喙的餘地，這是相當不合理的思考。如果一個想像的共同體無法解決島內意見的紛歧，也無法解套對岸民意強烈的反撲以及國際社會的無從幫助，那麼，這種提案的公共政策的意義就需節制。相對地，「中華民國」再如何不慊人意，恐怕只有它可以發揮一種對共產中國既可對話也可對抗的機制。

解嚴後，強烈的臺灣意識的生起源於對抗一種非臺灣或反臺灣的力量而生，它有強烈自衛的心理機制。這種反面的力量以中國的面目出現，想像的共同體因此不能不出現「反中」的面目。但由於兩岸硬實力的國力的懸殊，如要切割中國，不免需要對外著力，要參與地緣政治的新冷戰體制的遊戲；對內也要著力，需要切割與中國連結的因素。但對外著力的結盟對象是否一定比共產中國有更好的國際上的道德形象，是否真能維護臺灣的安全，爭議都極大。而對內要抗中，不免要有去中的政策。但臺灣的社會和對岸社會分享了共同的文化傳統，臺灣也表現出了極優質的華人文化，文化中國就內在於臺灣內部，就非政治的觀點而言，文化臺灣可以說就是文化中國。文化世界不同於政治世界，它沒有明確的地理邊界。文化政策上去中，往往只造成內部的自我消耗，以至於自我掏空，「去中」與「去臺」的界線難以劃定。從臺灣內部的文化傳統著眼，一個想像的臺灣共同體難以取代中華民國的體制，理由正在於後者比較有可能可以避免對內的自我消耗。

即使從一九四九渡海遷臺後的政治發展來說，中華民國的體制在整個民主化的過程，難道沒有扮演過積極的角色嗎？中華民國在大陸的階段基本上處於戰爭狀態，烽火三十八年（也許可以扣掉黃金十年），戰爭體制不是民主生根的土壤，它當時的民主成績該如何結算，姑且不論。但綜觀戰後臺灣的歷史，從地方自治到中央民意代表全面改選，難道只是本土力量的作用嗎？渡海來臺的外省人物在推動民主的業績上，著力頗深，一般認為在《臺灣政論》出現之前，外省人扮演的反對運動人物的角色可能更重。論及民主建國工程，我們有理由認定這個工程是包含本省人、外省人，全體臺灣人共同奮鬥的結果。

論及民主實踐，還有一個更重要的規範性力量源自何處的問題。中華民國在一九四九年之後，其體制與民主建國的工程不會只有戒嚴法體制這一面，它上面還有更具優位性的憲法。一九四九年終，將憲法帶到臺灣來的國民政府到底有多大的能力甚或誠意實踐憲法，在不同的時期容有不同的表現，也會有不同的評價。但自始至終，國民政府沒有否認民主政治是必然的體制，憲法是最高的權力位階，戒嚴法原則上也只能有臨時條款意義的作用。[3]戒嚴法與憲法的抗爭是臺灣冷戰時期政治運動主軸，而回歸憲法也是早期黨外運動極重要的訴求。評價臺灣民主化的成績，我們當看到反戒嚴法的各種面向。至於在日本殖民時期，中華民國自然無法成為臺灣反對運動人物高舉的旗幟，但如果說中華民國的理念和反對運動人物的生命嚮往有密切的連結，如孫中山之於蔣渭水，梁啟超之於林獻堂，這樣的線索分明也是在的。

如果中華民國與現實的臺灣無法切割，中華民國是臺灣內在的他者；而中華民國和海峽對岸又無法切割——雖然兩種無法切割的面相不一樣，「中華民國」在「臺灣」與「中國」兩個符號間有既踏空也連結的線索。那麼，較好的回應辦法應當是以非共產中國的中國、以臺灣中華一體共生的身分介入對中國的解釋。如果想像中的中國以及憲法中的中國（包含中華民國與中華人民共和國）都少不了臺灣這一塊，臺灣人民在法理上有權利也有義務提出更好的中國的形象。在這種介入的過程中，兩岸互動的主軸未必是國體對國體，也不見得是以兩邊政府的互動成為主軸，有可能是人民對政府的互動、對抗、轉化，以期成為邁向更好的中國。一個強大的中國共產黨政權可能不太畏懼外部的打壓，到底它有同時對抗美帝、蘇修的歷史經驗，外部的打壓反而有可能成為政權正當性的保護傘。但政局演變至今，它已無法壟斷人民對中國的解釋，一個無法關起門來的中國政權首先要面對的，就是已融入世界的人民的聲音。

中國如果有政治中國，也有文化中國；臺灣如果有政治臺灣，也有文化臺灣，在現實的政治兩岸窒礙難通的情況下，文化中國與文化臺灣如果可以共通、共享、共生，並形成有機的連結，兩岸人民未必不可找出共通、共享、共生的政治中國的結構。現象學意義的生活世界是政治世界、經濟世界、宗教世界等等的基礎，在現實的模態上，政治議題往往主導了共同體表現出來的形貌。但在理想的層次上，生活世界的調整作用應該有更基礎的地位。兩岸如果不想訴諸於最糟糕的武力解決，「中華民國」是不可繞過的連結。

中華民國出現於世至今，已一百多年了，它的內涵出現了極大的變化。但綜觀它的前三十八年在大陸，以及它的後七十二年在臺灣，我們都發現它所提供的理念價值還是無法被取代的，它既照應了中華文明內在的發展方向，也可回應一個現代化的民主格局。脫離了中華民國，不論是中華人民共和國，或是未成形的臺灣共和國，都很難兼顧到顯層的政治世界與底層的生活世界之總體面向。而且在現實的運作上，根本無法形成良性的互動的模式。從中國文明的觀點出發，我們沒有理由接受以馬克思—列寧—毛澤東思想作為統合中國儒、釋、道三教文明的機制，也難以接受不以定期的人民選票檢證的黨國體制作為中國政治的原理，民族的虛無主義蘊藏在現實的共產黨的黨魂裡。我們也沒有理由期待一個更好的臺灣是可以迴避和彼岸人民的互

3 在一九四九兩岸分裂的時局中，新儒家所以選擇中華民國，這是一個重要的理由。唐君毅先生說：「在根本原則上，國民黨與國民政府，却最後並未改變要實現民主憲政的理想，亦始終未把其政治的基礎只放在一階級上，並始終要想延續中國之歷史文化。總而言之，即始終要建立一中華的、民族的、民主的國家。這個原則的方向，並莫有錯。」這段話可以代表當時支持國府人士的觀點。參見唐君毅，〈百年來中國民族之政治意識發展之理則〉，《中國人文精神之發展》（台北：台灣學生書局，一九七九），頁一七五。

動共融而成立的，面對事關雙方的爭議的合理態度不是退回到封閉的自家圈子裡的自我證成，政治總是從現實的結構出發。健全的主體是因汝—我的結構而生成的，臺灣海峽應該是供民運航行而不是供軍艦交火用的。

上述所說兩個「沒有理由」都建立在一個共同的基礎上：兩岸的地理位置、歷史際遇與人口結構形成一個既存的構造，它先於主體而在，並浸入主體。它是既存之有（Vorhabe；fore–having；先有），既存之見（Vorsicht；foresight；先見），既存之掌握（Vorgriff；fore–conception；先行掌握），這些既存復既存的因素是島嶼作為（as）文化意義的臺灣的先行構造，先行構造也可以說是作為構造（as–structure）。[4]它先於個體而存在，它是Dasein，是現代意義的天命。Dasein不是政治領域內特定政治主張的議題，而是所有的人的存在論的前提。雖然新的歷史機制形成時（如民主制度已大體完善地建立時），舊時的天命或許不足畏，既有結構同樣沒有理由不能打破，再加以重組。

新的歷史要求（如民主制度）和舊的文化結構如果衝突，當事者沒有理由不捨棄舊的結構而追求新的天命，美國的獨立不就是美國人民接受新的天命的產物嗎？暴力（武力）是歷史的工具，反思臺灣史，鄭成功驅逐荷蘭，施琅終結明鄭，日本攫取福爾摩沙，國府光復臺灣，哪一樣不是靠武力打破「維持現狀」的？問題是：改變現狀一定要用武力嗎？武力之所得與所失要如何衡量？更重要地，新天命與舊天命之間是否一定是斷裂的關係？有沒有可能兩者是相互支持、深層轉化的因素？

沒有力量的介入就不會有現狀的改變，這點是可以確定的；而不管從現實或從哲學來說，沒有持續不變的現況也是可以確定的。但既然兩岸彼此都沒有任何機會不涉入彼此，而武力解決又是下策中之下策，或許我們可以考慮前文所說《易經》〈革卦〉帶來的啟示。兩岸人民在今日思考兩岸關係和一九四九年的時代已經大不一樣，當時的國共兩黨無法逃避暴力的武裝鬥爭。共產主義作為歷史發展五階段論的終極型態曾被視為必然性的真理；產權被視為人類自私的原因，它與舊的經濟結構結合，早晚是要被解消的；人性的構造是經濟構造的反應，沒有沒階級意識的人性等，這些強烈的經濟決定論的意識型態加上武裝鬥爭的路線，我們很難想像不同的政治體制和平共存的可能性。

但上述的「必然性」的圖像在新時期的改革開放政策實施後，怎麼可能還有強大的說服力？治國的意識型態在今日又怎能沒有民意的基礎，革命先鋒隊式的革命在今日不是早該告別了嗎？共產黨常被認為硬核一塊，但經過一九八九年後的蘇東波巨變及鄧小平的新時期時代，中共不是已初步地校正了黨的方向了嗎？如果我們在此暫時接受馬克思主義的觀點，承認下層建築決定上層建築的說法是有部分道理的，中國的社會已累積了相對強大的有機力量，全球化自由貿易的中國已不是小農經濟的中國，難道上層建築的黨國體制不會繼續校正方向，以期符合社會發展的趨勢嗎？在這個動態的過程中，臺灣較合理的選擇或許不是隔著不可能隔離得了的海峽而冷眼旁觀，而是介入潮流，參與潮流，因參與中國而共存且自存。

向西方尋找答案曾被定位為中國現代化的大方向，這個命題有部分的解釋力量。但莊子那個著名的寓言還是值得我們再度反思：對我們行走時，有用的土地只有足下那一塊，但如果沒有廣闊的大地作支撐，我們連第一步都踏不出去。無用的大地撐起了有用的踐履的每一步，行路者才可以越走越遠，這是「無用之為用」。[5]我們的文化傳統正是「無用」之大地，兩岸人民彼此擁有共通的文化傳統，它已承受了五千年無數災難的考驗，也經歷了這一百多年驚濤駭浪的歷史。我們有理由認定中華民國的成立是中西兩種現代性混合

4　上述所說參見海德格著，陳嘉映、王慶節譯，《存在與時間》（北京：生活・讀書・新知三聯書店，一九八七），第三二節，頁一八一—一八八。

5　參見《莊子・外物》：「惠子謂莊子曰：子言無用」條；及《莊子・徐無鬼》：「足之於地也踐，雖踐，恃其所不蹍而後善博也。」

的結果，它在本質上較健全，而歷史的時機較壞，所以才會被激進的反傳統的武力逼到大陸邊緣的島嶼上去。

本質與機運兩相妨，這是歷史的反諷。但歷史還是有規範的力量，它要回到合理的軌道。如果中華民國的混合現代性的路線沒有不穩之處，反而原來的勝利者需要實事求是，調整路線，我們未嘗沒有底氣在兩岸的互動中作更好的選擇。周雖舊邦，其命維新。而依據儒家的現代化方案，中國政治的調整方向的趨勢還會繼續調整下去，直到兩種現代性方案的有機融合。一旦兩岸都已站立在轉化過的現代化的基礎上，持續民主建國的工程，焉知兩岸沒有能力可以共同創造一個更具人文精神的中華世界，既成就臺灣也成就整體中國。

附錄

島嶼的和與戰：兩種地緣政治學之爭

Geopolitik與其說是國土學，不如說是領土政策，乃至更接近於殖民政策。

——和辻哲郎《風土》1

一、前言：和戰的深層依據

在臺灣的中華民國宣布解除戒嚴，廢除「動員戡亂時期臨時條款」以來，已逾三十年；在海峽對岸的中華人民共和國自鄧小平實施改革開放，並提出一國兩制的政策以來，也逾三十年。比起五〇、六〇年代中共的武裝解放臺灣的強音政策，中共在對臺策略及意圖上顯然更期待一種和平統一的可能性，而中華民國當局既然已廢除反共戒嚴的法律條款，武力解決紛爭的選項基本上已被排除了。但很弔詭地，經過一段兩岸相對和平的時間，最近幾年，兩岸衝突的層級不斷拉高。尤其俄烏開戰以來，臺海會不會是下一個引發國際秩序大亂的衝突點，此事居然已成了國際媒體的熱門議題，也是歐、美、日以及島內許多政治人物不時會提出的議題。兩岸在拆除直接武裝衝突的引信後，目前的處境竟比八二三炮戰的臺海危機之後的任何時段都來得危險。

兩岸的戰爭風險日益加大，但兩岸所以有戰爭風險並非始於今日，而是有更深層的衝突因素，關鍵在於一九四九年發生的共產主義革命。共產主義革命產生了「中華人民共和國」，並將原來的神州舊主人的中華民國趕到大陸邊緣的一座海島上去。「中華人民共和國」是中國史上首次將「階級鬥爭」帶到國家意識型態的國家，這個築基於馬克思思想、列寧主義之上的共產國家提供了一套大不同於原來入主中國、驅逐滿清的中華民國的「中華」、「人民」、「國家」的概念，其建國的工程規模之大、變化之巨不下於中華民國於一九一二年成立時同樣重新打造「中華」、「人民」、「國家」的概念之工程。也就是短短三十八年間，在中國大地上出現的這兩個以「中華」為名的政權已經兩翻重新界定人民與國家的性質。

現代中國這兩個名稱接近的國家卻有差異相極大的國家內容，透過不同的意識型態的眼鏡，它們看到不同的過去，也瞻望了不同的未來，連看到的現實中國也不同。在法理上，它們卻又盤據在同一塊土地上，擁有同一群依主權統治下的人民，也承擔了中華文明發展的目的。但在現實的治權上，兩者的國力相去懸殊，兩方的領土與人民數量呈現巨大的落差。現代中國的變化之激烈，以及兩岸的矛盾之深，都是驚人的。

如果依據一九一一年與一九四九年兩場革命誕生的兩個以中華為名的國家理念，兩岸的矛盾不易有緩和的空間。但這副意識型態的枷鎖在二十世紀最後十餘年因為中共的改革開放以及歐洲蘇聯共產集團全面的崩潰，枷鎖鬆綁了，局勢有了轉機。中共大幅地引進市場經濟，也可以說與資本主義體制有了初步的和解。它一再承諾的民主、自由雖然只是依照自己的定義自我表述，對非中共人士未必有太強的說服力，但多少和西方國家所理解者有了接軌的成分。另一方面，中共又大幅地與傳統中國文化和解，孔孟老莊再也不是封建主義的代言人，魏晉玄學、隋唐佛學、宋明理學再也不是壓在中國人民身上的封建主義之大山，而是民族自信的主要精神來源。鄧小平開啟的新時代無異於一場不徹底的共產主義革命，告別了毛澤東，彼岸共產中國內部的變化為斷港絕潢的兩岸搭了一道可溝通的橋，戰爭似乎不必是唯一的選擇。

一九四九年的共產主義革命除了帶來兩個「中國」的不同政治體制的主矛盾外，它還帶來另一個矛盾，此即它雖然給臺灣帶來四百年來未曾有的國家經驗，臺民的總體意志有了發揚的機制，卻也造成島嶼從未面

1　此為和辻哲郎在《風土》一書結尾處對流行一時的地緣政治學，作了如此的批判。參見和辻哲郎，《風土》，收入《和辻哲郎全集》（東京：岩波書店，一九八九），卷八，頁二三九。

臨過的主權與治權之間的矛盾。一九四九年的共產主義革命的成果是海峽對面的大陸換了新主人，同時，它也促成「中華民國」這個以「中華」為名的政權被擠壓到臺灣來，因而無可避免地產生了「中華民國」與「臺灣」這兩個概念在現實上的一體化。而這兩個概念不論在歷史上或在地理上，在政治層面上或在文化層面上，雖然都很難斷裂，但也都很難一體化。「臺灣」如何名實相符地承擔「中國」該有的內容？這種特殊的處境如何面對？這個問題是歷史帶出來的，不是臺灣內部產生的，沒有一九四九的共產主義革命以及中華民國政府南遷的特別處境，臺灣不會碰到名實不一、又續又斷的特別命運，「中華民國與臺灣」的議題也就可存而不論。但既然碰上了，就不能不面對。

一九四九的共產主義革命在兩岸關係上同時造成了中國－中國、中國－臺灣的雙重矛盾，就後者而言，中華民國與臺灣共生共存是現實的敘述，這個現實的敘述可以視為理念與現實矛盾的一種敘述。名實一致原本是許多哲人提倡的行動準則，包含孔子。為求一致，中國共產黨幾十年來不同的對臺提案都預設了將臺灣納入共產中國的範疇下加以定位，以求一致。但它的提案在臺灣沒有被嚴肅地討論過，也沒發揮多大的作用，其提案是否能解決一九一一與一九四九兩場革命背後世界觀的巨大差異，也很可疑。至於其提案是否有合理的成分，姑且不論。

海峽此岸也有另一種匡正提案，最徹底者即是拋棄中國主權的正名、制憲、加入聯合國，在法理上宣布臺灣獨立，名實不一的窘境一舉取消。這個方案在現實上不易實行，但作為心理的需求在島內卻有相當的作用，對許多人也有相當的吸引力。本文不認為獨立不可以談，也不認為臺灣人民在法理上必須放棄自決的選項，民主政治的基本前提排斥了不准政治選擇的選項。所有的選項都當建立在現實的基礎上，正名制憲的主張當然不是沒有現實的基礎，中國與臺灣的治權之落差即是一個重要的基礎，臺灣如何承擔中國的內容？自一九四九之後，臺灣（臺澎金馬）這個地區在國際上有了一個名為中華民國的國家身分，但一九七一年，它被排擠出聯合國；一九七八年年底，美國與臺灣的中華民國斷交，它現在獲得的國際承認的空間越來越小。但臺灣人民有國家的經驗已七十餘年，保家衛國的國家感是存在的，生命會自尋出路，正名、制憲、加入聯合國的主張自然地會在島嶼的空氣中醞釀。

然而，上述兩個提案都面臨前提的存在另有前提：臺灣第一次有明確國家身分的中華民國的法理基礎以及歷史源頭都脫離不了中國大陸的因素，也不可能和一九一一年的辛亥革命切割。依理性的判斷，臺灣要宣稱擁有主權國家而將中國因素排斥出去的身分，正名制憲的工程不可免，但實質上做不到。如果以中華民國流亡到臺灣的一九四九年十二月七日當主權國家的奠基點——也許這是目前執政黨政府的設想，此設想也有難以克服的盲點。因為一九四九年南遷的中華民國本來即是「中國」範疇下的概念，這個國家的現實即是治權能及的臺灣以及治權無法觸及的中國大陸。由於臺灣與中華民國這兩個概念在現實的存在上既無法同一，又無法分割，所以承認中華民國的現實的妥協方案即會取而代之——華獨式的國家定位即是代表性的方案，華獨以一九四九年作為切割臺灣與中國的奠基年分。但華獨的一九四九防線現實上面臨同樣的困難，在法理上也不易守得住。如果無法正名制憲，華獨式的第二共和之想也不易走得通。[2]在臺灣的中華民國勢必要接上前一九四九的中華民國的脈絡，辛亥革命成立的國體仍戲劇性地為一九四九之後的中華民國所繼承。

時序進入二十一世紀第三個十年，兩岸和談的機制其實見之於兩岸內部各自的歷史演變，局勢如此自然地開展。但很弔詭地，兩岸的戰爭危機卻空前的高漲。眾所共知，兩岸的戰爭危機有兩岸深層的分歧因素，

2　中華民國第二共和之說見於李登輝、陳水扁等政治人物的言談中，此說的內涵並沒有取得一致的共識，但大體可以以完成廢除戒嚴法及國會全面改選的一九八七年作為新的中華民國的奠基年，一九四九年十二月七日的國府遷臺即是第二共和的發軔期。這個完成奠基在臺灣民意基礎上的國家如果被詮釋和前一九四九中華民國沒有法理上的連結，那麼，這個國家即是以臺澎金馬為實體、以「中華民國」為國名的國家，名雖舊邦，其命維新。這種脫中模式不是臺獨，可謂華獨。

可是兩岸的深層分歧中也不少兩岸深層的共享因素。這種分歧與共享的複雜關係竟然無法防止兩岸現實上的戰爭危機，其原因之一，或許是最大的原因，源於中美兩國近年來爭霸的後續效應，臺灣淪為地緣政治下國際強權衝撞下的夾心板塊。由於海峽兩岸的國力相差甚大，自一九四九之後，臺灣的生存不能不依賴國際強權衝撞而留下的空間而活，臺灣特殊的地理位置正好填補了這個空間。美國需要臺灣作為制衡共產中國的棋子，臺灣成了美國防堵中國興起的第一島鏈的一環。自一九四九以來，即是如此，從未改變。最近幾年，共產中國強勢崛起，兩方的衝突愈顯嚴重。

但地理空間的意義也是重層的，列強地緣政治學的地理觀未必是在地人民需要的模式，因為那種地理與真正生活世界所依賴的土地相去太遠。政治總要考慮實踐的可能性，臺灣可以承擔列強地緣政治學引發的風險嗎？如果依理性的判斷，成功的可能性遠比不上失敗的可能性，或者成功要以更大的損失獲得之，這樣的方案的價值就需仔細斟酌。馬克思在〈路易・波拿巴的霧月十八日〉此文有底下一段名言：「人們自己創造自己的歷史，但是他們並不是隨心所欲地創造，歷史不在他們自己選定的條件下創造，而是在直接碰到的、既定的、從過去承接下來的條件下創造。」[3]歷史脈絡是政治實踐的必要條件，臺灣於一九四九年十二月七日繼承的中華民國身分即是從歷史承接下來的存在條件。它既是歷史的饋贈，也是命運的共業，既是common project也是common karma。[4]

佛教說的業力就像儒家說的命一樣，它是先於主體而有的結構性的概念，作為宗教意義的業力或命，其內容如何，如何轉化，這是修行者工夫實踐的課題，儒佛自有儒佛教義的方案。但作為政治學意義下的業力，它指向了共同體承繼的歷史遺產與周遭國家的關係混合而成的存在結構，如何回應這個前主體性的存在結構，這是在地公民的政治判斷的課題。國家和人的存在一樣，它總是在特定的地理位置裡繼承特定的歷史結構而出現的處境，無從選擇。臺灣與新加坡兩地的人口結構、文化傳承與移民歷史都有近似之處，但臺灣不是新加坡，新加坡不會面臨臺灣的抉擇，因為兩者的存在位置不一樣，可以選擇的政治方案也就不可能相同。由於目前兩岸兩個以中華為名的國家的國力相差懸殊，而在兩方又有深度分歧的情況下，臺灣人民如何抉擇，遂不能不是事關身家性命的賭注，而此時下的賭注即會牽動兩岸的和戰局勢。

在目前甚囂塵上的「武統」或「兩岸終須一戰」的聲浪中，其依據多依照著地緣政治學（geopolitics）的思考而來，地緣政治學顧名思義，預設著政治與地理的關聯，霸權的爭奪是這個概念的本質，它是國際政治核心的環節。目前的地緣政治學的核心戲碼即是美中爭霸，美國與共產中國是爭霸雙方的主角，臺灣游移於兩強之間。輿論運用地緣政治學的概念解釋臺灣的處境時，通常即預設了從全球權力布局的視野下所作的定位。臺灣與世界的交涉甚深，一個島嶼的生存很難脫離國際政治運作的格局。臺灣和美國有強大的經濟、軍事、政治的連結，而在美、中又有嚴重矛盾的情況下，臺灣能選擇的空間自然會被嚴酷擠壓，通常也就半推半就地選擇或被選擇成為強權抗爭的棋局中的棋子。

依地緣政治學的概念，政治即是力（權力）的展現，身處其中者只能行走於抗爭或戰爭的路途上。但同樣從「地緣」的觀點出發，當事者不必從全球戰略布局的角度下定位自己的處境，霸權離小國太遠。他可以返視自己的生活世界為何，當事者的生活世界與強權者所理解者或所賦予他的性格不會相同。臺灣的生活地理空間與美國、日本不同，它身處在中國大陸邊緣，它的歷史與人口結構、文化傳承和對岸中國有無從割讓的關聯。本文從臺灣的生活世界出發，也就是從我們居住的場所的觀點考量兩岸的和戰關係。場所帶有濃厚

---

3 中共中央馬克思、恩格斯、列寧、斯大林著作編譯局編，《馬克思恩格斯選集》（北京：人民出版社，一九七二），卷一，頁六〇三。

4 「共業」的翻譯是在一次學術研討會後聚餐時出現的用語，可能是中央研究院一位社會科學學者先用的，此譯語的兩歧性頗為傳神。

的存在論的內涵，它不只是政治運作的空間，場所的關懷是要關照自己具體處境的地緣政治學。這是種關照臺灣現實的生存要求以及深層的情感要求的類型，本文稱作風土性地緣政治學。風土地緣性政治學使用的是場所邏輯，而不是權力邏輯。[5]

風土性地緣政治學與權力型地緣政治學是面對同一個地緣的不同視角，不同的視角會引向或和或戰的不同視線。從風土性的地緣政治學思考兩岸關係的文章或許不多，但用以思考臺灣的文章則已有人表達過，已故臺灣史家曹永和（一九二〇—二〇一四）的「臺灣島史觀」以及哲學家洪耀勳（一九〇三—一九八六）的「風土臺灣說」可為代表。曹、洪兩人可視為風土性臺灣地緣政治學的前驅，本文繼承兩人之說而作。

二、季辛吉與兩種地緣政治學

兩岸最近幾年的緊張關係的直接原因，當然是兩岸的政治當局互不信任的結果，但兩岸的情勢會急遽惡化的現實背景，還是脫離不了美中爭霸的結構性因素。關於兩岸關係惡化或美中關係惡化的原因，本文無能究責，這是政治人物或政治學者的工作。但很明顯地，至少從川普上臺高喊「讓美國再度偉大」（MAGA，Let's Make America Great Again）的呼聲以後，扼阻中國興起已成了美國的重要政策。近年來，美國拉攏歐洲，重整東亞與亞太地區的秩序，一種防堵中國的新島鏈，其實也可以說舊島鏈的現代版，已隱然成形。由於美、中這兩個國家的量體太大，利益與衝突併存的地方太多，短暫、細部的對話或調整自然不會少，但新冷戰（或寒戰）體系已成形，應當沒有疑問。臺灣顯然也被整編進去這個抗中的行列，而且是被置於馬前卒的位置，至少美國與中共當局如此認定。美國剛下任的眾議院議長裴洛西的訪臺所引發的巨大震盪即是眼前的例子。

。

眼前的美中衝突可說自一九七一年季辛吉、尼克森打開中國之門，開創美中新局以來，最激盪的變化。二〇一一年，季辛吉在打開中國之門四十年後，撰寫《論中國》的煌煌巨著，就量而言，此書中譯本厚達六百頁，可見季辛吉對此書之重視。季辛吉從中國的特色、清代的中西交流史談起，但重點放在一九四九年革命以後的共產中國，尤其他參與美中外交事務期間的所作所為與所思。季辛吉是外交能手，他與共產中國領導人的會談都有留下紀錄，未曾散失，這部書當然有重要的參考價值。季辛吉在寫完漫漫長編的現代共產中國的演變以及中美的關係史以後，他在此書的最後一章的最後一句，提出了「中國和美國能夠培養真正的戰略互信嗎」的問題，他以質問結尾。大哉問！書成後，他接著又在〈後記〉提出了另一個問題：中國和昔日的德國一樣，「是一個復興的大陸大國」，而美國和昔日的英國一樣，「是一個與這個大陸有深厚政治經濟關係的海洋大國」。結果英、德嚴重衝突，海陸大戰，「歷史會重演嗎？」季辛吉如此問道。

季辛吉提出兩個質問：併世共存而有不同立國理念的兩強能否戰略互信？海權與陸權爭霸的歷史是否可以不重演？季辛吉出版此書的二〇一一年，中美的摩擦其實已經出現，中國內部的反美聲浪更是壓不下去，要不然季辛吉不會提出上面的詢問。[6]季辛吉當然不會認為他開啟的中美關係是失敗的，他認為戰略互信的體系也是有的，比如北大西洋公約內的各國即不會產生戰爭的疑慮。季辛吉舉的例子是否有說服力，姑且不

5　「場所」是京都學派重要的哲學術語，西田幾多郎有〈場所〉一文，參見西田幾多郎著，黃文宏譯注，《西田幾多郎哲學選輯》（新北：聯經出版事業公司，二〇一三），頁一六三—二四〇。西田幾多郎的場所邏輯極玄思之能事，其邏輯為絕對的矛盾之自我統一，這是類似天臺、華嚴這些宗派的表達方式。本文將場所邏輯運用於政治領域，意指主客雙照、矛盾統一的視角。

6　當時的中國出現三本調子反美的流行著作，一本是宋強，《中國可以說不：冷戰後期的時政與情感抉擇》（北京：中華工商聯合出版社，二〇〇九）。一本是宋曉軍等著，《中國不高興：大時代、大目標及我們的內憂外患》（南京：江蘇人民出版社，二〇〇九）。一本是劉明福，《中國夢：後美國時代的大國思維與戰略定位》（北京：中國友誼出版公司，二〇一〇）。季辛吉（Henry A. Kissinger），《論中國》（北京：中信出版社，二〇一五）此書在第十八章中花了一些篇幅探討過後面兩本書的象徵意義。

論。但他同意在主權聲浪高漲的今日世界，「戰略」的意義和主權不可退讓的要求一致，互信不容易。自季辛吉出版此書，已逾十年，中美關係大壞，互信基礎瓦解，兩者已變成了相互威脅的關係。現實交給了季辛吉的質問一個他不太喜歡的答案。

中美關係何以變成相互威脅而不是彼此友善的關係？也許政治體制或意識型態的差異是關鍵的因素，也許帝國主義是資本主義必然會發展出的階段。但由季辛吉頻頻使用「戰略」一詞，以及他提出「中國是陸權國家，美國是海權國家」這樣的流俗觀念來看，我們反而可以更深刻地看出季辛吉立論的基礎。他是基於地緣政治學的考量，衡量各大國該扮演的角色。值此兩岸政治秩序重組之際，我們更該省察季辛吉建構的國際政治體系有何特點或盲點。

美中爭霸自然有多重的面向可論，但論及地緣政治，海權、陸權的抗爭是個明顯的形象。地緣政治在今日的用法常指向全球勢力布局下，一種以地理的思考作為權力布置的設計。如果人是政治的動物，而政治的本質如果離不開權力，而在人的世界，權力的爭奪又是難以迴避的現象。那麼，我們當承認只要有政治的地方，即難免有原始的地緣政治學存在的空間。戰國時期的縱橫家講究的就是地緣政治下各國兵力的整合與外交的操控，「合縱」與「連橫」是兩種不同利益思考的地緣政治的概念，蘇秦、張儀是玩弄地緣政治學的大家。北宋時期，金、遼、西夏諸國分立，各國勢力的縱橫捭闔也就不能不興起，遼、金與兩宋的滅亡可以說都源於當時並世列國玩弄地緣政治策略的結果。

只要有諸國並立，群雄相持不下的時局，大概即難免地緣政治的運用。但今日兩岸軍事危機是種新局，它所面對的地緣政治乃是全球布局下的戰略平衡的問題。論及地緣政治，陸權說或海權說這對古老的戰略論是常被提及的敘述，季辛吉在《中國論》的〈後記〉即提出了這組老議題。海權說與陸權說當然是抗衡的觀點，但不論是陸權說，或是海權說，其理論依據皆是整合反對敵對一方的力量，形成統一戰線，以達成國家的政治目的。

季辛吉所說的海權、陸權國家爭霸的歷史大概指第一次世界大戰前的一段時間，那也是地緣政治充分發揮的時代，所謂的早期的地緣政治學（geopolitics）。建立於地緣基礎上的國家之論可名為地緣政治學，建立於民族基礎上的國家可名為民族國家學，兩者都是從感性的、血緣的觀點立論，兩者都不只是單純的法之主體，而是超個體的有機生物。地緣政治學不論是早期的或批判的類型，它的性質都是國與國之間的權力之角力，權力意志是地緣政治學的本質使然。誠如一九二八年創刊的《地緣政治學雜誌》發刊宣言所說「地緣政治學是授武器給政治行動，成為國家生活的指導者。」當個人生活的存在感變為國家生活的集體焦慮感時，地緣政治學背後即有「生存空間」的壓力感，它需要釋放。[7]沒有國家權力不斷向外湧現，並與另一個湧現權力意志的國家產生矛盾的關係，即不會有地緣政治學的出現。

論及地緣政治，而且可供今日的兩岸局勢參考者，馬漢（A. T. Mahan）的海權論可以入選。今日的中美角力，美國常被視為海洋勢力的代表，馬漢為美國海軍將領，他的海權論是此說的經典。馬漢論今日海權之重要時，破題即言：「海權的歷史主要是記述國家與國家之間的鬥爭，國家間的競爭和最後常會導致戰爭的暴力行為。」[8]馬漢的海權論既是理論的著作，但也可視為歷史的著作。此書探討一六六〇年至一七八三年間，發生於歐美地區的列強爭霸史。他列出從第二次英荷戰爭（一六六五—一六六七）至一七七五—一七八三美國獨立戰爭，至一七七九—一七八二英國與法國、西班牙的海上戰爭等等，這一百多年的戰爭史

7 「早期地緣政治學」之說，見Kjellén, Rudolf, *Staten som lifsform. Stockholm*, 1916。和辻哲郎在《風土》一書中，對其說有所批判，參見《和辻哲郎全集》，卷八，頁二三八—二三九。「geopolitics」在《風土》書中譯作「國土學」，本文為求一致，譯作「地緣政治學」。

8 馬漢著，安常容等譯，《海權對歷史的影響．緒論》（北京：解放軍出版社，二〇〇六），頁一。

顯示海軍都是戰爭中起決定作用的因素。簡單地說，「海權的歷史主要是一部軍事史」。[9]

今日全球的地緣政治學沿著美中抗爭的軸線展開，這場對抗大抵可視為海權國家對陸權國家的壓制，中美大戰，中國被視為是陸權國家的代表。論及陸權，我們且以克勞塞維茲（C. P. G. von Clausewitz）的話語下一注腳。克勞塞維茲不但是兵學名家，他還是參與保家衛國的普魯士名將。他的《戰爭論》提出了「戰爭無非是政治透過另一種手段的延續」，[10]它是迫使敵人屈從我方意志的一種暴力行為。強權為了遂行國家的意志，通過會戰和戰鬥殲滅敵人的武裝力量，借以達成政治目的。但更好的方式是用更少的成本達成戰爭的目的。他提到幾種特殊的方法可以大獲勝利，其中第一種即是同盟的關係，參戰者要不然就要廣結盟國，展開有利於己方的政治活動。要不然就要破壞敵方的同盟關係，使其不發生作用。[11]

但身為軍人及兵學家，外交上的縱橫捭闔不是他的主要關懷。作為陸權說的代表，克勞塞維茲繼續宣揚戰爭的力量道：「戰爭的動機越明確、越強烈，戰爭和整個民族生存的關係就越大；戰前的局勢越緊張，戰爭就越接近抽象型態，就越只是為了打垮敵人，戰爭目標和政治目的就會更加一致，戰爭看起來就更加是純軍事的，而不是政治的。」[12]戰爭的純粹型態，意指它使用的方式純粹是戰爭的手段，不是幾何式的，而是力學式的，仇恨的成分越濃，戰爭越簡單，也越暴力。戰爭恍惚是非政治的，卻可借以達成政治的目標。

本文引用《海權論》與《戰爭論》的論點，可以看出兩者的論證雖然不同，但同樣是從戰爭的觀點著眼，同樣是要以戰爭達成國家意志的擴張。這樣的論點或許不太出乎人意料，論戰爭性質的典籍怎麼可能不以戰爭為依歸呢？我們回到美中爭霸的場景，思考地緣政治學所用的語詞，不難發現語句上雖然撒滿了玫瑰精油的芬芳，地緣政治學使用的詞語卻都是戰爭的語彙。即使是「戰略機遇」甚或「戰略夥伴」之類的友善詞彙，也都預設了戰爭的思考模式。邱吉爾曾引帕麥斯頓的話語說道：世界上沒有永恆的朋友，也沒有永恆的敵人，只有永恆的利益。邱吉爾的話很殘酷，但也很現實，他的話是叔本華的「生之欲望」的反應。政治會自尋出路，邱吉爾的論點如移之於地緣政治學的思考，同樣適用。

季辛吉是中美關係半世紀以來重要的奠基者，他主觀上當然希望美中關係不要往決裂的方向上發展，在《論中國》一書中，可看出他對中美關係「和而不同」的定調。但作為七〇年代後美國外交政策重要的設計者，他的思考不能不以大國的視野為軸心。事實上，他當時的敲開中國之門之舉，其主要目標即在於聯中抗俄。早在他祕密經由巴基斯坦訪問中國之前，他觀察到當時國際的政治秩序已經不再以美蘇兩極為核心，而是多極的，共產中國已成了國際新秩序中重要的一極。如何在多極的政治架構中，取得對美國有利的平衡，這是身為美國外交政策執行者不能不思考的迫切課題。[13]

如果美中爭霸沒有往「戰略友好」，而是往「戰略威脅」的方向上發展，或許不必太訝異，因為依地緣政治學的思考，「戰爭」就是這種思考的隱喻。季辛吉在《論中國》結束處以及〈後記〉所提的問題並不輕鬆，此書出版後的中美關係的發展顯然不是季辛吉期待的答案。而在同一個時期出版的一部不看好中美關係

9　同上，頁二。

10　克勞塞維茲著，楊南芳等譯校，《戰爭論》（新北：左岸文化，二〇二〇），冊上，頁四六。

11　同上，頁五一。

12　同上，頁四七。

13　季辛吉當時在多極的國際現實下，倡導均勢外交，其論點參見亨利・基辛格（Henry A. Kissinger）著，顧淑馨、林添貴譯，《大外交》（海口：海南出版社，一九九八）。季辛吉在此書中說道：「二十一世紀的國際秩序會出現一個似乎相矛盾的特點：一方面愈來愈分散；一方面又愈來愈全球化。在國與國之間的關係上，這個新秩序會更接近十八、十九世紀的歐洲民族國家體系，較不像冷戰時期嚴格劃分的兩大陣營。彼時至少會有六大強權：美國、歐洲、中國、日本、俄羅斯，可能再加印度，另有許許多多中小型國家；與此同時，國際關係已首次真正地全球化了」，參見頁七。此書與《論中國》一書出版的時間相差頗長，國際局勢已大變，但中國始終被他放在爭霸的地緣政治的角度下看待。

的中文書《中國夢》，該書作者即力言中國需要「軍事崛起」，需要「世界第一」，因為大國競爭是必然的，沒有道德可言。這位具軍人身分的作者所言，雖是狼戰之言。但如果我們不將該書視作規範未來之書，而是視作國際政治現況的一種反應，此書的喧囂之氣未嘗不是地緣政治學的思考模式下容易外顯的表現，中西皆然。目前西方有關「中美必定一戰」的論點，恐怕也不出此種思考模式。[14]

地緣政治學下的國家關係多為權力鬥爭的關係，彼此也多為外在的關係，臺灣之於中國很難完全擺脫地緣政治學的座標，到底兩岸有深層的分歧，臺灣需要美國的支持。但臺灣之於中國恰好也不能用權力的地緣政治學的框架定位之，因為它有更豐富的內容。文化的臺灣固然難以分割兩岸，即使政治的臺灣也難以分割兩岸，因為中華民國在法理上有橫跨兩岸的主權擁有者的性格，在繼承的關係上，一九四九之後的中華民國和一九四九之前的中華民國也是相連的。兩岸在經濟上又有巨大的連結，國安法不見得能夠長期拖住商人西進的腳步。更重要地，兩岸國力的巨大差距逼使弱勢一方當作更有智慧的選擇。

由於臺灣與中美雙方的密切連結，兩岸的關係如從外在的、權力的地緣政治的框架解讀之，即很難避免戰爭的途徑，而又未必符合臺灣的利益與本質。如果不從外在的、權力的視角進入，那麼，我們當考慮另一種的視角，筆者稱為風土的地緣政治學的視角，那是一種融合內外、彼此互滲的視角。筆者所說的風土的地緣政治學的概念借自和辻哲郎《風土》一書的論點。和辻哲郎在此書中從一種具體的空間性的角度詮釋人的存在向度，他的論點受海德格《存有與時間》的啟發，海德格將人的特質定位為「此在」（Dasien），「此在」的特質在於時間性，時間性構成了人的本質。和辻哲郎認為海德格忽略了人的空間性，但他界定的空間性不是幾何學式的抽象空間，而是具體生活世界的世界。海德格的「此在」是否沒有具體的空間性，或許仍有待討論。[15]但和辻哲郎借助漢字「風土」二字，藉以表達人的存在與具體環境的關係，風土是編織精神的托體與氛圍，他的觀點還是值得重視的。和辻哲郎的《風土》一書將風土分為三種類型：草原型、砂漠型、季風型，他的風土的分類似乎偏於自然環境，實質上卻是落在人文的自然環境，是歷史與地理的相互滲透。因為所有文明的自然環境都不會是自然意義，它是深深烙印上歷史傳承、民族氣質的人文地理。

如果我們理解臺灣，不從抽象性的內部臺灣的觀點理解，而是從浸潤層層疊疊的歷史傳統與綿綿密密的現實糾葛，而且從關係性的角度進入，那麼，我們有理由說這種可稱為風土性地緣政治的視野是一種更貼近臺灣的存在基礎的視野，這種視野所呈現的兩岸關係是互滲的、共享的、充滿歷史淵源的。從風土地緣政治學的角度理解臺灣與兩岸，是否有可能解消兩岸的深層矛盾？或者說考慮到殘酷的現實處境，風土性地緣政治學是否真的可以取代權力地緣政治學？歷史女神從來不慈悲，結果如何，或許只能靜待未來事實的檢證。但可以確定如果風土地緣政治學的視角沒有取得優位的考慮，島嶼人民如果沒有考慮彼岸人民在近世中國演變中積澱的集體情感與認知，民族主義情感是他們的主體結構中情動的深層因素，而蓄意只從此岸公民自決的視角出發，這種膨脹的主體所作的任何政治判斷都要冒極大的風險。

三、臺灣島史觀與本土的理念

兩岸關係的發展如從國際地緣政治的角度觀察，沒有任何樂觀的理由。但從古典政治學的理念出發，或許我們可以作不同的判斷。因為發生於二十世紀中葉的這場世紀大分裂帶有濃厚的意識型態競爭的內涵，兩

14　參見前幾年喧騰一時的書，格雷厄姆・艾利森（G. Allison）著，包淳亮譯，《注定一戰？中美能否避免修昔底德陷阱》（新北：八旗文化，二〇一八）。

15　筆者認為海德格說的「此在」、「在世存有」的概念都蘊含了人的存在的具體場所之性格。但作為內在意識構造中的時間性與空間性，時間性作為生命成長的機制，它具有更根源性的地位。

岸分裂，意味著兩種中國現代化路線的分歧，其間牽涉到深層的價值體系定位的問題，以及實踐的可能性問題。作為鬥爭失敗一方的中華民國背負著更顯著的中華文明發展的印記，相對之下，一九四九年革命成功的政權選擇了另類的價值。從中華文明的角度思量，而不是從政黨輸贏的邏輯出發，兩岸人民都沒有理由不珍惜尚存於天壤間的這個國體，「中華民國」與「中華文明」這兩個概念有更密切的親和性。但中華民國政府既然逃難渡海，歷史轉了方向，新的命運降臨到島嶼的身上。身為島嶼裡的局中人，無所逃於天地之間，當事者只能承擔歷史命運，更加嚴肅地思考「中華民國在臺灣」的內涵。面對著強壓在島嶼人民身上的艱困處境，反思國家命運這樣的行動或許不是無意義的。

臺灣的苦悶來自兩岸對峙的現實，我們的提問就裹在現實的作用中。「中華民國在臺灣」不是理論的問題，而是存在的問題。一九四九年季冬，中華民國播遷到了臺灣，作為在歷史中呈現的國體的理念，中華民國這個代表中國的符號其治權所及之處與臺灣這塊土地高度重合，它的存在之意義不能不經由這個大陸邊緣的島嶼呈現出來。說到底，民主政治的基礎在於人民主權的前提，政權的基礎不能不通過公民的同意這一關，而公民是立足於領土上的，「民主」與「在地」、「本土」這些概念有密切的關聯。中華民國這個以中國為名的國體要在歷史中具體化它的理念，只能透過居住在臺灣上的公民顯現出來。很不幸地，它卻在歷史中碰到名實不一致的窘境，如何面對？如果臺灣這塊割讓出去的島嶼在一八九五年以後已和對岸中國徹底割離，政治意義與文化意義皆如此。那麼，一九四九的外來政權之說足以定調，臺灣不必買中華民國的單，問題的內容會單純許多。但如果不是呢？

一九四九後的中華民國與臺灣的名實不一，可以說是主權與治權不一致的關係，如就政治的思考而言，或許不是那麼難以理解。如果我們承認一九四五年日本戰敗，臺灣回歸中國，此事合法的話，那麼，中華民國與臺灣的不一致只是國家治權地區分裂所致，其情況一如趙宋渡江南遷，或國府於抗戰時期西遷一樣。如果我們不承認一九四五年的臺灣光復有法理的依據，臺灣地位未定論，那麼，一九四九年之後的臺灣與中華民國的關係當然就需要重新調整，其後續的政治效應會非常複雜，如何解決，也會有相當大的分歧。由於一九四九之後的兩岸關係極複雜，而政治是相較於文化、經濟、軍事等等部門最具有壟斷權力的機制，也是任何政權運作最重要的因素。可以想像地，以後圍繞著「中國」、「中華民國」、「臺灣」的關係，政治的思考仍會占據主流論述的位置。

政治的思考自然只能依照政治的邏輯運作，「中華民國」本來就是政治概念，二十世紀之前，這個國體的概念根本不存在，它在歷史中興起，也會在歷史中受到考驗。歷史無從預測，未來的歷史就是可能性，它是上帝握在手裡的骰子。骰子甩出來了，答案才會出現。骰子未出現前，臺灣會被武統？或會武獨？戰爭女神可能是唯一的當家作主者。或者上天會眷顧臺灣，它也許有機會和統對岸中國，共產中國中華民國化？或者歷史喜歡開玩笑，它可能如「臺灣民政府」所設想的那般，成為美國的另一個州？或者以上皆非，它會以其他的名義之面貌出現？就可能性而言，沒有一樣是絕對的。「可能性」是統計學問題也是神學問題，未來的時間出現的「可能性」仍是玄學的思辨，它的答案就是不確定，事實只有事實來臨時才是事實。

但思考關聯家國性命的問題還是要務實，「可能性」如果和「政治」結合，就當思考實現可能性的可能性有多大。如果從政治的思考出發，本文認為「臺灣的中華民國說」這個現實的敘述有無可取代的優勢位置，因為它是現實的敘述，不增亦不損，而臺灣的現實正是各方勢力恐怖平衡下難以大幅動彈的處境。雖然這個現實的敘述因為臺灣被排出聯合國（一九七一）以及和世界主要國家紛紛斷交，幾乎成了國際社會的孤兒，國家的外交挫折自然影響了這個以「中華」為名的國家的正當性。但難以否認的事實乃是臺灣的現狀牽涉到極複雜的國內、外力量的平衡，大幅度的變動不是臺灣任何的政治力量所能負荷的。臺灣這個政治實體如果要有國家的名義立足於世，除了「中華民國」這個獨特的結構，我們找不到更實際可行的路。臺灣四百年的歷史中，也只有一九四九後，這塊島嶼才擁有國家的性格。[16]即使僅從這個國家的政治架構賦予臺灣文化發展的充沛功能考量，我們即該嚴肅考量一九四九這個歷史機遇賦予臺灣的政治架構到底是資產，還是負債？

無疑地，「中華民國」的國號也要承擔歷史的債務，這個來自於對岸的國號之存在就意味著這個國家與中國的連結，無從切割現實的中臺結構卻是許多國人不想承擔的負擔。在民主政治體制下，主權國家的政治事務當由公民決定，這個形式的規定有相當的說服力，它也是具有普遍性價值的人權公約的要項。[17]除非碰到非常狀態的違反人權或種族滅絕的事例，如希特勒所犯者，否則，我們通常要接受民主的決定。但民主的基本條件的認定不是從無爭議的，爭議或許才是政治的常態。當「國家」、「主權」、「公民」這些概念有爭議時，如何使得這些概念有效運作，這樣的思考不能不起。「中華民國在臺灣」是個困難的處境，任何政黨執政都會面臨共同的障礙，外交的出路不易，朝野對此事之艱難並不難形成共識，毋庸多論。

但政治的議題也當儘量求得理性的理解，雖然論及臺灣問題的問題已多如牛毛，但老問題也可以有不同的觀點。本文論「中華民國」，不從「臺灣是主權國家」的立場立論，而是追溯淵源至它在大陸時期的存在期，將它放在中國文明的現代化轉型的大背景下立論。國家不是價值中性化的政治運作機制，文化風土論也可以是政治的詮釋原理。依照同樣的思維模式，本文從場所的觀點，也就是從文化風土論的立場，嘗試反省以「臺灣」為反思對象的兩種理論，截長補短，以指向中華民國臺灣的一體化的結構上的關係。

相較於海峽對岸，臺灣在大中華地區的情況比較特別，就地理而言，它是四面環海，通向世界的島嶼。就歷史而言，它進入歷史的時間相對地短了許多，比起大陸周邊的島嶼如海南、舟山，臺灣有比較明確而具規模的歷史紀錄的時間頗短。或許我們可從荷蘭人一六二四年入臺經營開始算起，至今不過四百年。而這四百年恰好是大航海的時代，歷史已進入全球化的格局，未經大規模開發的臺灣此洪荒島嶼爾後不能不捲入近代世界的漩渦中。相較於中國大陸，臺灣的歷史的異質成分因此不能不濃厚，就這點而言，它和香港、澳門近似，它們都是「近代性」的島嶼。在航海時代來臨前，臺灣、香港、澳門這幾個島嶼都不是歷史的要角。這幾個島嶼中，臺灣的政治性格更濃，歷史的途徑也更曲折，如何了解臺灣的特性？

已故臺灣史家曹永和（一九二〇—二〇一四）在上世紀八〇年代提出「臺灣島史」的假說，此假說既強調從人民的而不是從國家的觀點看臺灣史，也主張從臺灣的地理特色而不是抽象的政治理論出發。作為一個四面環海的島嶼，臺灣是在大航海時代由各方人馬穿梭其間的活動構成的歷史性島嶼，荷蘭、明鄭、滿清、日本諸政權都曾實質地統治過臺灣。二戰結束後，中華民國繼續統治之。一九四九後，美國雖然不是島嶼的新主人，實質上則影響了臺灣的國家運作。幾百年來，不同的民族、不同的政治勢力出入臺灣，都在臺灣留下深淺不同的歷史積澱，它們都構成了臺灣的內容。曹永和的假說以地範史，島嶼是承載歷史的托體，人民史觀的輔助原則也很有說服力，它將臺灣帶到與世界互動的中心，臺灣的近代性內涵極為濃厚。曹永和建立了以臺灣島為核心的臺灣史觀。[18]

16 一八九五年，日本帝國因為締結日清條約，取得臺灣的統治權，臺灣官民不接受這種政治安排，因而宣布獨立，成立「臺灣民主國」。但這個倉促成立的國家歷時才一五〇天，未得國際承認。臺灣朝野也沒有強烈的獨立意識，成立新的國體只是一時的權宜之計，「臺灣民主國」實質上並未發揮國家的作用。

17 聯合國九大核心人權公約中的〈公民與政治權利國際公約〉及〈經濟社會文化權利國際公約〉，第壹編第一條皆載明：「所有民族均享有自決權，根據此種權利，自由決定其政治地位及自由從事其經濟、社會與文化之發展。」參見「全國法規資料庫」：https://reurl.cc/gQ3lp4、https://reurl.cc/zrLX7V（二〇二二．一二．二八瀏覽）。

18 臺灣島史的觀念，參見曹永和，〈臺灣史研究的另一個途徑——「臺灣島史」概念〉、〈臺灣史的研究〉、〈多族群的臺灣島史〉，收入《臺灣早期歷史研究續集》（新北：聯經出版事業公司，二〇〇〇），頁四四五—四四九、四五一—四五八、四七三—四七八。

臺灣島史的觀念是在臺灣意識中興起的一套論述，當臺灣成為思考對象，臺灣意識興起時，此事預設著臺灣已從地理現象一般中分離出來，成了精神需要關注的焦點。如果不是島嶼處於危機的處境，島嶼人民有了保衛、保存家鄉之念，學者即不需為臺灣問題發心。相較於陳映真的接續臺灣的左派鬥爭史，納臺灣的解放於中國的解放的歷史框架；史明的脫鉤中臺的連結，納臺灣的解放於一切非臺灣因素的排除之左獨史觀；或許信良、張俊宏的海洋民族觀，臺灣人被視為乘著大航海時代浪潮而來的漢族中的新興民族，他們攜著一只接洽訂單的皮箱走遍天涯海角；詮釋臺灣的視角還有多種，複眼下的島嶼遂有複雜的面貌。曹永和這位溫和的老仕紳轉從地理的觀點介入，以島嶼規範歷史，這是個較獨特的視野。

曹永和假說有值得重視的理由，臺灣島史觀預設了地理是歷史的接納原則，它承擔並容納了發生於島嶼的總體性的事件。沒有一樁發生於島嶼的史實被排出島嶼之外，臺灣史即在臺灣島上體現，這樣的假說帶給我們較寬宏的臺灣本土性的想像。在民主政治已成朝野共識的架構下，臺灣的政治實體與臺灣的地理條件高度重疊，「臺灣」建立在「臺灣島」的基礎上。一旦歷史意義與政治意義的臺灣築基於地理意義的臺灣島上時，有關「臺灣」概念的敘述，一個非政治學的但帶有強烈的政治效應的「本土」一詞不能不應運而生。「本土」的內涵和「領土」的內涵不一樣，後者是硬性的政治語言，前者則和「鄉土」、「大地」、「共同體」、「吾國與吾民」這類的屬我性的情感語言連結在一起，它是生活世界的概念。它不蠻霸地衝撞政治，卻是「領土」概念得以有效運作的情感基礎。

臺灣島史觀有意避開政治的角度，而轉從人民的生活之觀點著眼，但臺灣島史觀以地範史，這種主張不可能沒有政治效應，也不可能沒有隱藏的政治座標。在政治場合運用「本土」的隱喻時，通常也不會憑空自行定義，它往往意味著與一種「外來的」、「非本質的」勢力的對照。目前影響「本土」一詞的主要內涵乃是在一九四九之後的兩岸政治角力的氛圍中形成的，即使敘述者在今日對明鄭、清領、日本殖民時期有所論述，他的觀點也常依當代思考的框架展延之。如史明《台灣人四百年史》的臺灣統治者，不論漢人或非漢人，基本上都是「外來壓迫者」的形象，其主張可說是當代左派臺獨史觀往前代投影的產物。一切歷史都是當代史，此義本來即足以成說，記憶的綿延性融化了過去、現在、未來的時間。歷史記憶從來不只是過去的召喚，記憶常是重構，更常是當下政治認同的強化。何況在民主政治的體制下，國家機器的運作需要經由立足於領土上的人民的同意，此義無所逃於天地之間，當今的人民有意無意間即會重新打造祖先存在的性格。

臺灣不是臺灣島，臺灣島是地理名詞，臺灣是歷史名詞，也是政治名詞。作為政治名詞的臺灣要建立在臺灣島的基礎上，但事實和價值意識同在，政治的臺灣總還有另外的文化內涵。在現實社會中使用的「本土」一詞不會只是地理名詞，它的內涵深遠隱密多了。這個詞語使用了土地的隱喻，土地是原型的象徵，它帶有本體的、基礎的內涵，它蘊含了保存、深厚、生命的屬性，一切的文化價值都築基於本土之上。[19]在特殊的政治氛圍的醞釀下，本體論意義的「本土」此概念和政治地理學的「本土」很難不重疊，「本土」隱然映照了「領土」的胚胎，就像「本體」含攝了「國體」的形象。作為地理名詞的臺灣之本土性質為何？此事牽涉到我們如何想像「本土」。

在民主政治的模式下，「本土」的概念常連結公民的自我決定。民主政治總要預設公民自決的環節，在今日世界，我們很難想像任何重要的政治決議可以繞過民意審查這一關。雖然在現實的層面上，何謂公民，何謂有效的自決，總有紛擾不清的法的依據的問題。「本土」、「主權在民」、「主權不容割讓」這些詞語一出現，往往即意味著與原有的政治體制的決裂，此岸的本體的肯定形成本土性，而將彼岸非本質化，亦即

19 參見拙著，〈吐生、報本與厚德——土的原型象徵〉，《五行原論：先秦思想的太初存有論》（新北：聯經出版事業公司，二〇一八），頁三八九—四四五。

轉為非本土性，並被視為本土的威脅者。臺灣自大航海時代以來，兩岸的政治連結離合無常，頗不穩定，其摩擦撕裂的尖銳聲傳沿至今，仍在嘶喊。由於目前兩岸的國家實力懸殊，在國際局勢複雜，共產中國對島嶼的壓迫日形嚴峻的局勢下，兩岸對峙一久，割捨與對岸的連結以求自保的思考就會自動呈現，甚至形成一種脫關係的臺灣本質觀，這樣的政治趨勢有群眾的心理學的基礎。

凡存在即有理路可言，依緣起法，或依人類思考的雙元相待結構（dyadic relationship），有無相生，彼是相偶，「本土」常依「非本土」的對照而成立。文化意義的臺灣因非文化意義的臺灣之他者而成立，歷史意義的臺灣因非臺灣的歷史意義之他者而成立，政治意義的臺灣因非臺灣的政治作用之他者而成立。詞語的成立本來即需要有排斥的過程，斯賓諾莎有一名言：「一切的確定皆為否定」（All sure all negative），黑格爾、列寧都將此語視為極高的智慧之語。此語如挪用到臺灣的政治領域上，可以解讀為「肯定臺灣，即是否定作為島嶼臺灣外部的力量之於臺灣的本質性關聯。」這種反彼岸的本土性連結不能說沒有解釋的效率，尤其在緊張的政治氛圍作用下，一種切割關係而內斂自保的本土意識很難不興起。臺灣島史觀預設了在「臺灣島」的概念下思考問題，臺灣島是本土，也是主體。

但「本土」一詞的內涵不是自明的，「本土」的「本」就像哲學史上的「本體」、「原」、「復其初」的概念一樣，這些重要概念都牽涉到「自體」與「他者」如何連結的問題。作為政治實體依據（ground）的臺灣，它是以自體為攝受中心且為表現中心的總體性，它不是抽象的自我同一性。所以即使從臺灣島史觀的觀點進入，我們對本土的思考也可採取歷史的意義，也就是採取「本土」一詞乃意指因文化風土的內涵構造而成的歷史意識。就臺灣自有較明確的歷史記載以來，不論是從荷蘭時期算，或是從明鄭時期算，甚或是上推至十六世紀，臺灣文化的展現就很難只依臺灣內部的視野解釋之。

為方便思考起見，如果我們以有無文字記載作為歷史意義興起的標準，四百年來發生於臺灣的重要事件，其事件意義或精神內涵都當放在臺灣與周遭世界的互動理解之。臺灣四周皆為海洋，海洋既是間隔的自然因素，但也可以說是溝通的自然管道，海洋性內在於臺灣。從海洋臺灣的關係性著眼，臺灣的關係即依東、西、南、北洋四方向展開。相較於中國沿海的各個島嶼，臺灣島四周的海洋提供了真正溝通交流的性格，臺灣島也有它的「四象性」（quaternity）。[20]

臺灣進入有顯著歷史性格的年代約四百年，其時剛登上歷史舞臺的臺灣乃是航海世紀的臺灣，臺灣很快就會捲進全球商品經濟活動的一環。臺灣的主要居民漢人四百年來大量湧入，他們和南島語系的原住民共構臺灣住民的組成因素。無疑地，臺灣和南洋的關係很重要，南洋有原住民南島語系的廣大同胞，也有一大批和臺灣漢人文化相似的華僑子弟。臺灣和北方的日本的關係也很重要，日人涉足臺灣的時間或許不晚於漢民族，二十世紀以後的日臺關係更是密切，也可以說更是複雜，此事毋庸多論。臺灣和遙遠的東方的美國的關係一樣重要，兩地雖然隔著遼闊的太平洋，但美國的技術、市場、意識型態卻深層地構成一九四九之後臺灣生存的要項。脫離了冷戰結構與美國，我們無法理解二戰後的世界，更無法理解牽連極深的臺灣的性格。至於更遙遠的西班牙、荷蘭，它們一樣在臺灣史上留下了文明交流的足跡。依臺灣島史觀的理論推演，我們很容易推知臺灣島保存以往歷史作用的性格。

但最明顯也最難有爭議的關係，事實上卻最易被有意地忽略者，當是臺灣和海峽西岸的大陸之關係。來自大陸的移民與文化無疑地構成臺灣極重要的內涵，兩岸的經濟也有極大的互補作用，大陸是臺灣最大的貿易伙伴。[21]臺灣四面環海，重層關係是臺灣的本質，我們沒有任何理由割捨任一方，任何一方的割讓都會造

20 「四象性」（quaternity）一詞是榮格精神分析學的用法，它如指向意識構造，可指感覺、思維、直覺、情感四者，四象性的圖像形式可依曼荼羅的圖式想像之。本文借此語以表臺灣的四面環海，其義無涉於榮格的理論。

21 臺灣二〇二一年對中國（含香港）的出口金額一八八八．八億美元，比重四二．三%，成長率二四．八%；進口金額八四一．八億

成臺灣的體質的破口。但不論從哪個主要的因素考量，兩岸的關係性當是重中之重，在現實的利害上如此，在精神的構造上也是如此。兩岸關係性是臺灣作為文化主體的核心成分。從「關係」此概念思考即會連及「本土」的概念如何安排的問題，「本土」一詞從地理空間的現象考量，以及從歷史空間的關係性考量，安置的架構不一樣，展開的視野也會相當不一樣。

從宏觀的歷史臺灣的角度介入，臺灣四百年的歷史斷點特多，又位處在東西交鋒的前沿，「臺灣性」的想像要取得共識不容易。一般說來，要形成以臺灣全島為思考對象的時機恐怕要有連貫全島的交通網、通訊網、教育體制以及沉澱夠久的「歷史意識」，乃克有成。[22]早期的臺灣的族群意識或可劃歸為「分類械鬥」的範疇，清領晚期，劉銘傳治臺，展開現代化工程，以整體臺灣作為思考對象的現象才告出現。在日本殖民臺灣時期，由於有異民族的壓迫統治作對照，臺灣的漢文化性格就自然地顯露，作為我族意識的「咱臺灣」更加顯著地彰顯出來。

如果說一種內在性的、完整性的臺灣意識興起較晚，但本文認為至少從明鄭以下，臺灣的性格就在兩岸的互動中產生，很少重要事件的作動者或受影響者是純粹的臺灣事件。在一六六一年鄭成功入臺、一六八三年施琅征服臺灣、一八九五年清廷割臺予日本、一九四五年臺灣光復以及一九四九年國府遷臺這幾個臺灣史的關鍵時刻，臺灣的問題都是兩岸的問題，其施作者及受影響者都是兩岸，「兩岸」的關係注定是臺灣命運最核心的一環。抽離掉兩岸的互動性質，我們很難理解四百年來臺灣發展的脈絡。「兩岸」一詞應該也是解嚴後，臺灣媒體最常出現的詞彙之一，媒體幾乎無日無之。

觀「兩岸」一詞頻頻被使用的狀況，我們大致也可理解「兩岸關係如何處理」此事已成了臺灣內部極深的焦慮。但它的存在深度應該比流行的熱度來得複雜，我們有理由將它由政治的關係往內深化，成為臺灣此概念的本質問題。「兩岸」是關係詞，它的本質即在汝我的關係中建立。本文從歷史臺灣的人民是在關係中呈現其角色著眼，主張合理的臺灣人民的主體是情境主體。情境主體是相對於純粹我性的非關係性主體而立的概念，情境主體參與了情境的性質，情境主體也由情境的性質所構成。它既是situating subject，也是situated subject。[23]

情境主體是一種主體觀的解釋，這種主體觀強調在主體的意識興起之前，人的概念已被情境的氛圍所構成，人的性情中即有周遭世界的因素，人的主體即是帶著生活世界風土性的主體，也可以說是與世界共在的主體。簡言之，情境主體即主體的情境性，情境並不是外在於主體。筆者這種主體的思考明顯地帶有和辻哲郎《風土論》或海德格的《存有與時間》的在世存有的印記，也帶有反笛卡爾式主體的想法，此義並不新鮮。但筆者所以要將這種帶有風土性、公共性、關係性的主體觀帶到對於兩岸關係的思考，乃因臺灣在一八九五年以後的近世之展現，正是落在兩岸關係的激烈震盪中產生的，其歷史效應對兩岸人民的精神構造同樣產生了深刻的作用。從歷史效應意識的觀點思考，臺灣島史承載兩岸性內容遠超出其他事件的內容。

美元，比重二二．一%，成長率二九．九。順差達一〇四七億美元，成長率二〇．九%，是出口的最大市場。資料來源：「經濟部國際貿易局」網頁 https://www.trade.gov.tw/（二〇二二．〇七．一八瀏覽）。

22 參見安德森（B. Anderson）著，吳叡人譯，《想像的共同體：民族主義的起源與散布》（台北：時報文化出版公司，二〇一〇）。另參見〈帝國／臺灣〉一節，頁三二二—三三七。

23 這個詞語是 Sonia Kruks 在 *Situation and Human Existence: Freedom, Subjectivity and Society*（London: Unwin Hyman, 1990）. 書中所用的語彙，此書以馬塞爾、沙特、伊蒙波娃及梅露龐帝（或許該加上福科）四位「存在主義」的法國哲學家為核心，探討他們共同的核心理論。這四位二十世紀法國哲學的名家雖然哲學觀點的光譜頗分歧，但他們都主張一種介於主體哲學與結構哲學之間的情境哲學。Kruks 筆下的存在主義和冷戰時期在臺灣流行的去關係化的存在主義哲學很不同，她所說的情境主體毋寧更像海德格與世共在的此在主體（雖然海德格不喜subject一詞）。本文將situation 一詞用「情境」一詞譯之，雖有作者個人久遠的哲學關懷，參見拙作，〈人性、歷史契機與社會實踐——從有限的人性論看牟宗三的社會哲學〉，《臺灣社會研究季刊》，一卷四期（一九八八．一二），頁一三九—一七九。但這個詞語的內涵或許也符合這幾位歐陸哲人的想法。

就深層的文化結構或血緣關係而論，或就經濟的依存度而論，環臺灣四周的國家中，和此岸臺灣關係最密切者即是彼岸中國。但在目前國人對臺灣的想像中，一種去兩岸關係性的思考卻相當流行。單掌拍不響，此生故彼生，在政治鬥爭激烈的兩岸關係下，彼岸一種壟斷「中國」意義的敵對力量只會造成一種「非中國」的斷裂性思維在此岸興起。反過來說，一種「去中國化」的此岸聲音只會引發對岸一種「再中國化」的民族主義的高亢反響。但政治總不當交引日下，小國尤需有審時度勢的智慧。就合理的政治行為考量，臺灣的公民主體如能安置在情境主體的基礎上顯現，以互為主體的兩岸性淡化自我內捲的主體性，以寬闊的歷史視線規範現實的政治路線，忍屈伸，去凝滯，作好定位。其結果應該更符合現行的臺灣的中華民國體制在歷史中出現的意義，也更有助於深化「本土」的基礎。筆者這樣的思考或許脫離了現實世界遠了些，不會比曹永和的觀點更貼切，但從生活世界的觀點進入問題的本質，總是一種有意義的思考觀點。

四、臺灣的文化風土性

筆者上述對曹永和的臺灣島史觀的評述帶有明顯的和辻哲郎（一八八九—一九六〇）的「間柄論」、「風土論」或海德格的「在世存有」的色彩，筆者的解讀自然是種闡釋，是順著「臺灣島」作為歷史現象的哲學解讀，曹永和未必有這樣的哲學興趣。本文由島嶼的關係性連結到兩岸的交互主體性，這種非政治性的政治解讀可能也不是曹永和臺灣島史觀所預期的。但考慮到臺灣的具體處境：沒有「國家」前例的歷史記憶、沒有國際法強力支持的國際處境、兩岸懸殊的國力對比、還有島內難以統合的政治認同分歧，我們如能調整認知框架，提出可以調和兩岸差距以及整合內部差異的新詮釋架構，未必沒有意義。更具體地說，我們如果將曹永和的臺灣島的政治解讀提升到文化解讀的層次，文化風土性孕育的渾沌而豐饒的創造性未必不會由此展開。

筆者對臺灣島史觀作了詮釋學的轉向，看似自我作古。然而，從存在論的場所性、關係性、精神性解讀臺灣的性格並不是那麼特殊，對臺灣以往的哲學研究稍有涉獵者都知道洪耀勳早在一九三六年即曾發表〈風土文化觀——在與臺灣風土的關連之下〉一文。單單觀看篇名以及發表的年代，讀者大概也可以知道洪耀勳這篇文章是建築在和辻哲郎的名著《風土論》上再加以引申演化所致。[24]如果說和辻哲郎此書繼承赫爾德（J. G. Herder, 一七四四—一八〇三）、黑格爾（G.W. F. Hegel, 一七七〇—一八三一）等人的論點，對於自然風土與精神構造作進一步挪用，他將「精神的風土性」與「風土的精神性」運用到日本的例子上去，藉以建構「日本」的特殊性。同樣地，洪耀勳則是將這套精神的風土觀運用到「臺灣」上去，藉以建構臺灣的特殊性。事實上，也可視作增加臺灣的哲學價值的一種嘗試。

洪耀勳的風土文化觀賦予臺灣獨特的文化價值，在殖民時代，這篇文章詮釋臺灣顯現的哲學高度大概無人能及。即使直到今天，這篇文章所以和一般從史實或經驗事實著眼的文章大不相同處，在於作者發揮了一種具體哲學的主張。他將理念與現實結合，精神與經驗結合，他以不同的學科的視角看出了不同於從史學或從文學看出的現象，臺灣擁有了以往的論述少有的哲學的價值。更落實來講，也就是他將黑格爾的精神現象學的架構與臺灣的風土性結合，也將帶有「場所性」、「精神性」的哲學與臺灣的風土性結合，這些是京都學派的特長，筆者認為其實也是海德格作為「在世存有」的「此在」的內涵。在現象即精神的前提下，具體的風土都帶有準主體精神的性格，它反映了精神的辯證發展。和辻哲郎與洪耀勳的風土論都不能不帶有大主

24　和辻哲郎的《風土》一書出版於一九三五年，但裡面的篇章已先後發表過。洪耀勳嫻熟當代日本哲學界的活動，他應該已先行看過和辻哲郎單篇發表的論文。

體的精神，風土是大主體在世界展現的媒介，大約德國哲學以及京都哲學都帶有這種玄妙的精神哲學的色澤。

黑格爾哲學的一大特點在於他勇於介入「別有天地非人間」的睿智界，精神沒有不可知的區域，沒有神祕的物自身，他的本體是以主體的面貌出現於世。作為本體的主體走過經驗世界，所有經驗世界都有精神發展的意義，主觀精神—客觀精神—絕對精神，精神一一走過，一一經由否定而肯定的辯證過程，現實一一轉化它的存在的性格，都成了理念的載體。時空格局因此成了精神走過的造化之旅，所有可能的世界都是上帝活動的劇場，也都是理念朗現的場所。但洪耀勳也指出了黑氏普遍哲學的不足，他說：

> 儘管擁有主體自我的意志的個體，深深地潛入客觀的表現世界當中，但是由於在黑格爾對世界精神的絕對信賴之下，因而仍然只能從這個世界精神的全般性限定出發，以過程的方式來限定個別之物，因而個體無法充分地發揮其主體性、完全被吸收入全般者當中，而最終不得不陷入一種流出說。[25]

西洋哲學史談論流出說而有名於世者，當是柏羅丁（Plotinus，二〇五—二七〇），黑格爾說柏羅丁哲學的特色「不從對象的特性去了解對象，而是把對象歸結在統一上去，同時強調實體，貶抑對象。」[26]柏羅丁幾乎賦予「太一」唯一實在的性質，黑格爾對其說有相當的同情。但黑格爾的精神帶有強烈的辯證性，他的理念都要經由主體性的管道展現出來，而且每一個精神的環節都有豐富的經驗內容，這是黑格爾哲學的一大勝場，其說未必是柏羅丁的流出說所能到。但黑格爾強調具體的普遍，其形貌卻總令人覺得普遍多於具體，大主體之於主體總不免宰制的性格。凡對「具體」、「個體」懷深情者，總會對黑格爾的普遍性感到不安，認為「具體」、「個體」的特殊性被淹沒了。尼采如此，齊克果如此，馬克思如此，洪耀勳也是如此。

洪耀勳的風土文化論的主體論的立場恐怕還是較接近海德格的在世存有的概念。雖然和辻哲郎提到他所以撰寫風土論，乃因從海德格的《存有與時間》中，只看到人存在的時間性，而對於空間性與人的存在的關係被忽略了。然而，我們從海德格論人的存在不同於物的存在，物依範疇的方式存在於世間，人則依「脫自的」、「共在的」方式存在於世界。「脫自的」、「共在的」意指人的存在即是時間性的，也是空間性的，只是他說的時間性、空間性的意義不是認識論意義的，而是存在論式的。《存有與時間》論人的時間性，此在依時間性的脫自性格，不斷開顯新的存在視野，他的論點讓我們聯想到柏格森的相關敘述。[27]兩人都將時間內收為精神活動的本質，也都將時間意識上升為世界存在的議題。但海德格的「在世存有」應該也預設了人與世界的連帶關係，順著「在世存有」的理路發展，或許海德格也可發展出他的風土論。

〈風土文化觀〉一文有特定的現實目的，我們先姑且不論洪耀勳、和辻哲郎與海德格的具體連結之真相為何。回到洪文的主旨，洪耀勳的風土論旨在證成「在根源性的領會中、所成立的共同的生活世界，或共同的、原社會的世界」，[28]這是帶有海德格問題意識的提問。「原社會」的「原」當然不是時間的始源之意，它意指存在的依據。但作為臺灣哲學家的洪耀勳要為臺灣的風土發哲學之聲，臺灣作為「共同的生活世界」，原臺灣社會的世界，此事如何可能？風土的具體臺灣性之意義為何？這些問題不能不出現。

25 洪耀勳，〈風土文化觀——在與臺灣風土的關連之下〉，收入黃文宏譯，《洪耀勳日文哲學著作集》（新竹：國立清華大學出版社，二〇二〇），頁一七七。

26 上述所說，參見黑格爾著，賀麟、王太慶譯，《哲學史演講錄》（北京：商務印書館，一九八三），冊三，頁一八一。黑格爾此書對柏羅丁哲學的解釋頗詳細，參見頁一七八—二〇六。

27 海德格與柏格森的關係，參見九鬼周造，〈時間の問題——ベルクソンとハイデッガ〉，《人間と實存》，收入《九鬼周造全集》（東京：岩波書店，二〇一一），卷三，頁二九五—三三七。

28 洪耀勳，〈風土文化觀——在與臺灣風土的關連之下〉，收入黃文宏譯，《洪耀勳日文哲學著作集》，頁一六五。

洪耀勳從臺灣風土的特性界定臺灣島嶼的特殊之精神表現時，他建構臺灣作為「原社會的世界」或「共同的生活世界」之義，或許塑造得較為成功。因為他將臺灣島鑲嵌在季風氣候與漢族文化基礎上的文化島嶼之建構，這樣的定位比較無爭議。而他對風土與人的精神構造的連結，繼承歐陸與京都學派的學統，其解釋也有相當的說服力。但如果共性勾勒出來了，相對之下，臺灣島嶼的精神特殊性反而不易顯現出來。在和辻哲郎的風土分類中，臺灣、華南、日本都屬於季風型氣候，洪耀勳也接受此分類。但洪耀勳更進一步推演，如論文化組成、歷史際遇，臺灣與華南的風土性質尤為接近，不易區別。如果為了強調文化的特殊性，我們誠然可再從大類型下分出次型，由此可在同中析異。但洪耀勳認為這種同中存異的狀況不會形成溝通的障礙，反而「存在於不可缺乏互補長短的關係裡」。精神透過了季風型氣候降到臺灣、華南、日本，洪耀勳從中找到臺灣文化的具體形象。但雖然洪耀勳有意突顯臺灣在季風型風土範圍內的獨特性，它的具體形象和周遭的中、日兩國卻有太多的光影的交疊，具體成就了普遍，普遍反而沖淡了臺灣之具體。具體成就了溝通，但溝通反而稀釋了臺灣風土性之特殊。

洪耀勳撰寫「風土文化觀」時，臺灣文化協會早已成立了十餘年，[29]臺灣意識、臺灣文化的發揚早已火熱翻騰。在時代精神的驅動下，他此文無疑要突顯臺灣的意義，賦予它哲學的高度，就「臺灣具有真理顯現的精神性」而言，洪耀勳的嘗試是極有意義的。但「風土文化觀」與其說在作一種民族主義式的哲學建構，毋寧更像以哲學的方式為島嶼的存在找出路。臺灣夾在中日兩大國之間，作為殖民地的臺灣如何因匯通兩者，而取得最佳的發言位置。洪耀勳是否有明確的政治哲學，或者是否有明確的政治立場，不得而知，他的性格似乎相當學院式的。但夾在中日兩國之間，臺灣的殖民地身分無從擺脫，島嶼如何因為自身的文化性質，而得以溝通兩地，應該是當時多數臺籍知識人共通的立場，也是當時兩岸三地（中日臺）的政治都可以接受的立場。在殖民地的處境下，島嶼知識人往往憑藉島嶼的風土文化與中、日兩國的親密性，藉以提升臺灣的價值。

洪耀勳的風土臺灣說即預設了臺灣的風土性，曹永和的臺灣島史觀說也運用了土的隱喻。論及政治與歷史的問題，土的隱喻的出現是必然的，因為土有蘊藏之意，有承載之意，它是構成人類活動的基礎，也是構成國家的要素。洪、曹兩人的島嶼說似乎沒有將臺灣的出路提升到難解的主權問題，但他們要一個較完整的臺灣，保存島嶼特色與歷史經驗的臺灣，這樣的用心還是可以見到的。政治總是不斷重複繼承歷史—抹殺歷史—重建歷史的循環，這是個永不停歇的建構過程。面對著強音喧囂的時代風氣，火燥心狂的群眾精神，臺灣知識人要求回到存在的基礎，以土的厚積保存義留存可能流失掉的臺灣因素，這種視角的轉變自然有重要的意義。

但土的保存也就是臺灣的意義的保存誠然重要，如何保存又是一回事。風土文化論比起臺灣島史觀來，臺灣的精神性增多了，臺灣意識的哲學內涵也豐富多了。但臺灣意識的提升和臺灣的政治抉擇，兩者的連結如何？答案仍是不清晰的，曹永和的臺灣島嶼史觀與洪耀勳的文化風土論缺乏明確的政治的解讀，或許這正是他們的智慧之處。但如果我們依曹永和、洪耀勳的理路思考，為什麼他們的風土都帶有更強的包容、匯聚、溝通的成分？他們以加法而不是減法詮釋臺灣史。是否他們包容性的思考更切進現實臺灣的面向？順著兩人的思路，從包容的精神出發，或許他們的論述可指向一條可行的政治途徑。尤其洪耀勳指出的臺灣與華南的風土之相似性，此點已觸及到兩岸性的關係此議題，恐不宜輕易滑過不論。我們或許可以進一步依洪耀勳文章的理路，指出兩岸之間的結構中有更多精細交涉的管道。

29　臺灣文化協會於一九二一年成立於東京，此事是日本殖民臺灣時期，臺灣反抗運動的指標性事件。顧名思義，協會的主旨在發揚臺灣文化。

本文接受從島嶼史觀進到風土論史觀的預設，臺灣的本質當從它的精神性與文化性著眼。人如果是「經濟人」、「政治人」、「文學人」外，也是「哲學人」、「宗教人」，那麼，臺灣當然也該有哲學意義的臺灣及宗教意義的臺灣。但本文想更進一步論，認為從「風土性主體」的觀點著眼，臺灣的本質在關係，關係即內在於臺灣內部。本文的設想其實是洪耀勳觀點自然的發展，因為「關係」是從「風土論」一詞所出的和辻哲郎來的，和辻哲郎在京都學派名家中，以文化論、倫理學見長，他的倫理學的核心概念即是「間柄」。[30]這個日造的漢字詞彙意指關係，倫理因關係的相依相待而成，「間柄」就在人的精神構造本身。

落在具體的近代中國史的脈絡考察，我們就不能只是片面地從此岸思考臺灣的前途，而當是雙向思考，既思考此岸可能的選擇，也思考對岸人民的中國想像中很自然地也有臺灣的內涵。「從彼岸的觀點同情地思考」或許不是某些人士樂意採取的想法，但情感原本即是政治認同的核心因素，「臺灣」意象是當代大陸華人民族情感的核心之一。如果兩岸的問題不務實地視作有爭議的議題，而視作事實與法理皆已定讞的案子，我們如何期待爭執的雙方走上談判桌？思考臺灣問題時，只將臺灣問題當成臺灣內部的問題，而將對岸參與的權利完全排斥在外，這是種非歷史的思考，或許這是某些人士思考時容易陷入的地雷區。這樣的排斥或許有現實政治的理路可談，卻未必有歷史傳承的依據可依。海峽既是分割線，也是連結線，兩岸性的思考也適用到對岸人民的精神構造上去。到底整個中國現代化的轉型過程是面對海運東來這個世界史事件而來的，它醞釀於兩岸分裂之前，兩岸一起面對爾後歷史的發展，明鄭以下的歷史即是如此。直到一八九五年甲午戰爭馬關條約簽訂後，兩岸才有半世紀的時間，分別在不同的政治脈絡裡前進。

正是在分別且分割的一八九五年此時刻，種下了複雜的兩岸性的種子。這個關鍵的「分別且分割」的時刻如何理解，也正是問題所在。如果說一八九四—一八九五的清日衝突，滿清戰敗，臺灣割讓，三百萬人同一哭，作為「棄民」的臺灣人民在黑暗中自行摸索前進，此事釀成了臺灣意識發展的契機。[31]我們不會忘掉，也正是同一場的一八九四—一八九五的事件，現代中國的政治轉型之歷史巨變正式揭幕，梁啟超所謂的「吾國四千餘年大夢之喚醒，實自甲午戰役割臺灣償二百兆以後始也。」[32]大動盪開始了，臺灣是甲午乙未那代中國知識人的巨大心靈創傷的符號，臺灣的問題沒解決，中國百年來的民族羞辱即未獲得平復。一場敗戰同時造成了兩岸人民巨大的精神創傷。臺灣之於中國，不會只是領土的意義，也很難只從物質的角度衡量之。我們如果沒有從近世的歷史經驗反思臺灣這個記號在近現代中國知識史中的精神意義，即很難掌握「兩岸性」的實質內涵。

一八九五年的「分別且分割」的歷史經驗之意義是曖昧的，同樣地，設身處地的兩岸性的思考也當放在一九四九之後的兩岸關係著眼。我們不要忘了一九四九的歷史巨變是連著一九四五年的抗戰勝利、臺灣光復而來，而這場兩岸離合的歷史又與一八九五的甲午乙未巨變息息相關。一九四六年十月二十五日，蔣介石在國共內戰面臨攤牌的前夕，初次飛抵臺灣，舉行臺灣光復週年紀念，他在會上宣稱道「自甲午年四月十七日清廷將臺灣割讓予日本以後，至今已達五十一年之久……國父倡導國民革命，即以光復臺灣為革命主要目標之一。興中會當時發布宣言，提出『恢復臺灣，鞏固中華』的口號。以後我們全國革命黨員以及中正本人，無時無刻不本著國父遺教，努力奮鬥，決心湔雪國恥，全力光復臺灣。」[33]臺灣光復的意義和八年抗戰、辛

30 「間柄」是和辻哲郎倫理學的核心概念，他的著作中處處可見。最集中的表現見於《倫理學》一書，此書是日本的倫理學領域裡的扛鼎之作。參見和辻哲郎，《倫理學》，收入《和辻哲郎全集》，卷一〇。

31 參見史明，《台灣人四百年史（漢文版）》（San Jose：蓬島文化公司，一九八〇），第十章〈日本帝國主義統治下的臺灣〉，第五節〈臺灣人的「抗日」與臺灣人意識（後期）〉及第六節〈「臺灣」與「中國」的距離〉，頁四五〇—六九三。另參見施敏輝（本名陳芳明）編，《台灣意識論戰選集：台灣結與中國結的總決算》（台北：前衛出版社，一九八八）。

32 梁啟超，〈改革起原〉，《戊戌政變記》（台北：臺灣中華書局，一九六五），頁一一三。

33 蔣介石：〈臺灣省光復一週年紀念大會講稿〉，收入葉惠芬編，《蔣中正總統檔案・事略稿本》（台北：國史館，二〇一二），卷

亥革命以及甲午戰爭連結在一起，視為一齣完整歷史劇的一環。蔣的文告會成為他爾後在歷屆臺灣光復節的文告的主調，文告確實是政治語言，但我們有理由認定文告顯露的民族情懷有相當強的中國民意的基礎，也是中國的不同政治勢力支持的論點。只是共產黨人會將臺灣未赤化作為革命事件尚待補缺的一節，這也是目前兩岸最大的爭議點。

如果論者不願接受一九四五年臺灣光復的正當性，也不願接受一九四五年至一九四九年兩岸共屬中國的歷史，他從臺灣地位未定論的視角下出發，很自然地可以說一九四九年十二月七日的中華民國政府渡海遷臺是個外部於臺灣的事件，是外來政權介入臺灣，打斷臺灣歷史發展的事件。但我們如果從歷史空間兩岸性關係的角度衡量，一九四九年十二月七日的中華民國政府渡海事件乃是一樁更複雜的兩岸性關係的調整行動的一環，是當時一個完整的主權的中國內部的移動事件，就像抗戰時期，行政中心由南京移往重慶一樣。從此岸觀點看一九四九後的兩岸結構，不同政治立場的人會有不同的解讀。

解嚴後的臺灣天空，「主權獨立的國家」是政治的強音。主權一出，誰與爭鋒！但同樣是「主權」一詞，從彼岸的立場看兩岸的結構，不論彼岸的黨國與人民，朝野大概在主權層次上的堅持不會有太大的歧異。「臺灣內在於中國」是彼岸人民精神構造中的成分，這個精神構造的成分有相當強的法律與現實力量的支持。「主權」這個近代才被帶進中國的概念，[34]此岸會用，彼岸也會用。它是雙面刃，如何運用，顯然需要極大的智慧。

兩岸的地理距離與歷史關係都太近，場所意識是主體意識的核心成分，命運既然無法逃避，較合理的「兩岸性」的思考當是介入彼岸精神構造中的「中國」之解讀，催生一個更好的中國。大曰逝，逝曰遠，遠曰返。回到問題發生的原點，在高屋建瓴的視野中，重新安置兩岸的政治地位，在更好的中國之格局中完成臺灣新生的渴望。回到「中華」的出發點思考，臺灣未必沒有優勢。在臺灣的中華民國因為同時繼承了兩岸不同歷史脈絡的文化資源，同樣走中西混合現代化的途徑，[35]它在詮釋中華文明發展的議題上，未必不能提供不同於彼岸共黨的現代化方案。本文所以將三〇年代臺灣的反抗運動放在「中華民國」的脈絡下解讀，也高度評價一九四九國府渡海事件的歷史意義，「兩岸性乃臺灣的本質」這個理念是關鍵原因。

由於臺灣的此在（Dasein）意味著「臺灣」的深層構造和「兩岸」有高度的重疊，在可見的將來，深厚的歷史業力以及文化作用使得兩岸的任一方都不可能將對岸排斥出去。由今之道，如果兩岸沒有發生急遽的變化，恐怕在相當的（相當的長？或相當的短？）時間內，我們都必須面對對峙的兩岸只能是互為「內在的他者」，「情境主體」的設定對兩岸人民都適用。從情境主體出發可以通向什麼政治的目的，或許仍然不清楚，歷史不能預測，但脫離情境主體的思考恐怕只會像在大漠中旅行卻不帶地圖與指針而勇敢盲行一樣。本文將日本殖民時期的臺灣反抗運動納入中華民國的史觀，將兩岸的歷史重新脈絡化，這是從臺灣島的兩岸關係性出發所作的考量，它有歷史的依據。這種考量不是意味將臺灣的命運交由臺灣住民以外的他者決定，如何決定，顯然需要更精緻而耐心的政治協商。但任何協商應當考慮到雙方的立場，也就是要有兩岸性的視野，這樣的視野應當是一種更符合回到事實本身的現象學的思考。

面對臺灣的兩岸性，我們同樣可用史賓諾莎的名言「一切的肯定都是否定」更進一解。斯賓諾莎的「否

六七，頁三六三—三六四。

34 「主權」這個概念是標準的外來種，一般認為一六四八年簽訂「西發里亞和約」（Peace of Westphalia）後才成為國際間採用的準則。此概念移入二十世紀的中國以後，卻取代了天命，取得主導的力量。梁啟超在建構現代的國家與公民的概念時，即碰到了主權的問題，他曾特別注意之。參見梁啟超，〈政治學大家伯倫知理之學說（一九〇三）〉，收入張品興編，《梁啟超全集》（北京：北京出版社，一九九九），冊二，卷四，第四節「論主權」，頁一〇七五—一〇七六。

35 日本殖民臺灣時期，臺灣反抗運動的兩位領導人物林獻堂與蔣渭水分別受到梁啟超與孫中山的影響。

定」不一定只用於主體的自我指涉的我與他者的分離，主體的自我指涉也可以意指主體的虛位化，在精神的活動的狀態中，主體讓相關的因素如如地呈現。在肯定—否定的共構模式中，主體與關係共生的構造不但不相互衝突，合理的安排後，更可視為相互的條件。臺灣在去我執化以容納關係性因而達成更深刻的主體意識的過程後，它反而有機會曲折地實踐了它的本質。至於臺灣的兩岸關係性落在現實上該如何安排兩岸的政治名分，這是個現實而又複雜的問題，非筆者所能處理。但就臺灣的歷史意識構造而論，兩岸的關係性使得臺灣不能不涉入中國的演變，納中國於臺灣。反過來說，也須納臺灣於中國，一九一一年革命成立的中華民國的意義將是未來任何新中國的設計中核心的成分，而一九四九之後的臺灣經驗是「中華民國」此符號的具體體現者。

本文將臺灣的反抗運動納入中華民國的視野，於精神史有據。從政治的觀點考量，這種納中華文化於反抗運動，納反抗運動於中華民國理念，更有助於兩岸性當中一種更好的中國的想像。共生不礙分歧，分歧更需尋求共生，一種有意義的共生應當要保存有意義的分歧。筆者一向相信在臺灣的中華民國是中國現代性與西洋現代性融合而成的混合現代性的結晶，它是中華文明在當代世界合理的展現，它應該有說服全體中華人民的潛能。如果因為歷史的不幸，無法以和談協商解決問題，我們當然也只能承擔起歷史的懲罰。由於維護民主理念是臺灣的重要價值，為維護核心價值而抗爭未必會減損兩岸性的內涵，反而有可能增加島嶼精神的能量，讓它承擔起更大的歷史的責任。中國歷史的光明面通常是由孤臣孽子、遺民義士寫成的，反抗性內在於中國的歷史。不論未來歷史發展的方向為何，中共政權恐怕需要向全體中國人說明，為什麼共產黨的現代化方案才是中國型的現代化方案？為什麼馬克思、恩格斯思想可以代表現代中國的建國原理？為什麼共產黨的中國現代性方案不能和中華民國的中西混合現代性方案進行和平的競爭？

筆者對臺灣性格的選擇乃是「本土即兩岸性」的模式，一個更好的臺灣有助於更好的中國，一個更好的中國自然會讓所謂的臺灣問題不再是問題。在臺灣的近世精神史構造中，任何重大歷史事件的影響都牽涉到兩岸的結構問題，不會只是海峽兩岸的一岸受到波及。兩岸關係就像兩性關係，任何一方片面的主體性的宣揚都是種遮蔽，自我的耽溺。存在先於本質，從情境主體的觀點出發，臺灣與中華民國的一體化使得臺灣在兩岸的互動中，得以享有更寬廣的活動空間。臺灣因中華民國而得以和對岸的政治勢力商量中華文明發展的方向，這個商量的過程未必不會增強臺灣的體質，而且大有可能有益於雙方。如果學者認為臺灣會碰到一七七六年美國獨立的歷史時刻，或者碰到一九六五年新加坡獨立的歷史時刻，對本文這一章當然會有不同的判斷。歷史的結果從來不能事先判斷，否則，就不叫歷史了，誰能保證期待的歷史時刻不會到來？但那是另一種史觀的選擇了。

五、結論、和談之戰：兩岸局勢的辯證發展

「戰爭」這個概念是歷史的範疇，翻閱人類的歷史，大概沒有哪個文明沒有築基在流血斑斑的基礎上面。戰爭的現象這麼普遍，它有沒有可能是生物學的範疇？凡是生物，總是在物競天擇的考驗中，獲得生存。一隻獅子的生存，要以犧牲多少羚羊為代價？一隻羚羊的生存，又犧牲了多少附生於樹葉上的昆蟲與微生物？也許人類的基因也不缺乏殘忍的因素。

本文反省臺海兩岸的性質，不能不反思中華民國。反思中華民國，不可能只反思它在一九一一年顯現的國體，作為一個從歷史中起作用的理念，它最大的挑戰也是最有意義的呈現乃是如何面對一九四九年十月共產主義革命以及同年十二月中華民國政府渡海遷臺，兩岸長期分裂對峙，形成兩個政治實體。一個中華，兩個國家，這種分裂的格局不是史無前例，久遠的中國史多的是分裂的歷史階段。如果我們僅從權力布局的角

度，或從大一統的思考出發，一九四九的分裂之內涵不會太複雜，分裂國家自有分裂國家的解決方式：或武統，如南、北越血腥暴力的統一；或武獨，如孟加拉脫離巴基斯坦而獨立，同樣血腥與暴力；或和統，如美十三州合組成美利堅合眾國；或和獨，如新加坡悲愴而和平的脫離馬來亞聯邦而立國。現實的中華民國政府在大陸時期如果表現不佳——很可能真的非常不佳，它被取代、推翻或被趕到臺灣，皆不足惋惜。

但「中華民國」的意義需全程以觀，也當理念以觀，不能以一時的事件代替完整的判斷。人類的「戰爭」概念總還是有超越生物學「生存鬥爭」的面向，獅子吃掉羚羊，牠的行動不需要理由。但人類歷史上大規模的戰爭需要理由，越是文明，理由越輝煌。古代的出師表、近代的宣戰敕書（國書）即是戰爭的理由說明書。民族主義、宗教理念都是人類文明的獨特現象，它們既形塑了文明的面貌，但也成了衝突的理由，引觸了戰爭的按鈕。二十世紀另一個影響重大的戰爭理由則是共產主義提供的理想，以推動共產主義為職志的共產黨從來不諱言暴力的必要性，暴力之大者厥為戰爭。至少從一九一七年的蘇俄布爾什維克革命直至一九九一年的蘇聯解體，共產主義引發的烽火幾乎燒遍全世界。歐亞大陸固然赤旗飛揚，即使拉丁美洲或黑色非洲，也有相當數量的共產主義國家。而這把烽火在二十一世紀顯然也還是有的，很明顯地，它仍在中國燃燒。自從一九二一年中國共產黨成立，理念分歧引發的「鬥爭」或「戰爭」即給中國現代史增加了新的成分。一九四九年，中國共產黨透過中國史上少見的大規模內戰，三大戰役，每場戰役動員的雙方士兵都超過百萬。踩在屍山血河的土地上，共產黨攫取了代表中國的政權。它的中國的代表性從一九七一年入聯合國後，更獲得國際的承認。中國共產黨從建黨到建國，暴力是實踐的重要推動力量。

中共從一九四九年建國以後，戰火的陰霾始終沒有在海峽的上空消失過。即使李登輝執政的前期或馬英九的兩任期間，兩岸的關係較緩和，但戰爭的引信並沒有被拔掉，最多只是降溫而已。論及兩岸的戰和，關鍵的思考點當在戰爭的起因為何，如果戰爭的因素牽涉到雙方的核心價值，如果雙方關心的核心價值無法取得共識的話，戰爭的誘因即不可能消除。很明顯地，兩岸的鬥爭牽涉到核心價值的選擇或解釋，有深層的分歧。這個分歧源於中華民國與中華人民共和國立國的基礎大不相同。而這兩個以「中華」為名的國家之所以立國基礎不同，其原因又和一九一一的辛亥革命以及一九四九的共產主義革命的兩場「革命」的性質大不一樣有關。

如果兩岸仍處在上世紀五〇年代、六〇年代的時期，由於兩個以中華為名的國家性質大不相同，戰爭幾乎無法避免。但從鄧小平宣布改革開放、蘇聯及東歐共產國家解體後，資本主義與共產主義的矛盾已大幅鬆綁，原來共產國家的國家統籌規劃的經濟模式已不再當令。而隨著共產主義在國內與國際已不再擁有壟斷真理的特殊地位，中共急遽的向中國文化求援，一種整合共產主義現代化模式與文化傳統主義的現代化模式正進行中。兩岸經過長期的對峙，我們有理由作如下的判斷：中共的執政經驗驅使這個共產國家向中華民國的理念趨近。現在驅使中共要完成統一大業的理由只能是民族主義的情感，而現在中共的民族主義已嘗試建立在文化傳統上的民族主義——但這一點原來也是在臺灣的中華民國的強項。

在當代世界，有種種國家的面貌，其中有一種類型的國家似乎逐漸地脫離掉歷史的、文化的向度，也就是趨於價值的中性化，它成了法的存在，擁有合理地管控政治運作的最高機制。但每個地區的國家的處境都不一樣，沒有一個國家是憑空掉下來的，它總是依賴於一定的時空之緣會而生。而國家作為人民意志的總的表現管道，我們也很難相信國家真的可以脫離公民深層的生命向度而運作。近現代中國的國家建構是個巨大的工程，「公民」、「國家」這些新概念的深根化是這個工程的偉大成就，但這些新概念能夠在華人的土地上生根，不能沒有文化的背景作為支撐。「中華民國」這個理念不論在一九四九之前或之後，它始終擁有與文化傳統的連結之根，但也回應了西方帶來的現代化的訊息，它具備了中西混合現代性的結構。

無疑地，「民主」、「自決」這些概念是現代國家的核心價值，它已深入臺灣的公民社會，不能放棄。

但人民創造歷史不是在形式的、孤立的自我意識下的創造，而是在既成的且繼成的基礎上有效地創造。如果兩岸的問題關連雙方，臺灣史上從來沒有一個非兩岸性的「主權獨立」國家的奠基點。即使一九四九年後的中華民國可以視為四百年臺灣史上可以稱得上的主權獨立的國家，但這個國家卻沒有純粹臺灣內部意識的國家基點，它的主權涵蓋的仍是兩岸的範圍。島嶼人民如果只從島嶼單方面的角度思考解套兩岸的問題，任何方案如果沒有和對岸產生實質的協定，都是不切實際的。決定之前，也許各種可能的方案都該提出來思考，臺獨、華獨、中共模式的一國兩制，中華民國憲法模式的一國兩區、聯省自治、邦聯、聯邦、一國兩憲、一國兩府、大屋頂中國論等，其他各種名相不同的稱呼一定還有，族繁不及備載。至於達成這些設想中的新兩岸關係，手段不出和、戰兩途。兩岸關係可能的方案可以確定不會少，但真正可行的方案可能不會那麼多。這個最後的攤牌前的作業似乎該好好地想一想，公民透過爭議，形成共識。

兩岸無疑地有深層的國家體制的分歧，但兩岸也有血緣、文化與經濟上深層的連結，這是歷史演變下的既存結構。現實的臺灣問題的核心是兩岸問題，存在決定了意識，這個結構性的格局很難改變。如果戰爭是臺灣不可承受的重，不妨將各種可能的兩岸方案置放在歷史的原點，重新脈絡化。回到中華民國與中華人民共和國成立時的兩個歷史時刻，它們代表兩種中國現代化的方案。我們也可考慮將兩岸問題再畛域化，將它放在大華人地區的現代化格局裡看待，重新安置框架，這個回到爭議原點的重新思考或許是較好的選擇。

如果兩個以「中華」為名的國家都承認它們都因應中國現代化轉型的文明大工程而發，那麼，爭執的焦點是中華民國模式與共產中國模式何者較適當？兩種模式乃非此即彼的敵我關係？還是互相比較而彼此校正的關係？沒有和談的空間嗎？先秦時期的一位哲人說過勢很重要，不要逆勢而為，「堯、舜得勢而治」。[36]好的視角、視線與視野即是弱勢者爭取的勢。我們如將兩岸問題放在中國現代化問題的框架下思考，臺灣因為承擔了作為人類文明的主要發展模式之一的中華文明的現代化轉型工程，它自然即享有發言的高度，這種視角的調整即會展開開闊的視野。理直則氣壯，這也是一種勢。得勢之後，氣象自別，現實的優劣狀態未必不能改變。

兩岸的政治分歧很大，卻也有深層的共享結構，溝通的時機與管道也是有的，前提是要能先坐下來談。和談是更艱難的鬥爭，有鬥爭意義的和談更艱困，更需要耐心，更容易被戴帽子，更需要忍辱負重，但這條曲折之路卻是通往和平最可靠的坦蕩大道。前提的前提則是弱勢者不但不宜逆勢，還要創造勢，要順勢創造能坐下來談的氛圍，「我們一定不能把這盤棋下成死棋，可得讓後面的人能走下去」。[37]

36　韓非子，《韓非子．難勢》，收入陳奇猷校注，《韓非子》（北京：中華書局，一九五八），頁八八八。

37　一九九八年，兩岸代表辜振甫與汪道涵在上海舉行辜汪會談，這段話是辜振甫向汪道涵說及的。辜、汪兩人都有老派仕紳的修養，又有豐富的現實意識，與論多認為會談相當成功，辜振甫的話是嚴長壽親自聽到他本人說的。參見嚴長壽，〈每周五的人生課〉，收入黃天才、黃肇珩著，《勁寒梅香：辜振甫人生紀實》（新北：聯經出版事業公司，二〇〇五），頁VII。

後記

這本書如果由別人來寫，可能更為恰當，學界比我更有資格寫「中華民國」的人很多，類似題目的專書應該出版得也已不少。但由於政治與文化必然的連結，歷史與當代的關係也總是藕斷絲連，我到底作過一些儒家思想的研究，難免會有些不一定合時宜的看法。儒學與中國現代化轉型的關係一直是民國儒者、晚清儒者甚至是晚明儒者潛藏的關懷，它是紮紮實實的儒學議題。在當代，從儒家觀點切入本書議題的著作可能相對地少，本書不得已而作，但可以說是「接著」前賢而作。

本書的題材是學術議題，但如果說作者是站在「泛化的他者」的立場，尋找自我定位的問題，也未嘗說不通。我輩很不幸的，也可以說很幸運的，恰好身處國家認同分裂的區域，不少中性的公共議題都會黨派化，連各種顏色都染上了強烈的政治色彩。本書作者是政治領域的門外漢，但對政治卻不能沒有邊緣性的關心。在解嚴前後的一段日子裡，多少也作了些童子軍式的奉獻，雖然那些工作的格局真是邊緣又邊緣，渺蒼海之一粟。但既然稍微觸到邊了，處今之世，政治問題又不可能不影響到每個人的身家性命，無所逃於天地之間，公民總該貢獻些芻蕘之言。如果本書能釐清之間的一些環節，挫銳解紛，應該也是利己利人的行為。

在幾次的工作坊或討論會中，總有朋友問：「為什麼要寫這本書？」這個問題問得很直接，背後的潛臺詞是說不必寫，相關的議題見於每日的大眾媒體以及每分鐘的個人手機。你寫了也不會比別人寫得好，即使寫得還像樣，也會惹得一半島嶼的人口不快，至於寫不好，恐怕連另一半的人口都會惹毛了。但不論寫好寫壞，海峽對岸的一些朋友大概都不會高興。時然後寫，方為上策。不擇時而寫，寫了也是白寫。

這個質疑是有道理的。自從知識專業化以後，時代已不再是大智識分子出頭的年代，那個「動而世為天下道，行而世為天下法，言而世為天下則」的仕紳社會已不可能再來。我們這個時代已不可能有新舊黨爭時期的司馬光、王安石，不可能有東林黨人物的顧憲成、高攀龍，不可能有新文化運動時期的二梁、胡、陳（梁啟超、梁漱溟、胡適、陳獨秀），他們只能活在過去的歷史，二十一世紀的學術殿堂沒有他們的神座，因為已沒有神殿。在當代世界，即使是重要的公共議題，也當委由公共議題的專家去診斷。政治學者論政治，軍事專家評飛彈，防疫問題找公共衛生專家把脈，臺灣人文問題找臺灣史或臺灣文學專家診斷。各種學門的專家是所有議題一把抓在手的傳統「士君子」的分化，知識的分化是現實，也是不可能逆轉的趨勢。

專業知識分子取代「家事、國事、天下事，事事關心」的全能型知識分子，這個趨勢確實不易扭轉。在輿論噪音已成公害的時代，學者對非他專業領域的問題保持緘默，應該也是美德。但有些重要的公共議題恰好不是專業可以解決，它牽涉到價值的選擇，也牽涉到專業範圍背後更深廣的文化背景。我們很難想像在歐美或阿拉伯國家，任何重大的公共議題事件會缺少基督宗教或伊斯蘭教教義的聲音。即使在知識日漸產業化且庸俗化的資本主義社會，哲學的翅膀也不見得會被束縛住，它不時會飛出被框住的所謂的專家學者的圈子之外。法蘭克福學派、存在主義學派即以介入公共領域的事務而著稱於世，更不要說廣泛散布於世的馬克思主義學派了。

「齊家、治國、平天下」是儒家經典《大學》一書的要目，儒家不是包含兩岸在內的東亞世界的共同傳統嗎？儒家比起基督宗教文明、伊斯蘭教文明、印度教文明來，也許宗教性的強度較弱，政教衝突的機會或規模較小，因而需要被政治力量摸頭安撫的資本也較少。但反過來說，儒家正因為人間性的性格較強，儒家參與世間秩序的建構的成分相對之下濃了許多。「儒家與政治的關係」一向是儒家傳統的重要議題，從周、孔、孟、荀到上一代的康有為、梁啟超、張君勱、徐復觀，關心這個議題的儒者何曾少了？當二十一世紀的中共黨人提出中國式的現代化議題時，他難道不需要向這些前輩儒者請益嗎？

除了問「為什麼」外，總也有朋友問「怎麼辦」的問題：「中共的統治不想要，臺獨不可行，『中華民國』走不出去，保持現狀撐不久，你的具體方案是什麼？」這樣的質疑卑之無甚高論，卻常聽到。問者問得實實在在，底氣十足，我們的共同處境逼使一些朋友提出了應該會引發共感的問題。我對現實的了解其實不會比問者了解得更多，也不可能提出什麼建設性的答案，我們很不幸地陷在共同的困境裡。

但話說回來，生命處境哪裡是我們可以選擇的！世界又何曾有真正安寧的角落！每個國家在每個時代都可能面對極麻煩的問題，內部糾纏，外部纏繞，爭辯的雙方都欲飛無力。法國曾有阿爾及利亞獨立問題，美國曾有越戰問題，日本曾有安保條約問題，每個國家共同體幾乎都要分裂成兩個互不通電的半導體了。兩岸問題則是兩岸人民與政府必須共同承擔的麻煩議題，但麻煩的時間更久，結構更複雜，不好好處理的話，後遺症更大。美國丟了越南，法國丟了阿爾及利亞，日本丟了安保條約，國家依舊，人民依舊，時間還是會療癒傷痕的。臺灣沒有這個機會，臺灣失去了兩岸論述的能力，即失去了這個島嶼。

所以雖然明知對現實政治無從著力，也沒有好方案，但能作一點澄清也是好的。有位學者提到他壯年時，一行人曾出關到西北考察，行經沙漠，迷路了。司機沒有勇敢地往前衝，他定下心來。先退回到一座小丘頂部，俯首四望，摸清方向後，汽車才再繼續前進，最後到達目的地。如果我記憶無誤的話，這則故事應當是徐復觀先生說的。這位司機是值得效法的，前景既然濃霧不明，筆者只好退到一個可以前眺的制高點，也可以說回到兩岸問題的原點，張目遠眺，重新思考中國的現代化問題。共產黨的統治是否真的不可欲？臺獨在現實上是否真的不可行？「中華民國」是否真的走不出去？

本書如果有突顯出一些較受忽略的論點的話，大概在於勾勒了一個現代化的儒家方案的輪廓以及史實，這個方案重視憲政體制與文化風土的連接性，也可以說提出了一種詮釋學意義的體用論。現代有些國家的性格近於價值的中立性，它成了法的存在，無涉於傳統、信仰、情感的因素。二十世紀中國的情況頗特別，它一方面是反傳統最激烈的文明古國，但它的反傳統卻不是促成價值中立化的現代國家的出現，而是被另一種極強烈的意識型態取而代之。本書認為現代中國的建國原理還是應當回到中華文明發展的脈絡上，文化風土是莊子所說的無用之大用，各種理論或觀點如果是大地上的各種道路或足跡的話，文化傳統則是撐住這些道路足跡的大地。文化傳統有自行轉化的能力，它的創造能力常落在焦躁的焦點意識之外，似乎存有而不活動。但大地是無力之大力，它默默運作，無赫赫之功，時局卻終會密移潛運。文化傳統被民國的英雄豪傑遺忘久矣！

其實即使在政教分離的歐美社會，文化傳統（尤其宗教）對現實政治起的作用，仍是極明白的現實。至於在政教關係密切的伊斯蘭世界，更毋庸論矣！我們看戰後歐美列強進出這個區域的紀錄，即可了解現代化的工程如果缺乏在地文化的連結，其後果如何！陳寅恪接受一種新舊文化銜接的體用論，博蘭尼暢論焦點意識與支援意識相互支持的切身知識論，其說都有很強的理據。從憲政體制與文化風土的連結性來看，中華民國的性格與體制有它的優越性，不論置於一九四九之前或之後考量，中華民國與兩岸的生活世界都可以銜接得更穩妥，也都較符合現代世界的民主型態的體制。

反過來講，如果其他的現代化方案破壞了文化風土的建設性內涵，對定期的受選舉檢驗的民主制度又無法落實的話，這種方案應該就不是可欲的。中國共產黨在以馬、列為師，付出了極慘痛的歷史債務後，居然能夠幡然改悟，有限度地改革開放，也有限度地與傳統和解，因而取得了巨大的成就。共產主義孕育了中國共產黨，中國共產黨反過來拯救了共產主義，這場共產世界唯一的反饋行動當然是了不起的成就，中共可能是馬克思—列寧繼承者中最優秀的一位。但鄧小平的轉向到家了嗎？中國共產黨真的是依馬列原理拯救了馬列嗎？馬列思想成為一個黨的指導原則，這是政黨的選擇，黨外人士沒有什麼可以置喙的。但馬列思想如果昇華為政治宗教，成為指導性的國家意識型態，我們還是不能不問：馬克思—列寧—毛澤東思想真能代表中國原理？為什麼馬克思—列寧—毛澤東思想才是普遍真理，而中國社會只是普遍真理落實下來發揮作用的「具體情況」？具有悠久文化傳統的「民族自信」是這樣的內容嗎？一個不能定期接受民意檢查，被以選票決定其上臺下臺的體制，是否在後革命的承平時期即該告退？這些質疑不只臺灣人民會提，中國大陸人民難道就能接受嗎？我們的質疑正是我們的國家可以在風暴中立穩腳跟的基礎。

本書提出的另一個較少被論述的論點是臺灣的兩岸性的內涵，更恰當的說法是兩岸的兩岸性的內涵，這是另類的地緣政治學的視角。這種視角可以說是奠基在有地緣的地緣政治學，而不是奠基在離緣的國際地緣政治學的座標上，國際地緣政治學下的臺灣是無涉於臺灣歷史經驗的戰略性島嶼。臺灣的輿論，尤其電視與網路，喜歡從臺灣內部思考臺灣前途，或談論臺灣的主權之類的問題。一旦論及臺灣主權，這樣的主權當然屬於臺灣人民，這是恆真句。但主權和國家的概念連袂而來，臺灣的國家身分是中華民國，臺灣四百年史上，只有一九四九年年底後，因中華民國遷播到臺灣，它才第一次有嚴肅的國家組織，也才有七十餘年來的國家經驗。如要論主權，當說中華民國是主權獨立的國家。而中華民國的主權是包含中國大陸的，這是法的事實，歷史餽贈給臺灣的禮物即是如此。兩岸性內在於「中華民國」的概念內，無從切割。

臺灣處境之特殊而尷尬如是，反過來說，也可以說是設身處地地想一想，可能也是必要的。我們如果將上述的主詞「臺灣」改成「中國」，如「中國的主權不容侵犯」云云，一樣適用於大陸，中國人民大概也會支持。不幸的是，中共政權所宣稱的主權的轄區包含臺灣，而且是有憲法、民意，可能也有聯合國及國際政治的支持的。臺灣一些輿論及政治人物的語言理直氣壯，他們的愛臺之心、保臺之意令人動容，但他們似乎沒有考慮過如何說服中國人民，同意臺灣當局片面提出的方案，好像彼岸中國只是不相干的第三者。這些語言到底是大內宣的意義？還是國家政策的意義？既然爭執存在，雙方有糾紛，雙方都當考慮對方的立場，設身處地地想。本書認為兩岸的問題從現實上、從歷史上或從法的層次上看，都不能不從兩岸的雙邊之視角加以考量。

政治最好能各遂所欲，聚散離合，皆是喜事。不同認同的人最好也都能有各自的生存空間，道並行而不悖，不必在歧路臨別泣涕。但理想的政治只存在於教科書，現實的政治還是要落到現實考量，喜感的政治不是政治的本質。我們眼前的實景是不同認同的人還是要被擠在同一塊土地上，藍綠要在同一塊島嶼上共榮共治，兩岸要在海峽兩岸的同一塊華人世界共同思考中華文明對世界該負的責任。島內一些朋友一旦高舉島嶼主權獨立的大旗後，對岸反命題的政治主張不可能不跟著出現，我們如何說服美、蘇、英、法、德等歐美列強、聯合國、中國共產黨以及中國人民，要求中國放棄對臺灣的主權？

現實政治總要回應我們的生活世界的現實，我們的生活世界中已有具體化的民主政治的內涵，這是全體臺灣人民長期共同奮鬥的結果，沒有可能放棄。但我們也有與對岸糾結難分的經濟利益、文化傳統與國家安全的向度，有葉榮鐘所說的「血的連結」。這些因素是兩岸共同分享的，這些綜合性的生活世界相當程度和臺灣確定的場所密切相關。場所不是我們選擇的，是場所選擇了我們，是我們進入了場所，我們不能逃避場所，只能回應場所。地緣政治學不能只是全球政經勢力布局下的權力空間之布置，真正的地緣政治乃是存在論的風土性地緣政治學。政治判斷總要顧及思考的立足點，如果臺灣的時空位置變了，如臺灣處在新加坡或檳榔嶼的位置，兩岸的人民與政府採取的策略大概就會大不相同。「兩岸性」不存在了，臺灣和中國可能互不相屬，兩地區的人民與政府可能會更親切地交往，甚至互相支持。一旦臺灣存在的場所改變了，結果也就不會有「兩岸問題」一詞的存在空間了。這樣的設想未嘗不美滿，前提是臺灣是否有哪種非歷史思考的地理空間與歷史際遇？

兩岸的問題不能在美妙的言詞下鈍化，不能嚴肅面對議題是學者的失職，回應臺灣存在的場所並不是命定論地接受強者的邏輯。本書的文化視野使得筆者無法接受馬克思—列寧—毛澤東思想成為中國的象徵，也無法接受共產主義作為中國原理。階級鬥爭、唯物史觀、無產階級專政、產權（所有權）消滅論、宗教鴉片說、暴力革命論，這些無一不是共產主義的核心理論，也無一不是纏繞在中國身上的境外勢力，其中有哪一項是中華文明的產物？現實的兩岸關係確實有深層的矛盾。

雖然共產中國不能代表中國文明，本書仍然認為臺灣沒有理由不將兩岸性當作臺灣的本質，只從臺灣內部思考國家認同問題並不是負責任的策略。在這樣的前提下，或許我們該更徹底地思考兩岸問題的本質：癥結到底是臺灣問題，還是中國問題？如果中國這一關繞不過，而我們又認為馬列主義、階級鬥爭史觀、無產階級專政這些中共核心的概念不該成為我們的負擔，也不能成為中國的原理，中國人民有理由要求更具人文精神的新中國。既然如此，我們為什麼不和這些潛藏的支持中華民國路線的大陸人民對話，尋得雙贏？「中華民國」這個符號到底是雪雨天氣不得不穿的溼答答的大衣，臺灣人民無可奈何下的負擔？還是使得臺灣人民因為承繼了複雜而豐饒的中國資產，因而有機會同時參與新中國及新臺灣的創造的禮物？保衛臺灣到底要落在內部認同分歧、兩岸關係緊張的臺灣人民肩上，還是要得到認同或同情中華民國理念的十三億人民的共同承擔，讓臺灣價值有機會也變成中國價值？

如果我們設想能將馬克思—列寧—毛澤東還給共產黨，讓這些人的思想成為該黨的靈魂；中國文化傳統還給中國人民，中國另有更合理的中國原理。一切回到政治的基本規定，黨國分離，各自有廣闊的發展空間。在中國社會逐漸壯大，意識型態墜入黃昏期後，政治現況不會改變嗎？這樣的藍圖難道是不合理的設想嗎？本書並不低估在某個時刻來臨，臺灣人民有犧牲一切保衛臺灣價值的決心；但本書同樣也不會懷疑，在某種民族主義的氣氛下，解放軍自然地也會有「捍衛領土完整」的毅力，而且不無可能有大陸人民的支持，也有國際現實的默許。兩岸問題是結構性的問題，對許多人而言也是核心利益或核心價值的問題，它不會因為一時現實政經情況的改變而消失。面對結構性而又有強烈集體情感支持的民族主義情感問題，我們需要尋求可以對話、可以共享而且可以共同追求的架構。完成國家意志的途徑有多種方式，最快、最省事卻也最糟糕、最費事的途徑即是戰爭，但武力解決真的需要嗎？

山不來，何不就山！本書還是認為參與中國論述，轉化現實政黨的意識型態，兩岸人民共同推動一個更兼具普世價值與文化風格的新中國，才是根本解決問題之道。臺灣問題的祕密與起點就在中國問題，中國問題的祕密與起點則在共產主義與中華文明的糾纏之澄清。正本清源，在這個曠世絕倫的文化建設工程中，臺灣人民如能因為承擔起中華民國公民的責任，而有所貢獻於新中國的推進的話，這將是利己利人的義舉。四百年來臺灣的光榮時刻在此！這個時刻也是回應既是無可逃避也是百年難得一遇的歷史時刻！文明史上將會寫下極光輝燦爛的一章。美麗的想像嗎？也許是。但孫中山一八九四年成立興中會，人數有多少？十七年後的辛亥革命如何發生的？中國共產黨一九二一年創立時黨員人數有多少？二十八年後的共和國是如何建立的？[1]民進黨一九八六年在圓山飯店創黨，黨員人數一三五人，到它在西元二〇〇〇年執政，共花了多少年？當哥白尼提出太陽是宇宙的中心而不是地球時，相信他的地動說理論的有多少人？人數不是問題，現實不是問題，問題在於理論有沒有解釋現實的力道。

朋友問的「怎麼辦」的問題最後還是要牽連到臺灣在現實上如何定位，筆者除了提出一些平凡無比的觀察外，確實只打了擦邊球，乏善可陳。但現實上的兩岸議題的政治提案除了「中華人民共和國特別行政區」以及「臺灣獨立」這兩個項目之外，政治體制的光譜很廣，沒有別的選擇了嗎？從可行性的觀點考量，臺灣參與新冷戰體制的「聯美抗中」的路線，固然也有勢可乘，也可能是形勢所逼，但國際地緣戰略與兩岸根本結構的分量，其輕重得失如何，或許還可再斟酌。兩岸性是臺灣的本質，這樣的戰略的高度站穩了，戰術上一時的成敗得失即無關乎大局。如果戰略的布局成了問題，積無數多的小勝也未必可以達成關鍵性的大勝。

兩岸問題總要依兩岸的場所條件加以考量，當事者的問題無法假手外人解決。其實各種兼顧兩岸現實的提案都有人提了，而且提者還涵蓋了各種不同政治立場的人士，他們的立場或顯或隱多有「中華民國」的交集。「中華民國」是個政治實體的符號，這個符號多年來經過對岸共黨政權以及島嶼內部狂熱的本土勢力的擠壓，生存空間日益縮小，內涵也不斷地被剝奪。或許這種弱化的趨勢不值得惋惜，任何在歷史中出現的事務總依一定的歷史條件而成立，我們很難將它永恆化。如果歷史條件改變了，一個更好而可行的替代方案出現了，我們沒有理由一定要維繫中華民國的體制。

但如果沒有可以改變的歷史條件，也未必有更理想的替代方案呢？本書認為「中華民國」還是目前各種不同政治立場的人比較可以接受的符號，我們有理由從積極面肯定它的存在意義。它既是中國文明現代化轉型的結晶，而且很可能具有無用之大用的文化風土的潛力。這個符號是個有創造力的象徵，脫離了這個有意義的象徵，兩岸的政治力量不見得可以找到整合各種相對立的立場——兩岸／國際、臺灣／中國、政經布局／文化關懷的力量之機制。本書當然認為中華民國的餅還要做大，有文明的高度才有尊嚴。超越了沒有生產性的統獨範疇後，回到兩岸共生共利的原始依據，越中華民國就有機會越臺灣也越中國。

1 孫中山於一八九四年冬季成立興中會的革命團體，會員有二十餘名，到了隔年六月，有會員一一四名，資金一三八八美元。中國共產黨一九二一年七月成立，第一次全國代表大會有十三名代表集會，這十三位代表代表分散各地的五十餘位共產主義小組成員。

參考書目

傳統文獻

先秦．韓非子著，陳奇猷校注，《韓非子》，北京：中華書局，一九五八。
東漢．劉熙，《釋名》，台北：臺灣商務印書館，一九六六。
唐．李賀著，吳正子注，劉辰翁評，徐傳武校點，《李賀詩集》，上海：上海古籍出版社，二〇一五。
唐．韓愈著，嚴昌校點，《韓愈集》，長沙：岳麓書社，二〇〇〇。
北宋．程顥、程頤，《河南程氏遺書》，收入王孝魚點校，《二程集》，北京：中華書局，一九八一，冊上。
南宋．朱熹，《四書集注》，新北：鵝湖出版社，一九八四。
南宋．陳淳，《北溪大全集》，台北：臺灣商務印書館，一九七三。
明．王畿，《王龍溪語錄》，台北：廣文書局，一九七七。
清．王夫之著，《船山全書》編輯委員會編校，《船山全書》，長沙：岳麓書社，一九八八，卷五。
清．丘逢甲著，廣東丘逢甲研究會編，《丘逢甲集》，長沙：岳麓書社，二〇〇一。
清．李鴻章，〈籌議海防摺〉，《奏稿》，收入唐小軒主編，《李鴻章全集》，長春：時代文藝出版社，一九九八，冊二，卷二四，頁一〇六二—一〇七五。
清．杜亞泉著，許紀霖、田建業編，《杜亞泉文存》，上海：上海教育出版社，二〇〇三。
清．林獻堂，《灌園詩集》，新北：龍文出版社，一九九二。
清．林獻堂著，許雪姬等註解，許雪姬、周婉窈編，《灌園先生日記》，台北：中央研究院臺灣史研究所籌備處、中央研究院近代史研究所，二〇〇三，冊五。
清．林獻堂著，許雪姬編註，《灌園先生日記》，台北：中央研究院臺灣史研究所、中央研究院近代史研究所，二〇一〇，冊一八。
清．柳詒徵，《中國文化史》，台北：正中書局，一九七八，卷下。
清．張之洞著，苑書義、孫華峰、李秉新主編，《張之洞全集》，石家莊：河北人民出版社，一九九八，冊二、一二。

清·梁啟超著，張品興編，《梁啟超全集》，北京：北京出版社，一九九九，冊一、二、五、六、七。
清·梁啟超，《戊戌政變記》，台北：臺灣中華書局，一九六五。
清·章太炎，〈中華民國解〉，《章太炎文錄初編·別錄》，收入上海人民出版社編，《章太炎全集》，上海：上海人民出版社，一九八五，冊四，卷一，頁二五二—二六二。
清·連横，《雅堂文集》，台北：大通書局，一九八七，頁三三。
清·連横，《臺灣詩乘》，台北：大通書局，一九八七，卷一。
清·連横，《劍花室詩集》，台北：財團法人林公熊徵學田，一九五四。
清·郭慶藩輯，《莊子集釋》，台北：華正書局，一九九七，頁二四三—二四四。
清·黃宗羲，《黃宗羲全集》，杭州：浙江古籍出版社，一九八五，冊一。
清·熊十力，〈與唐君毅、錢穆、徐復觀、胡秋原、牟宗三、張丕介〉，收入蕭箑父主編，《熊十力全集》，武漢：湖北教育出版社，二〇〇一，卷八，頁六〇六—六〇七。
清·熊十力，《摧惑顯宗記》，收入蕭箑父主編，《熊十力全集》，武漢：湖北教育出版社，二〇〇一，卷五，頁三九三—五四八。
清·劉汋，〈蕺山劉子年譜〉，收入吳光主編，《劉宗周全集》，杭州：浙江古籍出版社，二〇〇七，冊六，附錄二，下卷，頁一七一—一七二。

近人論著

《魯迅全集》修訂編輯委員會總編注，《魯迅全集》，北京：人民文學出版社，二〇〇五，卷一、二、六、一一。
丁文江、張君勱等著，《科學與人生觀：「科學與玄學」論戰集》，台北：問學出版社，一九七七。
丁文江、趙豐田編，《梁啟超年譜長編》，上海：上海人民出版社，二〇〇九。
丁文江、趙豐田編，歐陽哲生整理，《梁任公先生年譜長編（初稿）》，北京：中華書局，二〇一〇。
丁淼，《中國文藝總批評》，香港：香港中國筆會，一九七〇。
上海魯迅紀念館編，《魯迅與漢畫像學術研討會論文集》，上海：上海社會科學院出版社，二〇一九。
中共中央馬克思、恩格斯、列寧、斯大林著作編譯局編，《馬克思恩格斯選集》，北京：人民出版社，一九七二，卷一。
中共中央組織部信息管理中心編，《中國共產黨黨內統計資料匯編（一九二一—二〇一〇）》，北京：黨建讀物出版社，二〇一一。
中國人民政治協商會議武漢市洪山區委員會編，《武昌首億元勳蔡濟民將軍辛亥百年紀念文集》，武漢：湖北人民出版社，二〇一一。

中國社會科學院文學研究所現代文學研究室編，《「革命文學」論爭資料選編》，北京：知識產權出版社，二〇一〇，冊上。

卞修全，《立憲思潮與清末法制改革》，北京：中國社會科學出版社，二〇〇三。

毛澤東，〈論魯迅〉，《毛澤東文集》，北京：人民出版社，一九九三，卷二，頁四二—四五。

毛澤東，〈讀〈封建論〉呈郭老〉，收入劉濟昆編，《毛澤東詩詞全集》，香港：崑崙公司，一九九〇，頁一五〇。

毛澤東，《毛澤東詩詞選》，北京：人民文學出版社，一九八六。

毛澤東，《毛澤東選集》，北京：人民出版社，一九六九，卷一—四。

毛澤東，《毛澤東選集》，北京：人民出版社，一九七七，卷五。

牛漢，《我仍在苦苦跋涉》，台北：人間出版社，二〇一一。

王元化，〈對「五四」的思考〉、〈對「五四」的再認識答客問〉，《清園文存》，南昌：江西教育出版社，二〇〇一，卷二，頁二六二—二八六。

王汎森，〈思潮與社會條件——新文化運動中的兩個例子〉，《中國近代思想與學術的系譜》，新北：聯經出版事業公司，二〇〇七，頁二四一—二七四。

王晴佳，〈白璧德與「學衡派」——一個學術文化史的比較研究〉，《中央研究院近代史研究所集刊》，三七期（二〇〇二．〇六），頁四一—九一。

王詩琅譯註，《臺灣社會運動史：文化運動》，台北：稻鄉出版社，一九八八。

王爾敏，〈興中會同盟會與中華民國國號之創生〉，《孫中山與中華民國》，台北：秀威資訊公司，二〇一一，頁四五—六一。

王瑤，〈「五四」新文學前進的道路——重版代序〉，《中國新文學史稿》，上海：新華書店，一九八二，頁三—二八。

王德威，〈沒有晚清，何來五四？〉，《被壓抑的現代性：晚清小說新論》，台北：麥田出版公司，二〇〇三，頁一五—三四。

王曉波，〈民族正氣蔣渭水〉，收入王玉靜編，《蔣渭水紀念集》，新北：財團法人臺灣研究基金會，二〇〇六，頁二五五—二六九。

史明，《台灣人四百年史（漢文版）》，San Jose, Calif.：蓬島文化公司，一九八〇。

全國人民代表大會常務委員會辦公廳編，《中華人民共和國憲法及有關法律彙編》，北京：全國人民代表大會常務委員會辦公廳，二〇〇五。

成仿吾，〈文學家與個人主義〉，《成仿吾文集》，濟南：山東大學出版社，一九八五，頁二三五—二三九。

成仿吾，〈江南的春訊〉，《成仿吾往憶》，北京：商務印書館，二〇一九，頁二六四—二七一。

朱維錚，《周予同經學史論著選集》，上海：上海人民出版社，一九九六。

朱德，〈關於文化教育工作〉，收入中國民主同盟總部宣傳委員會編，《論知識分子》，北京：中國民主同盟總部宣傳委員會，一九五二，頁一〇〇—一〇一。

朱學勤，〈讓人為難的羅素——讀《羅素與中國：西方思想在中國的一次經歷》〉，《被遺忘與被批評的：朱學勤書話》，杭州：浙江人民出版社，一九九七，頁五一—六三。

朱鴻林，〈理論型的經世之學——真德秀大學衍義之用意及其著作背景〉，《食貨月刊》，十五卷三、四期合刊（一九八五．〇九），頁一〇八—一一九。

江宜樺：〈五四運動一〇〇年後的德先生〉，《傳播研究與實踐》，九卷二期（二〇一九．〇七），頁一—二四。

江南，《蔣經國傳》，台北：前衛出版社，二〇〇七。

牟宗三，〈我所認識的梁漱溟先生〉，《時代與感受續編》，收入《牟宗三先生全集》，新北：聯經出版事業公司，二〇〇三，冊二四，頁三七一—三七七。

牟宗三，〈儒家學術之發展及其使命〉，《道德的理想主義》，收入《牟宗三先生全集》，新北：聯經出版事業公司，二〇〇三，冊九，頁一—一五。

牟宗三，《中國哲學十九講》，收入《牟宗三先生全集》，新北：聯經出版事業公司，二〇〇三，冊二九。

牟宗三，《時代與感受》，收入《牟宗三先生全集》，新北：聯經出版事業公司，二〇〇三，冊二三。

牟宗三、徐復觀、張君勱、唐君毅，〈為中國文化敬告世界人士宣言：我們對中國學術研究及中國文化與世界文化前途之共同認識〉，《民主評論》，九卷一期（一九五八），頁二—二一。

余英時，〈「同治天下」——政治主體意識的顯現〉，《朱熹的歷史世界：宋代士大夫政治文化的研究》，北京：生活．讀書．新知三聯書店，二〇〇四，冊上，頁二一〇—二三〇。

余英時，〈五四：中國近百年來的精神功力〉，《明報月刊》，五四卷五期（二〇一九．〇五）。

余英時，〈五四文化精神的反省〉，收入周陽山主編，《五四與中國》，台北：時報文化出版公司，一九七九，頁四〇七—四二一。

余英時，《余英時回憶錄》，台北：允晨文化公司，二〇一八。

宋強，《中國可以說不：冷戰後期的時政與情感抉擇》，北京：中華工商聯合出版社，二〇〇九。

宋曉軍等著，《中國不高興：大時代、大目標及我們的內憂外患》，南京：江蘇人民出版社，二〇〇九。

李大釗，《李大釗全集》，石家莊：河北教育出版社，一九九九，卷二、三。

李明輝，〈徐復觀與殷海光——當代新儒家與中國自由主義的爭辯之一個剖面〉，收入徐復觀學術思想國際研討會執行委員會編，《東海大學徐復觀學術思想國際研討會論文集》（台中：東海大學，一九九二），頁四九一—五二二。

李明輝，〈關於「新儒家」的爭論：回應《澎湃新聞》訪問之回應〉，《思想》，二九期（二〇一五．一〇），頁二七三—二八三。

李宥霆，〈泰戈爾與東方主義：聚焦於東西之辯的泰戈爾研究〉，《臺灣東亞文明研究學刊》，十卷一期（二〇一三．〇六），頁二一九—二五九。

李淑珍，〈自由主義、新儒家與一九五〇年代臺灣自由民主運動：從徐復觀的視角出發〉，《思與言：人文與社會科學期刊》，四九卷二期（二〇一一．〇六），頁九—九〇。

李喜所，〈剖析梁啟超晚年思想的走向〉，收入李喜所主編，《梁啟超與近代中國社會》，天津：天津古籍出版社，二〇〇五，頁二〇一—二一七。

李焯然，〈《大學》與儒家的君主教育——論《大學衍義》及《大學衍義補》對《大學》的闡釋與發揮〉，《漢學研究》，七卷一期（一九八九．〇六），頁一—一六。

李歐梵，〈五四文人的浪漫精神〉，收入周陽山主編，《五四與中國》，台北：時報文化出版公司，一九七九，頁二九五—三二五。

李澤厚，《中國現代思想史論》，北京：生活．讀書．新知三聯書店，二〇〇八。

汪榮祖，〈章炳麟與中華民國〉，《章太炎散論》，北京：中華書局，二〇〇八，頁二〇八—二四三。

周作人，〈人的文學〉，收入止庵校訂，《周作人自編文集．藝術與生活》，石家莊：河北教育出版社，二〇〇二，頁八—一七。

周婉窈，〈「進步由教育，幸福公家造」——林獻堂與霧峰一新會〉，《海洋與殖民地臺灣論集》，新北：聯經出版事業公司，二〇一二，頁三一三—三六四。

周揚，〈一個偉大的民主主義現實主義者的路——紀念魯迅逝世二周年〉，《周揚文集》，北京：人民文學出版社，一九八四，卷一，頁二八〇—二九二。

周揚，〈新的人民的文藝〉，《周揚文集》，北京：人民文學出版社，一九八四，卷一，頁五一二—五三五。

周策縱著，陳永明等譯，《五四運動史》，長沙：岳麓書社，一九九九。

林志宏，《民國乃敵國也：政治文化轉型下的清遺民》，新北：聯經出版事業公司，二〇〇九。

林茂生，〈祝詞〉，收入曾健民著，《一九四五破曉時刻的臺灣：八月十五日後激動的一百天》，新北：聯經出版事業公司，二〇〇五，頁二九七—二九九。

林桶法，《一九四九大撤退》，新北：聯經出版事業公司，二〇〇九。

林淑娟，《聞一多的原始主義》，台北：里仁書局，二〇一六。

林莊生，〈讀臺中一中校友通訊有感〉，《一個海外臺灣人的心聲》，台北：望春風文化公司，一九九九，頁一七九。

林莊生，《懷樹又懷人：我的父親莊垂勝、他的朋友及那個時代》，台北：自立晚報社文化出版部，一九九二。

林莊生、葉芸芸編，《葉榮鐘日記》，台中：晨星出版公司，二〇〇二。

林朝成，〈臺灣宗教國際化〉，收入楊儒賓等編，《人文百年化成天下：中華民國百年人文傳承大展（文集）》，新竹：國立清華大學，二〇一一，頁五一一—五一二。

林毓生，〈二十世紀中國的反傳統思潮、中式馬列主義與毛澤東的烏托邦主義〉，《中國激進思潮的起源與後果》，新北：聯經出版事業公司，二〇一九，頁九五—一五三。

林毓生，〈平心靜氣論胡適〉，《中國激進思潮的起因與後果》，新北：聯經出版事業公司，二〇一九，頁三三三—三四三。

林毓生著，楊貞德譯，《中國意識的危機：五四時期激烈的反傳統主義》，新北：聯經出版事業公司，二〇二〇。

林資修（幼春），《南強詩集》，台中：林培英排印本，一九六四。

邵建，〈穿刺蘇俄「新教育」〉，《倒退的時代：從梁啟超的憲政到《新青年》的民主》，台北：秀威資訊公司，二〇一八，頁二一六—二一八。

侯健，《從文學革命到革命文學》，台北：中外文學月刊社，一九七四。

姜義華、張榮華編校，《康有為全集》，北京：中國人民大學出版社，二〇〇七，冊一二。

施敏輝（本名陳芳明）編，《台灣意識論戰選集：台灣結與中國結的總決算》，台北：前衛出版社，一九八八。

洪九來，《寬容與理性，《東方雜誌》的公共輿論研究：一九〇四—一九三二》，上海：上海人民出版社，二〇〇六。

洪耀勳，黃文宏譯，《洪耀勳日文哲學著作集》，新竹：國立清華大學出版社，二〇二〇。

美麗島社，〈黨外政論：民主萬歲〉，《美麗島》，一卷一期（一九七九・〇八・一六）。

胡風，〈時間開始了〉，《胡風全集》，武漢：湖北人民出版社，一九九九，冊一，頁一〇一—二八三。

胡頌平編，《胡適之先生年譜長編初稿》，新北：聯經出版事業公司，一九九〇，冊六。

胡適，《胡適手稿》，台北：胡適紀念館，一九六六，集九，卷三。

胡適，《胡適文選》，台北：遠流出版公司，一九八六。

胡適，《戴東原的哲學》，台北：遠流出版公司，一九八八。

胡蘭成，《今生今世》，台北：三三書坊，一九九〇。

郁振華，《人類知識的默會維度》，北京：北京大學出版社，二〇一二。

郁達夫，《中國新文學大系散文二集》，上海：良友圖書公司，一九三六。

唐君毅，〈百年來中國民族之政治意識發展之理則〉、〈論與今後建國精神不相應之觀念氣習〉、〈理性心靈與個人、社會組織及國家〉，以上三文收入《中國人文精神之發展》，台北：台灣學生書局，一九七九，頁一六三—二四〇。

唐君毅，《日記》，收入《唐君毅全集》，台北：台灣學生書局，一九八八，卷二七、二八。

唐君毅，《書簡》，收入《唐君毅全集》，台北：台灣學生書局，一九九〇，卷二六。

夏濟安著，萬芷均等譯，《黑暗的閘門：中國左翼文學運動研究》，香港：中文大學出版社，二〇一六。

孫應祥，《嚴復年譜》，福州：福建人民出版社，二〇〇三。

徐志摩，〈羅素與中國——讀羅素著《中國問題》〉，收入顧永棣編，《徐志摩全集：全六冊》，杭州：浙江人民出版社，二〇一五，評論卷，頁三六八—三七二。

徐復觀，〈「偷運聖經」的意義是什麼？〉，《徐復觀最後雜文集．記所思》，台北：時報文化出版公司，一九八四，頁一二〇—一二四。

徐復觀，〈一個偉大地中國地臺灣人之死——悼念莊垂勝先生〉，《徐復觀雜文四．憶往事》，台北：時報文化出版公司，一九八〇，頁一四三—一五〇。

徐復觀，〈一個偉大書生的悲劇——哀悼胡適之先生〉，《徐復觀雜文四．憶往事》，台北：時報文化出版公司，一九八〇，頁一四〇—一四二。

徐復觀，〈中國人對於國家問題的心態〉，《徐復觀雜文三．記所思》，台北：時報文化出版公司，一九八〇，頁三二一—三二五。

徐復觀，〈中國的治道——讀陸宣公傳集書後〉，《（新版）學術與政治之間》，台北：台灣學生書局，一九八〇，頁一〇一—一二六。

徐復觀，〈中國政治問題的兩個層次〉，《（新版）學術與政治之間》，台北：台灣學生書局，一九八〇，頁三一—四五。

徐復觀，〈反集權主義與反殖民主義〉，《徐復觀雜文三．記所思》，台北：時報文化出版公司，一九八〇，頁二一〇—二一六。

徐復觀，〈自由的討論〉，原載《民主評論》，五卷六期（一九五四．〇三．一六），收入《徐復觀雜文三．記所思》（台北：時報文化出版公司，一九八〇），頁一九三—二〇五。

徐復觀，〈我看大學的中文系〉，收入黎漢基、李明輝編，《徐復觀雜文補編》，台北：中央研究院中國文哲研究所籌備處，二〇〇一，冊二，頁一九三—一九八。

徐復觀，〈垃圾箱外〉，《徐復觀雜文四．憶往事》，台北：時報文化出版公司，一九八〇，頁二三—四六。

徐復觀，〈為生民立命〉，《（新版）學術與政治之間》，台北：台灣學生書局，一九八〇，頁二七九—二八二。

徐復觀，〈悼念葉榮鐘先生〉，《徐復觀雜文四．憶往事》，台北：時報文化出版公司，一九八〇，冊四，頁二〇四—二〇九。

徐復觀，〈遠奠熊師十力〉，收於《徐復觀雜文四．憶往事》，台北：時報文化出版公司，一九八〇，頁二二六—二三〇。

徐復觀，〈歷史文化與自由民主——對於辱罵我們者的答復〉，《（新版）學術與政治之間》，台北：台灣學生書局，一九八〇，頁五二五—五四一。

殷海光，〈自由日談真自由〉，《自由中國》，十卷三期（一九五四．〇一．二三），頁八八—八九。

殷海光，〈政治組織與個人自由〉，《自由中國》，十卷二期（一九五四．〇一．二三），頁五七—六六。

海青，《「自殺時代」的來臨？：二十世紀早期中國知識群體的激烈行為和價值選擇》，北京：中國人民大學出版社，二〇一〇。

秦孝儀主編，國父全集編輯委員會編，《國父全集》，台北：近代中國出版社，一九八九，冊一、二、三、六。

秦燕春，《清末民初的晚明想像》，北京：北京大學出版社，二〇〇八。

荊知仁，《中國立憲史》，新北：聯經出版事業公司，一九八四。

袁珂，《中國神話史》，上海：上海文藝出版社，一九八八。

馬一浮，〈論六藝統攝一切學術〉，《馬一浮集》，杭州：浙江古籍出版社，一九九六，冊一，頁一二—一八。

馬起華，〈刑法第一百條修廢之研析〉，《法律評論》，五七卷十一期（一九九一．一一），頁四—一二。

高華，〈延安整風運動中的思想改造、制度創設與政治運作〉，《歷史筆記》，香港：牛津大學出版社，二〇一四，頁一八七—二四二。

高華，〈紅軍長征的歷史敘述是怎樣形成的〉，《歷史筆記》，香港：牛津大學出版社，二〇一四，頁一二五—一四〇。

高華，《紅色太陽是怎樣升起的：延安整風運動的來龍去脈》，香港：中文大學出版社，二〇〇一。

崔書琴，《孫中山與共產主義》，台北：傳記文學出版社，一九八四，頁五七。

張玉法，《清季的立憲團體》，台北：中央研究院近代史研究所，一九七二。

張亨，〈孔子論詩〉，《思文之際論集》，台北：允晨文化出版公司，一九九七，頁六六—一〇〇。

張佛泉，〈亞洲人民反共的最終目的〉，《自由中國》，十一卷二期（一九五四．〇七．一六），頁三七—三九。

張君勱，〈梁任公傳序〉，《一九四九年以後張君勱言論集》，台北：稻鄉出版社，一九八九，冊五，頁四八—五〇。

張君勱，《中華民國憲法十講》，台北：中國民主社會黨，一九八四。

張君勱等著，《科學與人生觀》，長沙：岳麓書社，二〇一一。

張其昀主編，《先總統蔣公全集》，台北：中國文化大學中華學術院先總統蔣公全集編纂委員會，一九八四，冊二、三。

張朋園，〈啟蒙思想與鼓吹革命——梁啟超戊戌之前的激進言論與志氣〉，《梁啟超與清季革命》，台北：中央研究院近代史研究所，一九八二，頁四七—八〇。

張朋園，〈異曲與同工——梁啟超流亡日本後期的言行〉，《梁啟超與清季革命》，台北：中央研究院近代史研究所，一九八二，頁一六三—二〇六。

張朋園，《立憲派與辛亥革命》，台北：中央研究院近代史研究所，二〇〇五。

張朋園，《梁啟超與民國政治》，台北：中央研究院近代史研究所，二〇〇六。

張崑將，〈孫中山對儒家思想的創造性轉換：以「道統論」與「行易知難說」為核心〉，收入楊同慧編，《傳承與創新：紀念國父孫中山先生一五〇歲誕辰》，台北：國父紀念館，二〇一六，頁二三一—二五九。

張富忠、邱萬興編著，《綠色年代一九七五—二〇〇〇：台灣民主運動25年》，台北：印刻出版社，二〇〇五。

張瓏，〈「中華民國刑法第一百條修正草案」審議經過〉，《立法院院聞》，二十卷九期（一九九二.〇九），頁三六—四九。

張灝，〈幽暗意識與民主傳統〉、〈超越意識與幽暗意識〉，兩文收入《幽暗意識與民主傳統》，新北：聯經出版事業公司，二〇二〇，頁三—七八。

曹禺，〈我對今後創作的初步認識〉，收入王興平、劉恩久、陳文璧編，《曹禺研究專集》，福州：海峽文藝出版社，一九八五，冊上，頁六〇—六二。

曹永和，《臺灣早期歷史研究續集》，新北：聯經出版事業公司，二〇〇〇。

梁實秋，〈現代中國文學浪漫之趨勢〉，《梁實秋論文學》，台北：時報文化出版公司，一九七八，頁三—二三。

梁漱溟著，中國文化書院學術委員會編，《梁漱溟全集》，卷三、四、七。

梅家玲，《從少年中國到少年臺灣：二十世紀中文小說的青春想像與國族論述》，台北：麥田出版公司，二〇一三。

梅廣，〈中國文化中的道德與宗教〉（未刊稿），二〇一九。

莊太岳著，莊幼岳編校，《太岳詩草》，台北：正言月刊社，一九六八。

莊垂勝撰，《徒然吟草》，新北：龍文出版社，二〇〇一。

許俊雅，《臺灣寫實詩作之抗日精神研究：一八九五—一九四五年之古典詩歌》，台北：國立編譯館，一九九七。

許建崑，〈孫克寬先生行誼考述〉，《東海中文學報》，十八期（二〇〇六），頁七九—一一二。

連溫卿著，張炎憲、翁佳音編校，《臺灣政治運動史》，台北：稻鄉出版社，一九八八。

郭沫若，《郭沫若全集》，北京：人民文學出版社，一九八二，文學編，卷一。

郭齊勇，〈熊十力——文化意識宇宙中的巨人〉，收入李振霞主編，《當代中國十哲》，北京：華夏出版社，一九九二，頁二四八—二九四。

陳立勝，〈「惻隱之心」、「他者之痛」與「疼痛鏡像神經元」——對儒家以「識痛癢」論仁思想一系的現代解釋〉，《社會科學》，二〇一六年十二期，頁一一〇—一二〇。

陳昭瑛，〈啟蒙、解放與傳統：論二十年代臺灣知識分子的文化省思〉，《臺灣與傳統文化》，台北：臺灣書店，一九九九，頁一二三—一二八。

陳烈，《田家英與小莽蒼蒼齋》，北京：生活．讀書．新知三聯書店，二〇〇二。

陳寅恪，〈王觀堂先生輓詞并序〉，《陳寅恪集．詩集（附唐篔詩存）》，北京：生活．讀書．新知三聯書店，二〇〇一，頁一二—一七。

陳寅恪，〈馮友蘭中國哲學史下冊審查報告〉，《陳寅恪集．金明館叢稿二編》，北京：生活．讀書．新知三聯書店，二〇〇一，頁二八二—二八五。

陳毅，〈致熊十力〉，收入蕭箑父主編，《熊十力全集》，武漢：湖北教育出版社，二〇〇一，卷八，頁七三五—七三六。

陳獨秀，〈《新青年》罪案之答辯書〉，收入吳曉明編選，《德賽二先生與社會主義：陳獨秀文選》，上海：上海遠東出版社，一九九四，頁九七—九八。

陳獨秀，〈東西民族根本思想之差異〉，《獨秀文存》，上海：上海書店，一九八九，頁三五—四〇。

陳耀昌，〈三太子與鄭成功〉，《島嶼ＤＮＡ》，台北：印刻出版社，二〇一八，頁一四四—一四八。

陳蘊茜，《崇拜與記憶》，南京：南京大學出版社，二〇〇九。

陶海洋，《《東方雜誌》（一九〇四—一九四八）》，合肥：合肥工業大學出版社，二〇一四。

陸品妃、吳秀瑾，〈臺北帝大唯一臺籍哲學學士林素琴〉，收入洪子偉、鄧敦民編，《啟蒙與反叛：臺灣哲學的百年浪潮》，台北：臺大出版中心，二〇一八，頁四三五—四七五。

傅斯年，《臺灣大學辦學理念與策略》，台北：臺大出版中心，二〇〇六。

嵇文甫，《左派王學》，上海：開明書店，一九三四。

彭小妍，《唯情與理性的辯證：五四的反啟蒙》，新北：聯經出版事業公司，二〇一九。

彭國翔，《智者的現世關懷》，新北：聯經出版事業公司，二〇一六。

湯志鈞編，《章太炎年譜長編》，北京：中華書局，一九七九。

費孝通，〈我這一年〉，《費孝通全集》（呼和浩特：內蒙古人民出版社，二〇〇九），卷六，頁四〇〇—四五三。

馮友蘭，《三松堂自序》，北京：生活．讀書．新知三聯書店，一九八四。

馮天瑜、何曉明，《張之洞評傳》，南京：南京大學出版社，一九九一。

黃宇和，《孫逸仙倫敦蒙難真相：從未披露的史實》，新北：聯經出版事業公司，一九九八。

黃克武，〈梁啟超與儒家傳統——以清末王學為中心之考察〉，收入李喜所主編，《梁啟超與近代中國社會》，天津：天津古籍出版社，二〇〇五，頁一四一—一五三。

黃克武，《自由的所以然：嚴復對約翰密爾自由思想的認識與批判》，台北：允晨文化出版公司，一九九八。
黃宗羲著，王汎森導讀，《何以三代以下有亂無治：明夷待訪錄》，北京：海豚出版社，二〇一二。
黃信介，〈發刊詞：共同來推動新生代政治運動！〉，《美麗島》，一卷一期（一九七九．〇八．一六）。
黃美娥，〈帝國魅影——櫟社詩人王石鵬的國家認同〉，《重層現代性鏡像：日治時代臺灣傳統文人的文化視域與文學想像》，台北：麥田出版公司，二〇〇四，頁三四三—三八〇。
楊玉清，〈關於熊十力〉，收入蕭萐父、郭齊勇主編，《玄圃論學集：熊十力生平與學術》，北京：生活．讀書．新知三聯書店，一九九〇，頁六四—六九。
楊奎松，《忍不住的關懷：一九四九年前後的書生與政治》，桂林：廣西師範大學出版社，二〇一三。
楊儒賓，〈一九四九的民主建國論〉，《中國現代文學》，三三期（二〇一八．〇六），頁七—四一。
楊儒賓，〈人性、歷史契機與社會實踐——從有限的人性論看牟宗三的社會哲學〉，《臺灣社會研究季刊》，一卷四期（一九八八．一二），頁一三九—一七九。
楊儒賓，〈孔顏樂處與曾點情趣〉，收入黃俊傑編，《東亞論語學：中國篇》，台北：臺大出版中心，二〇〇九，頁三—三二。
楊儒賓，〈吐生、報本與厚德——土的原型象徵〉，《五行原論：先秦思想的太初存有論》，新北：聯經出版事業公司，二〇一八，頁三八九—四四五。
楊儒賓，《帝堯與絕地天通》，《原儒：從帝堯到孔子》，新竹：國立清華大學出版社，二〇二〇，頁八五—一三六。
楊儒賓，〈重審理學的第三系〉，收入林月惠編，《中國哲學的當代議題：氣與身體》，台北：中央研究院中國文哲研究所，二〇一九，頁九三—一三二。
楊儒賓，〈從明暗到陰陽〉，《五行原論：先秦思想的太初存有論》，新北：聯經出版事業公司，二〇一八，頁一五一—一九六。
楊儒賓，〈情歸何處——晚明情思想的解讀〉，收入鄭宗義主編，《中國哲學與文化．第十八輯．靈根自植之後：唐君毅哲學》，上海：上海古籍出版社，二〇二〇，頁一〇〇—一五二。
楊儒賓，〈開出說？銜接說？〉，《思想》，二九期（二〇一五．一〇），頁三〇五—三一四。
楊儒賓，《異議的意義：近世東亞的反理學思潮》，台北：臺大出版中心，二〇一二。
楊儒賓編，《自然概念史論》，台北：臺大出版中心，二〇一四。
楊儒賓編，《斷鴻殘雁：一九四九說一九四九》（待出版）。
葉光南、葉芸芸主編，《葉榮鐘年表》，台中：晨星出版社，二〇〇二。
葉惠芬編，《蔣中正總統檔案．事略稿本》，台北：國史館，二〇一一。

葉榮鐘，《日據下臺灣政治社會運動史》，台北：晨星出版公司，二〇〇〇，冊上。

葉榮鐘著，李南衡編，《臺灣人物羣像》，台北：帕米爾書店，一九八五。

葉碧苓，〈臺北帝國大學與京城帝國大學史學科之比較（一九二六—一九四五）〉，《臺灣史研究》，十六卷三期（二〇〇九），頁八七—一三二。

葉赫那拉．根正、郝曉輝，《我所知道的末代皇后隆裕：慈禧曾孫口述實錄》，北京：中國書店，二〇〇八。

翟志成，〈王國維尋死原因三說質疑〉，《新亞學報》，二九期（二〇一一．〇三），頁一五五—一九六。

聞一多著，朱自清等編，《聞一多全集》，台北：里仁書局，二〇〇〇，冊三，丙集、丁集。

聞一多著，孫黨伯、袁謇正編，《聞一多全集》，武漢：湖北人民出版社，一九九三，冊一。

臺灣大學臺灣研究社編，《臺北帝國大學研究通訊》，台北：臺灣大學臺灣研究社，一九九六，創刊號。

臺灣史研究會編，《臺灣社會運動先驅者王敏川選集》，台中：臺灣史研究會，一九八七。

臺灣總督府警務局編，《臺灣總督府警察沿革誌》，台北：南天書局，一九九五，冊三。

劉永昌整理，《吳國楨傳》，台北：自由時報，一九九五。

劉明福，《中國夢：後美國時代的大國思維與戰略定位》，北京：中國友誼出版公司，二〇一〇。

劉彥華編著，《中國學前教育史》，北京：光明日報出版社，二〇一〇。

劉述先，〈現代新儒學研究之省察〉，《中國文哲研究集刊》，二十期（二〇〇二．〇三），頁三六七—三八二。

潘光哲，〈「國父」形象的歷史形成〉，收入曾一士總編輯，《第六屆孫中山與現代中國學術研討會論文集》，台北：國父紀念館，二〇〇三，頁一八三—一九八。

翦伯贊編，《中國史綱要》，北京：人民出版社，一九七九，冊四。

蔡元培，〈在林德揚追悼會上的演說詞〉、〈文化運動不要忘了美育〉，兩文收入《蔡元培文錄》，北京：商務印書館，二〇一九，頁一四九—一五一、二六八—二七一。

蔣年豐，〈海洋文化的儒學如何可能〉、〈法政主體與現代社會〉，兩文收入《海洋儒學與法政主體》，台北：桂冠圖書公司，二〇〇五，頁二四一—二七一。

蔣渭水著，王曉波編，《蔣渭水全集》，台北：海峽學術出版社，一九九八，冊上、下。

蔣渭水著，蔣朝根編校，蔣智揚翻譯，《蔣渭水先生全集》，台北：財團法人蔣渭水文化基金會、國史館，二〇一四。

蔣貴麟編，《康南海先生遺著彙刊．康南海先生墨蹟》，台北：宏業書局，一九七六，冊一七。

蔣經國，《我的父親》，新北：中央印製廠，一九五六。

蔣夢麟，〈北大學生林德揚君的自殺——教育上生死關頭的大問題〉，《新潮》，二卷二期（一九一九．一二），頁三四九—三五〇。

蔣夢麟，〈談中國新文藝運動——為紀念五四與文藝節而作〉，《蔣夢麟述懷》，北京：商務印書館，二〇一九，頁二八〇—三〇〇。

蔣慶，《公羊學引論》，瀋陽：遼寧教育出版社，一九九五。

鄧志松，〈正義的代價〉，收入曾一士總編輯，《第六屆孫中山與現代中國學術研討會論文集》，台北：國父紀念館，二〇〇三，頁二一一—四〇〇。

鄧秉元，〈新文化運動百年祭〉，《新文化運動百年祭》，上海：上海人民出版社，二〇一九，頁一—九四。

穆旦，《穆旦詩全集》，北京：中國文學出版社，一九九六，頁三五一。

蕭公權，《中國政治思想史》，新北：聯經出版事業公司，一九八三，冊下。

蕭軍，《蕭軍全集》，北京：華夏出版社，二〇〇八，冊一二。

錢穆，《中國思想史》，收入錢賓四先生全集編委會整理，《錢賓四先生全集》，新北：聯經出版事業公司，甲編，冊二四，一九九四。

錢穆，《中國歷代政治得失》，收入錢賓四先生全集編委會整理，《錢賓四先生全集》，新北：聯經出版事業公司，乙編，冊三一，一九九五。

薛君度著，楊順之譯，《黃興與中國革命》，香港：三聯書店，一九八〇。

瞿秋白，《瞿秋白文集》，北京：人民文學出版社，一九八五，文學編，卷一。

聶莉莉（Nie, Li-Li）著，聶曉華譯，《知識分子的思想轉變：新中國初期的潘光旦、費孝通及其周圍》，新竹：國立清華大學出版社，二〇一八。

羅正鈞，《辛亥殉節錄》，台北：明文書局，一九八五。

羅家倫等編，《國父年譜增訂本》，台北：中國國民黨中央委員會黨史史料編纂委員會，一九六九，冊下。

譚佳，《神話與古史：中國現代學術的建構與認同》，北京：社會科學文獻出版社，二〇一六。

譚嗣同，《仁學》，收入蔡尚思、方行編，《譚嗣同全集：增訂本》，北京：中華書局，一九九八，冊下。

嚴復著，王栻主編，《嚴復集》，北京：中華書局，一九八六，冊一—三。

蘇新，〈連溫卿與臺灣文化協會〉，《未歸的台共鬥魂：蘇新自傳與文集》，台北：時報文化出版公司，一九九三，頁一〇〇—一〇六。

蘇曉康，〈真空、烏托邦與民族主義——試論中國反傳統主義的「林毓生分析範式」〉，收入林毓生，《中國激進思潮的起源與後果》，新北：聯經出版事業公司，二〇一九，附錄二，頁四四三—四五五。

釋太虛，《東瀛采真錄》，收入釋印順，《太虛大師年譜》，台北：正聞出版社，一九八六。

〔日〕九鬼周造，〈時間の問題——ベルクソンとハイデッガ〉，收入《九鬼周造全集》，東京：岩波書店，二〇一一，卷三，頁二九五—三三七。

〔日〕矢內原忠雄著，林明德譯，《日本帝國主義下的臺灣》，台北：吳三連臺灣史料基金會，二〇〇七。

〔日〕竹內弘行，《中國の儒教的近代化論》，東京：研文出版社，一九九五。

〔日〕竹內弘行，《康有為と近代大同思想の研究》，東京：汲古書院，二〇〇八。

〔日〕西田幾多郎著，黃文宏譯注，《西田幾多郎哲學選輯》，新北：聯經出版事業公司，二〇一三。

〔日〕和辻哲郎，《和辻哲郎全集》，東京：岩波書店，一九八九，卷八、一〇。

〔日〕島田虔次，《朱子學と陽明學》，東京：岩波書店，二〇〇五。

〔日〕島田虔次著，甘萬萍譯，《中國近代思惟的挫折》，南京：江蘇人民出版社，二〇一〇。

〔日〕島田虔次著，徐水生譯，《熊十力與新儒家哲學》，台北：明文出版社，一九九二。

〔日〕荒木見悟著，廖肇亨譯注，《佛教與儒教》，新北：聯經出版事業公司，二〇〇八。

〔日〕湯淺泰雄，《共時性の宇宙觀》，東京：人文書院，一九九五。

〔日〕溝口雄三，〈もう一つの「五・四」〉，《中国の衝擊》，東京：東京大學出版會，二〇〇四，頁一六六—二〇五。

〔日〕溝口雄三，〈另一個「五四」〉，收入王瑞根譯，孫歌校，《中國的衝擊》，北京：生活・讀書・新知三聯書店，二〇一一，頁一五三—一九四。

〔日〕溝口雄三著，林右崇譯，《中國前近代思想的演變》，台北：國立編譯館，一九九四。

〔日〕實藤惠秀著，譚汝謙、林啟彥譯，《中國人留學日本史》，北京：生活・讀書・新知三聯書店，一九八三。

〔日〕藤田正典等編，〈新青年一〇年の歩み〉，《新青年總目錄五四運動文獻目錄》，東京：汲古書院，一九七七，頁一—一三。

〔匈牙利〕博藍尼（Michael Polanyi）著，許澤民譯，《個人知識：邁向後批判哲學》，台北：商周出版，二〇〇四。

〔匈牙利〕博藍尼（Michael Polanyi）著，彭淮棟譯，《博藍尼講演集：人之研究・科學、信仰與社會・默會致知》，新北：聯經出版事業公司，一九八五。

〔法〕Comte, Auguste. *The Positive Philosophy of Auguste Comte*, Harriet Martineau trans. New York: Ams Press, INC, 1974.

〔法〕巴什拉（Gaston Bachelard）著，竹內良知譯，《科學認識論》，東京：白水社，一九七四。

〔法〕李維史陀（Claude Lévi—Strauss）著，李幼蒸譯，《野性的思維》，北京：商務印書館，一九八七。

〔法〕杜爾凱姆（Émile Durkheim）著，鍾旭輝等譯，《自殺論》，杭州：浙江人民出版社，一九八八。

〔法〕柏格森（Henri Bergson）著，張東蓀譯，《創化論》，台北：先知出版社，一九七六。

〔俄〕列寧（Vladimir Lenin），〈帝國主義是資本主義的最高階段〉，《列寧全集》，北京：人民出版社，一九六三，卷二二，頁一七九—二九七。

〔俄〕列寧（Vladimir Lenin）、斯大林（Joseph Vissarionovich Stalin）著，張仲實，曹葆華譯，《列寧、斯大林論中國》，北京：人民出版社，一九六三。

〔美〕史華慈（Benjamin Isadore Schwartz）著，林毓生校訂，周陽山節譯，〈五四的回顧——五四運動五十周年討論集導言〉，收入周陽山主編，《五四與中國》，台北：時報文化出版公司，一九七九，頁二六九—二八三。

〔美〕安德森（Benedict Anderson）著，吳叡人譯，《想像的共同體：民族主義的起源與散布》，台北：時報文化出版公司，二〇一〇。

〔美〕艾愷（Guy Salvatore Alitto）採訪，梁漱溟口述，《這個世界會好嗎？：梁漱溟晚年口述》，北京：東方出版中心，二〇〇六。

〔美〕亨利・基辛格（Henry A. Kissinger）著，顧淑馨、林添貴譯，《大外交》，海口：海南出版社，一九九八

〔美〕季辛吉（Henry A. Kissinger），《論中國》，北京：中信出版社，二〇一五。

〔美〕格雷厄姆・艾利森（G. Allison）著，包淳亮譯，《注定一戰？中美能否避免修昔底德陷阱》，新北：八旗文化，二〇一八。

〔美〕馬漢（Alfred Thayer Mahan）著，安常容等譯，《海權對歷史的影響》，北京：解放軍出版社，二〇〇六。

〔美〕勒文森（Joseph R. Levenson）著，劉偉等譯，《梁啟超與中國近代思想》，台北：谷風出版社，一九八七。

〔美〕戴雅門（Larry Diamond）著，盧靜譯，《妖風：全球民主危機與反擊之道》，新北：八旗文化，二〇一九。

〔美〕羅素（Bertrand Russell）著，秦悅譯，《中國問題》，北京：經濟科學出版社，二〇一三。

〔英〕克林武德（Robin George Collingwood）著，何兆武等譯，《歷史的觀念》，北京：北京大學出版社，二〇一〇。

〔英〕維根斯坦（Ludwig Wittgenstein）著，牟宗三譯，《名理論》，收入《牟宗三先生全集》，新北：聯經出版事業公司，二〇〇三，冊一七。

〔英〕懷德海（Alfred North Witehead）著，傅佩榮譯，《科學與現代世界》，台北：黎明文化公司，一九八一。

〔普魯士〕克勞塞維茲（Carl Philipp Gottfried von Clausewitz）著，楊南芳等譯校，《戰爭論》，新北：左岸文化，二〇二〇，冊上。

〔奧地利〕卡爾・巴柏（Karl Popper），《開放社會及其敵人》，台北：桂冠圖書公司，一九八六。

〔瑞士〕卡爾・古斯塔夫・榮格（Carl Gustav Jung）著，吳康等譯，《心理類型》，台北：桂冠圖書公司，一九九九，冊下。

〔瑞士〕卡爾・古斯塔夫・榮格（Carl Gustav Jung）著，周朗、石小竹譯，《當代事件論文集》，《文明的變遷》，收入《榮格文集》，北京：國際文化出版公司，二〇一一，卷六，頁一二九—一八〇。

〔瑞士〕卡爾・古斯塔夫・榮格（Carl Gustav Jung）著，黃奇銘譯，《尋求靈魂的現代人》，台北：志文出版社，一九七四。

〔瑞士〕卡爾・古斯塔夫・榮格（Carl Gustav Jung）著，楊儒賓譯，〈論同時性〉，《東洋冥想的心理學：從易經到禪》，台北：商鼎出版社，一九九三，頁二五〇—二六六。

〔瑞士〕卡爾・古斯塔夫・榮格（Carl Gustav Jung）著，劉國彬、楊德友譯，《回憶・夢・思考：榮格自傳》，瀋陽：遼寧人民出版社，一九八八。

〔瑞典〕Rudolf, Kjellén. *Staten som lifsform.* Stockholm, 1916.

〔德〕里斯（Daniel Leese）著，秦禾聲等譯，唐少傑校，《崇拜毛：文化大革命中的言辭崇拜與儀式崇拜》，香港：香港中文大學出版社，二〇一七。

〔德〕狄爾泰（Wilhelm Dilthey）著，艾彥、逸飛譯，《歷史中的意義》，北京：中國城市出版社，二〇〇二。

〔德〕卡西爾（Ernst Cassirer）著，黃龍保、周振選譯，《神話思維》，北京：中國社會科學出版社，一九九二。

〔德〕卡西爾（Ernst Cassirer）著，張國忠譯，《國家的神話》，杭州：浙江人民出版社，一九八八。

〔德〕洪堡特（Wilhelm von Humboldt），〈論思維和說話〉、〈普通語言學論綱〉、〈論與語言發展的不同時期有關的比較語言研究〉，以上收入姚小平譯，《洪堡特語言哲學文集》，北京：商務印書館，二〇一一，頁一—三七。

〔德〕朗格（Friedrich Albert Lange）著，郭大力、李石岑譯，《唯物論史》，台北：臺灣商務印書館，一九五七，冊上。

〔德〕海德格（Martin Heidegger）著，陳嘉映、王慶節譯，《存在與時間》，北京：生活・讀書・新知三聯書店，一九八七。

〔德〕費爾巴哈（Ludwig Andreas von Feuerbach）著，榮震華譯，《基督教的本質》，北京：商務印書館，一九九五。

〔德〕黑格爾（Georg Wilhelm Friedrich Hegel）著，范揚、張企泰譯，《法哲學原理》，北京：商務印書館，一九七九。

〔德〕黑格爾（Georg Wilhelm Friedrich Hegel）著，賀麟、王太慶譯，《哲學史演講錄》，北京：商務印書館，一九八三。

〔德〕奧托（Rudolf Otto）著，成窮、周邦憲譯，《論神聖：對神聖觀念中的非理性因素及其與理性之關係的研究》，成都：四川人民出版社，一九九五。

〔德〕馬克思・霍克海默（Max Horkheimer）、西奧多・阿多諾（Theodor Ludwig Wiesengrund Adorno）著，渠敬東、曹衛東譯，《啟蒙辯證法》，上海：上海人民出版社，二〇二〇。

〔德〕霍耐特（Axel Honneth）著，王旭譯，《自由的權利》，北京：社會科學文獻出版社，二〇一三，頁一〇八。

〔羅馬尼亞〕伊利亞德（Mircea Eliade）著，楊素娥譯，《聖與俗：宗教的本質》，台北：桂冠圖書公司，二〇〇一。

Peat, F. David. *Synchronicity: The Bridge Between Matter and Mind.* New York: Bantan Books, 1988.

Gentile, Emilio. *Politics as Religion.* George Stautan Trans. Princeton: Princeton University Press, 2006.

Neumann, Erich. *The Great Mother.* New Tersey: Prineeton Univerity Press, 1974.

Progoff, Ira. *Jung, Synchronicity and Human Destiny.* New York: Dell Publishing Co.,1980.

Eliade, Mircea. *Patterns in Comparative Religion.* New York: New American Library, 1974.

Eliade, Mircea. *Yoga, Immortality and Freedom.* New York: Pantheon Books, 1958.

Otto, Rudolf. *The Idea of the Holy.* New York: Oxford University Press, 1950.

Kruks, Sonia. *Situation and Human Existence: Freedom, Subjectivity and Society.* London: Unwin Hyman, 1990.

Dilthey, Wilhelm. Dragts for a Critique of Historical Reason, In Rudolf A. Makkreel & Frithjof Rodi eds., *Wilhelm Dilthey Selected Works, Volume III: The Formation of the Historical World in the Human Sciences.* Princeton University Press, 2002.

國立清華大學圖書館特藏「葉榮鐘全集、文書及文庫數位資料館」（https://reurl.cc/12mdo9）。

〈公民與政治權利國際公約〉，「全國法規資料庫」：https://reurl.cc/gQ3lp4（二〇二三．一二．二八瀏覽）。

〈經濟社會文化權利國際公約〉，「全國法規資料庫」：https://reurl.cc/zrLX7V（二〇二三．一二．二八瀏覽）。

「經濟部國際貿易局」：https://www.trade.gov.tw/（二〇二三．〇七．一八瀏覽）。

人名索引

九劃

十劃

十一劃

十二劃

十三劃

十四劃

十五劃

十六劃

十七劃

十八劃

十九劃

二十劃

二十二劃

思考中華民國

2023年7月初版
定價：新臺幣640元

著者	楊儒賓
叢書主編	沙淑芬
校對	王中奇
內文排版	菩薩蠻
封面設計	兒日

出版者	聯經出版事業股份有限公司
地址	新北市汐止區大同路一段369號1樓
叢書主編電話	(02)86925588轉5310
台北聯經書房	台北市新生南路三段94號
電話	(02)23620308
郵政劃撥	帳戶第0100559-3號
郵撥電話	(02)23620308
印刷者	世和印製企業有限公司
總經銷	聯合發行股份有限公司
發行所	新北市新店區寶橋路235巷6弄6號2樓
電話	(02)29178022

副總編輯	陳逸華
總編輯	涂豐恩
總經理	陳芝宇
社長	羅國俊
發行人	林載爵

行政院新聞局出版事業登記證局版臺業字第0130號

ISBN 978-957-08-6893-7 (平裝)
聯經網址：www.linkingbooks.com.tw
電子信箱：linking@udngroup.com

國家圖書館出版品預行編目資料

思考中華民國/楊儒賓著．初版．新北市．聯經．
2023年7月．544面．17×23公分
ISBN　978-957-08-6893-7（平裝）

1.CST：言論集

078　　112004935